de Bibliotheek
Breda Centrum

D0717608

ROBERT LUDLUM'S

HET BOURNE BEVEL

ERIC VAN LUSTBADER

Uitgeverij Luitingh-Sijthoff

Uitgeverij Luitingh Sijthoff en Drukkerij HooibergHaasbeek vinden het belangrijk om op milieuvriendelijke en verantwoorde wijze met natuurlijke bronnen om te gaan.

Oorspronkelijke titel: *The Bourne Imperative*
Vertaling: Fons Oltheten
Omslagontwerp: Wouter van der Struijs/Twizter.nl
Omslagfotografie: Blacksheep Design

ISBN 978 90 245 5895 7
NUR 332

www.boekenwereld.com
www.lsamsterdam.nl
www.watleesjij.nu

Proloog

Sadelöga, Zweden

Ze dook op uit de mist, en hij rende, zoals hij al uren-, nee dagenlang gerend had. Het voelde alsof hij wekenlang alleen geweest was, alsof zijn hart onophoudelijk in zijn borstkas tekeerging, en alsof zijn geest vertroebeld was door bitter verraad. Slapen was ondenkbaar, rusten iets uit het verleden.

Alles was nu wazig, behalve dan dat zij uit de mist was opgedoken, terwijl hij ervan overtuigd was dat hij – voor de dertiende, of was het de vijftiende keer – aan haar ontsnapt was. Maar daar was ze, dreigend als een mythische, allesvernietigende engel, onverwoestbaar en meedogenloos.

Zijn leven was gereduceerd tot de strijd tussen hun beiden. Er bestond niets anders buiten de witte muur van sneeuw, ijs en sliertige vegen van donkerrode vissershuisjes met witte daklijsten. Ze waren klein en compact en spartaans ingericht.

De mist brandde als vuur – een koud vuur dat langs zijn ruggengraat omhoogtrok en zijn nek in een wurgende greep nam, zoals zij zijn nek in een verstikkende greep had genomen. Wanneer? Dagen geleden? Een week terug? Toen zij samen in bed hadden gelegen, toen zij een ander persoon was geweest, zijn minnares, een vrouw die haarfijn aanvoelde hoe ze hem moest laten trillen en smelten van genot.

Half schaatsend stak hij een groot, bevroren meer over. Hij gleed uit en verloor zijn pistool, dat over het ijs wegschoot. Hij stond op het punt erachteraan te duiken toen hij een tak hoorde knappen, duidelijk en scherp als een messteek.

In plaats daarvan vervolgde hij zijn weg naar een groepje huiverende pijnbomen. Poedersneeuw stoof in zijn gezicht en bedekte zijn wenkbrauwen en de stoppelbaard die hij had gekregen tijdens de lange vlucht die hem door diverse continenten gevoerd had. Hij durfde niet over zijn schouder te kijken om te zien waar zijn achtervolger bleef, omdat hij bang was tijd te verspillen.

Ze had zijn spoor helemaal vanuit Libanon gevolgd. Hij had haar ontmoet in een overvolle, rokerige bar in Dahr El Ahmar – maar achteraf gezien moest hij bekennen dat zíj hem ontmoet had, dat elk gebaar en elk woord uit haar mond een bedoeling had gehad. Alles wees erop dat hij aan de rand van de afgrond stond; zou hij kunnen ontsnappen of zou het zijn dood worden? Ze had een spelletje met hem gespeeld in plaats van andersom – met hém, de op-en-top professional. Hoe had zij zo makkelijk door zijn verdediging kunnen breken? Maar hij wist het, hij wist het: de allesvernietigende engel was onweerstaanbaar.

Tussen de pijnbomen pauzeerde hij even. Zijn adem wolkte voor zijn gezicht. Het was bitter koud, maar in zijn camouflagejas voelde het alsof hij levend verbrandde. Hij klampte zich vast aan een zwarte boomstronk en dacht terug aan de hotelkamer die naar bezwete lichamen en seks stonk. Hij herinnerde zich het moment dat zij op zijn lip had gebeten. Haar tanden beten in zijn vlees terwijl zij lispelde: 'Ik weet het. Ik weet wat jij bent.'

Niet wie, maar wat.

Ze wist het. Hij keek om zich heen naar de wirwar van takken en het labyrint van naalden waarin hij zich schuilhield. Het was onmogelijk. Hoe kon ze het weten? Maar toch...

Hij hoorde opnieuw het knappen van een tak. Tot in al zijn vezels gespannen draaide hij zich in de richting van het geluid. Waar was ze? De dood zou elk moment kunnen toeslaan, maar hij wist dat het niet snel zou gaan. Er waren te veel geheimen die ze te weten moest zien te komen, anders zou ze hem wel hebben vermoord tijdens een van hun dierlijke rendez-vous. Het waren nachten geweest die hem nog rillingen van opwinding gaven, zelfs nu hij wist hoe dicht hij bij de dood was geweest. Ze had hem als speeltje gebruikt – misschien omdat zij net zo van hun vrijpartijen was gaan genieten als hij. Hij lachte geluidloos. Zijn lippen krulden zich. Het was meer een grimas dan een glimlach. Wat een idioot! Hij bleef zichzelf voor de gek houden met de gedachte dat er iets tussen hen was, zelfs nu het bewijs van het tegenovergestelde zo overduidelijk was. Ze had hem behekst. Hij huiverde, kromp ineen en drukte zich met zijn rug tegen de ruwe stam van een pijnboom.

Plotseling had hij er genoeg van om te vluchten. Hier, op de bevroren grens van het hiernamaals zou hij standhouden, hoewel hij geen flauw idee had hoe hij dit dodelijke slagveld levend zou kunnen verlaten. Achter zich hoorde hij het aanhoudende geklots van water. In Sadelöga was je nooit ver van een inham van de Baltische Zee. De mistige lucht proefde zout en rook naar zeewier en fosfor.

Vanuit zijn ooghoek zag hij iets vaags opduiken. Daar was ze! Had ze hem gezien? Hij wilde weg, maar zijn benen voelden als lood. Hij had geen gevoel meer in zijn voeten. Toen hij zijn hoofd langzaam omdraaide, zag hij nog net dat zij het bos in liep.

Ze stopte en hield luisterend haar hoofd scheef, alsof ze hem kon horen ademen.

Onbewust streek hij met zijn tong langs zijn gezwollen onderlip. Zijn gedachten flitsten terug naar een expositie van Japanse houtsnedes – imposant, verheven, en rustgevend. Allemaal, behalve één erotische afbeelding die zo beroemd was dat iedereen ervan gehoord had, zelfs als ze haar niet zelf gezien hadden. De afbeelding die hij in zijn gedachten had, was van een vrouw die door de acht vaardige armen van haar octopusminnaar tot een extatisch hoogtepunt werd gebracht. Zo zag hij zijn minnares, zijn achtervolger. In de oververhitte hotelkamer in Dahr El Ahmar had hij de diepten – of hoogten – ervaren van de extase die de vrouw op de houtsnede ervoer. Wat dat betreft had hij geen spijt. Hij had nooit gedacht, laat staan verwacht, dat iemand hem zoveel genot kon geven, maar zij had dat gedaan, en hij was haar daarvoor op een bijna perverse manier dankbaar, zelfs hoewel zij heel goed zijn dood zou kunnen betekenen.

Hij schrok op. Ze kwam dichterbij. Hij had haar in het doolhof van bomen uit het oog verloren en hoewel hij haar niet hoorde, voelde hij dat ze naderbij kwam, alsof hij een onverklaarbare aantrekkingskracht op haar uitoefende. Dus bleef hij zitten wachten tot het moment dat zij zou opduiken. Hij vroeg zich af wat hij zou doen als dat gebeurde.

Hij hoefde niet lang te wachten. De seconden kropen voorbij en leken weg te drijven in het water achter hem, aan de uiterste rand van het pijnboombos. Ze riep zijn naam, zacht en teder, zoals ze gedaan had toen ze minnaars waren en in elkaar verstrengeld opgingen in hun eigen extases. De rilling die over zijn ruggengraat trok, nestelde zich tussen zijn benen.

Toch... Er waren nog mogelijkheden, verrassingen, kansen om dit slagveld levend te verlaten.

Hij boog zijn hoofd en trok zijn knieën langzaam op tot zijn borst. Het was behoorlijk hard gaan sneeuwen, want steeds meer sneeuwvlokken vonden een weg door de wirwar van naalden. Groene schaduwen werden donkergrijs en zorgden ervoor dat hij nog moeilijker te zien was. Sneeuwvlokken warrelden licht als de vleugelslag van engelen op en neer en begonnen hem te bedekken. Zijn hart ging tekeer in zijn borstkas en hij voelde zijn hartslag in zijn hals.

Ik leef nog steeds, dacht hij.

Hij kreeg haar in de gaten toen zij tussen de stammen van twee pijnbomen door glipte. Zijn neusgaten sperden zich open als bij een dier dat een ander dier ruikt. De jacht kwam hoe dan ook tot een einde. Hij voelde een zekere opluchting. Het zou nu snel voorbij zijn.

Ze was nu zo dichtbij dat hij het knerpende geluid van haar laarzen hoorde bij elke behoedzame stap die zij op het ragfijne sneeuwlaagje zette. Ze stopte anderhalve meter bij hem vandaan. Haar schaduw viel op hem; hij had die schaduw nu wekenlang gevoeld terwijl hij in noordwestelijke richting vluchtte in zijn poging haar van zich af te schudden.

Ik weet wat je bent, had zij gezegd, dus wist zij dat hij alleen was. Er was geen contact dat hij kon bellen in geval van nood, in geval van háár. Hij werkte geïsoleerd van de groep, dus de kans dat de groep verstoord of, erger nog, geïnfiltreerd zou worden, was nihil, in het geval hij gevangengenomen zou worden en blootgesteld zou worden aan een intensieve ondervraging. Toch wist zij ook dat hij in de donkerste krochten van zijn geest geheimen bewaarde, geheimen die zij hem moest zien te ontfutselen op dezelfde manier als dat je het vlees uit het uiterste puntje van een kreeftenschaar peutert.

Octopus en kreeft. Deze benamingen karakteriseerden hen beiden beter dan welke andere traditionele benaming ook.

Ze zei opnieuw zijn naam, deze keer met meer nadruk. Hij tilde zijn hoofd op en keek haar aan. Ze richtte een 10-mm EAA Witness-pistool op zijn rechterknie.

'De vlucht eindigt hier,' zei ze.

Hij knikte. 'De vlucht eindigt hier.'

Ze bekeek hem met een vreemd soort vriendelijkheid. 'Jammer van je lip.'

Zijn lach was kort en kwaadaardig. 'Het lijkt erop dat ik krachtig wakker geschud moest worden.'

Haar ogen hadden de kleur en de vorm van rijpe olijven. Ze staken helder af tegen haar mediterrane huid en strak naar achteren gekamde zwarte haren die op enkele slierten na weggestopt waren in haar capuchon. 'Waarom doe je wat je doet?'

'Waarom doe jij het?'

Ze lachte zacht. 'Dat is niet zo moeilijk.' Ze had een Romeinse neus, fijne jukbeenderen en volle lippen. 'Voor de veiligheid van mijn land.'

'Ten koste van alle andere landen.'

'Is dat niet de definitie van een patriot?' Ze schudde haar hoofd. 'Maar wat weet jij daarvan.'

'Je bent erg zeker van jezelf.'

Ze haalde haar schouders op. 'Zo ben ik geboren.'

Zijn reactie was nauwelijks merkbaar. 'Ik zou wel willen weten waar je aan dacht toen we samen in bed lagen.'

Haar glimlach liet een subtiele verandering zien, maar verder ging haar antwoord niet.

'Ik wil dat je me vertelt wat je weet over Jihad bis saif,' zei ze.

'Ik vertel je niets,' zei hij, 'al wordt het mijn dood.'

Haar glimlach veranderde opnieuw, maar nu in de glimlach die hij zich van de hotelkamer in Dahr El Ahmar herinnerde. Hij zag het goed, het was dezelfde glimlach, maar de omstandigheden waren nu helaas anders.

'Jij hebt geen land, geen aangeboren loyaliteit. Daar hebben je bazen wel voor gezorgd.'

'We hebben allemaal bazen,' zei hij. 'We houden onszelf alleen voor dat dat niet zo is.'

Toen ze een stap naar voren deed, haalde hij uit met het mes dat hij tegen zich aan gedrukt had gehouden. Doordat ze zo dicht bij elkaar stonden, kon ze niet op tijd wegduiken. Voordat ze kon reageren sneed het lemmet al door haar dikke parka en boorde het zich in haar rechterschouder. De EAA slingerde weg toen zij een draai van vijfenveertig graden maakte. Toen ze haar arm liet zakken sprong hij op haar af en gooide haar plat op haar rug. Door zijn surplus aan gewicht verdween zij half in de sneeuw. Hij drukte haar in het bevroren pak naalden onder hen.

Hij gaf haar een geweldige dreun op haar kaak. De EAA lag iets verderop in de sneeuw. Ze schudde hem van zich af. Hij rolde weg en voordat ze de kans had te bewegen, greep hij het mes en duwde het dieper in haar schouder. Ze knarsetandde, maar ze schreeuwde niet. In plaats daarvan stootte ze met haar vingertoppen tegen zijn strottenhoofd. Hij liet het mes los omdat hij moest hoesten en kokhalzen. Zij greep het mes en trok het uit haar schouder. Haar bloed dat langs het lemmet sijpelde, had een donkere glans.

Hij kroop bij haar vandaan, zocht de EAA, pakte hem op en richtte hem op haar. Toen ze begon te lachen, haalde hij de trekker over. Daarna schoot hij nog een keer, en nog een keer. Het pistool was leeg. Wat was haar bedoeling geweest? Deze gedachte schoot door hem heen toen ze een Glock 20 uit haar parka tevoorschijn toverde. Hij smeet de nutteloze EAA naar haar, krabbelde moeizaam overeind, draaide zich om en rende blindelings weg tussen de pijnbomen richting het water. Dat was zijn enige kans om aan haar te ontsnappen.

Onder het rennen ritste hij zijn jas open en schudde hem van zich af. In het water zou hij er alleen maar last van hebben. Het water zou ijskoud zijn – zo koud dat hij slechts vijf of zes minuten zou hebben om zich zwemmend in veiligheid te brengen voordat de kou in zijn botten zou gaan zitten en hem zou verdoven. Verlamming zou snel volgen, en uiteindelijk de dood.

Een kogel floot rakelings langs zijn rechterknie. Hij struikelde, knalde tegen een boom, tuimelde terug en rende weer door, dieper en dieper het bos in. Het geluid van het water golfde op hem af als het geluid van een zegevierend leger. Het kwam steeds dichterbij. Hij snakte naar adem en dwong zichzelf tot het uiterste te gaan.

Toen hij de eerste glinstering van het water zag, slaakte hij een zucht van opluchting. Hij liet de pijnbomen achter zich en zocht zich een weg over het besneeuwde gras dat tussen de kale rotsen groeide die steil naar het water afliepen.

Hij was er bijna toen hij uitgleed. De kogel die bedoeld was voor zijn schouder, schampte de zijkant van zijn hoofd. Hij tolde met wijd gespreide armen in het rond, verblind door zijn eigen bloed, en vervolgde lukraak zijn weg. Toen hij de oever bereikte, begaven zijn benen het. Hij viel voorover en zakte weg in de ijzige diepte.

Jason Bourne keek naar de berijpte eilandjes om hem heen. Hij zat met een hengel in de hand midden in een kleine vissersboot en zwiepte ermee heen en weer op jacht naar zeeforel, snoek of baars.

'Volgens mij houd je niet zo van vissen,' zei Christien Norén.

Bourne gromde, terwijl hij zich afklopte. De korte sneeuwjacht was bijna net zo abrupt gestopt als dat ze begonnen was.

De ijzige lucht was loodgrijs en riep een gevoel van beklemming op.

'Niet bewegen,' waarschuwde Christien. Hij hield zijn hengel op een achteloze manier vast. 'Je schrikt de vissen af.'

'Dat doe ík niet.' Bourne keek aandachtig in het water dat met bruine en gele kleuren dooraderd was. Schaduwen deinden als op een onhoorbare melodie. 'Ze worden door iets anders afgeschrikt.'

'O, natuurlijk.' Christien lachte. 'Je bent zeker een onderwatersamenzwering op het spoor.'

Bourne keek op. 'Waarom heb je me eigenlijk hier mee naartoe genomen? Volgens mij ben jij zelf ook niet zo'n visser.'

Christien keek hem een tijdje onverstoorbaar aan. Uiteindelijk zei hij: 'Als je samenzweringen bespreekt, kun je dat het beste doen in een ruimte zonder muren.'

'Een afgelegen plek. Vandaar deze trip buiten Stockholm.'

Christien knikte. 'Behalve dan dat Sadelöga niet afgelegen genoeg is.'

'Maar buiten op het water voldoet deze boot helemaal aan je behoeften.'

'Ja.'

'Ik hoop dat jullie een goede verklaring hebben voor wat jullie in je schild voeren. Wat ik hoorde van Peter Marks in D.C...'

'Die is niet goed,' zei Christien. 'Sterker nog, die is erg, erg slecht. Dat is waarom...'

De handbeweging van Bourne – zijn vrije, vlakke hand sneed door de lucht – snoerde Christien onmiddellijk de mond. Bourne wees naar de beroering vlak bij hen, de plotselinge golving van het water alsof het water doorsneden werd door een rugvin. Iets kwam naar de oppervlakte, iets groots.

'Mijn hemel,' riep Christien.

Bourne liet zijn hengel vallen, boog zich voorover en greep het lichaam dat van onder het wateroppervlak opdoemde.

Boek een

1

'Geruchten, insinuaties, suggesties, vermoedens.' De president van de Verenigde Staten smeet de leren map met het dagelijkse inlichtingenrapport op de tafel, waar het door Christopher Hendricks neergelegd was.

'Met alle respect, meneer,' zei de minister van Defensie, 'ik denk dat het wel iets meer is dan dat.'

De president keek zijn betrouwbaarste bondgenoot met strakke blik aan. 'Jij denkt dat dit de waarheid is, Chris.'

'Dat denk ik inderdaad, ja.'

De president wees naar de map. 'Als ik iets geleerd heb in mijn lange, glorieuze politieke carrière dan is het wel dat een waarheid zonder feiten gevaarlijker is dan een leugen.'

Hendricks trommelde met zijn vingers op het dossier. 'En waarom zou dat zo zijn, meneer?' Hij zei het zonder rancune; hij was er oprecht benieuwd naar.

De president slaakte een zucht. 'Omdat geruchten, insinuaties, suggesties en vermoedens zonder feiten de neiging hebben te versmelten tot een mythe. Mythes weten zich altijd in de hoofden van mensen te wurmen en worden iets meer, iets groters dan het leven zelf. Iets onuitwisbaars. Zo is Nietzsches "Übermensch" geboren.'

'En u denkt dat dat hier het geval is.'

'Inderdaad.'

'Dat deze man niet bestaat.'

'Dat heb ik niet gezegd.' De president draaide zijn stoel,

plantte zijn ellebogen op zijn glanzende bureau en vouwde zijn handen. 'Wat ik niet geloof zijn de geruchten over wat hij gedaan heeft – over waartoe hij in staat is. Nee, tot op dit moment geloof ik die dingen niet.'

Er viel een korte stilte. Buiten het Oval Office weerklonk even het geluid van een bladblazer. Hendricks keek naar buiten en zag geen bladeren. Maar dat zei niets want al het werk in en rond het Witte Huis gebeurde altijd op een zeer terughoudende manier.

Hendricks schraapte zijn keel. 'Hoe dan ook, meneer, het is mijn vaste overtuiging dat hij een belangrijke bedreiging voor ons land vormt.'

De Amerikaanse vlag stond rechts van het raam. Hij hing slap naar beneden, waardoor de sterren niet goed te zien waren. De president had zijn ogen halfgesloten. Hij ademde diep en gelijkmatig. Als Hendricks niet beter wist, zou hij kunnen denken dat de president in slaap was gevallen.

De president gebaarde om het dossier en Hendricks schoof het naar hem toe. De president opende het en bladerde door de dicht bedrukte pagina's. 'Hoe gaat het met Treadstone?'

'Treadstone functioneert behoorlijk goed.'

'Zijn je beide directeuren op hun taak berekend?'

'Ja.'

'Dat zeg je me iets te snel, Chris. Vier maanden geleden was Peter Marks nog akelig dicht in de buurt van een exploderende autobom. Op bijna hetzelfde moment raakte Soraya Moore gewond toen ze in Parijs in tragische omstandigheden verzeild raakte.'

'Ze heeft de klus geklaard.'

'Je hoeft niet zo in de verdediging te gaan,' zei de president. 'Ik geef alleen maar uitdrukking aan mijn bezorgdheid.'

'Ze zijn allebei medisch en psychisch volkomen gezond verklaard.'

'Ik ben oprecht blij om dat te horen. Maar zij behoren tot een bijzonder slag directeuren, Chris.'

'Hoe bedoelt u?'

'Nou, ik ken geen andere directeuren van inlichtingendiensten die zich regelmatig met veldwerk bezighouden.'

'Zo wordt er bij Treadstone gewerkt. Het is een kleine organisatie.'

'Met opzet, ik weet het.' De president zweeg even. 'En hoe ontwikkelt Dick Richards zich?'

'Hij past zich goed aan in het team.'

De president knikte. Hij tikte peinzend met zijn wijsvinger tegen zijn onderlip. 'Oké,' zei hij uiteindelijk, 'zet Treadstone op deze zaak, als je dat dan per se wilt – Marks, Moore, Richards, zie maar. Maar...' hij schudde dreigend met zijn wijsvinger, '... je brengt mij dagelijks verslag uit over hun vorderingen. Ik wil bovenal feiten, Chris. Bezorg me het bewijs dat deze zakenman...'

'De volgende grote bedreiging van onze veiligheid.'

'Wat hij ook mag zijn, maar bezorg me het bewijs dat hij onze aandacht verdient, anders moet je je waardevolle personeel maar voor andere dringende zaken inzetten. Begrepen?'

'Ja, meneer.' Hendricks stond op en verliet het Oval Office, nu nog bezorgder dan toen hij er binnenging.

Toen Soraya drie maanden geleden uit Parijs terug was gekomen, vond ze dat Treadstone heel erg veranderd was. In de eerste plaats omdat Treadstone van Washington naar Langley, Virginia, verhuisd was. Dat kwam doordat de beveiliging tekortgeschoten was toen de autobom in de ondergrondse parkeergarage van het oude kantoor geëxplodeerd was, waardoor Peter gewond was geraakt. In de tweede plaats kwam dat door de aanwezigheid van een grote, magere man met dunnend haar en een innemende glimlach.

'Wie heeft mijn kaas gepikt?' had ze op een iets te luide fluistertoon tegen haar mededirecteur en goede vriend Peter Marks gezegd.

Peter was in de lach geschoten terwijl hij haar omhelsde. Ze wist dat hij op het punt stond om haar te vragen naar Amun Chalthoum, het hoofd van al-Mokhabarat, de Egyptische geheime dienst, die gedood was tijdens haar missie in Parijs. Ze wierp hem een waarschuwende blik toe en hij slikte zijn vraag in.

De grote, magere man was uit zijn werkkamertje gekomen en liep naar hen toe. Hij stak zijn hand uit en stelde zich voor als Dick Richards. Een absurde naam, dacht Soraya.

'Het is goed dat u terug bent,' zei hij vriendelijk.

Ze keek hem bevreemd aan. 'Waarom zeg je dat?'

Ik heb sinds mijn eerste werkdag hier veel over u gehoord, het meeste van directeur Marks.' Hij glimlachte. 'Ik wil u met alle plezier bijpraten over de inlichtingendossiers waaraan ik gewerkt heb, mocht u daar prijs op stellen.'

Ze toverde een glimlach op haar gezicht en hield die vast totdat hij met een knikje afscheid van hen nam.

Toen hij weg was, richtte ze zich tot Peter. 'Dick Richards? Echt waar?'

'Richard Richards. Zoiets als Major Major uit *Catch-22*.'

'Waar is Hendricks in godsnaam mee bezig?'

'Onze baas heeft er niets mee te maken. Hij is door de president benoemd.'

Soraya staarde naar Richards die weer achter zijn computer zat te ploeteren. 'Een spion binnen de muren van Treadstone?'

'Mogelijk,' zei Peter. 'Hij heeft in ieder geval een uitstekende reputatie op het gebied van het bestrijden van cyberspionage.'

Ze had het als grapje bedoeld, maar Peter had haar bloedserieus antwoord gegeven. 'Je wil me toch niet vertellen dat de president Hendricks opeens niet meer vertrouwt?'

'Ik denk,' had Peter haar in haar oor gefluisterd, 'dat de president, na wat er met ons beiden gebeurd is, zijn twijfels over ons heeft.'

Uiteindelijk pakten Soraya en Peter de trauma's aan die ze beiden vier maanden eerder opgelopen hadden. Het duurde lang voordat zij iets over Amun kon zeggen. Peter had een oneindig geduld met haar, maar dat was niet zo verwonderlijk; hij vertrouwde erop dat zij het hem zou vertellen, als ze er klaar voor was.

Ze hadden net een telefoontje van Hendricks gehad. Over een uur moesten ze bij hem komen voor een spoedvergadering. Ze hadden nog tijd genoeg. Eensgezind pakten ze zwijgend hun jassen.

'Assessmentbijeenkomst over veertig minuten,' zei Tricia, een mollige blondine, tegen Peter toen ze de deur uit liepen. Peter gromde. Zijn gedachten waren heel ergens anders.

Buiten liepen ze naar de overkant van de straat waar ze aan de rand van het park bij hun favoriete stalletje koffie en kaneelbroodjes kochten. Met opgetrokken schouders en met hun rug naar het Treadstone-gebouw wandelden ze onder de kale bomen die niet altijd een even goede bescherming boden.

'Het ergste is,' zei ze, 'dat Richards een slimme kerel is. We zouden zijn ervaring nodig kunnen hebben.'

'Als we hem maar konden vertrouwen.'

Soraya nam een slok koffie om wat warmer te worden. 'We zouden kunnen proberen om hem aan onze kant te krijgen.'

'Dan zouden we tegen de president ingaan.'

Ze haalde haar schouders op. 'Vertel me iets nieuws.'

Hij lachte en sloeg zijn arm om haar heen. 'Ik heb je gemist.'

Ze kreeg een nadenkende blik in haar ogen, terwijl ze met haar tanden een stuk van haar kaneelbroodje trok en er bedachtzaam op begon te kauwen. 'Ik ben lang in Parijs gebleven.'

'Niet echt verbazingwekkend. Het is een stad die je moeilijk kunt loslaten.'

'Amuns dood was een schok.'

Peter had de beleefdheid om zijn mening voor zich te houden. Ze liepen een tijdje zwijgend verder. Een kind stond naast zijn vader en liet het touw vieren van een vlieger in de vorm van een vleermuis. Ze lachten. De vader legde zijn arm om de schouder van de jongen. De vlieger ging steeds hoger.

Soraya keek naar hen. Haar blik ging omhoog naar de vlieger. Uiteindelijk zei ze: 'Terwijl ik herstelde, dacht ik: waar ben ik in hemelsnaam mee bezig? Is dit de manier waarop ik de rest van mijn leven wil doorbrengen? Vrienden kwijtraken en...'

Haar stem stokte. Ze had sterke, maar tevens tegenstrijdige gevoelens voor Amun gehad. Ze had zelfs even gedacht dat ze van hem hield, maar ze was uiteindelijk tot de conclusie gekomen dat dat niet zo was. Die openbaring had haar schuldgevoel alleen maar verergerd. Als zij hem niet gevraagd had, als hij niet van haar gehouden had, was Amun nooit naar Parijs gekomen. Dan zou hij nu nog geleefd hebben.

Ze had plotseling geen trek meer en overhandigde haar koffie en de rest van haar kaneelbroodje aan een zwerver op een bank die enigszins verbaasd opkeek en haar met een knikje bedankte. Toen ze buiten zijn gehoorsafstand waren, zei ze zacht: 'Peter, ik kan mezelf niet uitstaan.'

'Je bent ook maar een mens.'

'Kom op, zeg.'

'Heb je nooit eerder een fout gemaakt?'

'Maar een mens, ja,' herhaalde ze met gebogen hoofd zijn woorden. 'Maar dit was een afschuwelijke beoordelingsfout. Ik ben vastbesloten om zo'n fout nooit meer te maken.'

De stilte die volgde, duurde zo lang dat ze Peter verontrustte. 'Je denkt er toch niet over om ontslag te nemen?'

'Ik denk erover om terug te gaan naar Parijs.'

'Meen je dat?'

Ze knikte.

De uitdrukking op Peters gezicht veranderde plotseling. 'Je hebt daar iemand ontmoet.'

'Misschien.'

'Toch geen Fransman. Alsjeblieft, zeg me dat het geen Fransman is.'

Zwijgend keek ze hoe de vlieger hoger en hoger ging.

Hij lachte. 'Toe,' zei hij, 'ga niet, alsjeblieft.'

'Dat is nog niet alles,' zei ze. 'Daar in Parijs besefte ik dat er in het leven meer is dan je aan de schaduwen vast te blijven klampen als een spin aan zijn web.'

Peter schudde zijn hoofd. 'Ik zou willen dat ik wist...'

Opeens wankelde ze. Ze zou gevallen zijn als Peter zijn broodje en koffie niet had laten vallen, en haar onder de arm had gepakt om haar te ondersteunen. Hij leidde haar bezorgd naar een bank, waar ze met haar hoofd in haar handen ging zitten.

'Ademhalen,' zei hij met een hand op haar rug. 'Adem diep in.'

Ze knikte en deed wat hij zei.

'Soraya, wat is er aan de hand?'

'Niets.'

'Je moet een zeikerd niet in de zeik nemen.'

Ze haalde diep adem en liet de lucht langzaam ontsnappen. 'Ik weet het niet. Vanaf het moment dat ik uit het ziekenhuis ben, heb ik last van dit soort flauwtes.'

'Ben je bij een dokter geweest?'

'Dat was niet nodig. Ik had er steeds minder last van. Het is langer dan twee weken geleden dat ik de laatste gehad heb.'

'En nu deze.' Hij wreef met zijn hand over haar rug in een poging om haar te kalmeren. 'Ik wil dat je een afspraak maakt...'

'Je moet me niet als een kind behandelen.'

'Dan moet jij je niet als een kind gedragen.' Hij ging op gedempte toon verder. 'Ik maak me zorgen om jou en ik vraag me af waarom jij dat niet doet.'

'Oké,' zei ze. 'Oké.'

'Nu kun je niet terug naar Parijs,' zei hij slechts half voor de grap. 'Niet totdat...'

Ze lachte, en ten slotte keek ze op. In haar ooghoeken glansden tranen. 'Dat is nu precies mijn dilemma.' Daarna schudde ze haar hoofd. 'Ik zal nooit rust vinden, Peter.'

'Wat je bedoelt is dat je het niet verdient om rust te vinden.'

Ze keek hem aan en haalde met een flauwe glimlach haar schouders op. 'Misschien moeten we aan elkaar duidelijk maken waarom we allebei een beetje geluk verdienen. Misschien moeten we ons daarop concentreren.'

Ze stond op en schudde zijn hand van zich af. Ze liepen terug. De zwerver was klaar met het verorberen van het ontbijt dat Soraya hem gegeven had en lag nu op zijn zij. Hij had *The Washington Post* als een deken over zich heen getrokken.

Toen ze hem passeerden, konden ze hem zwaar horen snurken, alsof niets in de wereld hem kon deren. En misschien, dacht ze, was dat ook wel zo.

Ze wierp een zijdelingse blik op Peter. 'Wat zou ik zonder jou moeten?'

Hij kreeg een glimlach op zijn gezicht die steeds breder werd. 'Dat vraag ik me nu ook al de hele tijd af.'

'Weg?' zei de directeur. 'Hoe bedoel je, weg?'

Boven zijn hoofd was het huidige Mossad-motto gegraveerd. Het kwam uit Spreuken 11:14: *Door gebrek aan visie gaat het volk ten onder, een keur van raadgevers brengt het tot bloei.*

'Ze is spoorloos verdwenen,' zei Dani Amit, hoofd van de afdeling Buitenlandse Inlichtingen. 'We hebben ons tot het uiterste ingespannen maar het is ons niet gelukt om haar te traceren.'

'Maar we moeten haar traceren.' De directeur schudde zijn ruig behaarde hoofd en tuitte zijn leverkleurige lippen. Het was duidelijk dat hij zich zorgen maakte. 'Rebeka is de sleutel tot de missie. Zonder haar zijn we machteloos.'

'Dat begrijp ik, meneer. Dat begrijpen we allemaal.'

'Dan...'

Dani Amits bleekblauwe ogen hadden een oneindig trieste uitdrukking. 'We weten eenvoudigweg niet wat we moeten doen.'

'Hoe kan dat nu? Zij is een van ons.'

'Dat is nu precies het probleem. We hebben haar te goed getraind.'

'Als je gelijk hebt, zouden onze mensen haar moeten kunnen vinden, omdat zij net zo goed getraind zijn als zij. Maar zij hebben haar niet gevonden, dus moet ik helaas constateren dat zij beter is.' De berisping was net zo helder als scherp.

'Ik ben bang...'

'Ik wil niet dat je dat zegt,' zei de directeur kortaf. 'Haar baan bij de luchtvaartmaatschappij?'

'Een dood spoor. Haar chef heeft geen contact met haar gehad sinds het incident in Damascus zes weken geleden. Ik ben ervan overtuigd dat hij niet weet waar ze is.'

'Hoe zit het met haar telefoon?'

'Ze heeft hem weggegooid of ze heeft de gps uitgeschakeld.'

'Vrienden, familie.'

'Die zijn ondervraagd. Rebeka heeft niemand over ons verteld. Dat is een ding dat zeker is.'

'Om het protocol op deze manier te doorbreken...'

De zin hoefde niet afgemaakt te worden. De Mossad-regels waren volstrekt duidelijk. Rebeka had de belangrijkste regel geschonden.

De directeur draaide zich om en staarde somber uit het raam van zijn kantoor op de bovenste verdieping van een rond, glazen bouwwerk in Herzlija. Aan de andere kant van de stad waren het trainingscentrum van de Mossad en de zomerresidentie van de premier. De directeur ging hier vaak naartoe als hij zich weemoedig voelde worden en het drukke centrale hoofdkwartier van de Mossad in de binnenstad van Tel Aviv hem benauwde. De oprijlaan slingerde zich om een fontein en er waren altijd bloeiende planten, om maar te zwijgen van de nabijgelegen haven met zijn vloot aan zeilboten die op hun ligplaats lagen te dobberen. Dat woud van masten had iets heel geruststellends, zelfs voor Amit, alsof uit hun aanwezigheid een bepaalde blijvendheid sprak in een wereld waarin alles in een vloek en een zucht kon veranderen.

De directeur hield van zeilen. Iedere keer als hij iemand verloor, wat gelukkig niet al te vaak voorkwam, trok hij eropuit, alleen op zee met de wind en het klagende gekrijs van de meeuwen. Zonder zich om te draaien zei hij vrij scherp: 'Vind haar, Dani. Zoek uit waarom ze ons niet gehoorzaamd heeft. Zoek uit wat ze weet.'

'Ik weet niet...'

'Ze heeft ons bedonderd.' De directeur draaide zijn stoel terug en boog zich voorover. Zijn stoel maakte onder zijn kolossale gewicht een protesterend, schril geluid. De volle kracht van zijn autoriteit was in elk woord dat hij sprak te horen. 'Zij is een verraadster. We zullen haar als zodanig aanpakken.'

'*Memune*, ik verbaas me over de snelheid waarmee u tot deze conclusie komt.' Amit had de interne aanspreektitel van de directeur gebruikt: eerste onder gelijken.

De kogel- en bomvrije ramen waren gecoat met een folie die licht reflecteerde, maar die er ook voor zorgde dat anderen niet naar binnen konden kijken, wat de ruimte een aquariumachtige sfeer gaf. De ogen van de directeur leken in het flauwe kantoorlicht te flikkeren als die van een diepzeevis die plotseling in het schijnsel van de voorhoofdlamp van een duiker gevangen wordt. 'Het is me niet ontgaan dat zij jouw lievelingsproject is geweest, maar het wordt nu tijd dat je toegeeft dat je het fout gezien hebt. Zelfs als ik ertoe zou neigen om haar het voordeel van de twijfel te geven, is het te laat. De gebeurtenissen dreigen ons boven het hoofd te groeien. We zijn oude vrienden maar ook strijdmakkers. Dwing me niet om de Duvdevan erbij te halen.'

Het beangstigende spookbeeld van het inroepen van de elite-eenheid van de Israëlische krijgsmacht trof Amit als een messteek. Het was een teken van Rebeka's buitengewone belang voor Israëls veiligheid dat de directeur zelfs met het inroepen van de Duvdevan dreigde om Amit aan te zetten tot iets wat hij eigenlijk niet wilde doen.

'Wie ga je inzetten?' De directeur vroeg het langs zijn neus weg alsof hij vroeg naar Amits vrouw en kinderen.

'En haar unieke kwaliteiten en bruikbaarheid dan?'

'Haar verraad heeft alles overtroefd, Amit, zelfs die buitengewone kwaliteiten. We moeten aannemen dat zij overstag is gegaan door wat zij ontdekt heeft. Wat als zij van plan is om die kennis aan de hoogste...'

'Onmogelijk,' stoof Amit op.

De directeur keek hem even met samengeknepen ogen peinzend aan. 'Ik geloof dat jij tot de dag van vandaag vol zou houden dat het onmogelijk was dat zij zou verdwijnen.' Hij wachtte. 'Heb ik gelijk of niet?'

Amit liet zijn hoofd hangen. 'U hebt gelijk.'

'Dus.' De directeur vouwde zijn handen. 'Wie zal het zijn?'

'Ilan Halevy,' zei Amit met sombere stem.

'De Babyloniër.' De directeur knikte, ogenschijnlijk onder de indruk. Ilan had zijn naam gevestigd door bijna in zijn eentje het Iraakse Babylon Advanced Weapons Project om zeep te helpen. Tijdens die actie had hij een stuk of tien vijandelijke agenten uitgeschakeld. 'Eindelijk komen we tot de kern van de zaak.'

Hier hield de directeur van; het was een van zijn meest bewonderenswaardige eigenschappen. Zijn starheid behoorde daar niet toe. Hoe het ook zij, het was zijn ijzeren hand aan het roer geweest die hen de afgelopen vijf jaar met succes en met een minimum aan eigen slachtoffers door de ruwe wateren van internationale spionage, clandestiene invallen in vijandelijk gebied, en door de regering gesanctioneerde executies geleid had. Hij ervoer het verlies van eigen mensen als een zware tegenslag. Dat was de reden waarom hij, als dat voorkwam, naar zee moest. Daar liet hij zijn ellende achter en maakte hij zijn hoofd leeg.

'Wanneer begint hij?'

'Nu,' zei Amit. 'Hij kent Rebeka goed, beter dan wie ook.'

'Uitgezonderd jij.'

Amit wist waar de directeur op doelde, maar hij wilde er niet op ingaan. 'Ik zal de Babyloniër zelf op de hoogte brengen en hem alles vertellen wat ik weet.'

Dat was een leugen en Amit veronderstelde dat zijn oude vriend dat wist, maar gelukkig reageerde de directeur niet. Hoe zou hij de Babyloniër alles wat hij wist over Rebeka kunnen vertellen? Dat was een daad van verraad die hij niet wilde plegen, zelfs niet om bij de directeur een goede beurt te maken. Hij had gelogen omdat hij niet wilde dat de directeur hem het directe bevel zou geven om de Babyloniër alles te vertellen wat hij wist. Zo'n morele keuze zou mogelijk het einde van hem betekenen of, op zijn minst, van zijn invloed binnen de Mossad.

De stoel piepte opnieuw toen de directeur terugdraaide naar zijn uitzicht op de haven. Hij leek in gedachten verzonken. 'Dat is dan geregeld.' Het klonk alsof hij tot zichzelf sprak. 'We zijn klaar.'

Amit stond op en vertrok in alle stilte. Er was voor de twee mannen geen reden om het gesprek voort te zetten.

In de hal draaide de airconditioning op volle toeren. Amit bleef even bewegingloos staan alsof hij niet wist wat hem te doen stond. Af en toe, in voorkomende gevallen, vroeg de directeur Amit mee op een zeiltocht. Ze rouwden dan om de man of vrouw die ze goed kenden en die zijn of haar leven gegeven had voor de veiligheid van het land. Amit stelde zich zo voor dat dit noodzakelijke ritueel na Rebeka's dood weer zou plaatsvinden.

2

Toen hij bijkwam, zwom hij nog steeds door ijskoud water, zwart als de nacht. Het water was al in zijn neusgaten gedrongen en gaf daar een branderig gevoel. Zijn longen dreigden vol te stromen. Verdrinken, hij was aan het verdrinken. Hij trapte zijn schoenen uit en graaide in zijn zakken om zich te ontdoen van sleutels, portemonnee, een dikke rol bankbiljetten, alles wat hem misschien zou laten zinken. Toch zakte hij nog steeds dieper weg.

Hij zou wel willen schreeuwen, maar hij deed het niet omdat hij bang was dat het water zijn mond binnen zou stromen. In plaats daarvan begon hij heftige bewegingen te maken en probeerde hij zich door het ijzige water een weg naar de oppervlakte te klauwen.

Iets greep zijn armen en probeerde hem in toom te houden. In het halfduister van het water opende hij zijn ogen. Doodsangst laaide op. Hij lag op de bodem van de zee, hallucinerend, terwijl hij aan het verdrinken was.

'Het is al goed,' zei iemand. 'Je bent veilig. Alles is goed, nu.'

Het duurde een moment – een moment dat voelde als een eeuwigheid. Intense angst hield hem in een wurgende greep. Hij hoorde de woorden weer, maar hij kon er nog steeds geen wijs uit worden: de helderheid, het feit dat hij kon ademen, de aanblik van twee gezichten voor hem, normaal ademen, wat onverklaarbaar was aangezien ze allemaal onder water waren.

'Het licht,' zei een tweede stem. 'Hij denkt... Doe de lichten aan.'

Door het plotselinge, felle licht knipperde hij met zijn ogen. Zo'n schittering was op de zeebodem toch niet mogelijk? Toen hij de woorden voor de derde keer hoorde, begonnen ze door scheurtjes in het pantser van zijn doodsangst te sijpelen. Hij begon te beseffen dat hij net zo normaal ademde als zij, wat betekende dat hij niet langer aan het verdrinken was.

Met dat besef kwam de bewustwording van de pijn in zijn hoofd, en bij de eerstvolgende hartslag kromp hij ineen. Maar in ieder geval ontspande zijn lichaam zich; hij stopte zijn gevecht tegen de handen die hem in bedwang hielden. Hij verzette zich niet toen ze hem neerlegden. Hij voelde iets zachts onder zich, iets droogs en stevigs – een matras – waardoor hij wist dat hij niet op de bodem van de zee lag, om daar te sterven terwijl hij hulpeloos in het golvende niets lag te staren.

Hij zuchtte diep. Zijn benen ontspanden zich en zijn armen werden langs zijn lichaam gelegd, waarna ze werden losgelaten. Hij staarde in het wazige gezicht boven hem. Het terugkerende beeld van water dat zich boven hem sloot, deed hem huiveren. Hij zou nooit meer met een boot meegaan of in de golven van de branding duiken zoals hij dat als kind altijd deed. Hij fronste zijn wenkbrauwen. Had hij dat ooit echt gedaan? Met een enorme inspanning probeerde hij zich te concentreren, maar hij realiseerde zich dat hij zich zijn kindertijd niet kon herinneren. Zijn frons verdiepte zich. Hoe was dat mogelijk?

Hij werd afgeleid door het gezicht boven hem dat iets tegen hem zei. 'Mijn naam is Christien. Hoe heet jij?' Christien herhaalde de vraag in diverse talen, die hij allemaal verstond, hoewel hij geen idee had hoe dat kon. Hij herinnerde zich totaal niet dat hij welke taal dan ook geleerd had.

Toen Christien zijn mond hield, zei hij automatisch: 'Mijn naam is...' Toen stokte zijn stem.

'Wat is er gebeurd?' vroeg Christien.

'Ik weet het niet.' Hij keek de kamer rond, bijna in paniek. 'Ik herinner me mijn naam niet.'

Christien stond op en draaide zich om. Hij zei iets wat hij niet verstond, tegen een wazige figuur die rechts achter hem stond. Hij probeerde het gezicht te zien, maar toen ging de persoon in het licht staan.

'Weet je niet meer hoe je heet?' vroeg de tweede man.

Hij schudde zijn hoofd, maar dat veroorzaakte een helse koppijn.

'Wat herinner je je wel?'

Hij nam de tijd, maar dat zorgde er alleen maar voor dat het koude zweet hem uitbrak. De rimpels in zijn voorhoofd werden steeds dieper terwijl hij zich inspande om zich ook maar iets te herinneren.

'Rustig maar,' zei de tweede man. Hij leek de rol van Christien te hebben overgenomen.

'Wie ben je?' vroeg hij.

'Mijn naam is Jason. Je bent in een privékliniek in Stockholm. Christien en ik waren aan het vissen toen jij opdook. We hebben je in de boot getrokken en zijn hiernaartoe gevlogen. Je leed aan hypoxie en onderkoeling.'

Hij dacht, ik moet Jason vragen wat die woorden betekenen, maar tot zijn verbazing wist hij dat al. Hij streek met zijn tong langs zijn lippen. Christien boog zich voorover. Hij schonk water in een plastic bekertje en deed er een rietje in. Christien trapte op een pedaal. Zijn hoofd en bovenlichaam kwamen omhoog tot hij overeind zat. Hij nam het bekertje dankbaar aan en nam enkele slokjes water. Hij voelde zich uitgedroogd, alsof zijn dorst nooit meer gelest zou worden.

'Wat... wat is er met mij gebeurd?'

'Je bent neergeschoten,' zei Jason. 'Een kogel heeft de linkerkant van je hoofd geschampt.'

Werktuigelijk ging zijn linkerhand naar de zijkant van zijn hoofd en bevoelde de dikke laag verband. Hij wist nu waarom hij zo'n barstende koppijn had.

'Weet je wie je heeft neergeschoten? Waarom je bent neergeschoten?'

'Nee,' zei hij. Hij dronk het bekertje leeg en hield het omhoog voor meer.

Terwijl Christien bijschonk, zei Jason: 'Weet je waar je bent neergeschoten, waar je in het water bent terechtgekomen?'

Bij het horen van het woord water huiverde hij. 'Nee.'

Christien gaf hem het bekertje. 'Bij Sadelöga.'

'Herinner je je Sadelöga?' vroeg Jason. 'Komt de naam je bekend voor?'

'Helemaal niet.' Hij stond op het punt om zijn hoofd weer te schudden, maar hij weerhield zich er op tijd van. 'Het spijt me, ik herinner me niets.'

Dit antwoord leek Jason te interesseren. 'Helemaal niets?'

Hij stopte met drinken. 'Ik weet niet meer waar ik geboren ben, wie mijn ouders zijn, wie ik ben, wat ik deed in – wat zei je ook alweer?'

'Sadelöga,' zei Christien.

'Misschien was ik er aan het vissen,' zei hij hoopvol, 'net zoals jullie.'

'Ik betwijfel ten zeerste dat neergeschoten worden bij het vissen hoort, en het is niet echt een geweldig jachtgebied,' zei Jason. 'Nee, je was in Sadelöga om een geheel andere reden.'

'Ik zou willen dat ik wist wat de reden was,' zei hij oprecht.

'Er is nog iets anders,' zei Jason. 'Je had geen identificatie bij je – geen portemonnee, paspoort, sleutels, geld.'

Hij dacht even na. 'Die heb ik allemaal weggegooid, samen met mijn schoenen, om me lichter te maken. Ik wilde wanhopig graag terug naar de oppervlakte. Alles zal op de bodem van de zee liggen.'

'Je herinnert je dat je die dingen hebt weggegooid,' zei Jason.

'Ik... Ja, inderdaad.'

'Je zei dat je je niets kon herinneren.'

'Dat herinner ik me wel. Anders niets.' Hij keek Jason aan. 'Ik herinner me niet dat je me uit het water hebt getrokken, of de reis hiernaartoe. Alleen die eerste angstige momenten nadat ik kopje-onder ging. Het zinken zelf niet. Verder helemaal niets.'

Jason leek in gedachten verzonken. 'Misschien dat we je, nadat je voldoende hersteld bent, mee terug nemen naar Sadelöga.'

'Zou je daarmee in kunnen stemmen?' vroeg Christien.

Hij dacht er even over na. Aan de ene kant boezemde de gedachte om terug te keren naar de plek waar hij in het water had gelegen hem grote angst in; aan de andere kant had hij een overweldigende behoefte om te weten wie hij was.

'Wanneer kunnen we vertrekken?' zei hij ten slotte.

'Wat denk je?'

Bourne keek Christien aan. Ze zaten beneden in de lounge van de privékliniek die het eigendom was van Christiens bedrijf. Buiten, op Stallgatan, was het een drukte van belang, maar de dikke ramen van de kliniek dempten al het lawaai. Wolken verzamelden zich als voor het begin van een strijd. Het leek erop dat het opnieuw zou gaan sneeuwen. Ze zaten op lage, moderne meubels van Zweeds design die zowel stijlvol als praktisch waren. De banken hadden een gewaagd patroon met bijpassende, zachte kleuren en ze waren de blikvanger in het vertrek dat opgedeeld was in verschillende gespreksruimten.

'Hij herinnert me aan mezelf,' zei Bourne.

Christien knikte. 'Ik dacht hetzelfde, hoewel het geheugenverlies van deze man praktisch volledig lijkt.'

'Als hij de waarheid spreekt.'

'Jason, hij was overduidelijk behoorlijk overstuur. Is er een aanleiding om aan hem te twijfelen?'

'De kogel die langs de zijkant van zijn hoofd schampte,' zei Bourne. 'Hij is geen toerist. En hij begreep ook alle vijf de talen die je tegen hem sprak. Dat zul je zelf ook gemerkt hebben.'

'Dus hij spreekt zijn talen. Wat zegt dat?'

'Dat doe ik ook.'

'Jij bent ook een professor in de vergelijkende taalwetenschap.'

'Ooit geweest.'

'Dat zou hij ook kunnen zijn.'

'Wat deed hij daar met een kogelwond op de zijkant van zijn hoofd?'

'Dat is inderdaad vreemd.'

'Ik wil uit zien te vinden of hij hetzelfde werk doet als wij.'

Christien keek hem sceptisch aan. 'Alleen maar omdat hij een talenkenner is?'

Bourne gebaarde. 'Kijk, als hij geen spion is, hoeven we ons nergens zorgen over te maken. Maar gelet op wat je me verteld hebt...'

Christien spreidde zijn handen. 'Oké, wat stel je voor?'

'We hebben nog even de tijd voordat we hem naar Sadelöga kunnen brengen.'

'Wat doet dat ertoe? In zijn huidige toestand krijgen we toch niets uit hem.'

'Dat is niet waar. We kunnen hem aan een serie testen onderwerpen.'

Christien schudde zijn hoofd. 'Testen? Wat bedoel je?'

Bourne boog zich voorover en ging op het puntje van de bank zitten. 'Jij hebt ontdekt dat deze man op zijn minst vijf talen spreekt en dat hij zich daar zelf niet bewust van was. Laten we zien uit te vinden wat hij allemaal vergeten is, terwijl hij het wel weet.'

Soraya en Peter verlieten de bijeenkomst met Hendricks met gemengde gevoelens.

'Deze zogenaamde Nicodemo lijkt wel een geest,' zei Soraya. 'Ik hou er niet van om geesten na te jagen.'

'Hendricks lijkt om de een of andere reden geobsedeerd door de zoektocht naar en de eliminatie van Nicodemo,' zei Peter. 'Hij gaf het de hoogste prioriteit. En toch beschikte hij niet over specifieke inlichtingen of geruchten die erop zouden kunnen wijzen dat Nicodemo plannen heeft voor een aanval op Amerikaanse functionarissen of burgers in het buitenland of in de VS zelf. Ik bespeur een politiek heet hangijzer.'

'Daar zou ik nou nooit aan hebben gedacht.'

Peter lachte. 'Dat komt omdat jij nog steeds met één been in Parijs staat.'

Ze draaide zich naar hem om. 'Denk je dat?'

Hij haalde zijn schouders op. 'Kun je me dat kwalijk nemen?'

In de gang was het stil, op het gezoem na van de ventilatoren die hoog aan de muur hingen. Ze dacht dat ze Dick Richards door de gang op hen af zag komen lopen. Die kerel was net een bloedzuiger.

Ze gebaarde met haar hoofd in Richards' richting. 'Als we elkaar niet kunnen vertrouwen, zijn we de klos.'

'Dat is precies wat ik ook dacht. Met betrekking tot je vertrek...'

'Laten we daar nu niet over praten, Peter.' Ze zuchtte. Het was inderdaad Richards die op hen afkwam. 'Hoe belangrijk is het voor ons om Nicodemo te vinden?'

Als je vermoedens juist zijn en het zaakje is politiek, is het niet erg belangrijk. Ik heb deze baan niet genomen om Hendricks' waterdrager te zijn.'

'Ik denk dat ik weet wat ik de waterdrager die eraan komt, moet vertellen.'

Ze had een brede glimlach op haar gezicht toen ze Dick Richards halverwege de gang ontmoetten.

Richards overhandigde Peter een dossier. 'Ik heb hier de samenvatting van enkele inlichtingendossiers waarvan ik dacht dat ze voor u interessant zijn,' zei hij behulpzaam.

'Bedankt.' Peter opende het dossier en bekeek de inhoud met weinig interesse.

Soraya gaf Richards het mapje met de warrige informatie over Nicodemo dat Hendricks hun tijdens de bijeenkomst had gegeven.

'Peter en ik willen graag dat je deze verdachte persoon opspoort,' zei ze. 'Kijk of je iets essentieels over hem kunt vinden, en of hij een gevaar vormt voor de belangen van de vs in het buitenland.'

Peter keek op toen Richards knikte. Hij wierp haar een scherpe blik toe, die zij beantwoordde met haar liefste glimlach.

'We zouden het fijn vinden als je alles waar je nu mee bezig bent laat voor wat het is,' vervolgde ze, 'en dat je je hierop concentreert totdat je een antwoord voor ons hebt. Je kunt Tricia vragen als je hulp nodig hebt.' Ze gebaarde in de richting van de mollige blondine.

'Geweldig.' Richards, die niet geïnteresseerd was in wat voor hulp dan ook, sloeg met de rug van zijn hand tegen het dunne dossier dat Soraya hem gegeven had. 'Ik ga er meteen mee aan de slag.'

'Zo wil ik het horen,' zei ze. '*Make it so, Number One*. Aan de slag.'

'*Star Trek: The Next Generation*, hè?' Hij keek haar overdreven glimlachend aan. 'Ik zal u niet teleurstellen, kapitein.' Hij draaide zich op zijn hakken om en liep door de gang terug naar zijn hok om met zijn onderzoek te beginnen.

Peter trok zijn wenkbrauwen op. 'Dat was een mooi staaltje improviseren.'

Ze haalde haar schouders op. 'Het bespaart ons een hoop tijd en het zorgt ervoor dat hij ons niet voor de voeten loopt. Mooi toch?'

Toen Dick Richards hun onderdrukte gelach hoorde, begon hij van gedachte te veranderen met betrekking tot wat er net gebeurd was. Of misschien verbeeldde hij zich alleen maar dat ze lachten. Maar hij proefde wel degelijk hun minachting. Toen hij op voorspraak van de president hier was gekomen, was de houding van directeur Marks correct geweest – afstandelijk maar behulpzaam. Maar de sfeer begon minder te worden vanaf het moment dat directeur Moore terugkeerde van haar ziekteverlof in Parijs. Met betrekking tot de beide directeuren van Treadstone kon Richards alleen maar afgaan op van horen zeggen, op kantoorroddel, en op, het minst betrouwbaar van allemaal, de mythes die tussen de verschillende kantoren de ronde deden en die als rook de waarheid versluierden.

De orders van de president waren buitengewoon duidelijk geweest. Hij had de aandacht van de machtigste man getrokken door zijn werk bij NSA. Hij had de *core code* gekraakt van de afschuwelijke Stuxnet-worm, tot op dat moment de meest geavanceerde, kwaadaardige softwareworm en de eerste die een cyberwapen werd genoemd. De worm had de beste cyberanalisten maandenlang voor grote raadsels geplaatst. Variaties van deze Stuxnet-worm hadden informatie opgeslorpt over geavanceerde wapensystemen van de VS, over clandestiene geldstromen, over militaire aanvalsplannen in zowel Irak als Afghanistan, en over aanvalsdoelen voor onbemande vliegtuigjes in West-Pakistan. Hij was ook degene geweest die ontdekt had dat de SecurID-wachtwoorden die de federale geheim agenten gebruikten, gehackt waren. Hij had het veiligheidslek geïdentificeerd en het gedicht.

Hij was net Einstein die de vergelijking voor de snelheid van het licht formuleerde. Zo was hij althans door Mike Holmes, zijn vroegere baas bij NSA, aan de president omschreven. Hij werkte nu alleen voor de president en rapporteerde direct aan hem. Hun relatie was uniek en het was dan ook niet zo verwonderlijk dat de leden van het kabinet van de president groen en geel zagen van jaloezie en behoorlijk gepikeerd waren over zijn aanwezigheid, laat staan over zijn cybertriomfen. Hij ging achter zijn bureau zitten en keek naar zijn computerscherm. In grote lijnen kwam het er volgens hem op neer dat ze hem niet begrepen. Hij had ontdekt dat mensen alles en iedereen die ze niet begrepen, haatten en vreesden.

Zijn nieuwe directeuren hoorden duidelijk tot dat weerspannige kamp. Jammer. Hij was gesteld geraakt op directeur Marks, en dat zou met directeur Moore misschien ook gebeurd zijn als ze hem een kans hadden gegeven. Iemand anders zou wellicht kwaad geweest zijn op hen over deze grove behandeling, maar Richards' geest werkte anders. Hij wist uit ervaring dat hij er slim aan deed om te proberen de directeuren hun mening over hem te laten veranderen, zodat hij niet alleen zou overleven bij Treadstone, maar ook succesvol zou zijn. Op die manier kon hij de president van dienst zijn zoals hij van hem mocht verwachten.

Hij opende het dunne dossier dat directeur Moore hem gegeven had en las de dicht bedrukte pagina's. Het was hem onmiddellijk duidelijk dat het weinig meer bevatte dan wat onbetrouwbaar sprokkelwerk – onbetekenende dingetjes uit de praktijk. Toch was de kans aanwezig – die kans was klein, maar het zou kunnen – dat het een rookgordijn was en dat erachter iets echt belangrijks schuilging. En hij wist zonder een spoor van twijfel dat de directeuren hem in een nieuw licht zouden gaan zien als hij dat boven tafel kreeg. Dat wilde hij voor alles zien te bereiken. Dat moest gebeuren. Orders van de baas.

Hij opende zijn beveiligde browser en ging op het internet. Zijn vingers vlogen over het toetsenbord. Zijn zoektocht naar een mythe was begonnen.

Rebeka keek uit over de prachtige, grauwe uitgestrektheid van de baai van Hemviken. Ze zat aan een tafeltje aan de waterkant bij Utö Wärdshus, het enige restaurant in dit deel van de zuidelijke Zweedse archipel, en hield in haar ene hand een kop koffie en koesterde met haar andere hand haar pijnlijke rechterschouder. De plotselinge aanval van haar prooi had haar slechts een vleeswond opgeleverd. Ieder ander zou zichzelf op zijn falie gegeven hebben om het feit dat ze de aanval niet had weten af te slaan, maar Rebeka niet. Ze had zich getraind om het los te laten en om geen wroeging te hebben, zichzelf niet te pijnigen. Ze leefde in het heden en dacht alleen maar aan de toekomst vol gevaren en hoe ze die met succes en met zo min mogelijk schade het hoofd zou kunnen bieden.

Bij binnenkomst in het restaurant had ze met haar geoefende blik alle zestien tafels geobserveerd. Slechts drie ervan waren bezet. Aan een tafeltje zaten twee mannen – een van hen zat in een rolstoel – rustig en bedachtzaam te schaken. Aan een ander tafeltje zat een oude zeeman een plaatselijke krant te lezen en een pijpje te roken. Zijn ruwe handen hadden de kleur van een gekookte schaar van een kreeft. En aan het derde tafeltje zaten een zwangere vrouw en haar dochter, die Rebeka op een jaar of zes schatte. Haar professionele inschatting was dat geen van hen een bedreiging vormde, en ze vergat hen meteen weer.

Nadat haar doelwit onder water was verdwenen had Rebeka, haar meswond volledig negerend, bijna een uur lang door het water gewaad op zoek naar hem. Ze had alle moeite moeten doen om niet door de stroming meegezogen te worden en haar tenen waren bijna bevroren. Ondanks al haar moeite had ze hem niet weten te vinden. Dit was zowel onfortuinlijk als beangstigend. Ze was er redelijk zeker van dat haar kogel het hoofd van haar doelwit alleen maar geschampt had. Als zij hem niet gedood had, wilde ze zien te voorkomen dat het ijskoude water hem de kop zou kosten. Hij wist iets wat ze te weten moest zien te komen, en ze vervloekte zichzelf om het feit dat ze überhaupt op hem geschoten had. Ze had hem gewoon achterna moeten springen. Het zou volgens haar niet moeilijk geweest zijn om hem in het water te overweldigen. In plaats daarvan was hij verdwenen, en met hem de informatie die haar zou kunnen redden.

Ze roerde afwezig in haar koffie en nam een slok. Haar eigen mensen zaten nu achter haar aan. Niemand wist beter dan zij hoe meedogenloos en vasthoudend de Mossad kon zijn als zij geloofden dat een van hun eigen mensen hen verraden had. Ze wenste hartgrondig dat er een andere manier was geweest om het probleem aan te pakken, maar ze kende kolonel Ari Ben David goed genoeg om te weten dat hij haar doldrieste verhaal niet zou geloven, en er was simpelweg niemand anders naar wie ze toe kon gaan. Er was wel iemand, maar haar training had haar afkerig gemaakt van het inroepen van hulp van iemand van buiten de Mossad.

Ze hoorde de stem van de serveerster, draaide zich om en wenkte. De meswond die zij in Damascus had opgelopen, was nog niet helemaal genezen, en bepaalde bewegingen van haar bovenlichaam herinnerden haar daaraan.

'Wilt u nog een kop koffie?'

De serveerster lachte naar haar. Ze leek op een Walkure. Rebeka kon zich voorstellen hoe zij zwaarbewapend richting Ragnarok zou rijden, of, realistischer, hoe zij op een vissersboot in alle vroegte de vangst binnen zou halen. Ze glimlachte terug en knikte.

Ze keek weer naar de baai en zag dat er een storm in aantocht was. Mooi. De toenemende grauwheid kwam overeen met haar stemming. Ze nam een slok koffie, deed er wat suiker bij, en dacht aan hoe haar leven verlopen was sinds ze Jason ontmoet had tijdens haar ingeroosterde vlucht naar Damascus. Hoewel het pas zes weken geleden was, leek haar voormalige dekmantel als stewardess wel honderd jaar geleden. Wat was haar leven sindsdien veranderd! Zij en Bourne zaten achter dezelfde terrorist aan, Semid Abdul-Qahhar. Tijdens hun krachtmeting met hem waren ze beiden gewond geraakt. Hoewel hij in zijn schouder geraakt was, had Bourne haar in een gestolen helikopter over de zuidgrens naar Libanon gevlogen, en hij had hem op gefluisterde aanwijzingen van haar in het kamp van de Mossad in Dahr El Ahmar aan de grond gezet.

Ze had geen flauw idee waar hij nu was, en of hij überhaupt met haar wilde praten. Want zíj was het per slot van rekening geweest die hem naar het kamp geleid had dat onder bevel stond van Ben David. Ze wist niet beter dan dat hij haar de schuld gaf van wat er gebeurd was.

Nee, zelfs als het haar lukte om hem te vinden, dan nog kon zij niet met haar verdenkingen naar Bourne, ondanks het feit dat die gerezen waren tijdens haar herstelperiode in Dahr El Ahmar. Wat hem betreft was zij de vijand. Zij had hem verraden. Hoe zou hij er na wat er gebeurd was anders over kunnen denken?

Zij had natuurlijk de verdenking op zich geladen door Bourne mee te nemen. Kolonel Ben David was niet bepaald een vergevingsgezinde man – de waarheid gebood te zeggen dat hij dat ook niet kon zijn – maar de verandering in hoe hij haar bekeek, choqueerde haar en stemde haar droevig. Zij was gewend aan de ingewikkelde manieren van doen in haar wereld, maar niets van wat zij eerder had meegemaakt zou haar hebben kunnen voorbereiden op het feit dat hij zich razendsnel volledig tegen haar keerde. In feite gedroeg hij zich meer als een afgewezen minnaar dan als haar meerdere. Het was pas later dat ze zich volledig bewust werd van de aard van de ware gevoelens van Ben David. Dat was pas nadat zij was weggegaan om haar doelwit te achtervolgen en nadat zij had besloten te handelen naar de inlichtingen die zij tijdens haar herstelperiode opgevangen had. Ze besefte dat zij nooit een gewone agent voor hem was geweest. Zelfs al zou ze het willen, dan was het nu natuurlijk te laat om er nog iets aan te doen.

De wind blies de eerste sneeuw met verbazingwekkende kracht tegen het raam. Het glas trilde en kraakte. Ze draaide zich om en zag de man, dun als een mes, aan het tafeltje zitten bij de deur die het verste bij haar vandaan was. Ze besefte dat alles verloren was.

'Eén man. Eén enkele man.' Christien keek naar Bourne. 'Zijn naam is Nicodemo, maar hij is beter bekend als de Djinn Die De Weg Wijst.'

'Wat betekent dat?'

'Hij is de vooruitgeschoven verdediger, de voorrijder.'

'Met andere woorden, hij krijgt dingen gedaan.'

Christien knikte.

Bourne keek uit het raam. Het liep tegen het einde van de ochtend. Vanuit het noorden kwamen wolken aandrijven als golven naar het strand. Sneeuw wervelde af en aan. De naamloze man, die Bourne in gedachte Alef gedoopt had, was uitgeput in een diepe slaap gevallen. Bourne en Christien hadden besloten om hun ondervraging van hem te onderbreken, hoewel geen van beiden dat eigenlijk wilde.

'Vertel me wat meer over Nicodemo,' zei Bourne. 'Waarom zijn jij en Don Fernando zo bezorgd om hem?'

Het restaurant was op de bovenste verdieping van een ultramodern gebouw van chroom en groen glas aan Kommendörsgatan in de chique wijk van Stockholm, vlak bij waar Christien woonde.

Christien haalde zijn schouders op. 'Ik zal je vertellen wat ik weet, maar dat is eerlijk gezegd niet zoveel; zijn afkomst is onduidelijk. Sommigen zeggen dat hij Portugees is, anderen beweren dat hij Boliviaans is, terwijl weer anderen zweren dat hij Tsjechisch is. Wat de waarheid ook moge zijn, hij kwam bijna letterlijk uit het niets. Ongeveer tien jaar geleden leek hij een tijdje voor Core Energy te werken. In die tijd ontwikkelde het bedrijf zich razendsnel tot een multinationale onderneming die alle vormen van energie kocht en verkocht. Niemand lijkt te weten of hij er nog bij betrokken is, en zo ja, op welke manier hij erbij betrokken is. In vergelijking met hem is de CEO van Core Energy, Tom Brick, een open boek. Hij werd geboren in de wijk World's End in Londen en studeerde af aan de London Business School. Laat je niet voor de gek houden door zijn gemis aan diploma's. Hij is een uiterst gewiekste kerel.'

'Laten we het weer over Nicodemo hebben.'

'Dat is het probleem. Nicodemo lijkt onverbrekelijk verbonden met Core Energy.'

'Nicodemo is een terrorist,' zei Bourne, 'en Core Energy is een legitiem, gerespecteerd bedrijf, een leider in de groeiende energiemarkt, groen of anderszins.'

'Dat is het meest verontrustende deel, Jason, het deel dat Don Fernando en ik nu al maandenlang aan het onderzoeken zijn. Wij geloven dat Core Energy op het punt staat een deal te sluiten die de energiewereld op zijn kop zal zetten. De deal zal het bedrijf zo'n voorsprong in de nieuwe energiemarkten geven dat zijn winst explosief zal groeien tot het tienvoudige.'

Bourne haalde zijn schouders op. 'Zaken zijn zaken, Christien.'

'Niet als in het kielzog ervan dood en vernietiging achterblijven.'

'Ik neem aan dat Nicodemo hier op het tapijt verschijnt.'

Christien knikte. 'Dat denken we inderdaad.'

'Zijn jullie er eigenlijk zeker van dat deze man echt bestaat?'

'Wat bedoel je?'

'Heb je ooit gehoord van Domenico Scarfo?'

Christien schudde zijn hoofd.

'Hij was in de jaren veertig en vijftig een bekende maffiabaas in Philadelphia. Achter zijn rug noemden ze hem "Little Nicky" omdat hij om en nabij de één zestig was, maar zijn volledige naam was Nicodemo Domenico Scarfo.'

'Wat wil je hiermee zeggen?'

Bourne schoof zijn menu opzij. 'Ik ben dit soort dingen regelmatig tegengekomen. Een naam wordt in het leven geroepen en een legende wordt gevormd. Eerst wordt hij gevoed door mythes, dan door geruchten en insinuaties, en soms zelfs door moorden die gepleegd zijn door een harde kern die werkt voor de mensen die de naam in het leven hebben geroepen.'

Christien pakte een warm broodje uit een mandje dat midden op tafel stond en begon er boter op te smeren. 'Zo is het bij jou toch ook gegaan, als mijn bronnen het goed hebben.'

'De Jason Bourne-identiteit is inderdaad zo gevormd.' Bourne nam een slok van zijn verse sinaasappelsap.

Christien smeerde wat jam op zijn broodje. 'En nu bén jij Jason Bourne.'

Bourne knikte. 'Dat klopt. Identiteiten zijn krachtige beelden die vaak een eigen leven gaan leiden en die onbedoelde consequenties hebben. Maar als ik mijn geheugen niet was kwijtgeraakt...'

Christien knikte bedachtzaam. 'We zijn weer terug bij Alef. Ik begrijp je punt.' Hij nam een hap van zijn broodje. Er was een ober bij hun tafeltje komen staan. Christien keek Bourne vragend aan. Die bestelde roerei en gravad lax, toast en nog meer koffie. 'Ik wil graag hetzelfde,' zei hij.

Toen de ober weg was, zei Bourne: 'Hebben jij of Don Fernando stilgestaan bij de mogelijkheid dat Nicodemo een identiteit is die Tom Brick bedacht heeft zodat hij de wet kon omzeilen zonder dat hij de kans liep dat hij of Core Energy gevaar liep?'

'Nicodemo bestaat, geloof me.'

Bourne keek op. 'Heb je hem ontmoet?'

'Don Fernando denkt dat hij hem ontmoet heeft.' Hij had het over Don Fernando Hererra, zijn voormalige compagnon, een industrieel, bankier, en vriend met wie Bourne eerder te maken had gehad.

'Zelfs als ik geloof wat je me vertelt, dan weten we niet meer dan dat hij iemand ontmoet heeft die beweert dat hij Nicodemo is. Het betekent niet dat Nicodemo echt bestaat.'

'Ik kan wat betreft cynisme nog wat van je leren.'

'Het cynisme van de een is de wijsheid van de ander,' zei

Bourne. 'Nu we het toch over Don Fernando hebben, waar is hij? Het zou helpen als we met hem zouden kunnen praten.'

'Hij is weg.'

'Je moet met iets beters op de proppen komen,' zei Bourne kortaf.

Op dat moment werd het eten gebracht. Ze zwegen beiden totdat de ober weg was en begonnen te eten.

'De waarheid is,' zei Christien, 'dat hij mij gevraagd heeft om zijn verblijfplaats geheim te houden.'

Bourne legde zijn vork neer en leunde achterover. 'Neem een besluit. Willen jij en Don Fernando mijn hulp of niet?'

'Je zult hoe dan ook met deze steeds groter wordende dreiging te maken krijgen. Door Core Energy hebben we ons onder valse voorwendselen moeten inkopen in de Indigo Ridge *rare earth*-mijn in Californië. Als we dat niet hadden gedaan zou Indigo Ridge in buitenlandse handen gekomen zijn. Dat konden we in geen geval laten gebeuren. Maar Core is elders druk geweest. Ze hebben zeldzame aardmetalen-, uranium-, goud-, zilver-, koper-, en onedelmetaalmijnen gekocht in Canada, Afrika en Australië. Als het ene na het andere land gedwongen wordt machines die op olie, kolen of zelfs gas lopen, buiten gebruik te stellen, zullen deze energiebronnen in de decennia die komen gaan, exponentieel in waarde stijgen. De olievoorraad op de wereld raakt uitgeput. En wat kolen betreft, we zullen allemaal last krijgen van de kankerverwekkende dampen die iedere stad in China, India en Thailand teisteren, tenzij we kolen als energiebron opgeven. Zonnepanelen zijn niet energie-efficiënt, en wat die luid bejubelde windturbines betreft, die hebben per stuk vierhonderd pond zeldzame aardmetalen nodig. Trouwens, je kunt een windmolen moeilijk op het dak van een auto of vliegtuig bevestigen. Hybride auto's zijn ook deels afhankelijk van zeldzame aardmetalen. En waar denk je dat de elektriciteit voor elektrische auto's vandaan komt?'

Christien schudde zijn hoofd. 'Nicodemo weet wat de toekomst heeft en dat is energie.'

'Maar Core Energy wordt geleid door Tom Brick.'

'Dat klopt. Brick is het uithangbord van het bedrijf. Maar het is heel goed mogelijk dat hij zijn orders van Nicodemo krijgt. En dat wil Don Fernando uitzoeken. Als het waar is, geeft dat Nicodemo de vrijheid om over de grenzen van de wet te gaan. Don Fernando gelooft dat hij de belangrijkste persoon is van de komende generatie terroristen. Hij kan deals sluiten in het schemerduister, in de grijze gebieden – door regelrechte omkoperij, afpersing, of andere dwangmethoden – en dat kunnen Brick en Core Energy zelf niet doen. Hij wordt noch door godsdienst noch door ideologie gedreven. Verwerf een monopoliepositie in de energiemarkt van de toekomst en de hele wereld ligt aan je voeten. In één klap heb je de vrije handel naar je hand gezet en de economie en veiligheid van landen in gevaar gebracht. Tegenwoordig kan niemand meer een competent leger opbouwen zonder wapens die in belangrijke mate afhankelijk zijn van zeldzame aardmetalen.'

'Waar is Don Fernando naartoe?'

Christien legde zijn bestek nu ook neer en veegde zijn mond af. 'Jason, er is een erg goede reden waarom Don Fernando mij heeft gevraagd om zijn verblijfplaats geheim te houden. Hij was bang dat jij hem zou proberen te volgen.'

'Waarom?' Bourne boog zich voorover. 'Waar is hij naartoe? Vertel het me.'

Christien zuchtte. 'Jason, we hebben hier ons eigen mysterie dat we op moeten lossen.'

'Je kunt nu niet meer terug. Je moet het me vertellen.'

De blikken van de mannen haakten in elkaar en voerden een strijd op wilskracht. Uiteindelijk sloeg Christien zijn ogen neer. Hij pakte zijn mes en vork en begon verder te eten. Hij keek niet op van zijn bord. Tussen twee happen door zei hij: 'Don Fernando is op zoek gegaan naar de Djinn Die De Weg Wijst.'

Rebeka betaalde haar rekening, stond op en liep naar de deur. Op het laatste moment draaide ze zich om en ging aan het tafeltje zitten waaraan de graatmagere man zich iets eerder geïnstalleerd had.

'Het einde van de wereld,' zei hij droogjes.

Ze keek hem aan. 'Op geen stukken na.'

'Voor ons in ieder geval wel.'

'Je bedoelt voor ons Joden?'

'Dat ook.'

Hij had opvallend sierlijke, melkwitte handen met uitstekende knokkels, alsof de botten op het punt stonden om door het vel te breken. Zijn ogen waren donker, zijn dunnende haar had een onbestemde kleur en zijn gezicht vertoonde strenge trekken: een strakke mond en een neus, scherp als het lemmet van een mes. Ze had hem slechts één keer eerder gezien, jaren terug, toen ze net haar training achter de rug had en op het hoofdkwartier van de Mossad in Tel Aviv moest komen. Hij had doodstil toegekeken, terwijl Dani Amit, hoofd van de afdeling Buitenlandse Inlichtingen, haar haar eerste aanstelling gaf. Toch herinnerde zij zich hem. Zijn gezicht had een onuitwisbare indruk op haar gemaakt. Zijn naam was Ze'ev – wolf, in het Hebreeuws – hoewel zij ernstig betwijfelde of dat ook de naam was waarmee hij geboren was.

'Je mag blij zijn dat ik je gevonden heb,' zei Ze'ev.

'Hoe bedoel je?' Ze keek hem vragend aan.

'Hij nipte aan zijn kop koffie. 'Ze hebben de Babyloniër erbij gehaald.'

Onder haar koele uiterlijk voelde Rebeka de eerste tekenen van ongerustheid opkomen. Ze onderdrukte deze emotie voordat zij tot echte angst zou kunnen uitgroeien. 'Waarom zouden ze dat doen?'

'Waar ben je verdomme mee bezig?' zei Ze'ev.

Eerst dacht ze dat hij haar vraag opzettelijk genegeerd had, maar al snel realiseerde zij zich dat zijn wedervraag zijn antwoord was. De mate waarin zij haar bazen had geschokt werd goed duidelijk door hun buitensporige reactie.

Ze schudde haar hoofd.

'Ik begrijp je niet, Rebeka. Je hebt tot dusverre een prachtige carrière gehad. Dan ga je weg en breng je Jason Bourne naar Dahr El Ahmar, naar het centrum van...'

'Hij heeft mijn leven gered. Ik was aan het doodbloeden. Ik kon nergens anders naartoe.'

Ze'ev leunde achterover. Hij observeerde haar met zijn donkere ogen. Ze vroeg zich af wat hij dacht.

'Jij had toestemming. Jij kende de geheime aard van Dahr El Ahmar.'

Ze keek hem aan, maar zei niets.

'En toch...'

'Dat heb ik net uitgelegd.'

Hij schudde zijn hoofd. 'Kolonel Ben David is uit op je bloed... en, natuurlijk, ook op dat van Bourne.'

'Ik was me niet bewust van de grote antipathie van de kolonel jegens Bourne.'

'Bedoel je te zeggen dat hij daar het recht niet toe heeft?'

Ze dacht even na. 'Nee, maar op het moment van de crisis wist ik niet...'

'Maar je beschikte wel over het ene, cruciale stukje kennis: de absolute geheimhouding waarin Dahr El Ahmar opereert. Bourne ontsnapte. Hij weet het...'

'Je hebt absoluut geen idee van wat hij weet,' snauwde ze. 'Hij was nog geen vijftien minuten in het kamp. Hij was gewond en vocht voor zijn leven. Ik kan me totaal niet voorstellen dat hij tijd had om...'

'Punt één, Bourne is een getrainde agent; hij ziet en hoort alles. Punt twee, hij weet, op zijn allerminst, dat Dahr El Ahmar bestaat. Punt drie, hij ontsnapte in een helikopter, wat in ieder geval wil zeggen dat hij de compound vanuit de lucht heeft gezien.'

'Dat betekent nog niet dat hij iets kon maken van wat hij zag. Hij was te druk met het ontwijken van de raket die Ben David op hem afgeschoten had.'

'Wat betreft kolonel Ben David – en, ik heb dat uit betrouwbare bron vernomen, ook wat betreft Dani Amit – is Bournes aanwezigheid in Dahr El Ahmar meer dan genoeg reden om hem te verdenken. De beveiliging staat onder grote druk. En dan ga jij er ook nog eens vandoor, Rebeka. Dan is het niet zo verwonderlijk dat hun gedachten op hol slaan.'

'De twee incidenten hebben niets met elkaar te maken.'

'Ik begrijp dat jij dat zegt.'

'Het is de waarheid.'

Hij schudde zijn hoofd. 'Dat geloven ze niet en, eerlijk gezegd, geloof ik het ook niet.'

'Kijk...'

'De Babyloniër heeft de vrije hand gekregen, Rebeka. Hij heeft de jacht op jou geopend.' Hij zuchtte. 'Er is maar één manier om hem te stoppen.'

'Vergeet het,' zei ze. 'Je hoeft de vraag niet eens te stellen.'

Hij haalde zijn schouders op. 'Dan praat ik met een dode vrouw. Jammer.' Hij gooide wat geld op tafel en stond op.

'Wacht.'

Hij bleef staan en keek op haar neer met een blik die iets in haar deed verschrompelen.

Rebeka's hersens werkten als een razende. 'Ga zitten.'

Hij aarzelde, maar ging toen zitten.

'Er is iets...' Ze zweeg omdat ze plotseling overvallen werd door een grote angst. Ze had zichzelf bezworen dat ze niemand zou vertellen wat er in Dahr El Ahmar gebeurd was. Haar blik dwaalde af terwijl ze onzeker op haar lip beet.

'Wat is er?' zei Ze'ev, terwijl hij vooroverboog.

Iets in zijn stem – iets verzoenends, alsof hij echt bezorgd was om haar – zorgde ervoor dat ze weer naar hem keek. Dit was het moment, dacht ze. Vertrouwen of niet vertrouwen. Het was nu of nooit. Natuurlijk was er nog een heel andere keuze die ze kon maken.

Ze haalde diep adem en maande zichzelf tot kalmte, maar niets kon het bijna pijnlijke bonzen van haar hart stoppen. De nog niet helemaal geheelde wond in haar zij begon te kloppen.

'Rebeka, luister, er zijn twee redenen waarom iemand in jouw positie de benen neemt. Vandaag de dag kunnen we ideologie wel vergeten. Dus wat blijft er over? Geld en seks.' Hij bekeek haar met grote sympathie, zelfs toen ze bleef zwijgen. 'Ik zal een gokje wagen. In je recente verleden is slechts één ding anders geworden – Jason Bourne. Heb ik gelijk?'

O, mijn god, dacht ze. Hij denkt dat ik de Mossad verraden heb op aandrang van Bourne. Maar misschien kon ze gebruikmaken van die misvatting.

Ze stond plotseling op en liep de deur uit. De stormwind sloeg haar in het gezicht. Ze stond onder de overhangende dakrand van het restaurant die haar slechts gedeeltelijk beschermde tegen de bijtende sneeuw, en helemaal niet tegen de meedogenloze wind.

Het duurde niet lang voordat ze bemerkte dat Ze'ev dicht bij haar was komen staan.

'Je ziet wel dat je vanaf hier nergens naartoe kunt,' zei hij. Hij verhief zijn stem om boven het angstaanjagende gehuil van de wind uit te komen.

Ze liet een lange stilte vallen voordat ze een zucht slaakte en zei: 'Je hebt gelijk.' Ze probeerde er lichtelijk beschaamd uit te zien. 'Het is Bourne.'

Ze'ev fronste zijn wenkbrauwen. 'Wat heeft hij gezegd om je over te halen? Wat heeft hij gedaan?'

'Ik heb in Damascus twee nachten met hem doorgebracht.' Ze keek hem veelbetekenend aan. 'Wat denk je?'

Het leven bij Treadstone was moeilijk voor Dick Richards. Komend van NSA, waar hij werd gerespecteerd, zelfs door de president, was het voor hem niet makkelijk om nu bijna als een paria behandeld te worden. Dat, boven op zijn dubbelrol, begon hem op de zenuwen te werken. Hij was geen man uit de praktijk; hij had niet de koelbloedige persoonlijkheid van dat soort agenten. Daar moest je voor geboren zijn; je kon trainen tot je een ons woog, maar dat zou niet helpen. Het feit wilde dat hij fysiek een lafaard was. Hij was zich vanaf zijn dertiende bewust van deze vernederende wetenschap. Tijdens zomerkamp was er een pestkop geweest die Richards' zwakheid haarfijn aanvoelde en het meedogenloos op hem voorzien had. In plaats van terug te vechten had hij de vernederingen ondergaan en had hij, aan het einde van die afschuwelijke zomer, zijn hand naar de pestkop uitgestoken met de woorden: 'Even goede vrienden, oké?' De enige reactie die hij kreeg was een zelfgenoegzaam lachje. Die herinnering had hem tot zijn volwassenheid achtervolgd en vanaf dat moment kreeg ze op andere manieren navolging. Soms maskeerden zijn intellectuele prestaties deze tekortkoming, maar niet altijd, en zeker niet, zoals nu, in het holst van de nacht, als zelfs de gouden gloed van de stad het gevoel van hulpeloosheid in zijn hart niet kon bezweren.

Hij had de hele middag en avond, zelfs tot in de nachtelijke uren achter zijn computer gezeten, alleen stoppend voor een plaspauze en een snelle hap die als een steen op zijn toch al zo onrustige maag lag. Zonder zijn ogen van het scherm te halen opende hij een la. Uit een potje maagzuurremmers nam hij een handvol tabletten en stopte ze in zijn mond. Hij kauwde er werktuigelijk op en ging verder met het najagen van schimmen in de oppervlakkige informatie die hij van zijn directeuren gekregen had. Het zou hem niet verbazen als ze dat gedaan hadden om de draak met hem te steken. Een nieuwe vernedering stapelde zich op alle andere. Aan de andere kant was het bemoedigend om te weten dat ze niet echt geïnteresseerd waren in Nicodemo zelf. De opdracht moet van iemand van bovenaf gekomen zijn, wat betekende dat minister Hendricks degene was die Nicodemo probeerde te vinden. Richards had geen idee wie Nicodemo was; hij wist niettemin veel meer over hem dan wie dan ook van Treadstone.

Hij was het meest geïnteresseerd in de vloed aan Chinese cyberaanvallen op regerings- en militaire servers wereldwijd waarmee de Chinezen geheime informatie bijeen probeerden te sprokkelen. Hij was de hele dag en avond met dit onderzoek bezig geweest. Op verschillende momenten had hij gedacht dat hij iets op het spoor was. Hij kraakte firewalls en gecodeerde bestanden, en hij verschafte zich toegang tot allerlei versleutelde sites. Zijn arsenaal aan trojans en wormen, die hij naar eigen behoefte had aangepast, gaven hem toegang tot sites in Rusland, Roemenië, Servië en natuurlijk China. Altijd China. Iedere aanwijzing die hij volgde, bleek ofwel een dood spoor, ofwel een fout aanknopingspunt, waardoor hij na acht uur speurwerk niet veel verder was dan toen hij begon. Maar niet helemaal. Nu hij wist waar je niet moest zoeken, kon hij zijn onderzoeksgebied veranderen en beperken.

Hij stond op, rekte zich uit en liep naar het kogelwerende raam. In het glas waren kleine sensoren verwerkt die elektrische signalen uitzonden die elk audiomonitoringssysteem konden verstoren. De straten beneden hem waren uitgestorven. Af en toe reed er een auto of vrachtwagen voorbij. Als giftige bloemen ontsproten er in zijn hoofd ongewild gedachten aan zijn vader en stiefvader. Zijn vader was met de noorderzon vertrokken toen zijn moeder blind was geworden. Richards was toen vier jaar oud. Jaren later had hij zijn computervaardigheden gebruikt om zijn vader te traceren. Het enige wat hij ontdekte was dat de man ontkende dat hij hem verwekt had. En wat Richards stiefvader betreft; de enige reden waarom hij bij het beschadigde gezin bleef, was het geld van Richards' moeder. Hij had haar belachelijk gemaakt en haar bedonderd met een hele schare vrouwen. Toen Richards had geprobeerd om het haar te vertellen, weigerde ze hem niet alleen te geloven, maar was ze ook zichtbaar kwaad geworden. Zij hekelde hem om het feit dat hij haar nieuwe man weigerde te accepteren. Pas op dat moment besefte hij dat zij alles wist, maar dat ze zo verschrikkelijk bang was om alleen te zijn, dat ze dieper en dieper was weggezonken in haar eigen denkbeeldige werkelijkheid.

Abrupt keerde hij terug naar zijn bureau. Hij voelde zich bij het raam net een gekooid dier, gevangengehouden binnen de muren van het moderne Treadstone-bastion. Hij was zich er slechts vaag bewust van dat het zijn leven was waarin hij zich opgesloten voelde. Onbewust had hij gekozen voor zijn moeders oplossing. Hij had de fascinerende, steeds veranderende wereld van het internet reëler gemaakt dan al het andere in zijn leven.

Hij spreidde zijn vingers, liet zijn knokkels knakken en legde zijn vingertoppen op de toetsen. Hij moest iets constructievers bedenken. Hij besloot om informatie over Nicodemo in elkaar te knutselen, en om dat aan zijn directeuren te presenteren. Misschien dat hij dan wel in een goed blaadje kwam te staan. Bij de gedachte aan zijn superieuren werd hij overspoeld door een oud, vertrouwd gevoel van wanhopigheid. Hij voelde zich vuurrood worden van schaamte.

Hij haalde diep adem. Concentreer je, dacht hij. Doe wat je het beste kunt; je zult je beter voelen door dit succesje. Hij wist dat het moeilijk was om één persoon in de complexe chaos van het internet te vinden. Hij wist ook dat niemand – zelfs een geest niet – kon leven in een compleet isolement. Hij moet collega's, vrienden, en familieleden hebben gehad – met andere woorden, een infrastructuur zoals ieder ander. Ook al zou híj onvindbaar zijn op het internet, dan betekende dat niet dat dat ook voor hen zou gelden. En dan was er nog het feit, volgens de aantekeningen die Richards gekregen had, dat Nicodemo geld verdiende, bakken met geld. Geld bestond niet in een vacuüm; het kwam ergens vandaan en ging ergens naartoe. Die plekken konden goed verborgen zijn, maar ze bestonden; de routes bestonden online, maar ook in de echte wereld. Maar dit was allemaal niet van toepassing op Nicodemo; dat wist Richards wel over hem.

Geen nood, besloot hij. Zijn hartslag schoot omhoog; hij zou een indirecte manier bedenken om de Djinn Die De Weg Wijst te vinden. Vanuit die gedachte bekeek hij de karige kruimels in het dossier opnieuw en las ze vanuit deze nieuwe invalshoek. Hij begon aan zijn pseudotrip door de cyberwereld van het internet.

Zijn vingers begonnen, alsof ze een eigen wil hadden, aan hun vertrouwde roffel op het toetsenbord. Even later was hij weer helemaal ondergedompeld in zijn geliefde, virtuele universum.

3

'Het probleem is dat u gevlogen hebt.'

'Wat bedoelt u?' Soraya schudde haar hoofd. 'Ik begrijp het niet.'

Dr. Steen keek op van het dossier dat de uitkomsten bevatte van haar eeg- en MRI-testen. 'U bent in Parijs gewond geraakt, klopt dat?'

'Ja.'

'En u bent daar ook behandeld.'

Ze knikte. 'Inderdaad.'

'Bent u niet gewaarschuwd voor de risico's die aan vliegen verbonden zijn?'

Soraya voelde het kloppen van haar hart. Het sloeg veel te snel, alsof het uit zijn kooi ontsnapt was en naar haar keel was opgestegen. 'Ik dacht dat het goed met me ging.'

'Nou, dat was dus niet zo.' Dr. Steen draaide zijn stoel en knipte een ledmonitor aan. Hij toverde de MRI van haar hersens op het scherm. Hij knikte richting het scherm en zei: 'U hebt een subduraal hematoom. Uw hersens bloeden, mevrouw Moore.'

Soraya schrok. 'Ik heb mijn eerdere MRI-scan gezien. Daar was dat niet op te zien.'

'Nogmaals,' zei dr. Steen, 'het vliegen.'

Hij draaide zijn stoel terug, maar de MRI van haar hersens bleef op het scherm te zien, een verschrikkelijke herinnering aan haar slechte toestand.

Dr. Steen legde zijn handen op zijn bureau. Hij was een man van middelbare leeftijd die liever zijn hoofd schoor dan wilde omgaan met zijn kalende knikker. 'Ik veronderstel dat dit – laten we het een scheurtje noemen – microscopisch was. De eerdere MRI heeft dat niet aan het licht gebracht. En toen vloog u en...' Hij stak zijn handen vragend in de lucht.

Ze boog zich voorover. Haar angst maakte plaats voor boosheid. 'Waarom blijft u zo benadrukken dat het op de een of andere manier mijn fout is?'

'U had niet...'

'Hou in godsnaam uw kop dicht.' Ze zei het niet erg hard, maar door de intensiteit waarmee ze de woorden sprak, deinsde hij achteruit. Hij wist even niets te zeggen 'Praat u op deze manier met al uw patiënten? Wat bent u voor een mens?'

'Ik ben een dokter. Ik...'

'Juist,' onderbrak ze hem. 'Geen mens. Mijn fout.'

Hij keek haar onbeweeglijk aan en wachtte tot ze gekalmeerd was. 'Mevrouw Moore, mijn jarenlange ervaring in neurochirurgie heeft me geleerd dat het weinig zin heeft om mijn diagnoses te verbloemen. Hoe eerder een patiënt zijn conditie begrijpt, hoe sneller we samen kunnen werken aan zijn herstel.'

Ze pauzeerde even om zich weer onder controle te krijgen, maar haar hart voelde nog steeds als een op hol geslagen trein. Toen kromp ze ineen door een plotselinge pijnscheut in haar hoofd. Dr. Steen kwam snel achter zijn bureau vandaan en ging naast haar staan.

'Mevrouw Moore?'

Ze wreef tegen de zijkant van haar hoofd.

'Zo is het genoeg.' Hij reikte naar zijn telefoon. 'U gaat ogenblikkelijk naar het ziekenhuis.'

'Nee.' Ze greep zijn arm. 'Nee, alstublieft.'

'Ik denk niet dat u de ernst begrijpt van...'

'Mijn baan is mijn leven,' zei ze.

'Mevrouw Moore, de druk in uw hersens wordt steeds groter. U zult geen leven meer hebben, tenzij we die druk verlagen. Ik kan niet toestaan...'

'Ik voel me weer goed. De pijn is weg.' Ze wierp hem een weinig overtuigende glimlach toe. 'Echt, ik voel me weer goed.'

Dr. Steen keek om zich heen, trok een stoel naar zich toe en ging naast haar zitten. 'Oké,' zei hij, 'wat is er nu echt aan de hand?'

'Waar is de dokter gebleven die het allemaal zo zeker weet?'

'Die heb ik even aan de kant gezet.' Hij veroorloofde zich een flauwe glimlach. 'De patiënt heeft me nodig.'

'Het lijkt erop dat ik u al nodig had op het moment dat ik uw kantoor binnenkwam.'

Ze zweeg even. Ze hoorde in de ruimte naast het kantoor een telefoon rinkelen, een stem verhief zich plotseling, daarna was het weer stil.

Dr. Steen klopte zacht op haar pols om er zeker van te zijn dat ze nog steeds bij bewustzijn was. 'We moeten uw fysieke probleem oplossen. Het is duidelijk dat we dat niet kunnen voordat uw andere probleem is opgelost.'

Langzaam en nauwelijks zichtbaar sloeg ze haar ogen naar hem op. 'Ik ben bang,' zei ze.

Hij leek op een bepaalde manier opgelucht. 'Dat is volstrekt normaal, in feite zelfs te verwachten. Ik kan helpen...'

'Niet voor mezelf.'

Hij keek haar enigszins verward aan.

'Voor mijn baby,' zei Soraya. 'Ik ben zwanger.'

'Hoe voel je je?' vroeg Bourne toen hij de kamer binnenliep waar Alef aan het herstellen was.

'Lichamelijk beter.'

De man zat rechtop. Hij probeerde de *International Herald Tribune* te lezen die iemand hem gegeven had, maar dat leek hem niet makkelijk af te gaan.

Bourne zette een zwartleren aktetas neer en gluurde naar de pagina die vol stond met beursnoteringen, bedrijfsfusies, kwartaalcijfers, en dat soort dingen. 'Kunnen je ogen nog niet goed focussen?'

Alef haalde zijn schouders op. 'Het gaat op en neer. De doktoren zeggen dat het te verwachten is.'

'Zie je nog bedrijven die je bezit?'

'Wat?' Alef lachte ongemakkelijk. 'Nee, nee, ik probeerde mijn ogen aan de kleine letters te laten wennen.'

Bourne legde de krant weg, opende de aktetas en legde een pistool op Alefs schoot. Voordat hij wat kon zeggen, zei Bourne: 'Wat is dat?'

Alef pakte het op. 'Het is een 9-mm Glock 19.' Hij controleerde het magazijn en zag dat het ongeladen was. Hij bekeek het van alle kanten. Een beroeps.

Bourne nam het van hem over en in één vloeiende beweging gaf hij hem een ander pistool. 'En dit?'

'Een CZ-USA 75B Compact Pistol.

'Hoeveel kogels kan het afvuren?'

'Tien.'

Bourne nam de CZ over en gaf hem nu een veel kleiner pistool. 'Weet je wat dit is?'

Alef pakte het aan. 'Dit is een Para-Ordnance Warthog Pistol, WHX1045R, Alloy Regal Finish, kaliber 45 ACP, magazijn voor 10 kogels, *single action.*' Hij keek Bourne met een verbaasde uitdrukking op zijn gezicht aan. 'Hoe weet ik dit allemaal?'

Als antwoord pakte Bourne de Warthog op, opende een tijdschrift op een bladzijde met een bepaalde foto en zei in het Russisch: '*Pozhaluysta, skazhite mne, chto izobrazheno tam.*' *Vertel me alsjeblieft wat je hier ziet.*

'Een Dragunov SVD-S-geweer met inklapbare kolf en gemaakt van polymeer.' Zijn wijsvinger volgde een patroon op de foto. 'Het is een scherpschuttersgeweer.'

'Goed, slecht, wat denk je?' vroeg Bourne op dwingende toon.

'Erg goed,' zei Alef. 'Een van de beste.'

'Wat kun je me er nog meer over vertellen?' zei Bourne weer in het Engels. 'Heb je er ooit een gebruikt?'

'Een gebruikt?' Alef leek van zijn stuk gebracht. 'Ik...ik weet het niet.'

'En de Glock of de Warthog dan?'

Alef schudde zijn hoofd. 'Ik kan me er totaal niets van herinneren.'

'Je herkende ze meteen.'

'Ja, dat weet ik, maar... hoe is dat mogelijk?' Hij wreef over zijn slapen, terwijl Bourne alle wapens weer opborg. 'Wat betekent dit in vredesnaam?'

'Het betekent, zei Bourne, 'dat het tijd wordt om te zien of een terugkeer naar Sadelöga je herinnering een beetje kan opfrissen.'

'Ik heb een nieuwtje voor je,' zei Peter Marks, toen Soraya door Treadstones veiligheidsdeur naar binnen stapte. 'Ons nieuwe hulpje Richards zegt dat de Djinn Die De Weg Wijst toch geen geest is. Hij bestaat echt.'

'O ja?' Soraya deed haar jas uit en liep naar haar kantoor.

'Ja.' Peter liep met haar op. 'En wat nog belangrijker is, hij heeft ook nog een naam – het is nog niet helemaal zeker, besef dat wel, maar toch... Zijn naam is Nicodemo.'

'Hè.' Ze gooide haar jas over de radiator en ging achter haar bureau zitten. 'Misschien moeten we eens gaan praten met Richard Richards.'

'Nog niet. Ik wil hem niet uit zijn concentratie halen. Hij zit er tot over zijn oren in.' Hij keek naar Richards' werkplek. 'Ik denk dat hij de hele nacht heeft doorgewerkt.'

Ze haalde haar schouders op en haalde de stapel dossiers uit haar bak met ingekomen stukken. In de dossiers zaten de transcripten van de nachtelijke rapporten die haar agenten haar gestuurd hadden vanuit het Midden-Oosten: Syrië, Libanon, Somalië enzovoort. Ze opende het eerste dossier en begon te lezen.

Peter schraapte zijn keel. 'Hoe was het bij de dokter?'

Ze keek op. Ze forceerde een glimlach op haar gezicht en zei: 'Alle testen waren negatief. Het is gewoon vermoeidheid.' Schouderophalend ging ze verder. 'Hij denkt dat ik te snel weer aan het werk ben gegaan.'

'Ik denk dat hij gelijk heeft,' zei Peter. 'Je zorgt niet goed voor jezelf. Ga naar huis, Soraya. Zorg dat je wat rust krijgt.'

'Ik wil helemaal niet naar huis. Na alles wat er gebeurd is en na mijn gedwongen bedrust is werken het beste voor mij.'

'Dat ben ik niet met je eens en je dokter kennelijk ook niet. Neem een paar dagen vrij. Duik je bed in en blijf erin liggen.'

'Peter, dan word ik gierend gek.'

Hij legde een hand op haar handen. 'Dwing me niet om Hendricks erbij te halen.'

Ze keek hem een ogenblik aan en knikte vervolgens. 'Oké, maar ik wil dat dit onder ons blijft.'

Hij glimlachte. 'Dat wil ik ook.'

'Je belt me als zich hier iets belangrijks voordoet.'

'Natuurlijk.'

'Bel me op mijn mobiel. De telefoon in mijn appartement doet het weer eens niet.'

Hij knikte, duidelijk opgelucht dat ze zich erbij neergelegd had. 'Oké.'

'Oké.' Ze haalde diep adem. 'Ik wil even dit rapport afmaken, daarna zal ik alles aan jou overdragen.' Toen hij opstond, zei ze zacht: 'Je houdt toch wel een oogje op Richards?'

Peter boog zich naar haar toe. 'Komt in orde.' Hij liep naar haar deur en draaide zich nog even om. 'Je doet wat je is opgedragen, oké?'

'Oké.'

Soraya keek hoe Peter naar zijn kantoor aan de andere kant van de gang liep. Daarna las ze verder in het rapport, maakte voor Peter wat aantekeningen in de marge, en stapelde de dossiers op elkaar om ze naar hem te brengen. Terwijl ze daarmee bezig was, viel haar oog op het dossier met de rapporten van haar agenten in Egypte. Ze moest aan Amun denken en ze voelde onmiddellijk hoe haar ogen begonnen te branden. Ze voelde zich tegelijkertijd boos en bedroefd. Met de rug van haar hand veegde ze de tranen weg.

Ze haalde een paar maal diep adem, stond op en bracht de dossiers naar Peter. Op weg naar beneden keek ze op haar horloge. Het was iets voor twaalven. Ze drukte een sneltoets in op haar mobiel. Ze belde Delia Trane. Zij was een explosievenexpert van het Bureau voor Alcohol, Wapens, Tabak en Explosieven. Toen Soraya bij de Centrale Inlichtingendienst zat, had zij bij verschillende zaken nauw met Delia samengewerkt. Bovendien waren ze goede vriendinnen van elkaar.

'Raya, hoe gaat het?'

'Ik moet je zien,' zei Soraya. 'Heb je tijd om te lunchen?'

'Vandaag? Ik heb wel iets, maar dat kan ik wel verzetten. Gaat het goed met jou?'

Soraya vertelde waar en wanneer ze elkaar zouden ontmoeten, en verbrak de verbinding. Ze wilde niet langer over de telefoon praten. Veertig minuten later ging ze Jaleo, een tapasbar aan Seventh Street NW binnen. Delia zat al aan een tafeltje bij het raam. Toen ze Soraya in de gaten kreeg, zwaaide ze en er verscheen een brede glimlach op haar gezicht.

Delia's moeder was een aristocratische Colombiaanse uit Bogotá en de dochter had overduidelijk veel van het temperament van haar moeders voorouders geërfd. Hoewel zij lichte ogen had, was haar huid net zo diep gebruind als die van haar vriendin, maar daar hield de overeenkomst dan ook op. Ze had een alledaags gezicht, een jongensachtig figuur, kortgeknipt haar en sterke handen. Op het werk was haar directe, no-nonsensemanier van doen legendarisch, maar in het gezelschap van Soraya was ze compleet anders.

Delia stond op en de vrouwen omhelsden elkaar.

'Vertel me alles, Raya.'

Soraya's glimlach verflauwde. 'Daarom heb ik je gebeld.'

Ze zaten tegenover elkaar. Soraya bestelde een Virgin Mary. Delia had al een caipirinha, een drankje dat met *cachaça*, een Braziliaanse suikerrietlikeur, was klaargemaakt.

Soraya keek het vertrek rond en was blij dat het drukker werd. Het geroezemoes stapelde zich als een muur om hen heen op. 'De dokter was verbaasd dat er nog niets te zien was, gezien het feit dat ik al aan het begin sta van mijn tweede kwartaal. Hij zei dat hij het normaal gesproken altijd wel kon zeggen.'

Delia bromde: 'Mannen slaan altijd zo'n onzin uit als het

gaat om hun zwangerschapsradar.'

'In mijn geval zul je pas wat zien als ik in mijn vijfde of zesde maand ben. Dat was bij mijn moeder ook zo.'

Er viel een korte stilte, terwijl om hen heen het lawaai toenam, doordat er steeds meer gasten kwamen en doordat degenen die er al waren steeds luidruchtiger werden. Vooral het gelach klonk schril en stompzinnig.

Delia merkte dat haar vriendin zich steeds ellendiger ging voelen. Ze pakte Soraya's handen vast. 'Raya, luister naar me, Ik zal niet toestaan dat er iets met jou of met de baby gebeurt.'

Er flitste een dankbare glimlach over Soraya's gezicht. 'De testen wezen uit dat ik een subduraal hematoom heb.'

Delia hield haar adem in. 'Hoe erg is dat?'

'Het is net een klein gaatje in een band. Maar de druk...' Soraya's blik dwaalde even af. 'Dr. Steen vindt dat ik een behandeling moet ondergaan. Hij wil een gaatje in mijn hoofd boren.'

Delia's greep werd sterker. 'Natuurlijk wil hij dat. Chirurgen willen altijd knippen en plakken.'

'In dit geval heeft hij waarschijnlijk gelijk.'

'We vragen om een second opinion, en een derde, mocht dat nodig zijn.'

'De MRI-scan laat er geen twijfel over bestaan,' zei Soraya. 'Zelfs ik kon het probleem zien.'

'Hematomen kunnen vanzelf weer weggaan.'

'Ik denk dat deze dat ook had gekund. Maar onfortuinlijk genoeg ben ik gaan vliegen. De vlucht van Parijs hiernaartoe heeft het verergerd, en nu...'

Delia zag de angst in Soraya's ogen. 'Nu wat?'

Soraya haalde diep adem. 'Chirurgische behandelingen worden bij zwangere vrouwen alleen maar in noodgevallen gedaan omdat er voor de foetus een dubbel risico aan verbonden is – de verdoving en de behandeling zelf.' Tranen glinsterden in haar ogen. 'Delia, als er iets fout gaat...'

'Er gaat helemaal niets fout.'

'Als er iets fout gaat,' volhardde Soraya, 'gaat het welzijn van de moeder voor. Als er complicaties optreden, aborteren ze de baby.'

'Och, Raya.' Het was een soort hulpeloze kreet die half onderging in het rumoer in het restaurant.

Toen klaarde Delia's gezicht op. 'Maar waarom zou je zo denken?'

'Ik moet wel zo denken. Je weet wel waarom.'

Delia boog zich dichter naar haar toe. 'Weet je het absoluut zeker?'

'Ik heb het uitgerekend. Dagen en menstruatiecycli liegen niet, die van mij tenminste niet. Er bestaat geen twijfel over wie de vader is.'

'Nou, dan...'

'Juist.'

Beide vrouwen keken op toen de ober aan hun tafeltje verscheen. 'Hebt u een keuze kunnen maken, dames?'

Nadat hij zijn laatste opdracht had gekregen van Dani Amit, vloog Ilan Halevy, die bekendstond onder de naam de Babyloniër, op een Argentijns paspoort van Tel Aviv naar Beirut. Dat paspoort maakte deel uit van zijn door de Mossad gecreëerde identiteit. Vanuit Beirut vloog hij in een privévliegtuig naar Sidon, en van daaruit ging hij per jeep verder naar Dahr El Ahmar.

Kolonel Ben David was zich aan het scheren toen de Babyloniër zijn tent werd binnengeleid. Ben David draaide zich niet om, maar hij bekeek de huurmoordenaar in de spiegel, voordat hij zijn blik weer op zijn blauwige kaaklijn richtte. Een hels litteken van vuurrood vlees, nauwelijks geheeld, liep van de hoek van Ben Davids linkeroog naar zijn oorlel. Hij had kunnen kiezen voor een cosmetische ingreep, maar hij had daarvan afgezien.

'Wie kent jou hier?' vroeg hij zonder inleiding.

'Niemand,' zei de Babyloniër.

'Zelfs Dani Amit niet?'

De Babyloniër keek hem onbewogen aan; hij had zijn antwoord al gegeven.

Ben David spoelde de scheerzeep en de stoppels van het scheermes. Hij knikte. 'Oké, dan kunnen we praten.'

Hij droogde het scheermes zorgvuldig af, deed het dicht en legde het weg. Toen pakte hij een handdoek en veegde zijn gezicht schoon. Daarna pas draaide hij zich om naar de Babyloniër.

'Het doden doet je zichtbaar goed.'

Er gleed een glimlach over het gezicht van de Babyloniër. 'Het is ook fijn om jou weer te zien.'

De twee mannen omhelsden elkaar kortstondig maar intens. Daarna deden ze een stap achteruit en leek het alsof de intimiteit nooit had plaatsgevonden. Ze waren één met hun werk, en hun werk was een dodelijk serieuze aangelegenheid.

'Ze hebben me achter Rebeka aangestuurd.'

In Ben Davids ogen was even een donkere gloed te zien, maar die was onmiddellijk weer verdwenen.

'Ik weet wat dat voor jou betekent,' zei de Babyloniër.

'Dan ben je wel de enige.'

'Het is de reden waarom ik hier ben.' De Babyloniër bekeek Ben David met grote nieuwsgierigheid. 'Wat wil je dat ik doe?'

'Ik wil dat jij je aan je opdracht houdt.'

De Babyloniër keek verrast. 'Meen je dat echt?'

'Ja,' zei Ben David. 'Dat meen ik echt.'

'Ik weet wat je voor haar voelt.'

'Weet je wat ik van dit project denk?'

'Ja.' zei de Babyloniër. 'Natuurlijk weet ik dat.'

'Dan weet je ook waar mijn prioriteiten liggen.'

De Babyloniër keek hem even aan. 'Ze moet je geweldig kwaad hebben gemaakt.'

Ben David draaide zich om en begon zijn scheerspullen op een bijna obsessieve manier keurig netjes naast elkaar te leggen.

Nadat de Babyloniër even had toegekeken, zei hij: 'Je hebt alleen maar last van deze dwangneurose als je uitzonderlijk kwaad bent.'

De kolonel verstijfde en trok zijn vingers terug van zijn scheergerei.

'Ontken het maar niet,' zei de Babyloniër. 'Ik ken je te goed.'

'En ik ken jou,' zei Ben David. Hij draaide zich om en keek hem aan. 'Je hebt nog nooit gefaald tijdens een opdracht.'

'Strikt genomen is dat niet waar.'

'Maar dat weten alleen jij en ik.'

'De Babyloniër knikte. 'Dat is waar.'

Ben David deed een stap in de richting van de ander. 'Het punt is dat Rebeka iets heeft gekregen met Jason Bourne.'

'Ah,' zei de Babyloniër. 'Dani Amit heeft me daar niets over verteld.'

'Hij weet het niet.'

De Babyloniër keek Ben David even onderzoekend aan. 'Waarom heb je hun dat niet verteld?'

'Bourne is verdomme niet zijn pakkie-an.'

'Met andere woorden,' zei de Babyloniër, 'Bourne is jóúw pakkie-an.'

Ben David deed nog een stap in de richting van de huurmoordenaar. 'En nu is hij jouw pakkie-an ook.'

'Dat is dus de reden waarom jij me hier hebt laten komen.'

'Zodra ik hoorde van de opdracht.'

'Ja,' zei de Babyloniër. 'Hoe ben je het precies te weten gekomen? Voor zover ik weet, weten alleen Dani Amit en de directeur ervan.'

Op het gezicht van kolonel Ben David gloorde een glimlach. 'Het is beter zo,' zei hij, 'voor ons allemaal.'

De Babyloniër leek dit te accepteren. 'Dus je wilt Bourne.'

'Ja.'

'En Rebeka?'

'Wat is er met haar?' zei kolonel Ben David scherp.

'Ik weet wat je voor haar voelt.'

'Blijf gefocust op wat belangrijk is. Je mag Dani Amit geen enkele reden geven om je te verdenken. Je moet je opdracht volbrengen.'

De Babyloniër keek hem vol sympathie aan. 'Dit kan niet makkelijk voor je zijn.'

'Maak je over mij geen zorgen,' snauwde Ben David. 'Met mij is niets aan de hand.'

'En we liggen nog op schema.'

'Precies.'

De Babyloniër knikte. 'Dan ga ik er nu vandoor.'

'Dat lijkt me een goed idee.'

Na het vertrek van de huurmoordenaar, bekeek kolonel Ben David zichzelf in de spiegel. Toen pakte hij het scheermes op en gooide het tegen de spiegel. Die ging aan gruzelementen, evenals Ben Davids spiegelbeeld.

4

De kolossale man, potig en met gekromde rug, leek op een beer. Hij stond, gekleed in een op maat gemaakt, haaienleren pak dat meer kostte dan het jaarsalaris van veel van zijn hielenlikkers, op een zonovergoten Place de la Concorde te wachten. Het aanhoudende rumoer van toeristen klonk hem als het gehamer van een zwerm spechten in de oren. De eindeloze verkeersstroom die het cementen eiland omcirkelde waarop hij stond, leek net op de dood. Ze passeerde je rakelings tot het moment dat ze over je heen denderde en je met de straatstenen gelijkmaakte, alvorens verder te scheuren. Hij dacht aan de verspilde dagen van zijn jeugd, voordat hij zichzelf gevonden had, voordat hij ontdekt had hoe hij zijn innerlijke kracht moest gebruiken; het was verloren tijd, en nu voor eeuwig voorbij.

De Place de la Concorde was een favoriete ontmoetingsplaats van hem als hij in Parijs was, omdat daar de dood zo dichtbij was, zowel in het heden als in het verleden. Het was de plek waar tijdens Frankrijks beruchte schrikbewind tijdens de Franse Revolutie de guillotine stond en Marie Antoinette haar hoofd verloor, samen met vele anderen, schuldig of onschuldig, dat maakte niet uit. *Règne de la Terreur.* Hij hield van de klank van die frase, in wat voor taal dan ook.

Hij draaide zijn hoofd en zag haar, toen het licht op groen sprong, op haar onmogelijk lange benen de brede straat oversteken. Ze liep verscholen in een wolk toeristen, zag hem en negeerde hem totdat zij aan de andere kant stond van de 3300 jaar oude Egyptische obelisk die de heerschappij van Ramses II verheerlijkte. Oorspronkelijk had de obelisk bij de ingang van de tempel van Luxor gestaan, maar hij was in 1829 door Mehmet Ali, de Ottomaanse onderkoning, aan Frankrijk gegeven. Als zodanig was het een opmerkelijke, historische schat. De man dacht hierover na terwijl de hordes toeristen eromheen golfden zonder er meer dan een vluchtige blik op te werpen. Tegenwoordig raakte de geschiedenis van de wereld steeds meer verloren. Zij werd ondergeploegd door de berg digitale rotzooi die afgegeven werd door het internet en die bestudeerd werd door een groeiende massa op hun smartphones of iPads. De levens van Britney Spears, Angelina Jolie en Jennifer Aniston waren voor die nieuwe groepen veel interessanter dan de levens van Marcel Proust, Richard Wagner of Victor Hugo, als ze überhaupt al wisten wie deze illustere personen waren.

De man weerstond de drang om te spugen. In plaats daarvan glimlachte hij, terwijl hij zich door de menigte drong naar de westkant van de obelisk waar Martha Christiana stond te wachten. Ze had haar handen in de zakken gestoken van haar lange, wijde jas van avant-gardemodeontwerper L'Wren Scott. De paarsrode suede kokerrok van dezelfde ontwerper die ze eronder droeg, liet haar fraai gevormde benen goed uitkomen. Ze draaide zich niet om toen ze hem naast zich voelde, maar ze boog haar hoofd iets in zijn richting.

'Het is goed om je te zien, mijn vriend,' zei ze. 'Het is lang geleden.'

'Te lang, *chérie*.'

Haar volle lippen krulden zich lichtjes in haar Mona Lisa-glimlach. 'Nu vlei je me.'

Hij schoot in de lach. 'Dat is helemaal niet nodig.'

Hij had gelijk: zij was een opvallend mooie vrouw met donker haar en donkere ogen. Zowel haar trekken als haar temperament waren mediterraan. Ze kon licht ontvlambaar zijn, maar ook meegaand. In ieder geval wist ze heel goed wie ze was. Ze was volkomen zichzelf, wat hij bewonderde, maar toch probeerde hij haar de hele tijd in de hand te houden. Tot dusverre was hij daar niet in geslaagd, waar een deel van hem dankbaar om was. Martha zou niet half zo bruikbaar voor hem zijn als hij haar geestkracht had weten te breken. Hij vroeg zich tijdens zijn spaarzame vrije momenten vaak af waarom zij iedere keer bij hem terugkwam. Hij had niks waarmee hij haar onder druk kon zetten. Trouwens, zij was niet iemand die zich liet dwingen – dat had hij ontdekt tijdens hun tweede ontmoeting. Hij wilde niet denken aan die donkere periode en richtte zijn aandacht op de dringende reden die hun ontmoeting vandaag nodig maakte.

Martha leunde met haar rug tegen de massieve obelisk. Ze had haar slanke enkels gekruist. Haar Louboutins glansden uitbundig.

'Toen ik jong was,' zei hij, 'geloofde ik in het idee van beloning, alsof het leven eerlijk en voorbeschikt was en alsof het leven geen onvoorstelbare en onacceptabele obstakels op mijn pad zou brengen. Maar wat gebeurde er? Ik faalde, keer op keer. Ik faalde tot mijn hoofd bijna knapte en ik me realiseerde dat ik mezelf voor de gek had gehouden. Ik wist helemaal niets van het leven.'

Hij bood haar een sigaret aan en nam er daarna zelf ook een. Hij stak ze allebei aan, eerst die van haar, vervolgens die van hemzelf. Toen hij zich vooroverboog, rook hij haar parfum, die iets naar citroen en kaneel geurde. Hij voelde diep in zichzelf een huivering. Vooral de geur van kaneel had een erotische lading voor hem. Hij werd even overspoeld door intieme associaties voordat hij ze de kop indrukte. Hij rechtte zijn rug en inhaleerde diep alsof hij zich op die manier van het verleden wilde distantiëren.

'Ik besefte dat het leven me probeerde de weg te wijzen,' ging hij verder, 'om me de lessen te leren die ik nodig zou hebben, niet alleen om te overleven, maar ook om te slagen. Ik besefte dat ik mijn trots zou moeten afleggen en dat ik de onaanvaardbare obstakels zou moeten gebruiken om de weg erdoorheen te vinden, in plaats van me ervan af te keren. Want het pad naar succes – ieders succes, niet alleen dat van mij – leidt erdoorheen.'

Martha zweeg en luisterde oprecht geïnteresseerd. Dat waardeerde hij in haar. Ze was niet zo met zichzelf bezig dat ze niet hoorde wat belangrijk was. Deze eigenschap alleen al onderscheidde haar van de massa. Ze leek op hem.

'Elke keer als het onaanvaardbare geaccepteerd wordt, treedt er een verandering op,' zei ze uiteindelijk. 'Veranderen of sterven, dat is voor ons toch het centrale uitgangspunt. En als de veranderingen toenemen, treedt er een zekere metamorfose op. En plotseling zijn we dan anders.'

'Anders dan we ooit dachten dat we zouden zijn.'

Ze knikte. Haar blik was gericht op de rijen paardenkastanjes die de kaarsrechte Champs Elysées flankeerden 'En hier zijn we dan, opnieuw wachtend op het moment dat de schaduwen vallen.'

'Integendeel,' zei hij, 'wij zijn de schaduwen.'

Martha Christiana knikte grinnikend. 'Inderdaad.'

Terwijl de mensen en het verkeer om hen heen stroomden, rookten ze zwijgend verder. In de verte, aan het einde van de Champs Elysées, zag hij de Arc de Triomphe, glanzend als Martha's Louboutins.

Uiteindelijk liet hij de sigarettenpeuk vallen en drukte hem met zijn hak uit. 'Heb je een auto?'

'Die staat klaar, zoals gebruikelijk.'

'Mooi.' Hij knikte, en streek met zijn tong langs zijn lippen. 'Ik heb een probleem.'

Als het over zaken ging, begon hij hun gesprek altijd op dezelfde manier. Die rituele opening maakte hem rustig. Hij had altijd problemen, maar het kwam niet zo vaak voor dat hij de hulp van Martha inriep. Hij bewaarde haar speciale talenten voor de problemen die niemand anders volgens hem kon oplossen.

'Man of vrouw?' vroeg Martha Christiana.

Hij haalde een foto uit een binnenzak en gaf die aan haar.

'Ah, wat een knappe kerel!' Haar lippen krulden zich. 'Daar zou ik wel voor kunnen vallen.'

'Natuurlijk.' Hij lachte en gaf haar een USB-stick. 'Alle relevante informatie over het doelwit staat hierop, hoewel ik weet dat je liever je eigen spitwerk doet.'

'Zo nodig. Ik laat liever niets aan het toeval over.' Ze keek hem aan. 'Waar verblijft Don Fernando Hererra op dit moment?'

'Hij is op jacht.' Hij ontblootte zijn tanden. Ze hadden de kleur van ivoren mahjongstenen. 'Hij is naar mij op zoek.'

Martha Christiana keek verrast. 'Hij lijkt mij geen moordenaar.'

'Dat is hij ook niet.'

'Maar wat wil hij dan? En waarom wil je dat hij uitgeschakeld wordt?'

Hij zuchtte. 'Hij wil alles. Don Fernando wil iets van mij wat veel waardevoller is dan mijn leven.'

Martha Christiana draaide zich nu helemaal naar hem om. Haar gezicht was vol bezorgdheid. 'Wat mag dat dan wel wezen, *guapo*?'

'Mijn erfenis.' Hij zuchtte diep. 'Hij wil mij alles wat ik heb afnemen, en alles wat ik ooit zal hebben.'

'Dat zal ik niet toelaten.'

Hij glimlachte aangedaan en streek over de rug van haar hand, licht als de aanraking van een vlindervleugel. 'Martha, als je klaar bent, zal ik je door iemand op laten pikken. Ik heb je voor een heel speciale opdracht nodig.'

Martha Christiana glimlachte terug, terwijl zij zich losmaakte van de obelisk. 'Ik zal Don Fernando Hererra voor je uit de weg ruimen.'

Hij glimlachte. 'Dat weet ik.'

'Dat gedoe met Bourne, die affaire,' zei Ze'ev, 'is verdomde stom. Het is het niet waard. Het zal je dood worden, daar zal Ben David wel voor zorgen.'

Rebeka klakte met haar tong. 'Ben je helemaal uit Tel Aviv hiernaartoe gekomen om me dat te vertellen?'

'Ik probeer je te helpen. Waarom begrijp je dat niet?'

Ze kneep haar ogen dicht tegen het zonlicht dat door de wolken sijpelde in het kielzog van de voortrazende storm. Ze stampten door de vers gevallen sneeuwhopen. Het steil aflopende kiezelstrand voor hen liep qua kleur vloeiend over in het grauwe water. Misschien liepen ze in een cirkel rond. Daar leek het in ieder geval wel op. De omgeving was bezaaid met kleine huisjes met blauwe daken. Her en der waren mensen het pad naar hun voordeur aan het schoonvegen. Ze wilde terug naar Sadelöga, maar Ze'ev maakte dat ingewikkelder. Ze wist dat ze een manier moest zien te vinden om zijn aanwezigheid in haar voordeel te veranderen, en ze had heel weinig tijd om dat te bereiken.

'Ik probeer te begrijpen wat jij eraan hebt.'

Hij knakte met zijn knokkels. Hij droeg geen handschoenen. Zijn handen waren lijkbleek. Hoewel hij in Tel Aviv gestationeerd was, was Ze'ev een van kolonel Ben Davids mannen. Dat alleen al maakte hem gevaarlijk. Maar er waren andere redenen waarom zij voorzichtig moest zijn, als wat ze in Dahr El Ahmar gehoord had althans waar was.

'Waaraan?' vroeg hij.

'Ik wil wedden dat het feit dat je mij helpt zowel Amit als de directeur niet lekker zal zitten.'

Hij boog zijn poederwitte vingers. Was dat een teken van kracht of was dat een waarschuwing? 'Geen van beiden weten het, of zullen het te weten komen.'

Ze keek hem met een harde, sceptische blik aan, en hij zuchtte.

'Oké, dit is de deal. Ilan Halevy heeft het op mij gemunt vanaf het moment dat hij promotie maakte.' Ilan Halevy, de Babyloniër.

'Waarom?'

Ze'ev snoof als een paard dat strak gehouden werd. 'Ik heb geprobeerd om hem uit de Mossad te werken; dat was in het begin van zijn carrière. Hij was een dwarsligger, betaalde leergeld, en ging daarna compleet zijn eigen gang, en dat was niet zoals de Mossad het wilde.'

'Het lijkt erop dat je het fout had.'

Ze'ev knikte. 'En hij heeft geen gelegenheid voorbij laten gaan om me daaraan te herinneren. Hij zal pas blij zijn als hij van me af is.'

'Ilan Halevy kent de betekenis van het woord blij niet.'

'Toch...'

Ze knikte. 'Nou, goed, jullie hebben een bloedhekel aan elkaar. Wat heb ik daarmee te maken?'

'Ik wil dat hij faalt.'

'Niet gewoon falen.'

'Nee. Ik wil dat hij gigantisch op zijn bek gaat, een mislukking waar hij niet mee weg kan komen.'

Rebcka dacht even na. 'Je hebt een plan.'

Er gleed een glimlach over zijn gezicht.

'We kunnen hem niet stoppen. Dat heb je zelf gezegd.'

'Ja, dat zou een complete tijdverspilling zijn. In plaats daarvan lokken we hem naar Sadelöga.'

'En dan?'

'Dan staan wij hem op te wachten.'

Het kantoor van *Politics As Usual* lag aan E Street NW. Soraya probeerde niet te denken, terwijl ze de lift nam naar de vijftiende verdieping. In de lift stond een stelletje maatpakken te praten over opties, margin calls, en Forex-strategieën. Zodra de liftdeuren zich openden, drong ze naar buiten. Ze beende naar de ronde receptie die gemaakt was van esdoornhout en roestvrij staal.

'Is Charles aanwezig?' zei ze tegen Marsha, de receptioniste.

'Jazeker, mevrouw Moore,' zei Marsha met een professionele glimlach. 'Waarom gaat u niet even zitten, terwijl ik hem bel.'

'Ik blijf liever staan.'

Marsha knikte, terwijl ze Charles' nummer draaide. Hoewel Soraya heel dichtbij stond, hoorde ze alleen wat gemurmel. Terwijl ze wachtte, keek ze rond, hoewel ze de ruimte heel goed kende. Overal hingen de gelamineerde plaquettes ter herinnering aan de vele verhalen van het online nieuwsagentschap die een Peabody- of Pulitzerprijs hadden gewonnen. Haar blik viel onvermijdelijk op het briljante stuk dat Charles twee jaar geleden geschreven had over een machtige maar weinig bekende Arabische terroristencel in Syrië. Dat was nauwelijks verbazingwekkend aangezien hij daardoor onder haar aandacht was gekomen. Zij had hem gebeld om te proberen om op zijn minst enkele van zijn bronnen te weten te komen, met weinig resultaat.

Ze voelde zijn aanwezigheid, zoals ze altijd deed, en keek op. Een glimlach gloorde rond haar volle lippen. Hij was lang en slank, en hij had een hoofd vol weerspannig, vroeg grijzend stekelhaar. Zoals gewoonlijk was hij onberispelijk gekleed in een donkerblauw pak, een zachtgrijs overhemd, en een stropdas met een waterprint in gedempte kleuren.

Zodra hij haar zag, wenkte hij haar, maar er was iets verontrustends in zijn glimlach wat zij niet kon plaatsen en wat haar een heel onrustig gevoel gaf. Ze vroeg zich af of ze wel de juiste beslissing genomen had. Een deel van haar wilde zich omdraaien, de lift nemen en hem nooit meer zien.

Maar ze zette een stap vooruit en liep, met zijn hand lichtjes rustend onder op haar rug, door de gang naar zijn kantoor. Voordat ze het kantoor binnenstapte, zag ze rechts naast de deuropening nog net het naambordje: CHARLES THORNE, DEPUTY EDITOR IN CHIEF.

Hij sloot de deur achter zich.

Ik moet dit zo snel mogelijk achter de rug hebben, dacht ze, voordat ik de moed verlies. 'Charles,' zei ze terwijl ze zich naar hem toe draaide.

'Het is een gelukkig toeval dat je hier bent.' Hij gebaarde dat ze moest wachten en deed het rolgordijn zorgvuldig en doelbewust naar beneden. 'Soraya, voordat je iets zegt...'

O nee, dacht ze, hij gaat het op de ik-hou-van-mijn-vrouwtoer gooien. Niet nu, alsjeblieft, niet nu.

'Ik moet je iets in het volste vertrouwen vertellen. Oké?'

Daar gaan we. Ze vermande zich. 'Goed.'

Hij haalde diep adem en spuide het toen met een soort ijl, fluitend geluid. 'Er wordt een onderzoek naar ons ingesteld door de FBI.'

Haar hart bonsde haar in de keel. 'Naar ons?'

'Naar *Politics As Usual*, naar Marchand (de uitgever), naar Davidoff (de hoofdredacteur), en naar mij.'

'Ik snap het niet.' Haar hartslag sloeg een onaangename roffel in haar slapen. 'Waarom?'

Charles streek met een hand over zijn gezicht. 'Afluisteren – met name slachtoffers van misdaden, vooraanstaande beroemdheden, de politie van New York, sommige politici.' Hij aarzelde met een gepijnigde blik in zijn ogen. 'Slachtoffers van 11 september.'

'Meen je dat?'

'Jammer genoeg wel.'

Ze voelde zich verhit, alsof ze een tropische ziekte had opgelopen. 'Maar... is het waar?'

'Jij en ik moeten...' Hij hoestte en schraapte zijn keel. 'We moeten onze eigen weg gaan.'

'Maar jij...' Ze schudde haar hoofd, haar oren tuitten. 'Hoe heb je in vredesnaam...'

'Ik was het niet, Soraya. Ik zweer je dat ik het niet was.'

Hij is niet van plan om mijn vraag te beantwoorden, dacht ze. Hij gaat het me niet vertellen. Ze keek hem aan en toen drong pas door wat hij gezegd had. We moeten onze eigen weg gaan.

Ze wankelde, kwam met haar knieholtes tegen een stoel en ging snel zitten.

'Soraya?'

Ze wist niet wat ze moest zeggen, zelfs niet wat ze moest denken. Ze had moeite om normaal adem te halen. Haar leven was van het ene op het andere moment op zijn kop komen te staan. Ze konden hun eigen weg niet gaan. Niet nu. Dat was ondenkbaar. Ineens herinnerde zij zich een etentje dat Delia en zij gehad hadden op de avond nadat Charles en zij elkaar ontmoet hadden.

'Ben je gek geworden?' had Delia verbaasd uitgeroepen. 'Charles Thorne? Meen je dat? Weet je wel met wie hij getrouwd is?'

'Ja,' had Soraya gezegd. 'Natuurlijk weet ik dat.'

'En toch...?' Vol ongeloof had ze haar zin niet afgemaakt.

'We konden er doodeenvoudig niets aan doen.'

'Natuurlijk konden jullie er wel wat aan doen.' Delia was nu kwaad. 'Jullie zijn nota bene volwassen mensen.'

'Dit is iets wat volwassenen soms doen, Dee. Daarom noemen ze het...'

'Niet zeggen,' had Delia gezegd, terwijl ze een afwerend gebaar naar haar vriendin had gemaakt. 'Goeie god, waag het niet om het te zeggen.'

'Het is geen onenightstand, als dat enig verschil maakt.'

'Natuurlijk maakt dat enig verschil,' had Delia iets te luid gezegd. 'Toen had ze haar stem laten zakken tot een fel gefluister. 'Verdomme, Raya, hoe langer dit duurt, hoe erger het wordt!'

Soraya herinnerde zich dat ze de hand van haar vriendin in haar handen genomen had. 'Niet kwaad zijn, Dee.' Ze had niet geluisterd, niet echt. 'Wees blij voor me.'

Hoe langer het duurt, hoe erger het wordt.

'Soraya,' had Thorne nogmaals gezegd. Hij schrok van de uitdrukking op haar gezicht.

En nu, dacht Soraya, terwijl ze in de verschrikkelijke werkelijkheid terugkeerde, is het ergste wat kon gebeuren gebeurd. Nu moest ze het hem vertellen. Het was de enige manier waardoor ze samen konden blijven, waardoor ze hun relatie ongestoord door konden zetten.

Ze opende haar mond om het te vertellen, maar intussen rebelleerde haar geest. Zo maak ik de baby tot niet meer dan een garantie voor de toekomst, flitste het door haar heen. Een golf van walging overweldigde haar. Ze leunde voorover, greep de prullenbak en gaf erin over.

'Soraya?' Hij spoedde zich naar haar toe. 'Ben je ziek?'

'Ik voel me niet lekker,' fluisterde ze nauwelijks hoorbaar.

'Ik zal een taxi voor je bellen.'

Ze wuifde zijn woorden weg. 'Het gaat zo wel weer beter. Ze moest het hem vertellen. Ze wist dat ze geen keuze had, maar een nieuwe golf misselijkheid baande zich een weg omhoog naar haar keel. Ze moest kokhalzen. Niet vandaag, dacht ze, geef me alsjeblieft een dag respijt.

Een uur voordat hij met Alef aan boord ging om naar Sadelöga te gaan, had Bourne een droom. In de droom was hij neergeschoten en in het stormachtige, donkere water van de Middellandse Zee gevallen, maar in plaats van dat hij buiten bewustzijn raakte, wat vele jaren eerder wel gebeurd was, bleef hij zich nu bewust van de elektrische pijnflitsen die zijn hoofd in een soort stroomkring veranderden.

Terwijl hij in de duisternis worstelde, werd hij zich ervan bewust dat hij niet alleen was. Er was iets wat zich vanuit de diepte van de zee omhoogwerkte, iets langs en duns. Het was een of andere monsterlijke zeeslang die zich om hem heen slingerde en die met zijn bek met vlijmscherpe tanden naar hem uitviel. Keer op keer weerde hij het monster af, maar met elke seconde die verstreek stroomde de kracht uit hem weg en loste op in het inktzwarte water. En met het afnemen van zijn krachten, nam de kracht van het monster toe, totdat het zich terugtrok, zijn bek opende en zei: 'Je zult nooit weten wie ik ben. Waarom staak je je pogingen niet?'

Het maakte zich van hem los en glipte weg, zelfs ondanks zijn poging het te grijpen, en zelfs ondanks het feit dat zijn verlangen om het te weten ondraaglijk werd... Hij werd wakker.

Hevig zwetend gooide hij de lakens van zijn naakte lichaam en liep naar de badkamer. Hij stapte onder de douche. Het ijskoude water trof hem als een vuistslag, en dat was precies wat hij wilde om zo de laatste graaiende tentakels van de droom snel en volledig kwijt te raken. Het was niet voor het eerst dat hij deze droom had gehad. Hij eindigde altijd op dezelfde manier. Hij wist dat de zeeslang zijn verleden was, en dat die zich schuilhield in de diepste krochten van zijn onderbewustzijn, zich oprollend of ontrollend, maar zich nooit aan hem blootgevend. Als je de zeeslang moest geloven, zou hij dat ook nooit doen.

Toen hij zich had geschoren en had aangekleed, ging hij op de rand van het bed zitten en belde Soraya. Hij gebruikte zijn nieuwe satelliettelefoon. Ze hadden een afspraak om elkaar regelmatig te bellen, wat voor hen allebei goed werkte. Het kwam vaak voor dat ze informatie konden uitwisselen waar ze allebei wat aan hadden.

In D.C. was het midden in de nacht en het was duidelijk dat hij haar wakker gebeld had.

'Gaat het goed met je?' vroeg hij.

'Het gaat prima. Ik had alleen een lange, zware dag.'

Hij wist meteen dat zij hem niet de hele waarheid vertelde, ondanks het feit dat zij aangaf dat alles goed was. Hij drong aan totdat zij toegaf dat de hersenschudding die zij in Parijs had opgelopen, verergerd was.

Meer wilde ze niet zeggen, behalve dat ze in de gaten werd gehouden door haar dokter. Toen noemde ze de naam Nicodemo. Bourne vertelde haar over zijn gesprek met Christien, en dat Nicodemo op de een of andere manier betrokken was bij Core Energy en, misschien wel belangrijker, bij de CEO, Tom Brick.

'Je wilt dus zeggen dat Nicodemo echt bestaat?' zei ze toen hij uitgesproken was.

'Christien en Don Fernando denken in ieder geval van wel. Zou je voor mij wat informatie over Core Energy en Brick willen opdiepen?'

'Natuurlijk.'

'Pas goed op jezelf, Soraya.'

Ze aarzelde even voordat ze zei: 'Jij ook.'

Negentig minuten later, toen het in het oosten begon te dagen en de laatste herinneringen aan de nacht zich als oud vuil in de straatgoten verzamelde, zaten hij en Alef in een van Christiens auto's en reden van Stockholm richting Sadelöga.

'Je ziet er belabberd uit,' zei Alef terwijl ze met een rotgang over de snelweg reden.

Bourne zei niets. Om de paar minuten keek hij in de achteruitkijkspiegel en prentte zich de merken, modellen en posities van de wagens achter hen in.

Alefs blik ging automatisch naar de zijspiegel. 'Verwacht je gezelschap?'

'Ik verwacht altijd gezelschap.'

Alef lachte kort. 'Ja, ik weet wat je bedoelt.'

Bourne wierp hem een lange, scherpe blik toe. 'O ja?'

'Wat?'

'Je zei dat je wist wat ik bedoelde, toen ik zei dat ik altijd gezelschap verwacht. Hoe weet je dat?'

Alef beantwoordde zijn blik en schudde hulpeloos zijn hoofd. 'Ik heb geen idee.'

'Denk na!'

Bourne zei het zo abrupt dat Alef schrok.

'Ik heb geen idee. Ik weet het gewoon.' Hij richtte zijn blik weer op de zijspiegel. 'Zie je iets verdachts?'

'Nog niet.'

Alef knikte en accepteerde dit oordeel. 'Ik heb een goed gevoel over Sadelöga. Over ernaar teruggaan, bedoel ik.'

'Je denkt dat het je zal helpen om je herinnering terug te krijgen.'

'Inderdaad, ja. Als iets dat kan...'

Zijn stem stokte en de rest van de weg legden ze zwijgend af. Christien had ervoor gezorgd dat er een boot klaarlag – dezelfde die hij en Bourne hadden gebruikt toen zij Alef uit het water gevist hadden. Iemand had hem schoongemaakt. Er was geen spoortje bloed meer te zien.

Bourne hielp Alef in de boot, knoopte de touwen los, duwde af en sprong erin. Ze voeren langzaam naar Sadelöga. De lucht was zwaar van het vocht. Op sommige plaatsen lag de mist als een lijkwade op het water. Toen ze Sadelöga naderden, begon Alef om zich heen te kijken.

'Zie je iets bekends?' Bournes adem vormde kleine wolkjes in de ijzige lucht.

Alef schudde zijn hoofd.

Verscheidene minuten later minderde Bourne vaart. 'Hier hebben we jou uit het water gehaald. Je kon er nooit lang in gelegen hebben, dus moeten we vlak bij de plek zijn waar je bent neergeschoten.'

Hij minderde nog meer vaart en manoeuvreerde de boot zo dat hij parallel aan de kust lag.

'Zeg maar als je iets te binnen schiet,' zei hij.

Alef knikte. Hij leek steeds zenuwachtiger te worden, als iemand die zijn eigen dood tegemoet ging. Bourne kende dat gevoel. Onder de mistslierten door kon je ijsschotsen tegen de kust zien slaan. In de paar dagen sinds ze hier waren geweest, was de temperatuur met zeker tien graden gedaald. De kou had zelfs de meeuwenkolonie tot zwijgen gebracht. Het inademen bezorgde je pijn in de longen.

'Ik weet het niet,' zei Alef op klagende toon. 'Ik weet het niet.' Toen hief hij plotseling zijn hoofd als een jachthond die een prooi rook. 'Daar!' Hij huiverde. 'Daarginds!'

Bourne draaide de boot en stuurde naar de kust.

'Je hebt haar bespioneerd!' Delia keek Peter vol ongeloof aan. 'In godsnaam, zij is je vriend.'

'Dat weet ik, maar...'

'Jullie zijn ongelofelijk.' Ze schudde haar hoofd. 'Onmenselijk.'

'Delia, ik heb Soraya gevolgd, juist omdat ik haar vriend ben.'

Delia snoof sceptisch. Ze waren in haar kantoor, waar Peter haar was komen opzoeken. Ze had de deur dichtgeknald zodra hij zijn eerste vraag had gesteld.

'Wat deed ze in het kantoor van *Politics As Usual*?'

'Jeetje,' zei Delia, 'ga je niet vragen wat zij en ik tijdens de lunch besproken hebben?'

'Ik ging ervan uit dat het iets te maken had met haar bezoek aan dokter Steen.'

Delia ging hoofdschuddend achter haar bureau zitten. 'Ik weet niet wat jij denkt dat er aan de hand is...'

'Ik wil graag dat jij dat aan mij vertelt.'

'Je moet Soraya deze vragen stellen, niet aan mij.'

'Ze wil mij er niets over vertellen.'

'Dan zal ze daar wel goede redenen voor hebben.'

'Kijk, dat is het punt,' zei Peter, terwijl hij een stap in haar richting deed, 'ik geloof niet dat haar redenatie zuiver is.'

Delia spreidde haar handen. 'Ik weet niet wat...'

'Ik denk dat zij in moeilijkheden zit,' zei hij. 'Ik wil haar helpen, maar daar heb ik jouw hulp voor nodig.'

'Nee, Peter. Als ik dat doe, beschaam ik haar vertrouwen.' Ze sloeg haar armen over elkaar. 'Dat zal ik nooit doen, ongeacht wat jij zegt of doet.'

Hij keek haar zwijgend aan. De stilte leek een hele tijd te duren. 'Ik geef oprecht om haar, Delia.'

'Als je echt om haar geeft, ga je weer aan het werk en laat je dit verder rusten.'

'Ik wil haar helpen.'

'Hulp is een relatief begrip. Als je hiermee doorgaat dan eindigt dit in tranen, dat kan ik je wel verzekeren.'

Hij schudde zijn hoofd. 'Ik weet niet zeker wat jij...'

'Wat zij nu meemaakt, wil ze kennelijk niet met jou delen.' Delia glimlachte koeltjes naar hem. 'Het zal het einde van jullie vriendschap betekenen, Peter. Dat wil ik je duidelijk maken.'

Nog voordat de boot op de met sneeuw bedekte oever lag, klom Alef van boord.

'Wacht!' riep Bourne, terwijl hij de motor afzette. Hij sprong op de oever en sprintte vloekend achter Alef aan.

'Er moet een pijnboombosje zijn en een meer,' zei Alef tegen zichzelf. 'Ergens, ergens.' Zijn ogen waren opengesperd en zijn hoofd draaide alle kanten op.

Bourne had hem bijna ingehaald toen hij achter de laatste pijnbomen het meer zag liggen. Het zag er volledig dichtgevroren uit.

'Ik herinner me dat ik dit meer overgestoken ben,' zei hij toen Bourne hem ingehaald had.

'Laten we alles stap voor stap bekijken,' zei Bourne. 'Waarom was je hier?'

Alef schudde zijn hoofd. 'Ik stak het meer over of...' Hij deed een stap richting het ijs. 'Ik probeerde te vluchten.'

'Te vluchten voor wie?' drong Bourne aan. 'Wie achtervolgde jou?'

'Dat meer.' Alef begon te trillen. 'Dat vervloekte meer.'

Nu uit de mist van zijn amnesie flarden herinnering opborrelen, voelt dat alsof er achter zijn ogen een elektrische storm aanwakkert. Hij ziet zichzelf, hoort zijn zwoegende ademhaling, en ziet de slanke gestalte lichtvoetig achter zich aan bewegen alsof ze schaatsen onder heeft. Abrupt is alles weer weg en is de herinneringslamp in zijn hoofd weer gedoofd. Hij voelt dat hij struikelt. Het volgende moment zit hij op zijn knieën. De gestalte komt onverbiddelijk op hem af. Hij draait zich om en richt zijn pistool, maar hij stuntelt en het wapen vliegt uit zijn hand. Hij wil erachteraan, maar er is geen tijd voor. Hij strompelt overeind en vlucht verder. Hij rent voor zijn leven.

Deze herinneringen overrompelen hem als een aanvalsleger. Soms zijn ze duidelijk, soms zijn ze vaag. Tussen beide uitersten doemt de duisternis op van de in nevelen gehulde afgrond die hij heeft leren kennen als amnesie – zijn leven is van hem weggerukt en ligt voor eeuwig buiten zijn bereik. De kwelling die hem in haar macht heeft, ontwikkelt zich razendsnel tot een gevoel van paniek dat in hem opborrelt terwijl de flarden herinnering hem zo snel en meedogenloos bestoken dat hij overweldigd, gedesoriënteerd, en kortstondig krankzinnig raakt.

Alef knipperde met zijn ogen en was weer terug in het heden.

'Oké.' In de schaduw van de bomen en langs de rand van de vlakke, glinsterende uitgestrektheid, begon Bourne hem terug te leiden naar de oever waar de boot lag. 'Dit lijkt me wel genoeg voor vandaag.'

'Nee! Mijn leven is daar ergens. Ik moet het terug zien te krijgen!' Alef trok zich los en zette een stap in de richting van het ijs. Voordat hij nog een stap kon zetten, had Bourne hem al vastgegrepen en hem teruggetrokken in de schaduw van de bomen.

'Daar kun je niet naartoe,' zei Bourne. 'Het is daar veel te open en veel te gevaarlijk.'

'Gevaarlijk?'

Bourne wilde dat hij de aandacht erbij hield en schudde hem even door elkaar. 'Je bent neergeschoten, weet je nog? Iemand heeft het op jou gemunt.'

'Ik ben dood, Jason.' Hij had zijn ogen opengesperd. 'Begrijp je dat niet? Niemand zit nu achter mij aan.'

Bourne zag in dat deze trip, waartoe hij en Christien hadden besloten, een vergissing was. Het was te snel. Alef verloor zijn greep op de werkelijkheid. 'Laten we teruggaan naar de boot en alles eerst rustig en weloverwogen bespreken.'

Alef aarzelde. Hij keek uit over de ijzige uitgestrektheid van het meer. Toen knikte hij. 'Oké.'

Maar toen Bourne hem losliet, ging hij er als een haas vandoor. Met wild uitslaande benen begon hij het meer op te schaatsen. Hij sloeg zijn armen uit als vliegtuigvleugels om te voorkomen dat hij voorover op het ijs zou vallen.

Bourne stormde achter hem aan. Hij hield zijn ene oog gericht op Alef en zijn andere oog op de boompartij die het meer omzoomde. Die was dicht genoeg om een heel regiment aan het oog te onttrekken. De wind sloeg ijssplinters in zijn gezicht. Hij hield een hand voor zijn ogen om deze te beschermen. Het geluid van de scherpe knal drong pas heel laat tot hem door. Dikke ijssplinters spatten op toen de scherpschutter nog twee kogels afvuurde en een diepe groef veroorzaakte in het ijs vlak voor de plek waar Alef stond.

Bourne wierp zich op Alef om hem af te schermen, maar daardoor gleden ze ook naar de groef toe die de kogels van de sluipschutter hadden gemaakt. Het ijs kraakte en veranderde in een spinnenweb. Bourne probeerde zich terug te trekken en Alef met zich mee te slepen, maar kogels versplinterden het ijs achter hen. Ze konden niet voor- of achteruit. Met een zwaar gerommel brak het ijs en trok hen beiden mee. Een verbazingwekkend sterke stroming zoog hen de ijzingwekkende duisternis in.

5

Water stroomde Bournes neus in en prikkelde zijn neusgaten. Het was geen wonder dat het ijs het begeven had – het was een zoutwatermeer. Alef zonk sneller dan hij. Om hem te kunnen bereiken moest hij zijn pistool loslaten. Bourne moest zich omdraaien en naar beneden duiken. Als hij Alef wilde inhalen moest hij met krachtige beenbewegingen zien te versnellen.

De kou was binnen enkele seconden zijn jas en laarzen binnengedrongen. Toen zijn lichaamstemperatuur zakte, voelde hij hoe zijn hart sneller begon te slaan. Als ze echt erg zou zakken, zou het te laat zijn. Hij zou de kracht niet meer hebben om zich door het ijskoude water omhoog te werken, laat staan om Alef mee omhoog te trekken.

Zonder licht was het onmogelijk om de richting te bepalen. Bourne was een ervaren duiker. Hij wist dat zelfs professionele duikers tijdens nachtelijke duiken gedesoriënteerd konden raken, of door bijvoorbeeld stikstofnarcose bedwelmd konden raken. Een ander gevaar was de extreme kou. Die kon het denken beïnvloeden, met als gevolg dat je verkeerde beslissingen zou kunnen nemen. In de ijzige diepte konden foutieve beslissingen fataal zijn.

Bournes longen knapten bijna uit elkaar. Hij voelde zijn tenen niet meer en zijn vingers voelden dik en lomp aan. Terwijl zijn hoofd als een gek bonsde, deed hij nog een wanhopige trap met zijn benen. Hij voelde Alefs kraag, draaide zich om en trok hem met zich mee naar boven. Hij begon regelmatige beenbewegingen te maken, en hij probeerde wanhopig bij bewustzijn te blijven. Door zijn hoofd flitsten herinneringsflarden aan de bijnaverdrinking die zijn geheugenverlies had veroorzaakt.

Het kostte hem steeds meer moeite om bij te blijven, om zijn lichaam op de toppen van zijn kunnen te laten werken, laat staan op de toppen van zijn efficiëntie. Hij kon nergens naartoe in de Middellandse Zee, alleen was hij niet in de Middellandse Zee. Hij bevond zich ver, heel ver naar het noorden. Een vredige warmte nam heel langzaam bezit van hem, een grote loomheid, zelfs terwijl zijn benen bleven doorslaan en hij Alef bleef vasthouden. Maar als hij warm was, was hij dan toch niet in de Middellandse Zee? Dat moest haast wel. Hij was neergeschoten en in de buurt van Marseille overboord gegooid, en nu... Nu zag hij hoe hijzelf verstrengeld raakte in de ondoordringbare schaduwen van de jungle. Hij stond achter een man die op de grond knielde. Zijn polsen waren op zijn rug gebonden. Hij zag zichzelf. Hij greep een revolver .45, drukte de loop tegen de schedel van de man, en haalde de trekker over. En hij zag hoe Jason Bourne te pletter sloeg op de bodem van de jungle, dood...

Hij wilde het uitschreeuwen. Een ijzige huivering trok langs zijn ruggengraat en hij wrong zich in allerlei bochten alsof hij zich probeerde te ontworstelen aan de nachtmerriebeelden. Toen keek hij omhoog en zag een lichtvlek in de eindeloze duisternis, een uitweg!

Hij keek omlaag en zag Alefs verkleumde, witte gezicht. De aanblik zette hem aan om de loomheid van zich af te schudden en het wegglijden in de nachtmerrieachtige waterige woestenij te stoppen. Hij trapte met hernieuwde energie en zag de bleke plek groter worden, en lichter, steeds lichter totdat hij de oppervlakte bereikte en de lucht in zijn brandende longen kon laten stromen. Hij greep Alef steviger vast omdat de bewusteloze man steeds zwaarder werd hoe verder hij hem uit het water trok.

Maar Bourne dacht nog steeds niet helemaal helder, en keer op keer zakte Alefs lichaam weer terug in de duisternis, totdat Bourne langzaam en moeizaam uit het water klom, zich omdraaide en al zijn kracht gebruikte. Centimeter voor centimeter trok hij Alef uit het water. Eerst trok hij hem aan zijn kraag omhoog, daarna pakte hij hem onder zijn oksels vast, en ten slotte greep hij zijn riem beet, waarna hij hem op het ijs trok.

Hij was totaal kapot. De kou en de afschuwelijke herinneringen hadden alle energie uit zijn lichaam gezogen. Hij liet zich op zijn rug vallen en concentreerde zich op zijn ademhaling, zelfs ondanks het feit dat een stemmetje in zijn hoofd schreeuwde dat hij een schuilplaats moest zien te vinden en dat hij zijn natte kleren uit moest doen voordat ze aan zijn lichaam vast zouden vriezen.

Op dat moment viel er een schaduw over hem heen. Hij keek op en zag een man boven zich uittorenen. Hij had een pistool in zijn hand. De sluipschutter? Maar waar was zijn geweer dan? Achtergelaten in het bos? Bourne kon nog steeds niet helder denken.

'Je hoeft je niet voor te stellen, Bourne,' zei de man, terwijl hij neerhurkte, 'ik weet wie je bent.'

Hij grijnsde terwijl hij de loop van het pistool tegen de zijkant van Bournes hoofd drukte. Bourne probeerde zijn arm op te tillen, maar zijn kleren waren praktisch bevroren en voelden bijna als een harnas. Zijn vingers waren volkomen verstijfd.

De man ontgrendelde het pistool en zei: 'Wat jammer dat we geen tijd hebben om elkaar wat beter te leren kennen.'

De knal van het pistool echode over het meer als een uitzinnige schreeuw. Enkele meeuwen vlogen angstig krijsend op en verdwenen in de streperige lucht.

Ik kan over geen van beiden iets vinden.'

'Wat betekent dat in vredesnaam?' zei de president. 'Jij bent mijn ogen en mijn oren binnen Treadstone.'

Dick Richards sloeg zijn benen over elkaar. 'Het lijkt mij dat uw probleem niet bij Marks of Moore ligt, maar bij minister Hendricks.'

De president staarde hem vanachter zijn bureau aan. Het was opvallend rustig in het Oval Office. Zelfs de incidentele geluiden van voetstappen, telefoontjes en de verschillende stemmen van medewerkers klonken gedempt, alsof ze van grote afstand kwamen en niet uit de kamer ernaast.

'Ik heb jou niet nodig om mij te vertellen wat mijn probleem is, Richards.'

'Nee, meneer, natuurlijk niet. Blijft staan dat Treadstone Hendricks' kindje is.'

De president fronste zijn wenkbrauwen. 'Wat wil je daarmee zeggen?'

'Marks en Moore krijgen hun orders van hem.'

De president draaide zijn stoel om uit het raam te kunnen kijken. 'Wat heb je over hen gevonden?'

Richards nam even de tijd om zijn gedachten te ordenen. 'Ze zijn allebei slim – slim genoeg om mij op afstand te houden. Maar ze maken de fout om te denken dat de opdracht die ze mij gegeven hebben, nutteloos werk is.'

De president draaide terug en observeerde zijn mol met half dichtgeknepen ogen. 'En wat betekent dat?'

'Wist u dat de identiteit van Jason Bourne door Treadstone gecreëerd was?'

'Richards, je stelt mijn geduld vandaag op pijnlijke wijze op de proef.'

'En ook dat Jason Bourne een echt persoon is geweest. Hij was een huursoldaat die vermoord is omdat hij zijn eenheid verraden had.'

De president kreeg een uitermate ontevreden blik in zijn ogen. 'Die kennis is strikt geheim. Hoe ben jij daar verdomme achter gekomen?'

Richards vroeg zich even af of hij in zijn poging om zijn punt duidelijk te maken, zijn hand niet overspeeld had. 'Er is geen lek, als u dat bedoelt. De archivaris heeft me gevraagd of ik een nieuw, geheim archiefsysteem voor alle data wilde doorlichten op veiligheidslekken.' Hij wuifde met zijn hand om het belang van zijn verklaring te bagatelliseren. Ze was trouwens slechts oppervlakkig gezien waar. Maar hij wilde absoluut niet dat iemand dieper zou graven. 'Het punt is dat ik vorderingen maak met mijn onderzoek naar de vraag of de Djinn Die De Weg Wijst echt bestaat of een bedenksel is. Ik kan u al wel zeggen dat het onmogelijk is dat één persoon verantwoordelijk is voor alle invloed die aan hem toegeschreven wordt.'

De president boog zich voorover. 'Luister, Richards, je begrijpt het niet.'

'Het is heel waarschijnlijk dat die Nicodemo een samensmelting is van diverse personen.'

'Naar de hel met Nicodemo,' zei de president ruw. 'Ik ben niet in hem geïnteresseerd; hij is Hendricks' kwelduivel. Ik ben geïnteresseerd in Peter Marks en Soraya Moore.'

Richards schudde zijn hoofd. 'Ik begrijp het niet.'

'Soraya Moore was een solitair werkende agent bij de Centrale Inlichtingendienst; nu zijn ze allebei solitair werkende directeuren bij Treadstone.'

'Zij vormen toch zeker geen veiligheidsrisico. Ik ben nog steeds niet...'

'Ze staan allebei dicht bij Jason Bourne, stomme idioot! Zijn giftige invloed maakt hen onbetrouwbaar.' De president leek net zo gechoqueerd als Richards door zijn uitval. Hij trommelde met zijn vingers op zijn bureau, haalde diep adem en ging langzaam verder. Toen hij begon te praten sprak hij weer met zijn normale stem. 'Moore en Marks staan dicht bij Bourne, derhalve moeten ze wel in contact met hem staan.'

Richards dacht even na. 'U hebt het op Bourne gemunt.'

'Waarom denk je dat ik je binnen Treadstone wilde hebben, Richards? Bourne is niet onderworpen aan wetten en regels. Hij doet wat hem goeddunkt. Dat kan ik niet toelaten.'

'Ik heb begrepen dat hij ons in het verleden geholpen heeft.'

De president maakte een wuivend gebaar. 'Die geruchten mogen waar of niet waar zijn, Richards. Maar wat ze niet melden is Bournes eigen agenda, en geloof me, die heeft hij. Ik wil weten wat die agenda is. Iedereen over wie we geen controle hebben, vormt niet alleen een veiligheidsrisico, maar is ook een potentieel gevaar voor onze buitenlandse politiek. En dan laat ik zijn onevenwichtige mentale toestand nog buiten beschouwing. Hij is verdomme een amnesielijder! Wat zal hij in godsnaam gaan doen? Nee.' Hij schudde resoluut met zijn hoofd. 'We moeten voor eens en voor altijd met hem afrekenen. De directe benadering heeft niet gewerkt. Op die manier vinden we hem niet. Hem opsporen is een oefening in nutteloosheid. Trouwens, Hendricks deelt mijn bezorgdheid niet, dus die doet niet meer mee.'

Minister Hendricks en u liggen overhoop met elkaar. Hendricks vindt het niet erg als iemand andere denkbeelden heeft; het is duidelijk dat u daar wel moeite mee hebt. Deze gedachten schoten door zijn hoofd. Opeens besefte hij dat hij wanhopig graag aan de winnende kant wilde staan. Voor één keer in zijn leven.

De president stond plotseling op en ging bij de opgerolde Amerikaanse vlag staan die naast het raam stond. 'Vergeet Nicodemo. Hij is niet meer dan een rookgordijn, maar het is nog waarschijnlijker dat hij het resultaat is van foutieve informatie. Hij is een hersenschim die door onze vijanden bedacht is om ons bezig te houden. Snap je het nu?'

'Ja, meneer, maar ik kan mijn onderzoek naar Nicodemo niet plotseling afbreken. De directeuren zullen argwaan krijgen.'

'Probeer hun argwaan in toom te houden door af en toe op het internet rond te snuffelen, maar concentreer je op het vinden van Bourne.'

Zijn plan om het vertrouwen van Peter en Soraya te winnen door de opdracht die ze hem gegeven hadden succesvol af te ronden, was bij dezen in duigen gevallen. Hij werd steeds kwader over de manier waarop de president hem behandelde. Werd hij niet verondersteld het goudhaantje van de president te zijn? Had de president hem niet zelf bij NSA weggeplukt voor deze opdracht? Het feit dat de president hem voorgelogen had over de echte aard van zijn opdracht, maakte hem furieus. Naar de hel ermee, dacht hij. Het is nu iedereen voor zich.

Maar, dacht hij met een ingehouden, sardonisch lachje, was dat niet altijd zo geweest?

Tijdens de rest van de bijeenkomst zette hij zijn gezicht in de glimlachstand, knikte af en toe, en maakte alle passende geluiden. Maar in werkelijkheid luisterde hij helemaal niet. Hij was al bezig met het bedenken van een nieuwe strategie, eentje waar alleen *híj* wat aan zou hebben. Hij vervloekte zichzelf dat hij niet eerder voor deze lijn gekozen had.

Eenmaal terug bij Treadstone ging Richards rechtstreeks naar het kantoor van Peter Marks, waar hij Soraya Moore aantrof die daar op de computer aan het werk was. Dit verraste en alarmeerde Richards. Hij moest denken aan de woorden van de president dat deze directeuren solitaire persoonlijkheden waren. Zelfs bij bedrijven werd het gebruikmaken van andermans computer met argwaan bekeken; maar bij de geheime diensten was het helemaal uit den boze. Hij begreep nu waarom zij hun relatie met Bourne in stand hielden.

Soraya keek op toen hij aarzelend op de drempel bleef staan. 'Ja? Wat is er, Richards?'

'Ik was... ik was op zoek naar directeur Marks.'

'En in plaats daarvan tref je mij hier aan.' Ze gebaarde. 'Ga zitten. Wat heb je op je lever?'

Opnieuw een korte aarzeling, maar toch maakte het Richards duidelijk hoezeer hij door haar geïntimideerd werd. De waarheid gebood te zeggen dat hij nog nooit een vrouw als zij ontmoet had, en dat gaf hem een buitengewoon ongemakkelijk gevoel.

Soraya zuchtte. 'Ga zitten. En?'

Hij ging op het randje van de stoel zitten. Aan het feit dat hij zich geen houding wist te geven, kon je zijn onrustige gemoedstoestand aflezen.

'Ben je nog van plan wat te zeggen, of blijf je daar als een zoutzak zitten?'

Hij keek haar aan, nog steeds enigszins op zijn hoede. Pas toen herinnerde hij zich dat hij een dossier bij zich had met een uitdraai van zijn vorderingen met betrekking tot zijn zoektocht naar de waarheid over Nicodemo. Hij legde het dossier op het bureau en schoof het in haar richting. Hij vond het merkwaardig dat ze niets gezegd had over wat zij aan het doen was op de computer in het kantoor van haar mededirecteur. Kende zij de inlogcode van zijn computer? Iedereen bij Treadstone had zijn persoonlijke code om in en uit te loggen op hun kantoorcomputers. Een tweede code was nodig voor hun laptops, en een derde voor degenen die de beschikking hadden gekregen over een tablet.

Soraya keek hem met haar grote, glanzende ogen aan. Dat zij niet alleen mooi en bijzonder aantrekkelijk was, maar ook machtig, maakte hem buiten zichzelf van woede. Ze pakte het dossier en opende het zonder haar ogen van hem af te wenden.

'Wat is dit?'

De onverwachte vraag bracht hem van zijn stuk. Waarom stelde ze deze vraag als een simpele blik omlaag haar het antwoord zou geven?

Hij ademde zwaar. 'Ik heb aanzienlijke vorderingen gemaakt met betrekking tot de opdracht die u en directeur Marks mij gegeven hebben.'

'Ga door.'

Waarom keek ze niet omlaag? Richards schudde de knagende vraag van zich af en ging verder. 'Als u de uitdraaien bekijkt...'

'Uitdraaien zijn compleet ontdaan van context en gevoelens,' zei ze. 'Ik wil dat je je bevindingen in je eigen woorden vertelt.'

Dus dat was het, dacht hij. Hij schraapte zijn keel en ging verder. 'Het wordt steeds duidelijker dat de persoon Nicodemo niet noodzakelijkerwijs hoeft te bestaan. Het is in toenemende mate waarschijnlijk dat hij een slimme creatie is, net zoals de Bourne-identiteit.'

'"Steeds duidelijker", "in toenemende mate waarschijnlijk"?' zei Soraya, zonder toe te happen. 'Dat zijn niet de bewoordingen waarvan ik houd. Ze zijn niet feitelijk; ze zijn betekenisloos.'

'Ik ben bezig dat te verbeteren,' zei Richards, terwijl hij zich afvroeg hoe hij haar over Bourne aan het praten kon krijgen.

'Nee, je zit hier met mij te praten.' Soraya knikte uitdagend. 'Vertel me eens, Richards, waarom wilde je hiermee naar Peter gaan, en niet naar mij?'

Landmijnen, dacht Richards. Ze plaatst overal landmijnen. Ik moet heel voorzichtig handelen zonder dat ik laat merken dat ik weet wat zij van plan is. Hij zou kunnen zeggen dat Marks hem verteld had dat hij directeur Moore enkele dagen vrijaf had gegeven, maar dat was strikt genomen niet waar. Dat had hij opgevangen. Afgeluisterd was dichter bij de waarheid. Hij kon zich niet veroorloven dat zij hem op een leugen, of zelfs maar een halve waarheid zou betrappen.

'Mijn eerste contact hier was met directeur Marks. Ik heb voor uw aankomst verscheidene weken op min of meer collegiale basis met directeur Marks samengewerkt, en toen...' Hij liet zijn stem wegsterven terwijl hij zijn schouders ophaalde. Zij wist heel goed hoe koeltjes zij tegen hem geweest was, hoe zij hem behandeld had als een worm in een appel.

'Ik begrijp het.' Soraya legde het dossier ongelezen neer, zette haar vingertoppen tegen elkaar en leunde achterover in Peters stoel. 'Dus je hebt een klacht over mij, is dat het?'

Hij zag zijn fout onmiddellijk in en vervloekte zichzelf in stilte. Een ontkenning van zijn kant zou de dingen alleen maar erger maken. Hij begreep nu dat zij elke vorm van zwakheid verfoeide, of die nu schijn of echt was. 'Directeur, geeft u me alstublieft de kans om deze blunder recht te zetten.' Hij kreeg een licht gevoel van opluchting toen ze hem trakteerde op een flauwe glimlach. 'Ik heb een dikke huid. Dat had ik nooit, maar u kent NSA.'

'O ja?'

'M. Errol Danziger, de huidige CI-directeur, is door de NSA geschoold, dus ik schat dat u beter op de hoogte bent dan de meesten.

Heb je je tijdens je tijd bij NSA een oordeel gevormd over directeur Danziger?'

'Naar mijn bescheiden mening is hij een klootzak.' Dit antwoord leek haar te plezieren, en hij dwong zichzelf om te ontspannen. 'Als mijn tijd bij NSA mij iets geleerd heeft, dan was het wel dat ik harder moest worden om te kunnen overleven. Dus hoe u mij behandelt, is helemaal uw zaak.'

'Dank je.'

Haar scherpe, boosaardige toon viel niet te negeren. Hij zei: 'Het is mijn zaak om de opdrachten die u me geeft, zo goed mogelijk uit te voeren.'

'Niet de opdrachten die de president je gegeven heeft?'

'Ik begrijp dat u mij niet vertrouwt. Eerlijk gezegd zou ik dat in uw plaats ook niet doen.'

'Maar waarom heeft de president jou verdomme achter ons aangestuurd?'

'In het verleden hebben inlichtingendiensten die geheime missies uitvoeren, te veel ruimte gekregen. Hij heeft mij gevraagd om toezicht...'

'Om ons te bespioneren.'

'Eerlijk gezegd denk ik niet dat hij het vijandig bedoelt.'

'Hoe dan wel?'

'Hij is voorzichtig, ik denk dat u het zo moet zien.'

Soraya meesmuilde. 'Ik neem aan dat jij het met hem eens bent.'

'Ik denk dat dat voordat ik hier kwam inderdaad het geval was. Maar nu ik zie wat Treadstone doet...' Hij liet een korte stilte vallen om die bewering extra nadruk te geven.

'Ik ben één en al oor.'

'En ik doe mijn best om uw vertrouwen te verdienen.'

'Hm-hm.'

'Hoe verder ik met de Nicodemo-opdracht kom, hoe raadselachtiger het wordt. Ik ben uiteindelijk tot de conclusie gekomen dat deze warboel, die gaandeweg het onderzoek alleen nog maar ingewikkelder werd, doelbewust was.'

'Niets zou verdachter zijn dan dat je Nicodemo makkelijk had gevonden.'

'Precies! Dat was natuurlijk ook mijn eerste gedachte toen ik mijn weg door de eerste lagen zocht. Maar zoals u zult zien in het dossier, is dit meer dan een door hackers veroorzaakte chaos. Het is een verrekte gordiaanse knoop. Hoe harder ik aan een draad trok, hoe strakker de knoop werd.'

'Is dat niet gewoon een staaltje van superieure beveiliging?'

'Nee,' zei Richards. 'Het is een voorbeeld van een dubbelblind onderzoek.'

'Wat bedoel je?'

'Deze gordiaanse knoop is juist bedoeld om een staaltje van superieure beveiliging te lijken, om zo ervaren hackers in de maling te nemen die, in tegenstelling tot mezelf, in hart en nieren complottheoretici zijn. Maar in feite is het onzin. De gordiaanse knoop is het voortbrengsel van een kwade genius – geraas en gebral zonder betekenis.'

'Dus je zegt – wat? – dat Nicodemo niet bestaat?'

'Niet zoals u en ik over hem moesten denken – en misschien bestaat hij wel helemaal niet.'

'Oké.' Soraya spreidde haar handen. 'Stel dat je gelijk hebt.'

'Ik héb gelijk.'

'Wie is dan verdomme de eigenaar van Core Energy?'

Richards keek verbaasd. 'Wat zegt u?'

'Ik heb uit betrouwbare bron vernomen dat Nicodemo in verband gebracht kan worden met Core Energy.'

'Waar hebt u dat gehoord? Tom Brick is CEO van Core Energy.'

Soraya had haar informatie over Core Energy en Nicodemo van Jason Bourne, met wie zij lang geleden had afgesproken om af en toe telefonisch contact te hebben, maar ze was niet van plan om dat aan Richards te vertellen. 'Volgens deze bron heeft Core Energy een groot aantal geheime dochterondernemingen die wereldwijd energiemijnen en -producenten opkopen, en deals sluiten waar Tom Brick of welke andere legitieme CEO dan ook met geen mogelijkheid aan zou kunnen komen. Als Nicodemo niet bestaat, zoals jij beweert, wie sluit dan in hemelsnaam al die corrupte deals?'

'Ik... ik weet het niet.'

'Ik ook niet, maar ik heb mijn stinkende best gedaan om het uit te vinden.' Ze sloeg het dossier dicht en schoof het terug in zijn richting. 'Aan het werk, Richards. Als je indruk op me wilt maken, zorg dan dat je met iets bruikbaars op de proppen komt.'

Bournes gezicht werd door een nevel van bloed bedekt, terwijl het geweerschot nog in zijn hoofd nagalmde. Hulpeloos staarde hij omhoog in het verbaasde gezicht van de schutter. Een tel later werden de ogen van de schutter glazig en tuimelde hij opzij.

Nog een schaduw gleed door Bournes gezichtsveld. Hij draaide zijn hoofd en zag een andere gestalte met een wapen in de hand staan. Het zonlicht maakte die tot een inktzwart silhouet. Toen verdween de zon achter een voortjagende wolk, en terwijl de gestalte naast hem knielde, herkende Bourne het gezicht.

'Rebeka,' zei hij.

Ze glimlachte. 'Welkom terug in het land der levenden, Bourne.'

Toen hij zich probeerde te bewegen, kraakte hij als een splijtende ijsberg. Ze pakte haar Glock bij de loop en gebruikte de kolf om de ijslaag die hem als een harnas omhulde, van hem af te slaan.

'We kunnen dit spul beter van je af halen, voordat het zich permanent aan je huid hecht.' Terwijl ze doorwerkte, zei ze: 'Ik ben blij dat ik je zie. Ik heb je nog niet bedankt voor het feit dat je mijn leven gered hebt.'

'Dat is mijn werk,' zei Bourne. 'Is Alef oké?'

'Ze keek verbaasd. 'Wie?'

'De man naast me. Ik heb hem dagen geleden uit het water gevist.'

'O, je bedoelt Manfred Weaving.' Ze keek links van Bourne. 'Hij is in orde. Dankzij jou. Maar hij moet hier wel snel weg.'

Bourne begon het gevoel in zijn ledematen terug te krijgen, maar hij was nog steeds tot op het bot koud. Om te voorkomen dat zijn tanden zouden gaan klapperen, zei hij: 'Hoe ken je hem? Wat doe je hier?'

'Ik achtervolg hem nu al weken, helemaal vanuit Libanon.' Ze lachte. 'Je herinnert je Libanon toch nog wel, Bourne?'

'Hoe is het met kolonel Ben David?'

'Spinnijdig.'

'Goed zo.'

'Hij heeft gloeiend de pest aan jou.'

'Nog beter.'

Met een spottend glimlachje hielp ze hem in een zittende positie. 'Ik moet zorgen dat jullie allebei wat warmer worden.'

Hij draaide zich om en keek naar de man die in zijn eigen bloed lag. 'Wie is hij in godesnaam?'

'Zijn naam is Ze'ev Stahl. Hij werkte voor Ari Ben David.'

Bourne keek haar aan. 'Je hebt één van jullie eigen mensen doodgeschoten?'

'Het is een lang verhaal.' Ze knikte in de richting van Manfred Weaving. 'We kunnen beter op pad gaan.' Er kwam een ironisch glimlachje op haar gezicht. 'Van jou weet ik het niet zeker, maar hij is veel te waardevol om hem dood te laten vriezen.'

Peter Marks zat in zijn onopvallende wagen, en genoot van een Snickers. Hij had er zo'n ongelofelijke hekel aan om op de uitkijk te staan dat hij het alleen maar draaglijk kon maken door te zorgen voor een constante aanvoer van lekkernijen. Het was een bijzonder zachte dag. Hij had de raampjes naar beneden en ademde de jonge lentelucht in. Terwijl hij wachtte, luisterde hij opnieuw naar het relevante fragment van de opname uit zijn kantoor.

> Soraya: 'Ik heb uit betrouwbare bron vernomen dat Nicodemo in verband gebracht kan worden met Core Energy.'
> Richards: 'Waar hebt u dat gehoord?'

Peter knikte tevreden. Hij had het aan Soraya overgegeven. Zij was een verdomde expert. Toen ze hem het plan voor het eerst voorlegde, ging hij ervan uit dat hijzelf de confrontatie met Richards zou aangaan, maar zij had iets anders voorgesteld. Ten eerste zal hij niet verwachten dat ik in het kantoor ben, laat staan dat ik achter je bureau zit, had ze gezegd. Ten tweede weet ik zeker dat hij de zenuwen van mij krijgt. Hij weet niet of hij mij moet bespuwen of mee uit moet vragen. Als hij me aankijkt, zie ik zijn ogen gloeien. Dat kan ik allemaal in de strijd gooien om hem aan de praat te krijgen. Naar nu bleek had ze met haar psychologisch profiel van Dick Richards de spijker op de kop geslagen.

Peter nam een laatste, gulzige hap van zijn Snickers en keek op het dashboardklokje. Het was nu een kwartier na de geïmproviseerde ontmoeting in zijn kantoor. Hij keek op toen hij bij de ingang van het Treadstone-gebouw iets zag bewegen. Bingo! Daar kwam Richards. Hij snelde de trappen af en sloeg links af naar de bewaakte en elektronisch beveiligde parkeerplaats.

Peter keek toe hoe hij in zijn auto stapte, de motor startte en wegreed. Hij zette zijn eigen auto in de versnelling, voegde zich in de verkeersstroom en nam een positie in één auto achter die van Richards.

Hij had verwacht dat Richards via de Key Bridge naar D.C. zou rijden, maar in plaats daarvan ging hij de andere kant op, langs Arlington richting de golvende heuvels van Virginia, zo wellustig groen in de lente en zomer, in vuur en vlam in de herfst, en nu bruin, slaperig in de winterkou.

Ze verlieten de snelweg en passeerden slaperige stadjes en chique woonwijken die gescheiden werden door uitgestrekte parken, en golfcourses en tennisbanen die door bospartijen omzoomd werden.

Ze gingen over de oude Blackfriar Pike en daalden af in een weidse vallei. De weg liep weer omhoog naar de top van een heuvel, en Peter dacht: gaat hij echt hiernaartoe?

Links ontwaarde hij de dikke, stenen muren van de Blackfriar, de oudste en nog steeds de meest exclusieve country club in deze streek, die de peperdure troonpretendenten die de afgelopen tientallen jaren als paddenstoelen uit de grond waren geschoten, moeiteloos achter zich liet. Blackfriar accepteerde alleen de machtigste politici, lobbyisten, mediamannen en -vrouwen, invloedrijke zakenmensen en advocaten, te beginnen natuurlijk met de president en de vicepresident.

Soraya: 'Ik heb uit betrouwbare bron vernomen dat Nicodemo in verband gebracht kan worden met Core Energy.'
Richards: 'Waar hebt u dat gehoord?'

Peter speelde het opgenomen gesprek opnieuw af. Hij richtte zich op de vraag die Dick Richards zo van zijn stuk had gebracht. Waar hebt u dat gehoord? Die vraag had hem verraden. Hij kende Core Energy al, maar dat had hij voor zich gehouden. Peter achtervolgde hem om uit te vinden waarom. Volgens Soraya had Bourne sterke vermoedens dat er een relatie tussen Nicodemo en Core Energy bestond. Van waar Peter nu zat, zag het ernaar uit dat Bourne het bij het rechte eind had. Zoals gewoonlijk.

Richards draaide de oprit op en stopte bij het wachthuis dat net als bij een militaire basis buiten de poort stond, die te allen tijde voor de oningewijde en ongenode gasten gesloten bleef.

Peter was geen lid van Blackfriar en hij zou ook nooit voor een lidmaatschap in aanmerking komen. Toch moest hij binnen zien te komen. Als hij zijn identiteitspapieren aan de bewakers zou laten zien, zou hij net zo goed zijn aanwezigheid via een luidspreker kenbaar kunnen maken.

Hij reed door totdat hij uit het zicht van de bewakers was en reed het gemaaide grasveldje op dat de muur van de weg scheidde. De stenen muur was dik. Bovenaan was een brede, decoratieve betonnen rand waarin met precieze tussenruimten zwarte, smeedijzeren pinnen gemetseld waren. De punten ervan hadden de vorm van een Franse lelie.

Peter stapte uit, klom op het dak van zijn auto en klauterde vervolgens op de betonnen rand van de muur. Hij wurmde zich zijdelings tussen de pinnen door en liet zich aan de andere kant op de grond zakken. Hij landde op zijn hurken achter een judasboom, de voorbode van de lente die na de winter als eerste in bloei komt.

Het feit dat hij binnen de muren van Blackfriar was, gaf hem een bijzonder onaangenaam gevoel. Het was een plek waar hij niet wilde zijn. Het feit dat de leden een diepgewortelde afkeer hadden van mensen zoals hij, maakte het tot een vijandig en vreemd gebied. Hij dacht hieraan toen hij opstond en terug begon te lopen naar de plek waar Richards naar binnen zou rijden. Hij passeerde enkele tennissers die van de indoorbanen kwamen, en zag de auto tot zijn grote opluchting vrijwel onmiddellijk. Het leek erop dat Richards opgehouden was, waarschijnlijk omdat Richards geen lid was en door de president niet verwacht werd.

Hij was vlak bij de Pro Shop waar allerlei sportartikelen te koop waren. Golfkarretjes stonden in keurige rijen naast elkaar werkeloos te wachten op de eerste tekenen van de lente. Hij pakte er een, startte de motor en reed parallel aan Richards' auto terwijl die langzaam over de slingerende weg reed die de country club in tweeën deelde. Toen hij er zeker van was dat Richards naar het koloniale clubhuis reed, veranderde hij van koers, nam een kortere weg en reed het gravel op dat als een slotgracht rond het gebouw lag. Hij liet het karretje staan en liep het clubhuis binnen. Af en toe knikte hij naar de mensen die zijn kant opkeken. Het interieur van het clubhuis was zoals je min of meer zou verwachten: grote vertrekken met houten balken en kristallen kroonluchters. In het grote vertrek dat aan zijn linkerkant uitkwam op de eetzaal, stonden diepe, robuuste stoelen en sofa's. Recht vooruit, achter enkele kolossale openslaande deuren was een enorme veranda die vol stond met peperdure rieten stoelen en glazen tafels. Obers in uniform liepen af en aan met whisky-soda's, gin-tonics, en muntcocktails voor de luierende leden die kletsten over hun aandelenopties, hun Bentleys en hun eervolle vermeldingen. Peter moest bijna overgeven van die decadente sfeer.

Hij zag Richards gehaast binnen komen lopen en ging in de schaduw staan van een grote palm, alsof het een scène was uit een boek van Sydney Greenstreet uit de jaren veertig. Peter keek het grote vertrek rond maar hij zag de president nergens. Ook de geheim agenten die, als hij er wel zou zijn, zich onopvallend in het vertrek zouden ophouden en in de manchetten van hun spierwitte overhemden zouden praten, waren in geen velden of wegen te bekennen.

Hij kwam in beweging om Richards niet uit het oog te verliezen en werd daar meteen voor beloond, want hij zag zijn prooi naar een groepje oorfauteuils lopen. Richards ging in een ervan zitten, tegenover een man van wie Peter alleen zijn kruin kon zien. Hij had zilverkleurig haar, maar meer kon Peter vanuit zijn positie niet zien. Hij bleef tegen de wijzers van de klok in langs de rand van het grote vertrek lopen, maar toen de persoon, voor wie Richards dat hele stuk gereden had, bijna zichtbaar werd, tikte iemand Peter op de schouder. Hij draaide zich om en keek in een paar staalgrijze ogen; de scherpe neus en dunne lippen lieten geen spoortje vriendelijkheid zien, laat staan een gevoel voor humor. Toen Peter weg probeerde te glippen, drukte de man iets scherps tegen zijn zij – de punt van een stiletto.

'Dit is niet een gezonde omgeving voor u,' zei de man. Hij had donker haar. Het hing op zijn kraag en was glad achterover gekamd. Niet echt een modieuze D.C.-uitstraling. Hij sprak met een licht accent dat Peter niet meteen kon thuisbrengen. 'Ik stel voor dat we even naar buiten gaan.'

'Liever niet,' zei Peter. Hij kromp ineen toen de punt van het mes door zijn kleren drong en in zijn huid prikte.

De blik in de staalgrijze ogen werd ijzig. 'Ik ben bang dat u in dezen geen keuze hebt.'

6

'Er zitten altijd twee kanten aan een verhaal,' zei Rebeka.

'Behalve,' zei Bourne, 'als er drie, of vier aan zitten.'

Ze glimlachte. 'Drink je warme grog op.'

Bourne, in schone kleren, hurkte bij het vuur en keek naar Alef – of, volgens Rebeka, Manfred Weaving. Weaving lag op een matras die Rebeka uit een logeerkamer gesleept had om hem bij het vuur te leggen. Ze had zijn bevroren kleren van zijn lichaam gehakt zoals ze dat ook snel en vakkundig bij Bourne gedaan had. Daarna had ze hem een shirt en een broek aangetrokken die ze uit een grote cederhouten kist had gepakt, die aan het voeteneind stond van het bed dat zij gebruikte. Vervolgens legde ze een gestreepte wollen deken over hem heen. Hij ademde normaal, maar hij was buiten bewustzijn. Hij was sinds Bourne hem voor de tweede keer uit het water gehaald had nog niet bij geweest. Voordat ze bij het bevroren meer weggingen, had Rebeka Ze'ev van het ijs gerold en in het donkere, ijskoude water laten zakken. Hij zonk loodrecht naar beneden alsof hij een loodgordel droeg.

'We moeten hem naar een ziekenhuis zien te krijgen.'

Rebeka zat in kleermakerszit naast Bourne. 'Dat zou niet zo slim zijn.'

'Laat me dan ten minste een vriend van mij in Stockholm bellen. Hij kan een...'

'Nee.' Ze zei het resoluut en duldde zo te horen geen tegenspraak. Zij had de touwtjes in handen, en dat wist ze ook.

Bourne nam een flinke teug van de warme grog. De aquavit die erin zat, brandde zich een weg door zijn slokdarm naar zijn maag. Directe warmte. Hij zou willen dat hij Weaving er iets van zou kunnen laten drinken. 'We zouden hem kunnen verliezen.'

'Ik heb hem antibiotica gegeven.' Ze boog zich voorover en trok de deken van zijn voeten. 'Misschien dat er enkele tenen geamputeerd moeten worden.'

'En wie gaat dat doen?'

'Ik.' Ze wikkelde zijn voeten weer in de deken en richtte vervolgens haar aandacht op hem. 'Ik heb er groot belang bij dat hij in leven blijft.'

'Daar wilde ik je al naar vragen.'

Ze waren in een vissershuisje op een steenworp afstand van het water. Rebeka had het voor een maand gehuurd. Ze had de eigenaar zo'n grote som geld gegeven dat zijn stilzwijgen en zijn gulheid daarmee wel gegarandeerd waren. Elke dag vulde hij de vriezer en de provisiekast, maakte het bed op en veegde de vloeren. Zijn vrouw noch zijn kinderen wisten iets van Rebeka's aanwezigheid. Dat had echter niet kunnen voorkomen dat Ze'ev haar gevonden had, en het zou zeker niet kunnen voorkomen dat de Babyloniër haar ook zou vinden.

'We kunnen hier niet blijven,' zei ze. Ze gaf hem een bord met brood, kaas en koud vlees. 'Net lang genoeg voor jou om een beetje bij te komen.'

'En Weaving?'

'Hij zal wat langer nodig hebben.' Ze keek hem bijna hunkerend aan. 'Maar als we wachten tot hij weer bij bewustzijn is, is de kans groot dat we het alle drie niet overleven.'

Bourne staarde haar aan, terwijl hij at. Hij was uitgehongerd. 'Wie verwacht je?'

'Ben David heeft iemand gestuurd. Volgens Ze'ev is hij al onderweg.'

Hij dronk zijn mok tot de laatste druppel leeg. 'Het is wel duidelijk hoezeer je Ze'ev vertrouwde,' zei hij.

Ze lachte cynisch. 'Je hebt gelijk. Ze'ev was volstrekt onbetrouwbaar.' Ze zwaaide met haar wijsvinger. 'Maar het is alleen maar logisch dat Ben David iemand achter mij – en jou – aanstuurt. Het zou niet verwonderlijk zijn als het inderdaad de Babyloniër is, aangezien hij de beste is die de Mossad heeft.'

Bourne at nog wat en nam de tijd om de informatie te verwerken. 'Wat wilde Ze'ev?'

'Hij zei dat hij me wilde helpen, maar ik vermoedde meteen al dat hij eigenlijk achter Weaving aan zat. Ik dacht dat hij dood was, maar...' Ze schudde haar hoofd. Ik heb er een rotzooitje van gemaakt, Jason. Weaving dreigde me te ontsnappen en ik heb hem neergeschoten. Ik richtte op zijn schouder.'

'Je miste.' Bourne veegde zijn mond af en keek naar de bewusteloze man. 'Ik heb hem uit het water gevist en ik heb hem hier weer mee naartoe genomen, omdat ik dacht dat het zijn geheugen terug zou brengen.'

Rebeka keek op. Haar ogen flikkerden. 'Wat bedoel je?'

'De kogel die jij hebt afgevuurd, schampte de zijkant van zijn hoofd. Dat en de schok van het in het water vallen, van het bijna doodvriezen, veroorzaakte amnesie.'

'Amnesie?' Rebeka leek verward. 'Mijn hemel, hoe... hoe erg?'

'Hij herinnert zich niets meer, zelfs zijn naam niet.' Bourne zette de mok neer. De warmte deed hem huiveren. 'Hij herinnert zich het meer en dat hij erover rende. Volgens mij begon hij zich net te herinneren dat jij achter hem aan zat, toen Ze'ev begon te schieten.'

Hij keek haar aan. 'Als Ze'ev Weaving wilde vinden, waarom heeft hij hem dan proberen te vermoorden?'

'Dat heb ik mezelf ook afgevraagd.'

'Zou dat van meet af aan zijn bedoeling geweest kunnen zijn?'

Ze fronste haar wenkbrauwen terwijl ze bedachtzaam knikte. 'Dat is mogelijk, ja. Maar ik had alle stukken op de verkeerde plekken op het schaakbord staan. De loyaliteit van diverse mensen is in gevaar gebracht.'

'Maar je weet toch wel dat het zo is. Je moet gezien hebben wat ik in Dahr El Ahmar gezien heb.'

Een flits van angst vloog over haar gezicht. 'Dus je hebt inderdaad gezien...?'

'Nadat ik opgestegen was en nadat ik de raket en de explosie ontweken had, vloog ik nog een keer over het kamp.'

'Heb je het iemand verteld?'

Bourne schudde zijn hoofd. 'Ik heb geen baas, Rebeka, dat weet je.'

'Je bent een *ronin*, een samoerai zonder meester. Maar je hebt ongetwijfeld vrienden, mensen die jij vertrouwt.'

Hij kwam abrupt overeind en boog zich over Manfred Weaving. 'Wat is er zo waardevol aan hem?'

'Zijn hersens.' Rebeka stond op en ging naast hem staan. 'Zijn hersens bevatten een rijkdom aan onschatbare informatie.'

Bourne keek haar aan. 'Wat voor soort informatie?'

Ze aarzelde even en zei toen: 'Ik denk dat Weaving deel uitmaakt van een terroristennetwerk genaamd Jihad bis saif.'

'Jihad met het zwaard,' zei Bourne. 'Ik heb er nog nooit van gehoord.'

'Ik ook niet, maar...'

'Welk bewijs heb je?'

Ze raakte Weaving aan die, ingebakerd als een baby, bewusteloos bij het vuur lag. 'Ik heb met hem gepraat.'

'Wanneer?'

'Na het meer, in het bos. Toen ik hem ingehaald had, hebben we even met elkaar gepraat.' Ze raakte haar schouder aan. 'Voordat hij me stak.'

Bourne pakte het lege bord, bracht het naar de keuken, die naast de woonkamer lag, en zette het in de gootsteen. 'Rebeka, het zijn alleen maar gissingen van jouw kant.'

'Weaving heeft ontdekt wat de Mossad in Dahr El Ahmar doet.'

'Een buitengewoon goede reden voor Ben David om Ze'ev te sturen om hem te vermoorden.'

'Maar er zit nog veel meer in zijn hoofd.'

Bourne keerde terug naar haar en het vuur. 'Niets van dit alles snijdt hout. Misschien is Manfred Weaving helemaal niet zijn eigen naam. Het is meer dan waarschijnlijk dat die naam een bedenksel is.'

'Net zoals Jason Bourne.'

'Nee. Ik ben nu Jason Bourne.'

'En voor die tijd?'

Bourne dacht aan de monsterlijke zeeslang die zich schuilhield in de krochten van zijn onderbewustzijn. 'Ooit was ik David Webb, maar ik weet niet meer wie hij was.'

Terwijl Peter uit het Blackfriar-clubhuis geleid werd, voelde hij een bloedstraaltje langs zijn zij lopen en in zijn shirt trekken.

'Een beetje doorlopen graag,' fluisterde de man met de staalgrijze ogen, 'of anders zal er nog meer bloed verspild worden.'

Peter, die in de afgelopen maanden bijna opgeblazen was door een autobom, gekidnapt was geweest en op een haar na was vermoord, had er schoon genoeg van dat er zo met hem gesold werd. Toch liep hij met zijn overweldiger in zijn nek gehoorzaam het clubhuis uit en vervolgens de brede trappen af. Ze passeerden enkele sukkels in sweaters met petten op en liepen naar de zijkant van het gebouw.

Hij werd door een woud van gesnoeide azalea's en manshoge buxusbomen geduwd. Zelfs in deze tijd van het jaar kon je heel licht de typische geur van kattenpis ruiken.

Toen ze voor iedereen uit het zicht waren, zei de man: 'Wat heb je hier te zoeken?' Hij sprak Engels met een opvallend accent.

Peter trok zijn hoofd terug alsof hij naar een slang keek die zich van de junglebodem verhief. 'Weet je wel wie ik ben?'

'Het maakt niet uit wie je bent.' De man draaide de punt van het mes in Peters zij. 'Alleen maar wat je hier aan het doen bent.'

'Ik wil kijken of ik hier ergens tennisles kan krijgen.'

'Ik zal je naar de Pro Shop brengen.'

'Dat zou ik zeer waarderen.'

De man ontblootte zijn tanden. 'Loop naar de hel. Je volgt Richards.'

'Ik weet niet wat...' Peter kreeg een grimas van pijn op zijn gezicht toen de mespunt langs een rib schampte.

'Als je niet oppast, heb je binnenkort geen Pro Shop nodig,' zei de man, 'maar een ziekenhuis.'

'Wind je niet op.'

'En als ik een long doorboor, zal zelfs een ziekenhuis je niet meer helpen.' De punt van het mes raakte bot. 'Begrepen?'

Peter grimaste van de pijn en knikte.

'Nou, waarom achtervolgde je de man die je niet zegt te kennen?'

Peter ademde in en uit, langzaam, diep, regelmatig. Zijn hart reageerde, en de adrenaline begon te stromen. 'Richards werkt voor mij. Hij verliet het kantoor vroegtijdig.'

'En dat is voor jou genoeg reden om hem te volgen?'

'Richards' werk is geheim, hoogst gevoelig. Het is mijn taak om...'

'Vandaag niet,' zei de man. 'Nu niet, niet met hem.'

'Oké, wat je wil.' Peter bereidde zich mentaal voor, terwijl hij zijn lichaam tot rust wilde laten komen. Hij ademde langzamer en probeerde de pijn en het toenemende bloedverlies te negeren. In plaats daarvan fixeerde hij zijn gedachten op wat gedaan moest worden. Toen kwam hij in actie.

Hij sloeg met zijn linkerarm op de pols van de man. Op hetzelfde moment draaide hij zijn bovenlichaam en ramde zijn elleboog tegen diens neus. Hij voelde even een branderige pijnscheut in zijn zij toen het mes langs een rib schraapte en een horizontale snee veroorzaakte. Toen ontbrandde de strijd pas echt en vergat hij zijn pijn.

De man moest zijn mes loslaten, maar boorde zijn vingertoppen in Peters maag. Peter hijgde en weerde zijn tegenstander met gestrekte armen af. De kapotgeslagen neus van de man was net een fontein waar bloed uit spoot. Hij deed onwillekeurig een stap achteruit. Peter gebruikte de ontstane ruimte en gaf de man een knietje in zijn onderbuik en toen de man dubbelklapte, gaf hij hem met zijn vuist een dreun in zijn nek. De man ging neer en bleef neer.

Peter pakte het mes, knielde naast de man en drukte de bloederige mespunt tegen de slagader, terwijl hij hem omrolde. Hij was buiten bewustzijn. Snel doorzocht Peter zijn zakken. Er zaten autosleutels in, en ook een portemonnee met bijna achthonderd dollar in contanten, een rijbewijs, en twee creditcards die allemaal op naam stonden van Owen Lincoln. Hij vond ook nog een Roemeens paspoort op naam van Florin Popa. Daar moest Peter hard om lachen. Popa, wat in het Roemeens priester betekende, was met voorsprong de populairste achternaam, het Roemeense equivalent van *Jansen*.

Hij keek neer op de man met de staalgrijze ogen en wist slechts twee dingen zeker: ten eerste, zijn naam was noch Owen Lincoln, noch Florin Popa. Ten tweede, wie hij ook was, hij werkte voor de man voor wie Richards hier gekomen was. Dat was niet genoeg, dat was in de verste verte niet genoeg.

Toen Soraya zich aandiende was minister Hendricks in bespreking met Mike Holmes, de nationale veiligheidsadviseur en hoofd van de binnenlandse veiligheidsdienst. Topniveau dus. Haar legitimatiebewijs had haar toegang verschaft tot het terrein van het Witte Huis, en het had haar langs diverse controleposten tot in de westvleugel gevoerd. Daar zat ze te wachten op een kleine, prachtige Queen Anne-stoel tegenover een van Holmes' persofficieren – een speechschrijver, om precies te zijn – die ze slechts van groeten kende. De persofficier keek niet op. Zijn vingers roffelden op het toetsenbord van zijn computer. Ze stond één keer op om een kop koffie voor zichzelf in te schenken bij een volgeladen dientafel. Daarna ging ze weer zitten. Er werd geen woord gesproken.

Veertig minuten nadat zij was gaan zitten ging de deur open en een verzameling mannen in pakken stroomde naar buiten. Aan hun wezenloze blik kon je zien dat ze nog steeds onder de indruk waren van de macht van het Oval Office. Hendricks praatte op zachte toon met Holmes. Hendricks, die zelf opgeklommen was van de positie die Holmes nu bekleedde en die Holmes als zijn opvolger had aanbevolen, was ongetwijfeld zijn zorgvuldig opgebouwde kennis aan zijn beschermeling aan het doorgeven. Hij zag Soraya toen zij opstond en hij leek verrast haar te zien. Hij gebaarde dat ze moest wachten tot hij zijn gesprek met Holmes had afgerond.

Soraya boog zich voorover en zette haar kopje op de dientafel. Toen ze overeind kwam, vertrok haar gezicht van de pijnscheut die door haar hoofd schoot. Het koude zweet brak haar uit. Ze keerde zich af van de mannen en veegde met de rug van haar hand over haar voorhoofd en bovenlip. Haar hart bonsde. Ze kon niet zeggen of dat uit angst voor haar eigen leven was, of voor dat van haar ongeboren kind. Werktuigelijk legde ze een hand op haar buik, alsof ze de foetus wilde beschermen voor wat er in haar hoofd plaatsvond. Maar ze wist dat er geen bescherming was, niet echt althans. Elke beschikbare optie voor haar ging gepaard met ijzingwekkende gevaren.

'Soraya?'

Ze schrok van het geluid van Hendricks' stem zo dicht bij haar. Toen ze zich omdraaide, was ze bang dat haar gezicht lijkbleek zou zijn en dat haar baas zou zien wat er met haar aan de hand was. Maar zijn glimlach liet geen twijfel zien, hoogstens een lichte verrassing en een zekere nieuwsgierigheid.'

'Wat doe je hier?'

'Ik ben op u aan het wachten.'

'Je had kunnen bellen.'

'Nee,' zei ze. 'Dat kon niet.'

Hij keek verbaasd. 'Ik volg je niet.'

'Ik moet met u praten, ergens waar niemand ons kan horen.' Ze was ontzet over hoe hijgerig ze klonk.

'Rij met me mee naar mijn volgende afspraak.' Hij nam haar bij de elleboog en begeleidde haar de westvleugel uit. Buiten het Witte Huis liepen ze naar zijn gepantserde Cadillac Escalade. Een agent van de geheime dienst opende het achterportier. Hendricks gebaarde dat ze in moest stappen. Daarna volgde hij zelf. Toen het portier dicht was en ze zich geïnstalleerd hadden, drukte hij op een verborgen knop. Er kwam een scherm omhoog dat hen afscheidde van de chauffeur en een waakzame lijfwacht.

Ze reden de poort uit. Door het geblindeerde, kogelvrije glas zag de wereld er wazig en schimmig uit.

'Hier kan niemand ons horen,' zei Hendricks. 'Wat is er aan de hand?'

Soraya haalde diep adem en blies langzaam uit in een poging om haar hart, dat tekeerging als een op hol geslagen paard, onder controle te krijgen. 'Meneer, met alle respect, ik moet weten wat er verdomme aan de hand is.'

Hendricks leek hier even over na te denken. Ze reden nu door de straten van D.C. '"Respect" en "verdomme" in één zin, waarlijk een schitterend oxymoron, maar dat gezegd hebbend, directeur, zul je toch wat duidelijker moeten zijn.'

Behalve dat ze hem had weten te irriteren, had ze nu ook zijn volledige aandacht, wat ook de bedoeling was. 'Oké, zonder omwegen, meneer,' zei ze, terwijl ze zijn bitse, formele toon nadeed. 'Sinds u Peter en mij hebt ingelicht over deze Djinn Die De Weg Wijst, zijn er vreemde dingen gebeurd.'

'Wat voor soort vreemde dingen, directeur?' Hij knipte met zijn vingers. 'Bijzonderheden, alsjeblieft.'

'Om een voorbeeld te noemen, ik heb ontdekt dat er een direct verband is tussen Nicodemo en Core Energy. Ik snap alleen niet wat het is. De president van Core Energy is Tom Brick.'

Hendricks wendde zijn blik af en keek uit het raampje naar de grauwe stad. 'Brick. Ik heb nog nooit van hem gehoord,' zei hij. 'En dat geldt ook voor... wat zei je ook alweer?'

'Core Energy.'

Het is duidelijk dat Hendricks liegt, dacht Soraya. Hij was slim; dat hij haar de naam van het bedrijf liet herhalen was idioot. Hij moet Core Energy kennen. Kende hij Brick ook? En als dat zo was, waarom loog hij daar dan over?'

Ze reden over de Key Bridge Virginia in. De Escalade versnelde. Soraya vroeg zich af waar Hendricks naartoe op weg was.

De minister zuchtte. 'Is dat alles?'

'En dan heb je Richard Richards nog.'

'Vergeet Richards.' De minachting in zijn stem was bijna voelbaar. 'Hij is een nobody.'

'Maar wel een nobody die aan de president rapport uitbrengt.'

Hendricks draaide zich naar haar toe. 'Met wat voor snuffelwerk houdt hij zich bezig?'

'Het is niet dat...'

'Wat?' Hij knipte opnieuw met zijn vingers. 'Bijzonderheden, directeur.'

Ze vroeg zich af of ze het hem wel moest vertellen. Maar goed, dacht ze, het helpt misschien als ik zijn reactie zie. Ze wilde net wat zeggen, toen de Escalade vaart minderde en de oprit naar een begraafplaats opdraaide. Ze passeerden hoge, ijzeren hekken en reden langzaam een smalle, bestrate weg af die de begraafplaats doorsneed. Bijna aan het einde sloegen ze rechts af, reden nog even door en kwamen toen tot stilstand.

Peter greep Florin Popa bij zijn enkels, sleepte hem dieper het struikgewas in en legde hem achter een dikke haag buxusbomen. Toen hij met het lichaam bezig was, viel een van Popa's schoenen van zijn voet. Terwijl hij op de harde grond stuiterde, viel er iets uit. Peter hurkte, keek ernaar, pakte het op en bestudeerde het. Het was een sleutel, niet een van een hotelkamer of een auto – hij was kleiner – maar eerder van een kluis.

Hij deed de sleutel in zijn zak, deed de schoen weer aan en manoeuvreerde het lichaam in een foetushouding. Hij deed een stap achteruit en controleerde alles. Daarna draaide hij zich om, zocht een uitweg uit het labyrint van heggen en liep de Pro Shop binnen. Rechts van de ingang hing een bord met de namen van alle tennisleraren met de dagen dat ze werkten. Hij ging naar buiten en liep naar de achterkant van het gebouw waar de kleedkamers met de kluisjes waren. Op elk kluisje was een naamplaatje bevestigd. Het krappe, raamloze vertrek was verlaten. Peter richtte zijn aandacht op het kluisje van een van de leraren die volgens het bord vandaag niet werkte, en opende het slot. Hij verkleedde zich snel, speldde het identiteitsplaatje van de leraar op zijn borst en verliet de Pro Shop via de personeelsingang.

Een korte wandeling bracht hem weer terug bij het clubhuis. Met een zelfverzekerde tred liep hij de trap op naar de ingang en ging het hem nu vertrouwde grote vertrek binnen. Hij keek als eerste naar het zitje waar hij Richards had zien zitten met de onbekende man, maar de stoelen waren nu onbezet. Hij pakte een clubtelefoon, belde het wachthuisje, en hoorde dat Richards weggereden was in de tijd dat hij zich in de Pro Shop omgekleed had. Peter legde de hoorn op de haak. De onbekende man zou zeker op zoek gaan naar Florin Popa – dat soort mensen voelde zich ongemakkelijk zonder hun lijfwachten. Als Peters inschatting van de menselijke psyche juist was, dan zou de man zich ernstig zorgen maken over waar Popa was. Peter liep het enorme vertrek door en keek of hij een man zag die met groeiende onrust om zich heen keek. Een oudere heer stond bij de toiletruimten te wachten. Hij had grijs haar, net als de man naar wie Peter op zoek was. Misschien... maar nee, een oudere dame kwam uit het damestoilet en glimlachte naar de man – ze was waarschijnlijk zijn vrouw. Ze kuierden gezellig babbelend weg. Er was niemand anders.

Peter liep langs enkele clubleden naar het grote terras. Een derde deel van de tafels baadde in het zonlicht. Die tafeltjes waren allemaal bezet. Aan de tafeltjes die in de schaduw stonden, zat niemand. Toen hij verder liep, zag hij een man met zijn rug naar hem toe staan. Hij stond voorovergebogen en hield met zijn handen de gietijzeren balustrade vast. Hij had ook grijs haar.

Peter hield zijn hoofd in de lucht als een bloedhond die een spoor ruikt. Hij speldde zijn naamkaartje los en hield een passerende ober aan die een blad met lege glazen omhooghield.

'Dit is mijn eerste dag en ik ben op zoek naar klanten. Zie je die man daar? Weet je zijn naam?'

De ober keek naar de man die Peter aanwees. 'Hoe zou ik die niet kunnen kennen? Dat is Tom Brick. Hij is een verdomd hoge pief.' Toen Peter hem vragend aankeek, voegde hij eraan toe: 'Hij is iemand die het breed laat hangen. Het personeel vecht erom wie hem mag bedienen. Fooien van vijfentwintig procent. Als je hem kunt strikken, ben je binnen. Ik lieg niet.'

Peter bedankte hem en liet de man verdergaan met zijn bezigheden. Hij spelde het naamkaartje op zijn shirt en maakte een omtrekkende beweging waardoor hij de kans kreeg om Brick te observeren voordat hij hem benaderde. De man was jonger dan Peter zich hem had voorgesteld, net dertig misschien. Hij was noch knap, noch lelijk, maar zijn neus, mond en ogen leken niet bij elkaar te horen. Het leek alsof zijn gezicht uit losse onderdelen was samengesteld. Hij had een tatoeage van een geknoopt touw op de rug van zijn linkerhand.

De man moet gevoeld hebben dat Peter hem naderde, want hij draaide zich om, vlak voordat Peter de balustrade bereikte. Brick had een wandelend oog waardoor het leek alsof hij Peter op hetzelfde moment van alle kanten bekeek.

Peter knikte. 'Een perfecte dag voor tennis, vindt u ook niet?'

Brick bekeek met zijn goede oog Peters naamkaartje, terwijl het andere hem met een verontrustend kritische blik bleef observeren. 'Ik zou denken dat jij dat beter kunt beoordelen dan ik.' Net als de niet betreurde dode Florin Popa had hij een accent. Maar dit was een Brits accent. 'Ben je nieuw bij Blackfriar?'

'Ik begrijp dat u niet tennist.'

Brick draaide zich om en keek uit over de verlaten achttiende hole. 'Golf is mijn sport. Bent u op zoek naar klanten, meneer...' Hij wierp nog een scherpe blik op Peters naamkaartje. '... Bowden? Dit is volgens mij niet echt de goede manier.'

Peter vervloekte zichzelf voor de knullige manier waarop hij Brick benaderd had. In zijn hoofd blies hij de aftocht, hield zijn mond dicht en begon na te denken over plan B, dat hij, toegegeven, had moeten bedenken voordat hij ook maar iets tegen deze man had gezegd.

Hij stond op het punt om het contact te herstellen, toen Brick zich tot hem wendde en met ingehouden stem zei: 'Wie ben je, verdomme?'

In verwarring gebracht wees Peter op zijn naamkaartje. 'Dan Bowden.'

'Ammehoela,' zei Brick. 'Ik heb Bowden ontmoet.' Hij draaide zich nu helemaal naar Peter om. Zijn blik was hard als kristal. 'Voor de draad ermee. Vertel me wie je bent of ik roep de beveiliging en laat je arresteren.'

'Wacht hier,' zei Hendricks kortaf. Hij stapte uit en liep, begeleid door zijn lijfwacht, langzaam tussen de grafstenen door totdat hij er voor een bleef staan. Hij stond met gebogen hoofd, terwijl zijn lijfwacht enkele passen achter hem zoals altijd alles scherp in de gaten hield.

Soraya deed het portier open en glipte naar buiten. Een milde bries, met de eerste bedwelmende geur van de lente, ruiste tussen de grafstenen door. Ze liep om de achterkant van de Escalade heen en stapte voorzichtig over de graswal. De lijfwacht zag haar, schudde zijn hoofd, maar ze liep door. Ze kwam dicht genoeg bij om gedeeltelijk te kunnen zien wat gegraveerd was in de grafsteen waar Hendricks voor stond: AMANDA HENDRICKS, LIEFHEBBENDE VROUW EN MOEDER.

De lijfwacht deed een stap naar voren en fluisterde iets tegen zijn baas. Hendricks draaide zich om, keek naar Soraya, en knikte. De lijfwacht wenkte dat ze dichterbij mocht komen.

Toen ze naast hem ging staan, zei Hendricks: 'Er is iets vredigs aan een begraafplaats. Alsof je daar alle tijd hebt om te denken, om zaken te heroverwegen, en om conclusies te trekken.'

Soraya zweeg. Ze voelde intuïtief aan dat het niet de bedoeling was dat ze antwoord gaf. Mijmeren over de dood van een geliefde was iets heimelijks en mysterieus. Onvermijdelijk gingen haar gedachten naar Amun. Ze vroeg zich af waar hij begraven was – natuurlijk ergens in Cairo. Ze was benieuwd of ze ooit de kans zou krijgen om zijn graf te bezoeken, en als ze die kans zou krijgen, wat ze dan zou voelen. Het zou anders geweest zijn als ze echt van hem gehouden had. Haar diepe schuldgevoel zou in dat geval in zekere mate verlicht zijn. Maar dat ze hem had laten gaan, dat ze hem in feite verfoeid had om zijn idiote vooroordeel tegen Joden in het algemeen en tegen Aaron in het bijzonder, stuwde haar schuldgevoel op tot buitensporige proporties.

Alsof hij haar gedachten kon lezen, zei Hendricks: 'Jij hebt iemand in Parijs verloren, of niet?'

Een golf van schaamte trok door haar heen. 'Het had nooit mogen gebeuren.'

'Wat niet? Zijn dood, of je affaire?'

'Allebei, meneer.'

'Oud nieuws, Soraya. Ze eindigden beide in Parijs – laat ze daar.'

'Laat u haar hier?'

'Vaak wel.' Hij dacht even na. 'Maar sommige dagen...'

Zijn stem stierf weg, maar hij hoefde zijn gedachte verder niet uit te spreken. Het was duidelijk wat hij wilde zeggen.

Hij schraapte zijn keel. 'Het wordt moeilijk als je het niet kunt laten rusten. Als je dat niet kunt zul je nooit rust vinden.'

'Hebt u rust gevonden, meneer?'

'Alleen hier, directeur. Alleen hier.'

Toen hij zich ten slotte van het graf van zijn vrouw afwendde, zei ze: 'Dank u, meneer, dat u me hier mee naartoe genomen hebt.'

Hij wuifde haar woorden weg. Toen ze, vergezeld door de lijfwacht, terugliepen naar de Escalade, zei hij: 'Ben je klaar, Soraya?'

'Nee, meneer.' Ze keek hem van opzij aan. 'Over Richards. Hij loog over Core Energy. Hij weet ervan. Hij weet dat Nicodemo erbij betrokken is.'

Hendricks bleef abrupt staan. 'Hoe kan hij dat in vredesnaam weten?'

Soraya haalde haar schouders op. 'Wie weet? Als het op internet aankomt is hij de top.' Ze stopte even. 'Maar misschien is er een andere reden.'

Hendricks stond onbeweeglijk als een standbeeld. Hij overwoog zijn woorden zorgvuldig. 'Welke andere reden?'

Soraya stond op het punt om antwoord te geven, toen een plotselinge pijnscheut in haar hoofd haar in één klap blind en doof maakte. Ze kromp in elkaar en drukte de muis van haar hand tegen haar slaap alsof ze op die manier wilde voorkomen dat haar hersens over iemands grafsteen zouden uitstromen.

'Directeur?' Hendricks greep haar beet en voorkwam daarmee dat ze zou vallen. 'Soraya?'

Maar ze kon hem niet horen. Pijnscheuten schoten als bliksemschichten door haar heen en wisten alles uit behalve de duisternis, die als een soort zegen bezit van haar nam.

7

'We moeten hem nu verplaatsen,' zei Rebeka. Ze keek uit het raam van het vissershuisje. Het werd snel donker. Blauwe schaduwen rezen als spookbeelden op. De wereld leek weinig stabiel.

'Pas als hij weer bijgekomen is.' Bourne hurkte neer naast Weaving. Zijn gezicht zag er bleek en wasachtig uit. Bourne nam zijn polsslag op. 'Als we hem nu verplaatsen, lopen we het risico dat hij het niet redt.'

'Als we hem nu niet verplaatsen,' zei ze, terwijl ze zich van het raam afwendde, 'lopen we het risico dat de Babyloniër ons vindt.'

Bourne keek op. 'Ben je bang voor hem?'

'Ik heb gezien waartoe hij in staat is.' Ze liep naar hem toe. 'Hij is anders dan jij en ik, Bourne. Hij leeft elke dag met de dood; ze is zijn enige gezelschap.'

'Hij lijkt Gilgamesj wel.'

'Best wel. Behalve dan dat de Babyloniër van de dood houdt – hij geniet ervan.'

'Mijn zorg betreft Weaving, en niet de Babyloniër.'

'Dat ben ik met je eens, Bourne. We moeten het risico nemen. Misschien overleeft hij de tocht wel. Een ontmoeting met de Babyloniër overleeft hij in elk geval niet.'

Bourne knikte. Hij sloeg Weaving hard op een wang, en daarna ook op de andere. Weavings wangen kleurden rood toen het bloed naar zijn gezicht begon te stromen. Zijn armen verkrampten toen hij hoestte. Bourne boog zich over hem heen, deed zijn kaken van elkaar en zorgde ervoor dat hij niet op zijn tong kon bijten.

Weaving huiverde, een trilling deed zijn lichaam schudden, daarna begon hij zijn ledematen te bewegen en gingen zijn ogen open.

'Jason?' Zijn stem was zwak.

Bourne knikte. Op hetzelfde moment gebaarde hij naar Rebeka dat ze uit het zicht moest blijven, omdat hij bang was dat Weaving, als hij haar zag, zou gaan hyperventileren en misschien weer terug zou zakken in een staat van bewusteloosheid.

'Je bent veilig. Volkomen veilig.'

'Wat is er gebeurd?'

'Je bent door het ijs gezakt.'

Weaving knipperde verscheidene keren met zijn ogen en streek met zijn tong langs zijn gekloofde lippen. 'Er is geschoten, ik...'

'De man die op jou geschoten heeft, is dood.'

'Een man?'

'Zijn naam was Ze'ev Stahl.' Bourne hield het gezicht van de ander goed in de gaten. 'Gaat er een belletje rinkelen?'

Weaving keek Bourne lang aan, maar zijn blik was naar binnen gericht. Bourne begreep niet alleen wat er in Weavings hoofd omging, maar hij ondervond het bijna aan den lijve: een duik in het moeras van amnesie in een poging om een herinnering, een plaats, een naam boven te krijgen, was een hartverscheurende, zielsvernietigende ervaring. Het maakte je zwak en liet je naar adem snakken omdat je alleen was, volslagen alleen, alsof je met chirurgische precisie van de wereld afgesneden was. Bourne huiverde.

'Ja,' zei Weaving uiteindelijk. 'Tenminste, dat denk ik.' Hij graaide naar Bournes arm. 'Help me overeind.'

Bourne hielp hem in zittende positie. Hij streek weer met zijn tong langs zijn lippen en keek in het vuur.

'Waar ben ik?'

'In een vissershuisje ongeveer een kilometer van het meer.' Bourne gebaarde Rebeka dat ze een glas water moest brengen.

‘Dit is al de tweede keer dat je mijn leven hebt gered, Jason. Ik weet niet hoe ik je moet bedanken.’

Bourne pakte het glas aan van Rebeka. ‘Wat weet je van Ze’ev Stahl?’

Weaving keek om zich heen, maar Rebeka had zich al in het donker teruggetrokken. Zijn nieuwsgierigheid leek samen met zijn kracht verdwenen te zijn. Hij nam het glas met trillende handen aan en begon gulzig te drinken.

‘Rustig aan,’ zei Bourne. ‘Je bent twee keer uit de dood herrezen. Dat is meer dan genoeg om ieder ander voorgoed uit te schakelen.’

Weaving knikte. Hij staarde nog steeds in het vuur, alsof het een talisman was die hem zou kunnen helpen om zijn geheugen terug te krijgen. ‘Ik was in Dahr El Ahmar, dat weet ik nog wel.’

Vanuit zijn ooghoek zag Bourne Rebeka bewegen. Vraag hem waarom hij daar was. Ze vormde de woorden geluidloos met haar lippen.

‘Waar was je precies?’

Weaving vertrok zijn gezicht. ‘Ik denk in een bar. Ja, in een bar. Het was er erg druk. Het was er erg rokerig ook en er klonk een soort rauwe rockmuziek.’

‘Kwam hij naar je toe? Heb je met hem gepraat?’

Weaving schudde zijn hoofd. ‘Ik denk niet dat hij mij in de gaten had.’

‘Was er iemand bij hem?’

‘Ja... nee.’ Weaving dacht diep na. ‘Hij... hij keek naar iemand. Niet openlijk, maar onopvallend.’ Hij keek Bourne aan. ‘Snap je?’

Bourne knikte. ‘Ja.’

‘Ik voelde... ik weet niet goed hoe ik het moet zeggen, een zekere verwantschap met hem. We leefden per slot van rekening allebei in de marge, verborgen door schaduwen.’

‘Kun je je nog herinneren naar wie hij keek?’

‘O, ja. Heel duidelijk. Hij keek naar een bijzonder mooie vrouw. Ze leek pure seks uit te stralen.’ Hij dronk de rest van het water op, maar deze keer rustiger. ‘Zij was... tja, je zou kunnen zeggen dat ik me erg tot haar aangetrokken voelde.' Zijn lippen plooiden zich in een vage glimlach. 'Natuurlijk was ik dat. Stahl was in haar geïnteresseerd.'

Bourne boog zich voorover. 'Dus je kende Stahl al?'

'Kennen, nee.' Weaving keek nadenkend. 'Ik denk dat ik in de bar was om hem in de gaten te houden. Ik weet dat ik achter de vrouw aan ging omdat hij zo'n belangstelling voor haar had. Ik veronderstelde dat ik het best via haar iets over hem te weten zou kunnen komen. Toen – ik weet het niet – leek ze me te betoveren.'

Bourne liet zich terugzakken in zijn stoel om de informatie te verwerken. Volgens hem was het nu het moment om de vraag te stellen die hem het meest interesseerde. 'Je kon je het tot nu toe niet herinneren, maar weet je hoe je heet?'

'Natuurlijk, zei hij. 'Harry Rowland.'

'Ze zakt steeds verder weg!' schreeuwde de ambulancebroeder tegen het team dat hen bij de ingang van de eerstehulpafdeling van het Virginia Hospital Center in Arlington opwachtte. Hendricks had vooruit gebeld en zijn politieke invloed gebruikt om een uitgelezen groep doktoren te mobiliseren nog voordat de ambulance met gillende sirenes, met de Escalade in zijn kielzog, over de oprit aan kwam scheuren.

Hendricks sprong uit de wagen en volgde de brancard tijdens zijn wilde tocht door klapdeuren en door gangen die roken naar medicijnen en ziekte, en naar hoop en angst. Hij keek hoe het team van doktoren Soraya aan de ziekenhuisapparatuur legde en haar aan een eerste onderzoek onderwierp. Er werd op gemompelde toon heel wat heen en weer gepraat. Hij stapte iets dichterbij om te kunnen horen wat ze zeiden maar hij kon geen wijs worden uit hun gesprek vol medisch jargon.

Nadat ze een beslissing hadden genomen, reden ze Soraya naar buiten. Hij haastte zich achter hen aan, maar hij werd bij de deur met het bordje OPERATIEKAMER tegengehouden.

Hij hield een dokter tegen. 'Wat is er aan de hand? Wat heeft ze?'

'Een zwelling van de hersens.'

Die mededeling bezorgde hem een koude rilling. 'Hoe erg is het?'

'Dat weten we pas als we onder haar schedeldak kunnen kijken.'

Hendricks was ontsteld. 'Gaan jullie haar schedel openen? Maar kan er geen MRI gemaakt worden?'

'Geen tijd voor,' zei de dokter. 'We moeten ook rekening houden met de foetus.'

Hendricks had het gevoel alsof de grond onder zijn voeten wegzakte. 'Foetus? U bedoelt dat ze zwanger is?'

'Neemt u me niet kwalijk, maar ik ben binnen nodig.' Hij drukte op een metalen knop, waarna de deur openging. 'Ik zal u op de hoogte stellen zodra ik iets meer weet. Ik zal u bellen.'

'Ik blijf hier,' zei Hendricks, volkomen verdoofd. 'Ik ga niet weg totdat ik weet dat alles goed met haar is.'

De dokter knikte en verdween toen in het mysterieuze rijk dat door chirurgen geregeerd werd. Hendricks bleef nog even wachten, maar draaide zich toen om en liep terug naar de plek waar Willis, zijn lijfwacht, met koffie en een sandwich op hem wachtte.

'Hierheen, meneer,' zei Willis, terwijl hij Hendricks voorging naar de wachtruimte die het dichtst bij de operatiekamer lag. Als gebruikelijk had hij ervoor gezorgd dat de ruimte leeg was, zodat hij en zijn baas de enigen waren.

Hendricks probeerde Peter Marks te bereiken, maar hij werd meteen doorgeschakeld naar zijn voicemail. Peter moest op pad zijn. Dat was het enige moment dat hij zijn telefoon uitschakelde. Hij dacht even na en vroeg toen aan Willis om hem het nummer te bezorgen van het hoofdkwartier van het Bureau voor Alcohol, Wapens, Tabak en Explosieven in D.C. Hij toetste het nummer dat Willis hem gaf in op zijn mobiel en vroeg naar Delia Trane. Hij sprak kort en dringend met haar. Ze zei hem dat ze eraan kwam. Ze klonk kalm en beheerst, en dat was precies wat Soraya op dat moment nodig had. Eerlijk gezegd was dat ook wat hij nodig had. Hij pleegde nog enkele telefoontjes die een serieus en geheim karakter hadden, wat hem even kalmeerde.

Hij zat aan een goedkope, gelamineerde tafel. Willis zette het eten voor hem neer en ging daarna waakzaam als altijd in de deuropening staan. Hendricks had geen honger. Hij keek het vertrek rond. Het had de gemaakt huiselijke uitstraling die typisch was voor ziekenhuizen. Gestoffeerde stoelen en een bank werden afgewisseld met bijzettafeltjes, waar lampen op stonden. Maar alles was zo goedkoop en versleten dat het slechts een groot gevoel van triestheid opriep. Het is net het voorportaal van het vagevuur, dacht hij.

Hij nam een slok koffie. De bitterheid ervan deed hem rillen.

'Het spijt me, meneer,' zei Willis, attent als altijd. 'Ik heb gevraagd of ze u een kop echte koffie komen brengen.'

Hendricks knikte afwezig. Hij werd in beslag genomen door de twee bommetjes die de dokter had afgegooid. Soraya met iets ernstigs aan haar hersens én een baby in haar buik. Hoe had dit verdomme kunnen gebeuren? Waarom had hij er niets van geweten?

Maar hij wist de reden natuurlijk wel. Hij was te zeer in beslag genomen geweest – geobsedeerd zou je kunnen zeggen – door de mythische Nicodemo. De president geloofde niet dat Nicodemo bestond. Het feit dat Hendricks tijd en geld besteedde aan wat hij 'desinformatie van de ergste soort' noemde, werd door hem geringschattend bekeken. Hendricks was er zeker van dat de antipathie van de president jegens het Nicodemo-project gevoed werd door de retoriek van Holmes. Er ging geen dag voorbij dat Hendricks niet betreurde dat hij Holmes had geholpen om hogerop te komen bij de veiligheidsdienst.

De waarheid was: Holmes had ontdekt dat Nicodemo best wel eens Hendricks' achilleshiel kon zijn, het breekijzer dat hij kon gebruiken om controle over Treadstone te krijgen. Vanaf het moment dat de president Mike Holmes had benoemd tot zijn nationale veiligheidsadviseur, had Holmes zich bewezen als een machtswellusteling. Hogerop komen en consolideren waren de kreten waarop zijn carrière gebouwd was. Hij was min of meer succesvol geweest. Op dit moment was Hendricks' controle over Treadstone nog het enige belangrijke obstakel. Holmes begeerde Treadstone met een bijna religieuze hartstocht. In dezen waren hij en Hendricks aan elkaar gewaagd; ze waren allebei bezeten. Ze botsten keihard over tegengestelde doelen. Hendricks wist dat hij voor eeuwig van Holmes af zou zijn, als het hem zou lukken om Nicodemo uit te roken en hem gevangen te nemen of te doden. Hij had zijn verbitterde strijd dan gewonnen. Holmes zou de president niet langer schadelijke gedachten kunnen influisteren.

Maar als zijn intuïtie hem in de steek liet, als Nicodemo echt een mythe bleek te zijn, of erger nog, een tot in detail uitgewerkt stuk desinformatie, dan zou zijn carrière in een vrije val terechtkomen. Holmes zou dan krijgen wat hij zo graag wilde hebben, en Treadstone zou gebruikt gaan worden voor andere, veel duisterder doelen.

De jacht op Nicodemo was in feite een strijd voor het behoud van waar Treadstone echt voor stond.

'Harry, herinner jij je waar je geboren bent?' vroeg Bourne.

Alef knikte. In Bournes gedachten was hij toch weer Alef geworden. 'In Dorset, Engeland. Ik ben vierendertig jaar.'

Bourne liet zijn stem zakken tot een vertrouwelijk niveau, alsof ze twee vrienden waren die elkaar na lange tijd weer terugzagen. 'Voor wie werk je, Harry?'

'Ik...' Hij keek Bourne hulpeloos aan. 'Ik weet het niet.'

'Maar je herinnert je wel dat je in Libanon was – preciezer gezegd in Dahr El Ahmar – om informatie te verzamelen over Ze'ev Stahl.'

'Dat klopt. Misschien hield ik me bezig met industriële spionage, hè?'

'Stahl is van de Mossad.'

'Wat? Mossad? Waarom zou ik...?'

'Harry, wat weet je over Manfred Weaving?'

Alefs gezicht betrok, daarna schudde hij zijn hoofd. Ik ken hem niet.' Hij keek Bourne aan. 'Waarom? Zou ik hem moeten kennen?'

Bourne wierp een steelse blik op Rebeka, maar Alef zag het. Hij moest zich bijna helemaal omdraaien om haar te kunnen zien. Toen hij dat deed, sperden zijn ogen zich wijd open en begon hij te beven.

'Wat doet zíj hier verdomme?'

Toen Rebeka naar hen toe liep, legde Bourne een hand op zijn arm. 'Ze zal je niets doen. Zij heeft Stahl op het meer neergeschoten, terwijl wij beiden hulpeloos waren en bijna doodvroren.'

'Hallo, Manny,' zei ze.

Hoewel ze hem direct aankeek, keek hij rond alsof hij nog iemand anders in de kamer verwachtte. 'Waar heeft zij het over? Wie is die Weaving?'

'Dat ben jij,' zei ze. 'Manfred Weaving.'

'Ik weet niet waar je het over hebt.' Hij leek oprecht verbaasd. 'Mijn naam is Harry Rowland. Het is de naam waarmee ik geboren ben, het is de naam die ik altijd gehad heb.'

'Mogelijkerwijs niet,' zei Bourne.

'Wat? Hoe...?'

'Jouw netwerk, Jihad bis saif.' Rebeka was naast hen neergehurkt. 'Vertel ons wat zijn doel is.'

Rowland opende zijn mond en wilde net antwoorden toen ze allemaal een geluid hoorden dat van buiten kwam. Het geluid werd enigszins gedempt. Het kon het geluid zijn van een laars die over de grond schraapte.

In ieder geval was het erg dicht bij het huis. Rebeka fluisterde: 'Hij heeft ons gevonden.'

'Wie heeft ons gevonden?' zei Rowland.

Op dat moment werd de deur opengegooid.

8

Het kostte Martha Christiana niet veel moeite om Don Fernando Hererra te vinden. Nadat zij haar opdracht gekregen had, had ze in haar Parijse hotelsuite de volgende acht uur op haar laptop het internet afgezocht naar elk stukje informatie dat over de magnaat te vinden was. Binnen enkele seconden had ze de hoofdgegevens al gevonden. Hererra was in 1946 geboren in Bogotá als jongste van vier kinderen. Voor zijn studie werd hij naar Engeland gestuurd, waar hij in Oxford een graad in de economie haalde. Terug in Colombia ging hij werken in de olie-industrie. Hij werkte zich snel op totdat hij voor zichzelf begon en met succes een bod uitbracht op het bedrijf waarvoor hij gewerkt had. Zo had hij zijn eerste fortuin vergaard. Het was onduidelijk hoe hij in de internationale bankwereld was terechtgekomen, maar uit wat Martha las, bleek dat Aguardiente Bancorp een van de drie grootste banken buiten de Verenigde Staten was.

Verder onderzoek bracht meer boven water. Vijf jaar geleden had Hererra zijn enige zoon Diego benoemd tot hoofd van de prestigieuze Londense tak van Aguardiente. Diego was enkele jaren geleden onder mysterieuze omstandigheden aan zijn einde gekomen. Hoe ze het ook probeerde, Martha kon er geen verklaring voor vinden; het leek duidelijk genoeg dat hij vermoord was, waarschijnlijk door vijanden van Hererra, maar ook dat bleef onduidelijk. Hererra verbleef nu het vaakst in de *barrio* Santa Cruz in Sevilla, maar hij had ook huizen in Londen, Cadiz en Parijs.

Toen ze alle informatie die op het web beschikbaar was in zich opgenomen had, duwde ze haar stoel naar achteren, stond op, en liep over de parketvloer naar de badkamer. Ze draaide de kranen open en nam een hete douche.

Tegen de tijd dat ze klaar was, had ze het geraamte van een plan bedacht. Ze droogde zich af, föhnde haar haar, maakte zich op en kleedde zich aan. Toen ze daar eenmaal mee klaar was, had ze het plan verder ingevuld. Ze pakte haar jas en verliet het hotel. Haar auto stond voor haar klaar. De krachtige motor maakte een tevreden geluid in de ijzige lucht. Haar chauffeur opende het portier voor haar en ze stapte in.

Hererra woonde in een appartement op het Île Saint-Louis, in het midden van de Seine. Het lag op de westpunt en het had adembenemende uitzichten op het Pantheon en de Eiffeltoren op de linkeroever, op de Notre Dame op het naastgelegen Île de la Cité, en de belangrijke gebouwen op de rechteroever.

Martha Christiana had ontdekt dat Hererra een gewoontedier was. Hij hield ervan om in de stad waar hij op een bepaald moment was, steeds naar dezelfde bars, cafés, bistro's en restaurants te gaan. In Parijs betekende dat voor het ontbijt Le Flore en l'Ile, voor de lunch Yam'Tcha, en voor het diner L'Agassin. Omdat het te laat was voor de lunch en te vroeg voor het diner had ze de chauffeur de opdracht gegeven om langs het hoofdkantoor van Aguardiente Bancorp te rijden. Onder de douche had ze al deze plaatsen overwogen en om de een of andere reden – te gevaarlijk of te voor de hand liggend – allemaal afgewezen. Ze had in de krant gelezen dat er die avond een concert met kamermuziek van Bach gegeven werd in Sainte-Chapelle op het Île de la Cité. Het concert maakte deel uit van een lopende serie en werd gehouden in de magnifieke kapel die eruitzag als een juwelendoos. Het begon vroeg om de laatste sprankjes winterzonlicht te pakken die door de stralende gebrandschilderde ramen aan de westkant van de kapel vielen.

Martha Christiana had om verschillende redenen voor het concert gekozen. In de eerste plaats omdat Hererra net als zij van Bach hield. Door het onderzoek dat ze naar hem gedaan had, vermoedde ze dat hij hield van de strikte regelmaat van de mathematische muziek, die zijn precieze bankiersgeest zou aanspreken. In de tweede plaats was Sainte-Chapelle in Parijs zijn favoriete plek om naar muziek te luisteren. In de derde plaats was de kapel klein en zat het publiek op elkaar gepakt. Dit gaf haar ruimschoots de gelegenheid om hem te vinden en om te kijken wat de beste aanpak was. Het bood ook een scala aan onschuldige en prikkelende onderwerpen – muziek, architectuur, Bach, godsdienst – waarover ze met hem een gesprek kon aanknopen.

Ze dacht dat ze een goede beslissing had genomen. Ze liet haar auto staan, liep het laatste stuk naar de ingang van Sainte-Chapelle en ging in de rij staan. Ze kreeg hem in de gaten toen hij naar binnen ging. Martha was tevreden: ze was slechts zes personen van hem verwijderd. Ze was gekleed in een jurk van Alexander McQueen, een van haar lievelingsontwerpers. Het was een strakke militaire jurk met v-hals en ceintuur. Verder droeg ze zwarte, halfhoge schoenen met een sleehak. Ze wilde opvallen, maar niet te veel.

Binnen stonden de rijen klapstoelen keurig in het gelid. De mensen namen stil en bijna eerbiedig hun plaatsen in, alsof ze naar de mis gingen en niet naar een concert van een strijkkwartet. Misschien, dacht Martha, kwam het door Bach dat die dingen zo op elkaar leken. Ze had ergens gelezen dat degenen die het meest van Bachs muziek hielden, vaak het idee hadden dat zij, als zijn muziek klonk, heel dicht bij God waren.

Ze zat drie rijen achter Hererra, en dat was goed; zo kon ze hem in de gaten houden. Hij zat tussen een man die ouder was dan hij, en een vrouw die volgens Martha's inschatting begin veertig was. Het was niet duidelijk of hij een van deze mensen kende, maar even later was dat niet meer belangrijk, althans niet terwijl het kwartet Bach speelde. Deze bijna mystieke componist ontlokte veel verschillende reacties aan zijn luisteraars. Bij Martha Christiana riep de muziek herinneringen op aan haar verleden: aan de in mist gehulde vuurtoren voor de kust van Gibraltar, waarin ze geboren was, en aan haar vader, bruusk en met verweerd gezicht, die constant in de weer was met het onophoudelijk ronddraaiende licht, en aan haar bleke en tere moeder die zo agorafobisch was dat ze nooit een voet buiten de vuurtoren zette. Als haar moeder 's nachts naar de sterren keek, raakte ze volslagen gedesoriënteerd.

De musici speelden, de muziek ontvouwde zich nauwkeurig en vast in haar opeenvolging van noten, en Martha Christiana zag hoe ze ontsnapte uit de vuurtoren en hoe ze haar disfunctionerende ouders achterliet. Ze sloop ongezien aan boord van een vrachtschip dat van Gibraltar naar Noord-Afrika voer. Negentien maanden zwierf ze door de straten van Marrakech. Ze verkocht haar lichaam keer op keer als maagd aan stompzinnige toeristen. Na de eerste keer gebruikte ze vers geitenbloed dat ze van een slager kocht. Uiteindelijk werd ze in huis genomen door een stinkend rijke Marokkaan die haar tot zijn onwillige concubine maakte. Hij hield haar in zijn huis gevangen en verkrachtte haar, vaak op brute wijze, elke keer als hij er zin in had, en dat was vaak.

Hij liet haar kennismaken met literatuur, wiskunde, filosofie en geschiedenis. Ook leerde hij haar hoe ze zich in zichzelf moest keren, hoe ze moest mediteren en hoe ze zichzelf vrij kon maken van alle gedachten en verlangens, en hoe ze, als ze in die transcendentale toestand was, God kon zien. Hij opende de wereld voor haar, vele werelden in feite. Uiteindelijk was het onvermijdelijk dat door de kennis die hij haar gaf, haar ogen geopend werden voor de verschrikkelijke prijs die hij haar liet betalen. Drie keer probeerde ze uit haar luxueuze gevangenis te ontsnappen en drie keer kreeg hij haar weer te pakken. Elke keer was haar straf genadelozer, onmenselijker, maar ze pantserde zichzelf. Ze zou zich niet laten ontmoedigen. In plaats daarvan kwam ze op een nacht, terwijl ze de liefde bedreven, overeind met de bedoeling om hem met een stuk glas dat ze achterovergedrukt had, de keel door te snijden. Zijn ogen werden ondoorzichtig alsof hij zijn dood in haar gezicht weerspiegeld zag. Hij stootte een geluid uit dat leek op het tikken van een ouderwetse staande klok. Ze spreidde haar armen alsof ze God opriep om haar bevelen op te volgen. Zijn vingers klauwden naar haar en krasten langs haar bovenarmen omlaag, alsof hij haar met zich mee wilde nemen terwijl hij stierf aan een zware hartaanval. Ze scharrelde wat geld bij elkaar, liet verder alles achter wat naar hem terug zou kunnen leiden, en ontvluchtte Marrakech om er nooit meer terug te komen.

Dit waren niet bepaald plezierige herinneringen, maar ze waren háár herinneringen, en na jarenlang geprobeerd te hebben om ze te ontkennen, accepteerde zij ze nu als deel van haar, zij het dat het een deel was dat zíj alleen kende. Af en toe, als ze alleen was in het donker, luisterde ze naar Bach op haar iPod, en dacht ze terug aan die periode om zichzelf te herinneren aan wie ze was en waar ze vandaan kwam. Dan ging ze mediteren en maakte ze zichzelf leeg om God de ruimte te geven het gat op te vullen. Het had heel lang geduurd en het had heel veel pijn gekost om deze staat van bewustzijn te kunnen bereiken. Ze voelde zich na zo'n moment van introspectie altijd als herboren en klaar voor de taak die haar te doen stond.

Na afloop van het concert applaudisseerde het publiek. Het stond op en bleef doorklappen en roepen om een toegift. De musici kwamen tevoorschijn uit de coulissen, waar ze het welverdiende eerbetoon ondergaan hadden, pakten hun instrumenten weer op en speelden een kort, ronkend stuk. Na afloop van het stuk volgde weer applaus. Het was het einde van het concert.

Martha observeerde de vrouw die links van Hererra zat. Ze hield haar hoofd schuin, terwijl ze wat tegen hem zei en hij daarop reageerde. Ze was eerder deftig dan aantrekkelijk, en erg goed gekleed. Zij was ongetwijfeld een echte Parisienne.

Het publiek stond op, schuifelde langs de rijen stoelen richting de gangpaden en bleef maar praten over het concert. Martha Christiana bleef aan het einde van haar rij even staan treuzelen zodat ze naast de vrouw die naast Hererra liep het gangpad op liep.

'*Le concert vous a-t-il plu?*' zei ze tegen de vrouw. *Hebt u genoten van het concert? 'J'aime Bach, et vous?' Ik houd erg van Bach, en u?*

'En fait, non,' antwoordde de vrouw. *Niet echt, nee. 'Je préfère Satie.'*

Martha, blij met de opening, richtte zich nu tot Hererra. *'Et vous, monsieur, préférez-vous aussi Satie?'*

'Non,' zei Hererra. Hij keek zijn gezelschapsdame met een vergoelijkend glimlachje aan. 'Ik prefereer Bach boven alle andere componisten – behalve natuurlijk Stephen Sondheim.'

Martha liet een zilveren lachje horen, terwijl ze haar hoofd achterovergooide, waardoor haar lange, mooi gevormde hals zichtbaar werd.

'Ja,' zei ze. '*Follies* is mijn favoriete show.'

Nu pas keek Hererra Martha voor het eerst taxerend aan. Ze hadden net de galmende, marmeren hal bereikt die toegang gaf tot de straat. Dat was het moment voor haar om zich met een vriendelijk knikje van het stel te verwijderen.

Een motregen liet de straten glanzen. Martha stopte even om haar kraag op te zetten en een sigaret te pakken. Ze zocht haar aansteker. Voordat ze hem kon vinden, werd haar een vuurtje voorgehouden. Ze boog zich voorover en inhaleerde de rook diep in haar longen. Terwijl ze de rook uitblies, keek ze op en zag Hererra voor zich staan. Hij was alleen.

'Waar is uw gezelschap gebleven?'

'Ze had nog een afspraak.'

Martha trok haar wenkbrauwen op. 'Echt?'

Hij had een prettige lach. Hij was diep en vol en kwam van ergens diep uit zijn ingewanden.

'Nee, ik heb haar weggestuurd.'

'Een werknemer?'

'Gewoon een kennis, verder niets.'

Martha vond de manier leuk waarop hij 'verder niets' zei. Hij zei het niet geringschattend, maar gewoon zakelijk, waarmee hij aangaf dat de omstandigheden veranderd waren en dat hij in staat was om snel in te spelen op die veranderingen.

Hererra pakte een sigaar en hield hem omhoog. 'Hebt u er bezwaar tegen?'

'Helemaal niet,' zei Martha. 'Ik hou van de geur van een goede sigaar.'

Ze stelden zich aan elkaar voor.

Terwijl Hererra zich bezighield met het ritueel van het knippen en aansteken van de sigaar, nauwgezet als een toccata van Bach, zei ze: 'Don Fernando, bent u wel eens in Eisenach geweest?' Eisenach was de geboorteplaats van Johann Sebastian Bach.

'Ik moet bekennen dat ik daar nog nooit geweest ben.' De sigaar brandde ondertussen. 'U wel?'

Ze knikte. 'Voor mijn afstuderen ben ik naar kasteel Wartburg geweest, waar Maarten Luther het Nieuwe Testament in het Duits vertaald heeft.'

'Ging je scriptie over Luther?'

Ze liet weer het zilveren lachje horen. 'Ik heb de studie nooit afgemaakt. Ik was te opstandig.' Hij was in zijn jeugd ook opstandig geweest. Ze dacht dat een verwante ziel hem wel zou aanspreken. Ze had gelijk.

'Mademoiselle Christiana.'

'Martha, alsjeblieft.'

'Goed dan, Martha. Mag ik je voor het eten uitnodigen?'

'Monsieur, ik ken u amper.'

Hij glimlachte. 'Het lijkt me dat het niet moeilijk is om daar wat aan te doen.'

'Mijn naam doet er niet toe,' zei Peter. 'Ik heb Richards hiernaartoe gevolgd.'

Brick keek hem met ijskoude blik aan. 'Ik weet niet waar je het over hebt.'

'Echt niet?' Peter keek om zich heen. 'Hebt u enig idee waar uw man is?'

'Mijn man?'

'Juist, Owen.' Peter knipte met zijn vingers. 'Wat is zijn achternaam ook alweer?'

Even was er een flikkering in Bricks ogen te zien. 'Wat is er met Owen?'

'Ik kan het u het beste laten zien.' Peter deed een stap opzij.

Brick liet met tegenzin de balustrade los. 'Waar slaat dit allemaal op?'

Zonder verder nog iets te zeggen, ging Peter hem voor. Ze liepen het clubhuis uit, langs de winkel en door het labyrint van manshoge buxusbomen naar de plek waar Florin Popa lag.

Brick bleef stokstijf staan. 'Wat is hier verdomme gebeurd?'

'Dood als een pier,' merkte Peter meedogenloos op, terwijl Brick zich over het lichaam van Popa boog. 'Meneer Brick, u loopt overduidelijk gevaar. Ik denk dat het verstandig is dat we hier weggaan.'

Brick, met een hand op Popa's schouder, keek naar hem op. 'Sodemieter op, klojo. Ik ga nergens met jou naartoe.'

Peter knikte ernstig. 'Oké dan. Dan laat ik u hier in uw eentje voortmodderen.'

Toen hij zich een weg door de buxusbomen begon te banen, riep Brick: 'Wacht even. Wie ben je verdomme, en voor wie werk je?'

Bourne greep een brandend stuk hout uit het vuur en smeet het naar de indringer. Het siste en flakkerde. Een kant van het hout spatte in een vonkenregen uiteen toen het de schouder van de indringer raakte. Hij tuimelde achteruit en probeerde met een arm het brandende stuk hout weg te slaan. Hierdoor was hij niet goed in staat om Bourne af te weren toen deze zich op hem stortte. Achter zich hoorde Bourne hoe Rebeka Rowland met veel moeite in veiligheid probeerde te brengen.

De indringer hakte in op Bournes rug, wist hem van zich af te schudden, en gaf hem een geweldige dreun op zijn middenrif. Hij greep Bourne bij zijn kraag en smeet hem tegen de muur. Bourne rukte een prent van de muur en gooide hem met alle kracht in de richting van de indringer toen deze een uitval naar hem deed. Het glas versplinterde. Bourne greep een lang stuk glas, negeerde de snee in zijn handpalm die hij erbij opliep, en stak toe.

Hij had gericht op de nek van de indringer, maar miste. De

punt van de glasscherf boorde zich in plaats daarvan in de rug van zijn tegenstander. Door de kracht van de aanval vielen beide mannen op de grond. De aanvaller had ogenschijnlijk geen erg in de glasscherf. Hij trok een mes tevoorschijn en deed een uitval. Bourne rolde weg en de mespunt kwam terecht in de gleuf tussen de oude vloerdelen. De aanvaller verspilde geen tijd met het lostrekken ervan, maar haalde een ander wapen tevoorschijn.

Rebeka herkende Ilan Halevy onmiddellijk. Terwijl Bourne met de Babyloniër in gevecht was, sleepte zij Weaving de keuken in en legde hem neer in een donkere hoek naast de keukenkast.

'In hemelsnaam, blijf waar je bent,' fluisterde ze. Ze haalde een paar vismessen uit het messenblok, stopte er een achter haar riem en liep met het andere in de aanslag weer de kamer in. Ze verscheen net op tijd om te zien hoe de Babyloniër met een glasscherf in zijn bebloede rug met een stiletto tekeerging.

Ze bewoog snel en geluidloos. Het vismes hield ze voor zich uit. Het had een gemene haak aan de punt. Als ze het diep genoeg in zijn lichaam kon boren en het dan terug zou trekken, zou ze de Babyloniër behoorlijk wat schade kunnen toebrengen.

Zijn kracht en zijn uithoudingsvermogen waren legendarisch. Ze wist dat hij de glasscherf in zijn rug nauwelijks voelde, en hij zou het vismes ook niet voelen, tenzij ze het geluk had dat ze een vitaal orgaan zou raken, of dat ze vaardig genoeg was om de haak in zijn ingewanden te stoten en terug te trekken. De stroom bloed die daarvan het resultaat zou zijn, zou zelfs hem stof tot nadenken geven.

Maar ondanks haar behoedzaamheid, voorvoelde hij haar aanval. Op het laatste moment draaide hij zich om, wat hem op twee pittige dreunen van Bourne kwam te staan. Zijn linkerhand schoot uit en zijn vingers sloten zich als tentakels om haar polsen. Hij draaide ze met al zijn kracht om, waardoor de botten in haar polsen tegen elkaar schuurden. Ze was in één klap buiten adem en ze zag sterretjes. Op dat moment ontfutselde de Babyloniër haar het mes en stak toe. Het was zijn bedoeling om haar keel van oor tot oor open te snijden, maar ze wist deze dodelijke aanval met een reflex af te weren. Het mes sneed haar sweater en shirt open en veroorzaakte een horizontale, helderrode snee vlak boven haar borsten. Ze snakte naar adem en viel achterover.

Toen Harry Rowland – hij was er nu zeker van dat dat zijn naam was – het gegrom en het gekreun en gesteun hoorde van het man-tegen-mangevecht, klikte er iets in zijn hersens. Hij negeerde Rebeka's waarschuwing compleet en kroop om de hoek van de keuken. In één oogopslag beoordeelde hij met zijn ervaren blik de chaotische situatie. Het was net alsof er iets van hem afviel. Het voelde net alsof hij wakker werd uit een wazige droomwereld, waarin hij sinds zijn ontwaken in een kliniek in Stockholm gezeten had, en nu alles weer scherp en duidelijk zag.

Zonder verder na te denken kwam hij overeind, rende naar de open haard en greep de vuurtang. Behendig vermeed hij Rebeka en liep naar de plek waar Bourne en de indringer met elkaar in een dodelijk man-tegen-mangevecht verwikkeld waren. Hij keek beurtelings naar hen. Alles leek zich in slow motion af te spelen, behalve zijn hersens die, nu ze weer tot leven waren gekomen, koortsachtig en op volle toeren werkten. Herinneringen schoten als een school zilvervisjes uit de diepte omhoog. Ze kwamen razendsnel, maar dienden zich nu in de juiste volgorde aan. Dingen die hij vergeten was, stonden hem nu weer helder voor de geest, alsof er een dik gordijn weggetrokken was, waardoor zijn leven van voordat hij neergeschoten was, zich stukje voor stukje ontrolde. Niet alles was terug – er waren nog steeds gaten, ontbrekende stukken, vreemde open eindes, die hem voor raadsels plaatsten, visjes die hem door de vingers glipten en weer terugzakten naar de onpeilbare diepte. Sommige dingen begreep hij nog steeds niet, maar sommige wel, en die zorgden ervoor dat hij tot een beslissende en opzienbarende actie kwam.

Harry Rowland hief de vuurtang boven zijn hoofd en liet hem met kracht op Bournes hoofd neerkomen.

Boek twee

9

'We leven in een wereld waarin we door servers, netwerken, intranet en het internet kunnen beschikken over alle mogelijke informatie.'

Charles Thorne knikte. Hij typte aantekeningen op zijn iPad 3 terwijl een app ervoor zorgde dat alles wat Maceo Encarnación zei opgenomen werd.

'We worden in rap tempo een cloud-cultuur,' vervolgde Encarnación. 'Elk uur van elke dag groeit het aanbod van informatie exponentieel, en deze uitdijende tsunami van informatie – echt alles – bestaat in een of andere vorm die door buitenstaanders gelezen en begrepen kan worden – toevallig, of door afluisteren of hacking.'

Thorne zat met Encarnación in het kantoor van *Politics As Usual*. Hij voelde zijn mobiel, die in zijn broekzak zat, tegen zijn dij trillen. Hij negeerde het en knikte Encarnación aanmoedigend toe. Het had hem maanden gekost van moeizame onderhandelingen met een hele serie ondergeschikten om Encarnación, de president-commissaris en CEO van SteelTrap, zover te krijgen dat hij instemde met een interview. SteelTrap, het grootste internetbeveiligingsbedrijf in de wereld, was een buitenbeentje in de zakenwereld. Het was zo groot, zo invloedrijk, en zo succesvol, maar toch was het nog in particuliere handen, waardoor het aan niemand verantwoording verschuldigd was. Zijn interne structuur was volkomen ondoorzichtig.

Uiteindelijk was het hem gelukt. Encarnación, op weg van

Parijs naar Mexico-Stad, waar een deel van zijn personeel een van zijn vorstelijke residenties onderhield, had ingestemd met een interview. Het moest plaatsvinden in de tijd dat zijn vliegtuig bijgetankt werd. Hij had erop gestaan dat er geen foto's van hem genomen zouden worden. Dat had Thorne nauwelijks verrast, omdat hij, in het kader van zijn voorbereiding op dit interview, een curieuze bijzonderheid ontdekt had: online waren totaal geen foto's van Encarnación te vinden. Hij was een beer van een kerel en hij zag er enigszins vreemd uit, wat toe te schrijven was aan het feit dat hij volkomen haarloos was. Thorne vroeg zich af of dit opzettelijk was, of dat het aangeboren was. Een ander curieus feit dat hij in zijn iPad genoteerd had: Encarnación had hem niet één keer rechtstreeks aangekeken. Zijn ogen vlogen rusteloos heen en weer, als carambolerende knikkers, en waren constant in beweging.

'Vandaag de dag,' zei Encarnación, 'is geen greintje informatie veilig, hoe klein of goed beschermd het ook is. Alles kan gehackt worden of heeft dat lot al ondergaan. Dat is een vaststaand feit. Elk uur van elke dag worden versleutelde sites achter zogenaamde firewalls gehackt. Dit is de laatste en meest vernietigende vorm van terrorisme. Het is bijna een goddelijke roeping om deze cybercriminaliteit te bestrijden. Dit is mijn werk. Dit is wat ik doe.' Hij pauzeerde even om alles in het kantoor met zijn kleurloze ogen in zich op te nemen. Hij hield zijn zonnebril tussen zijn duim en wijsvinger in de aanslag. 'Zo wordt in het internettijdperk fortuin gemaakt.'

Thornes mobiel trilde opnieuw. Hij negeerde het, en zei: 'Vertelt u me eens, meneer Encarnación, wanneer bent u geïnteresseerd geraakt in internetbeveiliging?'

Encarnación glimlachte flauwtjes, wat Thorne nogal verontrustend vond. 'Ik verloor alles, al het geld dat ik met de onlineaandelenhandel had verdiend. Mijn rekening was gehackt en mijn zuurverdiende geld was gestolen.' Weer die mysterieuze glimlach, voorbode van een naderende apocalyps, alsof Thorne in het gezicht keek van een groot, hongerig roofdier. 'Het verdween in het kolossale Russische niets.'

'Ah, ik begrijp het.'

'Nee,' zei Encarnación, 'u begrijpt het helemaal niet.' Hij zwaaide met zijn zonnebril. 'Ik onderdrukte mijn drang om naar de plek te gaan die mijn geld verzwolgen had, om de persoon of personen te vinden die gestolen hadden wat van mij was, want ik wist dat ik, als ik naar Rusland zou gaan, levend gevild zou worden.'

Toen zijn mobiel voor de derde keer trilde, beet Thorne op zijn lippen. 'Wat bedoelt u precies?'

'Ik bedoel dat ik, onnozel als ik was, nooit teruggekomen zou zijn, als ik naar Rusland was gegaan.'

Thorne kon een lachje niet onderdrukken. 'Dat klinkt een ietsepietsie, hoe zal ik het zeggen, melodramatisch.'

'Ja,' zei Encarnación. 'Dat doet het ook.' Weer verscheen de glimlach, hardnekkig als de trilling van zijn mobiel. 'En toch is het de absolute waarheid. Bent u in Moskou geweest, meneer Thorne?'

Thorne wilde niet dat dit een of andere ondervraging zou worden. 'Ja.'

'Hebt u daar zaken gedaan?'

'Uh, nee. Maar ik heb gehoord...'

'U hebt gehoord.' Encarnación kaatste zijn woorden terug in zijn gezicht. 'Als u niet in Moskou bent geweest en er nooit zaken hebt gedaan dan weet u niet waar u over praat.' Hij schudde zijn compleet kale hoofd, dat volgens Thorne een treffende gelijkenis vertoonde met een doodshoofd. 'Geld, corruptie, verdorven politici, onderdrukking. Dat is Moskou.'

'Ik denk dat dat voor elke grote stad opgaat.'

Onder Encarnacións blik voelde Thorne zich kleiner en, erger nog, zwakker worden. 'Moskou is anders. Speciaal. Dat is de reden. Het hebben van geld is absoluut niet genoeg. De mensen met wie je te maken krijgt, willen meer van jou. Weet u wat dat meer inhoudt, meneer Thorne? Ze willen in een goed blaadje komen bij de president. Zij willen hem zo graag behagen dat zij, als de onderhandelingen niet naar hun wens verlopen, niet zullen aarzelen om je een kogel in het hoofd te schieten, of om je met plutonium te vergiftigen, als je al lang en breed het Moskouse rattennest verlaten hebt.'

Plutoniumvergiftiging allemachtig! schreef Thorne op zijn iPad.

Encarnación verblikte of verbloosde niet. 'Ik besloot op dat moment om een manier te vinden om mijn geld terug te krijgen. Aan de autoriteiten had je helemaal niets; in die tijd wisten ze nog minder van het hacken van het internet dan nu.'

Thorne had het gevoel dat hij in het gezelschap was van een reïncarnatie van baron von Münchhausen, de legendarische verteller van sterke verhalen, behalve dan dat hij heel duidelijk de indruk kreeg dat alles wat Encarnación vertelde waar was. 'En daarom hebt u SteelTrap opgericht.'

'Dat klopt.'

'En dat was...'

'Zeven jaar geleden.'

'Hebt u ooit uw geld teruggekregen?'

Encarnación kreeg een duivelse blik in zijn ogen. 'Met rente.'

Thorne stond op het punt om naar meer bijzonderheden te vragen, toen zijn telefoon voor de vierde keer trilde. Hij keek verstoord, maar deze keer won zijn nieuwsgierigheid het van zijn ergernis. Hij excuseerde zich, liep het kantoor uit, en haalde onderwijl zijn mobiele telefoon uit zijn zak. Vier berichtjes van Delia Trane. Hij had haar verscheidene malen ontmoet. Twee keer had hij met haar en Soraya gegeten, en hij was dankbaar geweest dat zij ermee ingestemd had om hun dekmantel te zijn.

BEL ME Z.S.M

Zijn ergernis groeide. Eén berichtje van haar kon hij wel negeren, maar vier niet. Hij scrolde door zijn telefoonboek en drukte haar nummer in. Zij antwoordde nadat de telefoon één keer was overgegaan.

'Waar ben je?'

'Waar denk je dat ik ben?' Zijn ergernis laaide op. 'Verdomme, Delia. Ik zit midden in een...'

'Soraya zit in de problemen.'

Bij het horen van haar naam keek hij de gang door. Mensen liepen voorbij. Hielenlikkers die niets wisten van het dreigende FBI-onderzoek. Hij ging een lege vergaderruimte binnen.

'Charles?'

Ze noemde hem nooit Charlie, zoals Soraya deed. Hij sloot de deur achter zich. Het was donker.

'Wat voor soort problemen?' Hij had zijn eigen problemen waar hij zich zorgen om maakte. Het laatste wat hij nodig had...

'Ze ligt in het ziekenhuis.'

Zijn hart sloeg over. 'Ziekenhuis?' zei hij haar dommig na. 'Waarom? Wat is er aan de hand?'

'Ze is in Parijs gewond geraakt. Een hersenschudding. Klaarblijkelijk heeft de vlucht naar huis het erger gemaakt.'

'Wat? Delia, in hemelsnaam...!'

'Ze heeft een subduraal hematoom. Haar hersens bloeden.'

Thorne voelde plotseling de behoefte om te gaan zitten.

'Charles?'

'Hoe...' Zijn stem leek het begeven te hebben. Hij schraapte zijn keel en slikte verkrampt. 'Hoe erg is het?'

'Erg genoeg om een noodprocedure te starten.'

'Is ze...?' Hij kon het niet over zijn lippen krijgen.

'Ik weet het niet. Ik ben nu in het Virginia Hospital Center in Arlington, maar ze zijn nog met haar bezig.'

Hij dacht aan Maceo Encarnación, die op dat moment duimen zat te draaien in zijn kantoor, terwijl Delia zijn toch al complexe leven nog ingewikkelder aan het maken was. Hij wilde het haar vergeven, maar hij kon dat niet.

'Ze moeten de druk op haar hersens verlichten en het bloeden stoppen,' zei Delia. 'De procedure is normaal gesproken redelijk simpel, maar in Soraya's geval is er een complicatie.'

Jezus, is er meer? dacht hij 'Wat voor... complicatie?'

'Ze is zwanger, Charles.'

Thorne sprong op alsof hij een elektrische schok kreeg. 'Wat?'

'Ze is zwanger van jouw kind.'

Toen Harry Rowland de vuurtang op zijn hoofd wilde laten neerkomen, weerde Bourne de tang af waardoor deze op de schouder van de indringer terechtkwam. Bourne trapte van zich af, raakte de knie van zijn tegenstander, en rolde weg. Rowland verzette zich en wilde zijn dodelijke greep op de vuurtang niet verliezen. Bourne gaf hem een dreun op zijn kin, waardoor Rowlands hoofd achteroversloeg en zijn tanden op elkaar klapten. Maar Rowland bleef zich aan zijn geïmproviseerde wapen vastklampen en Bourne kon niet wegkomen. De indringer plaatste een welgerichte trap op Bournes enkel. Hij stortte neer en trok Rowland met zich mee.

Rebeka dacht dat ze even buiten westen was geweest, want toen ze bijkwam en het bloed van haar gezicht veegde, zag ze hoe Bourne en Rowland met de Babyloniër in één grote kluwen verstrengeld waren. Ze kwam wankelend overeind, griste de tang uit Rowlands hand, greep hem bij zijn kraag en trok hem van de twee andere mannen af.

'Idioot,' snauwde ze. 'Waar denk je dat je mee bezig bent?'

Hij draaide zich naar haar om en sloeg haar hard in het gezicht. 'Je hebt verdomme geen idee waar je je mee bemoeit,' zei hij.

Ze herstelde zich en sloeg terug, maar hij weerde haar af, en raakte haar drie keer snel achter elkaar met de muis van zijn hand, waardoor ze door de knieën ging.

'Je moet weten,' zei hij, terwijl hij zich over haar heen boog, 'dat ik me alles weer herinner. Alles, hoor je dat?'

Ze probeerde op te krabbelen, maar hij hield haar tegen. Met zijn herinnering, had hij zo te merken ook al zijn kracht en doortraptheid teruggekregen. Hij was weer de man met wie ze in die hete en zweterige hotelkamer in Libanon samen was geweest, de man met wie ze een soort spelletje deed, gedeeltelijk kat-en-muis, gedeeltelijk balletje-balletje.

Hij draaide haar pols pijnlijk achter haar rug. 'In Dahr El Ahmar heb jij gewonnen. Maar hier zal de uitkomst anders zijn.'

Nu Rowlands gewicht van hem af was, richtte Bourne alle aandacht op de indringer, die volgens hem de Babyloniër moest zijn. En geen moment te vroeg. De Babyloniër had een krachtige arm om zijn nek geslagen en probeerde deze uit alle macht te breken. Bourne draaide zijn lichaam en creëerde daardoor net genoeg tijd om met zijn elleboog in de nierstreek van de Babyloniër te beuken.

De Babyloniër kreunde en Bourne sloeg nog een keer vernietigend toe. Hij ontworstelde zich aan de greep van de Babyloniër en sloeg met een ruw stenen asbak, die hij van tafel gegrepen had, op het achterhoofd van zijn tegenstander. Het bloed spoot uit de wond en de Babyloniër viel achterover op zijn rug. De glasscherf die nog half uit zijn rug stak, brak af.

Bourne dacht dat hij hem uitgeschakeld had en probeerde op te staan. Op dat moment schoot de Babyloniër overeind en gaf Bourne een kopstoot in zijn gezicht. Bourne zakte door zijn knieën en de Babyloniër sleurde hem naar het vuur. De kracht van de Babyloniër was ongelofelijk, ondanks het feit dat hij hevig bloedde en dat de stompen op zijn nieren ieder ander uitgeschakeld zouden hebben.

Bourne voelde de intense hitte van de vlammen op zijn hoofd. De Babyloniër wilde hem in het vuur duwen. Hij was er nog maar enkele centimeters vandaan en de vlammen kwamen steeds dichterbij. Hij probeerde van alles, maar de Babyloniër weerde al zijn pogingen moeiteloos af. Hij zag de vonken voor zijn ogen opspatten en hij wist dat hij geen tijd te verliezen had.

Hij graaide boven zijn hoofd en kreeg een van de brandende stukken hout te pakken. Zonder acht te slaan op de pijn in zijn hand stak hij het brandende uiteinde in de borst van de Babyloniër. Diens kleren vatten ogenblikkelijk vlam. Een verschroeiende stank vulde zijn neusgaten.

Bourne rolde weg van het vuur, stond op en liep naar de keuken. Daar zag hij dat Rebeka Rowland overweldigd had. Hij wees naar de deur en ging hen voor naar buiten, de bitterkoude nacht in, naar Rebeka's boot. Terwijl Bourne handenvol sneeuw pakte om de pijn in zijn beblaarde handpalm te verzachten, trok zij Rowland aan boord en startte de motor. Bourne gooide de trossen los en ze gingen ervandoor in een wolk ijzig, zwart water en verdwenen in de duisternis.

'Ik werk voor niemand,' loog Peter vlotjes. 'Althans, niet permanent.'

Brick keek hem aan. 'Je bent een freelancer.'

'Precies.'

Ze zaten in Bricks fonkelnieuwe vuurrode Audi A8. Peter reed. Hij had de plaats ingenomen van wijlen, niet betreurde Florin Popa. Brick had hierop gestaan zodat hij Peter in het oog kon houden. Hij had nog steeds geen enkele reden om hem te vertrouwen. Ze waren bij de Pro Shop gestopt, zodat Peter zijn burgerkloffie weer aan kon doen. Onderwijl stond Brick tegen de metalen kluisjes geleund en loerde naar hem als een perverseling in een openbaar toilet, zelfs terwijl hij mompelend een kort telefoongesprek voerde.

Brick zat op de passagiersplaats en gromde: 'Hoe weet ik dat je Richards niet aan het volgen was?'

'Dat weet je niet.' Peter dacht razendsnel na.

'Als jij Richards niet volgde, wie volgde hem dan wel?' vroeg Brick, terwijl Peter op zijn nadrukkelijke aanwijzingen allerlei achterafweggetjes nam. 'Wie heeft mijn man vermoord?'

'Peter Marks. Hij werkt voor dezelfde opdrachtgever als Richards.'

'Koesterde hij dan verdenkingen jegens Richards?'

Peter knikte. Hij sloeg rechts af en onmiddellijk erna links af. Ze reden weg van Arlington, dieper het platteland van Virginia op, en ze lieten de mooi aangelegde grasvelden en peperdure huizen achter zich. De omgeving werd steeds ongerepter. Golvende heuvels, dichte bossen, en vochtige valleien strekten zich voor hen uit.

'De volgende stap,' zei Peter, 'is om wraak te nemen. Anders zal deze organisatie, die Richards naar u toe gevolgd heeft, u nooit meer uit het oog verliezen.'

'Dat meen je niet.'

'Zeker wel. U wilt weten wat ik in Blackfriar aan het doen was? Oké. Ik hield u in de gaten.' Hij voelde hoe Brick over zijn hele lichaam verstrakte, en zei: 'Ik hield u in de gaten, omdat ik voor u wil werken. Ik baal ervan dat ik in mijn eentje werk, zonder werkgarantie. Ik heb niets om op terug te vallen.'

'Het is een moeilijke tijd,' mijmerde Brick.

'En het wordt steeds moeilijker.'

Brick leek hier serieus over na te denken. Toen zei hij abrupt: 'Stop hier.'

Peter deed wat hem opgedragen werd. Hij liet de Audi uitrollen op het gras en zette de versnelling in de vrij.

De auto stond nog niet stil of Brick knipte met zijn vingers. 'Je portemonnee.'

Peter reikte naar zijn binnenzak.

'Voorzichtig, beste vriend.'

Peter verstarde met zijn jas halfopen. 'Pakt u hem dan.'

Brick keek hem met kille blik aan. 'Ga maar door.'

Met zijn duim en wijsvinger pakte Peter zijn tweede portemonnee en gaf die aan Brick. De portemonnee met zijn echte papieren had hij in een geheime zak.

Brick hield hem in de open palm van zijn linkerhand. Met zijn rechter sloeg hij hem open. Pas op dat moment keek hij omlaag om het rijbewijs te bekijken. 'Anthony Dzundza.' De kille ogen flikkerden opnieuw. 'Wat is dat verdomme voor een naam, makker?'

'Oekraïens.' De ervaring leerde dat het realistischer was om een naam te gebruiken die nadere uitleg behoefde.

Brick kneep zijn ogen samen. 'Je ziet er helemaal niet Oekraïens uit, ouwe jongen.'

'Dat komt omdat mijn moeder een schoonheid uit Amsterdam is.'

Brick liet weer een gegrom horen. 'Vlei jezelf niet, want zo mooi ben je niet.' Gerustgesteld bladerde hij door de rest van de inhoud van de portemonnee – creditcards, een bankpas, museumkaarten, zelfs, grappig genoeg, ook nog een onbetaalde snelheidsboete. Daarna gaf hij de portemonnee terug.

'Waar geef je de voorkeur aan, Anthony of Tony?'

Peter haalde zijn schouders op. 'Het hangt ervan af of je een vriend of een vijand bent.'

Brick lachte. 'Oké, Tony, stap uit. Ik zal je ergens afzetten. Kom morgen om één uur naar de club.'

'Wat dan?'

'Dan,' zei Brick met een bloedserieus gezicht, 'zullen we zien hoe het echt met jou zit.'

Nadat Thorne zich verontschuldigd had bij de man die bekendstond als Maceo Encarnación en het kantoor van *Politics As Usual* spoorslags verlaten had, pakte Encarnación zijn overjas en liep naar de liften.

Terwijl hij stond te wachten, observeerde hij met geoefende blik de gedisciplineerde gang van zaken in het kantoor. Hij keek naar de geconcentreerde gezichten, naar de doelgerichte handelingen, en naar de van trots gezwollen borsten. Maar hij bespeurde bovenal het gevoel van superioriteit en veiligheid dat in tienduizend stukjes uit elkaar zou knappen op het moment dat ze geconfronteerd zouden worden met de allesvernietigende chaos waarmee iedereen die hier werkte te maken zou krijgen. Dat was een ding dat zeker was.

Het gevoel van chaos herinnerde hem aan Moskou – het einde van het verhaal dat hij begonnen was te vertellen voordat het interview met Charles Thorne werd afgebroken, het einde dat Thorne nooit te weten zou komen. Door gebruik te maken van de algoritmen die hij en zijn team zo slim en moeizaam ontwikkeld hadden, had hij de criminelen weten te traceren die zijn online account hadden gehackt en zijn geld hadden laten verdwijnen in de angstaanjagende Russische onderwereld. Nadat hij zich tot in de puntjes had voorbereid, had hij precies drie dagen in Moskou doorgebracht. Tegen de tijd dat hij weer vertrok, lagen er twee lichamen, verzwaard met het gewicht van hun eigen wapentuig, met open, ongelovige ogen op de bodem van de Moskva. En wat het geld betreft... Encarnación had zíjn geld terug weten te sluizen en hún geld had hij weten te verdonkeremanen op dezelfde manier zoals zij dat bij hem gedaan hadden.

Toen de glanzende, chromen liftdeuren opengingen, stapte hij de lift in en ging naast een blondine met lange benen en imposante heupen staan. Hij had nooit weerstand kunnen bieden aan indrukwekkende heupen en billen.

'Goedemiddag,' zei hij, en hij koesterde zich in de stralende glans van haar brede glimlach.

In het vissershuisje in Sadelöga rukte de Babyloniër zich de kleren van het lijf en probeerde verwoed de schade die de vlammen op zijn lichaam aanrichtten zo beperkt mogelijk te houden. Struikelend en grimassend van de pijn baande hij zich een weg naar de badkamer, draaide de koudwaterkraan van de douche open en ging eronder staan. Van het ene op het andere moment stond de badkamer onder de rook, waardoor hij onbedaarlijk moest hoesten, maar het was in ieder geval beter dan dat zijn huid zou verbranden. Al snel veranderde de rook in stoom.

De vlammen doofden. Hij deed de resten van zijn verschroeide ondergoed uit en stapte onder de douche vandaan. Hij was mager en zijn armen waren net zo lang als die van een langeafstandszwemmer. Een strakke, zongebrande huid bedekte een strak en gespierd lichaam.

Hij durfde geen handdoek te gebruiken bij de brandwonden die het grootste deel van zijn borst, nek en handen bedekten. In de spiegel boven de wastafel bekeek hij de glasscherf in zijn rug. Het duurde even voordat hij wat zag, doordat zijn ogen hevig traanden. Hij dacht wel dat de wonden op zijn lichaam littekens zouden achterlaten, zeker in zijn nek, maar hij was te goed getraind om daar lang bij te blijven stilstaan. In plaats daarvan richtte hij zich op wat gedaan moest worden. Hij bestudeerde zijn wond met een chirurgische nauwgezetheid.

Ondanks het feit dat de scherf door zijn val was afgebroken, was er toch nog genoeg van te zien om hem eruit te kunnen trekken. Hij zette zich schrap tegen de wastafel, keek over zijn schouder in de spiegel, en pakte de scherf net onder het puntige uiteinde vast. Hij haalde diep adem en blies langzaam uit. Op dat moment trok hij hard en de scherf gleed naar buiten. De wond begon te bloeden, maar het was zuiver bloed en hij wist dat het bloeden snel zou stoppen.

Het water dat van zijn lichaam druppelde, was nog steeds roze van het bloed. Hij ging terug naar de keuken, opende de achterdeur en liet zich met zijn gezicht naar beneden in de sneeuw vallen. Hij wist dat de kou de zwellingen zou beperken en de pijn zou verminderen. Toen hij het genoeg vond, draaide hij zich op zijn rug om de pijn van de wond daar te verzachten.

Na een tijdje krabbelde hij overeind en liep terug naar binnen, waar hij net zo lang in de keukenkastjes zocht tot hij een pak zuiveringszout vond. Hij schudde het poeder in een kom die hij van een plank had gepakt, mixte het met water en roerde tot het een dikke pasta was. Hij liet zijn adem sissend tussen zijn opeengeklemde tanden ontsnappen en begon het goedje op de brandwonden te smeren totdat ze helemaal bedekt waren met de dikke zalf die de wonden zowel zou beschermen als genezen.

In de badkamer vond hij een volle tube antibacteriële crème, plus de restanten van de krachtige antibiotica die Rebeka had achtergelaten. Op het medicijnflesje stond niet alleen haar naam, maar ook een adres in Stockholm. De pijn begon al minder te worden. Het zuiveringszout trok de pijn uit zijn lichaam.

Hij spoelde twee antibioticatabletten weg met bier dat hij in de koelkast vond. Hij trok zijn mes uit de spleet tussen de vloerdelen en begon heen en weer te lopen met de stille, meedogenloos wrede obsessie van een tijger, totdat hij de kracht in zijn lichaam voelde terugstromen.

Toen zijn blik weer op het label op het flesje antibiotica viel, kon hij een glimlach niet onderdrukken. Haar adres in Stockholm. Hij had een aanknopingspunt en hij bezwoer dat ze deze keer allemaal zouden sterven.

10

'Hou je van films?' vroeg Don Fernando tijdens het ontbijt in Le Flore en l'Ile.

'Natuurlijk hou ik van films,' antwoordde Martha Christiana, 'wie niet?'

Na het diner van de voorgaande avond hadden ze afgesproken om elkaar vanochtend weer te ontmoeten. Hij had haar niet uitgenodigd om met hem mee naar zijn appartement te gaan. Hij vroeg zich af of ze teleurgesteld was geweest.

'Ik bedoel oude films. Klassiekers.'

'Nog beter.' Ze nam een slok koffie uit een grote kom. Door het raam zag ze de magnifieke ronde achterkant van de Notre Dame, vorstelijk en verfijnd, met steunberen die als vleugels uit het gebouw staken. 'Maar veel films zijn niet de klassiekers die ze naar verluidt zijn. Heb je *Don't Look Now* gezien? Los van de perverse delen is die film onbegrijpelijk.'

'Ik dacht meer aan *The Exterminating Angel* van Luis Buñuel.'

Ze schudde haar hoofd. Haar ogen lichtten helder op in het eerste ochtendlicht. 'Die heb ik niet gezien.'

Toen hij haar kort de inhoud vertelde, zei ze: 'Dus iedereen in dat huis zit gevangen, zoals wij gevangen zitten in onze levens. Zij ruziën, vechten, bedrijven de liefde, raken moe en verveeld. Sommigen gaan dood.' Ze snoof. 'Dat is geen kunst, dat is het leven!'

'Dat is waar.'

'Ik dacht dat Buñuel een surrealist was.'

'In feite was hij een satiricus.'

'Eerlijk gezegd lijkt die film me allesbehalve leuk.'

Don Fernando vond er ook niets aan, maar daar ging het nu niet om. Hij dacht aan de film omdat Martha Christiana een allesvernietigende engel was. Hij wist wie en wat zij was. Hij was in het gezelschap geweest van vrouwen zoals zij. Het was meer dan waarschijnlijk dat dat weer zou gebeuren. Als hij haar tenminste overleefde.

Hij wist honderd procent zeker dat zij een geheim agent was met slechte bedoelingen. Nicodemo had haar een opdracht gegeven. Dat feit sterkte hem. Hij kwam in de buurt. Het betekende dat hij dat stukje onderwereld voldoende in beroering gebracht had, dat ze haar gestuurd hadden om hem te vermoorden.

Hij keek zijn allesvernietigende engel aan en zei: 'De eerste keer dat ik de film zag, zat ik naast Salvador Dalí.'

'Echt waar?' Ze keek hem schuin aan. Ze droeg een rood Chanel-pakje van kunstzijde met eronder een botergele blouse van shantoengzijde, waarvan ze de bovenste knoopjes open had. 'Hoe was dat?'

'Het enige wat ik zag, was zijn weerzinwekkende snor.'

Haar lach was net zo boterzacht als haar blouse. 'Heeft hij überhaupt iets gezegd?'

'Dalí zei nooit iets wat niet bedoeld was om te choqueren. In ieder geval niet publiekelijk.'

Haar hand passeerde een onzichtbare barrière en omvatte de zijne in haar hand. 'Je hebt zo'n fascinerend leven geleid.'

Hij haalde zijn schouders op. 'Meer dan sommigen, denk ik. Minder dan anderen.'

De laagvallende ochtendzon liet haar ogen sprankelen als handgeslepen edelstenen. 'Ik zou je graag beter leren kennen, Don Fernando. Veel beter.'

Hij liet zijn glimlach breder worden. Ze was goed, dacht hij. Beter dan de meesten. Maar van Nicodemo was niets anders te verwachten.

'Dat lijkt me fijn,' antwoordde hij. 'Meer dan je denkt.'

Delia stond bij de ingang op Charles Thorne te wachten. Ze had tien minuten lang mensen de imposante hoofdingang van het Virginia Hospital Center in en uit zien gaan. Ze nam slokjes uit een bekertje met erg slechte koffie, die ze gedachteloos uit een automaat had gehaald die op dezelfde verdieping stond als waar Soraya nog steeds lag.

Delia had Soraya negen jaar geleden voor het eerst ontmoet, toen Soraya nog werkte bij CI voor wijlen Martin Lindros. Ze was in die tijd vrijgezel en nog onzeker over wie ze was, laat staan over wat haar seksuele voorkeur zou kunnen zijn. Dat was het gebied dat haar het meeste angst inboezemde. Ze had een tijdje gedacht dat ze aseksueel was. Soraya had daar verandering in gebracht.

Delia was op pad gestuurd om een bom te ontmantelen die in de buurt van het hooggerechtshof lag. Soraya was daar ook met verscheidene FBI-agenten om te zien of ze konden uitvinden wie de bom geplaatst had en of de dader een buitenlandse terrorist was of iemand van eigen bodem. Beide mogelijkheden waren angstaanjagend.

Het mechanisme van de bom bleek moeilijk te neutraliseren, wat wees op een doorgewinterde terrorist. Toen Delia bezig was de bom onschadelijk te maken, was op Soraya na iedereen op veilige afstand gaan staan.

Delia herinnerde zich dat ze tegen Soraya zei: 'Je moet maken dat je hier wegkomt.'

'Niemand zou alleen moeten zijn,' had Soraya gezegd.

'Als ik faal, als dit ding afgaat...'

Soraya had haar even aangekeken. 'Zeker niet op het laatst.' Waarop er een ontwapenende grijns op haar gezicht verscheen. 'Maar je faalt niet.'

Thorne kwam het ziekenhuis binnenlopen en verstoorde op brute wijze haar mijmerij. Ze zag de bezorgde uitdrukking op zijn gezicht toen hij op haar af liep. Ze zei: 'Ze is geopereerd en heeft een rustige nacht gehad. Dat is alles wat ik weet.'

Hij volgde haar door een gang naar de liften. 'Wat je me over de telefoon vertelde...'

'Is allemaal waar,' zei ze, intuïtief aanvoelend wat hij wilde vragen.

'Is dat helemaal zeker?'

Haar blik werd overschaduwd door emoties die ze nog niet onder woorden kon brengen.

'Met hoeveel mannen denk je dat zij naar bed ging, Charles?' Ze wierp hem een boze blik toe. 'Je zou je aandacht op haar moeten richten.'

'Ja, natuurlijk. Dat weet ik,' zei hij onthutst.

De liftdeuren gingen open en mensen stroomden de lift uit. Zij stapten de lift in en Delia drukte op de knop van de tweede verdieping. Ze gingen zwijgend naast elkaar staan. In de lift rook het naar desinfecterende middelen, ziekten en ouderdom.

Toen ze op de tweede verdieping uit de lift stapten, zei Delia: 'Je moet weten dat minister Hendricks er ook is.'

'Shit. Hoe kan ik mijn aanwezigheid hier verklaren?'

'Daar heb ik aan gedacht,' zei Delia. 'Laat dat maar aan mij over.'

Ze ging hem voor door de drukke gang. Aan het einde ervan was de metalen deur naar de operatieafdeling.

Thorne gebaarde met zijn hoofd. 'Is ze hier geopereerd?'

Delia knikte.

Thorne streek met zijn tong langs zijn lippen. Zijn gezicht drukte een en al bezorgdheid uit. 'En ze is nog steeds niet bij bewustzijn? Dat is geen goed teken.'

'Niet zo negatief,' zei Delia, duidelijk geërgerd. 'De behandeling luistert zeer nauw. Ze wordt heel goed in de gaten gehouden.'

'Maar wat als ze...?'

'Houd je mond!' zei ze, terwijl ze de lijfwacht van de minister passeerden en de wachtruimte binnenliepen.

Hendricks zat in de hoek die het verst verwijderd was van de flatscreen-tv waarop CNN te zien was. Het geluid stond uit. Hij was aan de telefoon en maakte aantekeningen in een opschrijfboekje dat hij op een knie had liggen. Hij keek nauwelijks op toen ze binnenkwamen. Delia keek vol afschuw naar het olieachtige laagje op haar koffie en gooide het bekertje in de afvalbak.

Voordat een van hen kon gaan zitten, had Hendricks zijn gesprek beëindigd. Hij keek op, herkende Thorne, en keek nog een keer, maar nu beter.

Terwijl hij overeind kwam en naar hen toe liep, zei Delia: 'Nog nieuws?'

Hij schudde zijn hoofd. Daarna richtte hij zijn aandacht op de man naast haar.

'Charles Thorne?'

'Schuldig,' bekende Thorne, voordat hij zich realiseerde wat dat woord in de komende dagen en weken kon gaan betekenen.

De twee mannen schudden elkaar kort de hand.

'Ik moet toegeven,' zei Hendricks, 'dat uw aanwezigheid hier mij enigszins verrast.'

Delia glimlachte. 'Wij drieën zijn bevriend. Ik kwam hem vanmorgen tegen en hij stond erop om met me mee te gaan.'

'Dat is een goed idee,' zei Hendricks, enigszins in verwarring gebracht. 'Ze kan nu alle steun gebruiken.'

'Ik wil niet dat Soraya alleen is als ze bijkomt,' zei Delia.

Precies op het juiste moment verscheen iemand van het chirurgische team in de wachtruimte. Hij keek van de een naar de ander, en zei: 'Ik heb nieuws.'

Tom Brick reed de rode Audi in zuidelijke richting, dieper het platteland van Virginia op. Peter zat naast hem. In de lucht waren onheilspellende wolken te zien; de zon van gisteren was nog slechts een herinnering. Uiteindelijk sloeg hij Ridgeway Drive in, een kronkelweg die door dichte bossen slingerde waardoorheen je af en toe de daken van grote huizen kon zien. Ridgeway Drive kwam uit op een rotonde waar vier huizen aan lagen die door stukken bos gescheiden werden.

Brick nam de rechter oprit. Hij was bedekt met grind en was goed onderhouden. Aan beide kanten stonden heesters zodat de oprit bij de scherpe bocht naar links in het niets leek te verdwijnen, alsof hij er nooit geweest was. Ze waren in een eigen wereld beland, afgesneden van alles en iedereen.

Brick stopte en stapte uit de auto. Hij rekte zich uit. Peter volgde zijn voorbeeld. Hij keek naar het huis. Het was groot en statig, stevig gebouwd als een kasteel van baksteen en ruw gehakte stenen. De architectuur was typisch postmodern: twee woonlagen met overhangende dakranden, bovenmaatse ramen en een zonovergoten veranda.

Brick liep de trap op en zei vanuit de schaduw van het huis: 'Kom je ook, Tony?'

Peter, die zich ervan bewust was dat hij nu Anthony Dzundza was, knikte en volgde hem de trap op. De benedenverdieping was schaars gemeubileerd en ruim. De meubels waren laag, gestroomlijnd, en modern – kleurloos als botten die van het vlees ontdaan waren.

'Wil je wat drinken, Tony?'

Peter dacht aan waarom hij hier was. Dick Richards was naar Tom Brick toe gegaan toen Soraya hem verteld had dat zij uit betrouwbare bron had vernomen dat Nicodemo in verband stond met Core Energy.

Waar hebt u dat gehoord, had Richards gevraagd. Tom Brick is CEO bij Core Energy.

En Peter – of liever gezegd, Anthony Dzundza – was nu hier met Brick. Zowel Peter als Soraya waren ervan overtuigd geweest dat Richards naar de president zou gaan. Ze gingen ervan uit dat hij aan hem rapporteerde. Maar nee, hij was naar Tom Brick gegaan. Wat was er verdomme aan de hand? Was Richards een agent die zowel voor de president als voor Brick werkte?

De woonkamer was L-vormig. Peter volgde Brick toen deze om de hoek van de kamer naar de bar liep. Daar bleef hij plotseling staan. Aan het korte eind van de L stond een man met de benen iets uit elkaar. Hij had geen jasje aan, dus Peter kon de Glock duidelijk in het holster onder zijn linkeroksel zien zitten.

'Tony, zeg dag tegen Bogdan.'

Peter zei niets. Zijn tong leek zich aan zijn gehemelte vastgeplakt te hebben. De chagrijnige Bogdan stond naast een houten stoel met spijlen die bij de rest van de designinrichting volkomen uit de toon viel. Op de stoel zat een man vastgebonden. Hij zat met de rug naar Peter toe.

Brick stond bij de bar en zei zonder zich om te draaien: 'Zoals ze in de film plegen te zeggen, kies je gif.'

Peter hoefde het gezicht van de vastgebonden man niet te zien om te weten dat het Dick Richards was.

Toen Brick geen antwoord kreeg, draaide hij zich met een glas in zijn hand om. 'Ik neem een whisky. Ik zal er jou ook een inschenken.'

Peter probeerde wanhopig de bedoeling van deze scène te begrijpen. Hij bleef staan wachten, terwijl Brick de whisky inschonk en hem het glas aangaf.

Hij tikte zijn glas tegen dat van Peter en nam een slok. '*Cent'anni*, zoals ze bij de maffia zeggen.' Hij lachte. Toen hij zag in welke richting Peter keek, gebaarde hij met zijn glas. 'Kom, ik wil je iets laten zien.'

Peter volgde hem met tegenzin naar de plek waar Richards en Bogdan, zijn onheilspellende bewaker, zich net uit het zicht van de ramen bevonden. Alsof iemand het in zijn hoofd zou halen om hier rond te snuffelen. Iemand, behalve Peter zelf natuurlijk.

'Je zei dat je voor mij wilde werken.' Brick zei het op een warme, vriendschappelijke toon, alsof de twee mannen met elkaar in gesprek waren op de club of op de golfbaan. 'Dat is een pittige vraag. Ik ben heel voorzichtig met wie ik inhuur en ik pluk nooit zomaar iemand van de straat. Dat is mijn dilemma, begrijp je wel, Tony? Hoezeer ik je ook erkentelijk ben voor de informatie die je me geleverd hebt, ben je toch iemand die zo van de straat is binnengekomen.'

Brick nam weer een slokje whisky en rolde het in zijn mond voordat hij het doorslikte. Daarna lachte hij vriendelijk. 'Maar ik mag je. Ik bewonder je stijl, dus ik zal je zeggen wat ik zal doen.' Hij trok de Glock uit het holster van Bogdan en hield hem met de kolf naar voren voor Peters neus. 'Je bepleitte het uit de weg ruimen van Peter Marks, Dicks baas. Hoewel ik je initiatief bewonder, denk ik niet dat het slim is om achter een man als hij aan te gaan. We willen geen puinhoop veroorzaken, of wel soms?' Hij zwaaide de Glock uitnodigend heen en weer. Met tegenzin pakte Peter hem aan. 'Nee, het lijkt me beter om zaken in de kiem te smoren en de man die te veel weet een kopje kleiner te maken – zeggen jullie Amerikanen dat niet zo? Dat is het beste. Dus hier is hij, beste vriend. Hij wacht op het vallen van de spreekwoordelijke bijl.' Grijnzend gaf hij Peter een duwtje. 'We willen hem niet teleurstellen, of wel soms?'

Toen zij Stockholm naderden, kleurde het in het oosten langzaam roze.

Het was tijdens de overtocht naar het vasteland behoorlijk donker geweest, maar Bourne, die de baai met Christien al eerder was overgestoken, gidste hen feilloos naar de auto, waarin hij met Rowland hiernaartoe gereden was. Ze propten Rowland op de achterbank. Bourne kroop achter het stuur en Rebeka ging naast hem zitten.

Nu, uren later, naderden zij de stad. Bourne verliet de hoofdweg en sloeg aan het einde van de afrit links af. Het was doodstil op straat. Uiteindelijk stopte hij bij een braakliggend terrein dat op de nominatie stond om weer bebouwd te worden. Er stond een hek omheen dat duidelijk betere dagen had gekend.

Bourne keek naar Rebeka en zei: 'Haal hem uit de auto.'

Rebeka stond op het punt om iets te vragen, maar ze hield zich in. In plaats daarvan opende ze het portier aan de trottoirkant en trok Rowland uit de auto het vroege ochtendlicht in. Bourne stapte uit en liep om de auto heen. Hij greep Rowland bij zijn kraag en sleepte hem naar een gat in het hek.

'Bourne, wat ben je van plan?' vroeg Rebeka.

Hij duwde Rowland met zijn hoofd vooruit door het gat en kroop er zelf achteraan. Terwijl hij dat deed, probeerde Rowland te ontsnappen. Bourne ging achter hem aan. Dankzij zijn twee bevroren tenen rende Rowland op een spastische, slingerende manier, zodat Bourne hem zonder al te veel moeite kon inhalen. Hij gaf hem een dreun op zijn achterhoofd en Rowland zakte door zijn knieën. Zijn bovenlichaam schommelde heen en weer alsof hij zijn evenwichtsgevoel helemaal kwijt was.

Rebeka haalde hen in. 'Bourne, laat hem met rust. Nu hij zijn herinnering terug heeft, moeten we te weten zien te komen wat hij weet.'

'Hij is niet van plan om ons ook maar iets te vertellen.' Hij gaf Rowland nog een klap op zijn kop. 'Of wel soms, Rowland?' Rowland schudde zijn hoofd en Bourne reageerde daarop door hem een geweldige ram tussen zijn schouderbladen te geven. Met een dierlijke grom viel hij in de met sneeuw bedekte smurrie. Bourne greep hem beet en trok hem terug in zijn boetvaardige knielhouding.

Geschrokken zei Rebeka: 'Bourne, wat ben je van plan om te doen?'

'Kop dicht.' Bourne was vervuld van een moordzuchtige woede, niet alleen omdat deze man geprobeerd had hem te vermoorden – in opdracht, te oordelen naar zijn handelwijze in het vissershuisje – maar ook omdat hij zijn herinnering terug had. Al die jaren sinds hij in de Middellandse Zee gegooid was, was hij nagenoeg niets te weten gekomen over zijn vroegere leven. Het was waar dat hij zich de Bourne-identiteit had weten eigen te maken – hij was nu Jason Bourne – maar hij was nog steeds een man zonder verleden, zonder thuis, zonder een eigen plek. Hij zweefde door de lucht, zonder ankers, zonder houvast, voor altijd zoekend naar – hij wist zelfs niet waarnaar hij zocht. Maar deze man – die, als hij Rebeka moest geloven, gestuurd was door Jihad bis saif om hem te vermoorden – had al zijn herinneringen weer terug die hij kwijt was geraakt toen Rebeka's kogel zijn hoofd geschampt had, waarna hij in de baai van Hemviken gevallen was. Hij gaf Rowland nog een klap. Gerechtigheid! En opnieuw. Hij wilde gerechtigheid.

'Bourne... Bourne, in godsnaam!'

Rebeka greep zijn rechteronderarm en weerhield hem ervan om een derde keer te slaan.

Hij gaf Rowland een trap in zijn nierstreek. Toen hij op zijn zij viel, voelde Bourne iets van tevredenheid.

De acute woede werd minder en hij liet toe dat Rebeka tussenbeide kwam. Ze wierp hem een kwade blik toe, hurkte naast Rowland en begon hem overeind te helpen. Bourne kon deze aanblik niet verdragen. Hij gaf Rowland een trap in zijn knieholte waardoor deze weer door de knieën ging. Rebeka liet hem nu liggen, stond op, en ging strijdvaardig voor Bourne staan.

'Hij was gestuurd om mij te vermoorden,' zei Bourne, nog voordat zij de kans had om wat te zeggen.

'Een van de velen, ja toch?' Ze zocht zijn blik en schudde weer met haar hoofd. 'Je moet niet denken dat ik niet weet wat er echt aan de hand is.'

'Ik weet niet waar je het over hebt,' zei hij mat. Hij voelde zich uitgeput en, erger nog, leeg.

'Laten we doen alsof je dat wel weet.' Ze deed een stap in zijn richting en dempte haar stem. 'Wat heb je er dan aan dat je hem tot moes slaat? Dat werkt averechts,' voegde ze eraan toe en gaf daarmee zelf antwoord op haar vraag. Alsof ze niet zeker wist of ze wel tot hem doorgedrongen was, herhaalde ze: 'Dat werkt averechts.'

Zijn blik klaarde op en hij knikte. Ze glimlachte aarzelend. 'Laten we hem samen aanpakken. Samen bereiken we misschien meer dan alleen.'

Ze hurkten voor Harry Rowland neer, die hen wazig en met bloeddoorlopen ogen aankeek.

'Ik weet dat je voor Jihad bis saif werkt,' zei Rebeka. Ze vertrouwde er niet op dat Bourne in deze fase van de ondervraging de juiste toon zou aanslaan. 'Gezien je eigen activiteiten, weten we dat je erop uitgestuurd was om Bourne te vermoorden.'

'Wat we niet weten,' zei Bourne, terwijl hij de ondervraging overnam, 'is waarom.'

Rowland zwaaide lichtjes met zijn hoofd. Hij streek met zijn tong langs zijn lippen, die bedekt waren met opgedroogd bloed. 'Waarom zou iemand jou willen vermoorden, Bourne?'

'Je bent een bedreiging voor hun netwerk,' zei Rebeka tegen

Bourne. Ze wendde zich weer tot Rowland. 'Waarom?'

Hij keek haar met zijn bloeddoorlopen ogen aan. 'Jij hebt me dit aangedaan. Ik was stapelgek op je. Tijdens onze nachten in Dahr El Ahmar liet je mij mijn opdracht vergeten.' Hij keek haar vragend aan. 'Hoe heb je dat gedaan? Ik begrijp het niet. Welk trucje heb je toegepast?'

'Dit is wat we doen, Harry.' Rebeka legde bedaard een hand op zijn dij. 'De schertsvertoning werkte beide kanten op. Jij hebt mij voor de gek gehouden. Ik had geen idee dat jij lid was van Jihad bis saif. Tot aan het einde niet.'

Hij streek weer met zijn tong langs zijn lippen. Hij kon zijn ogen niet van haar afhouden. 'Wat is er gebeurd? Ik was zo voorzichtig. Wat heeft me verraden?'

Haar vingers streken over zijn dij. Ze wilde gebruikmaken van de smekende toon in zijn stem. 'Vertel me, waarom is Bourne een bedreiging voor Jihad bis saif?'

'Jihad bis saif,' herhaalde hij honend. 'Je weet helemaal niets van Jihad bis saif.' Gek genoeg moest hij bijna lachen.

'Vertel het ons dan,' zei Bourne in het Arabisch, en vervolgens in het Pashtu. Toen Rowland niet reageerde, schudde Bourne zijn hoofd. 'Er is helemaal geen Jihad bis saif.'

'Zeker wel.'

Het zelfingenomen lachje werd met een welgemikte stomp op Rowlands kaak door Bourne van zijn gezicht geslagen. Hij maakte een piepend geluid toen zijn hoofd achteroversloeg. Bourne greep hem vast voordat hij om kon vallen. Hij sloeg Rowland totdat zijn ogen weer scherp zagen.

'Ik geloof je niet.' Hij greep Rowland stevig bij zijn kaak. 'Laten we er een eind aan maken. Vertel ons wat je weet, of anders...'

Op dat moment verscheen er boven de boomtoppen een helikopter.

'Politie?' zei Rebeka, terwijl ze met samengeknepen ogen naar de oesterkleurige lucht keek.

'Geen onderscheidingstekens.' Bourne stond op en trok Rowland overeind.

De helikopter kwam op hen af. Hij had het duidelijk op hen gemunt.

'We kunnen beter dekking zoeken,' zei Bourne. Maar voordat ze konden bewegen, hing de helikopter al boven hen. De machinegeweerkogels sloegen in de vuile sneeuw. Stukken ijs en kluiten omgewoelde aarde vlogen in het rond. Bourne probeerde Rowland met zich mee te trekken, maar het mitrailleurvuur, dat bedoeld was om hen uit elkaar te drijven, was te hevig. De mannen in de helikopter lieten hun geen keuze. Rebeka en hij renden naar een stapel bakstenen en brokstukken van het neergehaalde gebouw.

Bourne deed nog één poging om bij Rowland te komen, maar het vernietigende vuur dreef hem terug. De helikopter bewoog, maar in plaats van omhoog, ging hij voorwaarts. Het vuren begon opnieuw, deze keer was Bourne echt het doelwit. Hij dook onder enkele houten platen, die ogenblikkelijk kapotgeschoten werden. Hij rolde om en begon weg te kruipen van de plek waar Rebeka zich verborgen hield, omdat hij de kogels bij haar weg wilde houden en zichzelf in veiligheid wilde brengen. De mannen in de helikopter hadden het expliciet op hem voorzien. Het was duidelijk dat ze tot Rowlands netwerk behoorden en dat ze hem herkend hadden.

De helikopter bleef op ongeveer zeven meter boven de grond hangen. Rowland rende er wankelend naartoe. Terwijl Bourne zich onder nog meer platen verborg, greep Rowland een sport van de touwladder.

De mannen in de helikopter trokken de ladder omhoog en grepen Rowland vast op het moment dat hij binnen bereik was. De helikopter richtte zich nu op het gebied waar Bourne zich verborgen hield. Het vuren ging door met korte, hevige vuurstoten. De platen versplinterden, waardoor het voor Bourne noodzakelijk was om een andere plek te zoeken.

De kogels sloegen steeds dichter bij hem in. Op dat moment hoorde Bourne de sirenes. Iemand had de politie gebeld. Hij zag de zwaailichten toen een hele stoet politiewagens in de richting van het braakliggende terrein scheurde.

De mannen in de helikopter kregen de stoet ook in de gaten. Met een laatste salvo op de plek waar Bourne even daarvoor gelegen had, steeg de helikopter op en helde over. Terwijl het geluid van de sirenes steeds sterker werd, verdween hij in de richting van de opgaande zon.

11

'Mevrouw Moore is van de operatiekamer naar de recoverkamer gebracht,' zei de dokter.

In de wachtruimte was een collectieve zucht van verlichting te horen.

'Gaat het goed met haar?' vroeg minister Hendricks.

'We hebben de druk verlicht en het bloeden gestopt. In de komende vierentwintig uur weten we meer.'

'Wat betekent dat in hemelsnaam?' flapte Thorne eruit.

Delia ging snel tussen hem en de chirurg staan. 'Hoe is het met de foetus?'

'We houden het in de gaten. We hebben goede hoop.' De chirurg was bleek. Hij zag er afgepeigerd uit. 'Maar nogmaals, de komende uren zijn bepalend voor zowel de moeder als het kind.'

Delia haalde diep adem. 'Dus het kan zijn dat u nog moet... ingrijpen.'

'Op dit moment,' zei de chirurg, 'kunnen we niets uitsluiten.' Hij keek hen aan. 'Ik denk dat het haar goed zal doen als zij een vriendelijk gezicht ziet als ze wakker wordt.'

Hendricks stapte naar voren. 'Ik denk dat ik...'

'Met alle respect, meneer,' zei Delia, 'maar ik denk dat als ze u ziet, haar eerste gedachte aan Peter zal zijn, en hij is hier niet.'

'Nee.' Hendricks wendde zich tot de dokter. 'Ik zou haar erg graag even willen zien, als dat mag.'

De chirurg knikte. Hij was zichtbaar onzeker. Kennelijk werd hij geïntimideerd door Hendricks' positie. 'Maar echt niet te lang, Excellentie.'

'Het spijt me verschrikkelijk,' zei Hendricks, terwijl hij zich over Soraya heen boog. 'Ik ben bang dat ik veel te veel van je gevergd heb.'

Ze keek hem met haar grote, donkere ogen wazig aan. Ze kon ze maar moeilijk focussen. Haar lippen bewogen geluidloos en vormden de woorden: mijn baan.

Hij glimlachte en veegde een pluk bezweet haar van haar voorhoofd. De bovenkant van haar hoofd was helemaal in verband gewikkeld. Er kwam een slangetje onder vandaan. Ze was verbonden met verschillende machines die haar hartslag, haar polsslag, en haar bloeddruk in de gaten hielden. Hoewel ze er zwak en bleekjes uitzag, leek ze verder wel gezond.

'Jouw baan is één ding,' zei Hendricks. 'Maar dít – het gevolg van die baan, is een heel ander ding.'

Hoewel de narcose nog niet helemaal uitgewerkt was, lieten haar ogen verrassing zien. 'U weet het.'

Hij knikte. 'De doktoren zeggen dat je je geen zorgen moet maken. Met de baby gaat het goed.'

Er rolde een traan over haar wang.

'Soraya, met betrekking tot Charles Thorne heb ik je gedwongen een grens over te gaan. Dat had nooit mogen gebeuren.'

'Dat was mijn keuze,' fluisterde ze met flinterdunne stem. 'Mijn eigen keuze.'

Hij schudde zijn hoofd. De blik in zijn ogen was oprecht berouwvol. 'Soraya, ik...'

'Ik heb er geen spijt van,' zei ze, vlak voordat de chirurg binnenkwam en zei dat het gesprek afgelopen moest zijn.

Op het moment dat Hendricks de wachtruimte binnenliep, ging zijn telefoon. 'Ah, de president heeft me nodig.'

'Hoe is het met haar?' Delia's bezorgdheid was van haar gezicht af te lezen.

'Zwak, maar verder lijkt ze oké.' Hij keek om zich heen waar zijn jas lag. Zijn lijfwacht kwam het vertrek binnenlopen en overhandigde die aan hem. 'Je hebt mijn mobiele nummer. Hou me op de hoogte.'

'Absoluut.'

Hij werkte zich in zijn jas. 'Ik ben ongelofelijk opgelucht.'

Zoals vaker die ochtend gingen Delia's gedachten terug naar haar eerste ontmoeting met Soraya. Nadat de bom ontmanteld was en afgegeven aan een forensisch team, waren de twee vrouwen teruggegaan naar hun respectievelijke kantoren. Maar aan het einde van de dag was Delia's telefoon gegaan. Soraya vroeg of ze iets met haar wilde gaan drinken.

Ze troffen elkaar in een duistere, rokerige bar die naar bier en whisky stonk.

Soraya pakte haar hand. 'Ik heb nog nooit zoiets gezien.' Ze keek Delia aan. 'Je hebt de handen van een kunstenaar.'

Delia was met stomheid geslagen. Toen Soraya haar hand pakte, voelde ze een tinteling door haar arm naar haar hele lichaam trekken. De plek waar het gevoel zich uiteindelijk nestelde, leerde haar dat ze bij nader inzien helemaal niet aseksueel was. Ze kon zich nauwelijks herinneren waar ze onder het drinken over gesproken hadden, maar toen ze naar het naastgelegen restaurant gingen en het gesprek op hun beider achtergrond kwam, werd het haar helder. Zowel zij als Soraya zag zichzelf als buitenstaander: ze hoorden niet bij een groep en ze waren geen meelopers, terwijl de snelste weg om in D.C. hogerop te komen toch vereiste dat je je bij zo veel mogelijk clubs aansloot.

'Dat zijn we allemaal,' zei Delia nu tegen minister Hendricks, hoewel ze zich er meteen bewust van was dat de angst die ze gevoeld had toen Hendricks haar belde, nog niet helemaal verdwenen was.

Stilte, hoewel ergens een hond blafte. Stilstand, hoewel ergens een auto werd gestart.

'Nou?'

Peter voelde Bricks blik als een mokerslag op hem neerkomen.

'Actie!'

Peter pakte Dick Richards' kin beet, tilde zijn hoofd op zodat hun blikken in elkaar haakten. 'Ja, het is waar – ik wil voor u werken.' Hij kon in Richards' ogen zien dat de ander goed geluisterd had naar ieder woord dat hij in zijn aanwezigheid gezegd had. Hij wist dat Tom Brick hem als Tony kende. Als hij een beetje benul had van de situatie, zou hij weten dat Peter undercover was. Maar Peter keek in de ogen van een veronderstelde *triple agent*. Tot welke partij wilde Richards eigenlijk behoren? Nu was het ogenblik gekomen om dat uit te vinden.

Hij liet Richards' kin los en haalde het magazijn uit de Glock. Het was leeg. Hij controleerde de kamer: één kogel. Werd er van hem verwacht dat hij Richards met één schot zou doden?

Hij keek naar Brick, die geïnteresseerd stond toe te kijken, en zei: 'U hebt gezegd dat ik actie moest ondernemen.' Hij draaide het pistool om en gaf het aan Bogdan, die er steeds chagrijniger uitzag, waarschijnlijk omdat het hem verboden was om herrie te schoppen. Net als een retriever, die elke dag moest rennen, leek deze kerel een dagelijkse portie destructie nodig te hebben.

Peter wendde zich tot Tom Brick die hem even aankeek. Plotseling schoot Brick in de lach en zei met een zwaar Cockneyaccent: '*Criky Moses, gov, you've got some pair a cobbler's awls, you'ave.*'

Peter knipperde met zijn ogen. 'Wat?'

'Cobbler's awls... balls... ballen,' zei Bogdan onverwacht. 'Cockneys rijmen er altijd lustig op los. Dat ligt in hun aard.'

Brick wees naar Richards. 'Bogs, maak die lulhannes los, oké?' zei hij weer met zijn normale, deftige accent. En ga daarna buiten maar even een kijkje nemen. Zorg ervoor dat we niet gestoord worden. Wees een brave jongen.'

Richards bleef als een standbeeld zitten, terwijl de kolossale lijfwacht hem losmaakte, het magazijn van de Glock laadde en hem terug in de holster had gestoken. Hij kwam pas voorzichtig in beweging toen Bogdan de kamer uit liep en hij de voordeur hoorde dichtslaan. Hij was wankel als een pasgeboren veulen.

Toen Brick dit zag, liep hij naar de bar en schonk hem een stevig glas whisky in. 'IJs?'

'Graag.' Richards keek niet naar Brick, maar naar Peter. Er lag iets smekends in zijn blik, een stille verontschuldiging.

Peter stond met zijn rug naar Brick en vormde met zijn lippen de woorden: vertrouw me. Tot zijn grote opluchting gaf Richards hem een kort knikje. Betekende het dat hij Richards kon vertrouwen? Het was veel te vroeg om dat te kunnen zeggen. Maar zijn blik was een bevestiging van Peters verdenking. Richards was in feite een dubbelagent die zowel aan de president als aan Brick rapporteerde. Peter onderdrukte de neiging om hem de nek om te draaien. Hij had antwoorden nodig. Waarom speelde Richards dit gevaarlijke spel? Wat hoopte Brick te winnen?

Brick kwam terug, gaf Richards de whisky. 'Drink op, kerel!'

Hij wendde zich tot Peter, en zei: 'Je begrijpt wel dat ik je nooit een kogel door Dicks hoofd had laten jagen.' Op dat moment verslikte Richards zich bijna in zijn whisky. 'De arme drommel is veel te waardevol.' Hij keek Peter aan. 'Wil je weten als wat?'

Peter toverde een geïnteresseerde blik op zijn gezicht.

'Hij is absoluut een fenomeen op het gebied van het maken en ontcijferen van codes. Hè, Dick?'

Richards' ogen traanden. Hij knikte.

'Doet hij dat voor Core Energy?' zei Peter. 'Codes ontcijferen?'

'Er is een verrekte hoop bedrijfsspionage en op ons niveau is dat een verdomd serieuze aangelegenheid, dat kan ik je wel vertellen.' Brick nam weer een slokje van zijn whisky, die trouwens uitmuntend was. 'We hebben een lulhannes met zijn vaardigheden nodig.' Hij gaf Richards een mep op de schouder. 'Een kerel als hij is net zo zeldzaam als een kip met tanden.'

Richards glimlachte flauwtjes.

'Dus, Anthony Dzundza, maak kennis met Richard Richards.'

De twee mannen schudden elkaar plechtstatig de hand.

Brick gebaarde. 'Goed zo, laten we maar eens met ons gesprekje beginnen.'

Terwijl ze naar de lage, hoekige sofa's liepen die om de hoek van de L stonden, kwam Bogdan terug van zijn verkenningstocht. Hij knikte naar Brick, die hem vanaf dat moment volkomen negeerde.

'Ik wil een verontschuldiging,' zei Richards, toen de anderen gingen zitten.

'Wees niet zo'n zeikerd.' Brick wuifde met een hand. 'Dat is zo verdomd vermoeiend.'

Richards bleef met zijn vuisten in zijn zij staan. Peter wist niet zeker of hij zijn baas of hem aankeek.

Uiteindelijk liet Brick een verachtelijk gesnuif horen. 'O, in godsnaam.' Hij draaide zich om naar Peter en zei heel overdreven: 'Wat ik allemaal wel niet doe om het personeel tevreden te houden.'

Hij wendde zich weer tot Richards en keek glimlachend naar hem op. 'Sorry dat je Bogs' behandeling hebt moeten ondergaan, arme drommel, maar ik moest Tony het vuur na aan de schenen leggen. Dat hoort bij het werk.'

'Niet bij míjn werk, verdomme!'

'Nu begin je écht vermoeiend te worden.' Hij zuchtte. 'Ik geef je deze maand een extraatje. Ter compensatie. Hoe klinkt dat?'

Richards antwoordde niet, maar ging zo ver mogelijk bij de andere twee vandaan zitten.

'Weet je, het is opvallend,' begon Brick, 'maar Dick heeft me nog nooit teleurgesteld. Niet één keer. Dat is een serieus wapenfeit.' Hij keek Peter aan. 'Dat is voor jou iets om over na te denken, Tony; iets om naar te streven.' Hij glimlachte. 'Iedereen heeft een doel nodig in zijn leven.'

'Ik kan mezelf wel motiveren, Tom.'

Brick kreeg een dreigende blik in zijn ogen. 'Niemand noemt me Tom.'

Peter zei niets. Er volgde een stilte die steeds ongemakkelijker werd.

Uiteindelijk zei Peter: 'Ik bied mijn excuses niet aan, tenzij ik een fout heb begaan.'

'Dat was een fout.'

'Het is pas een fout als de grondregels bepaald zijn.'

Brick keek hem aan. 'Zullen we eens kijken wie het sterkste is?'

'Ik weet nu al wie er gaat winnen.'

Deze reactie was bedoeld om Brick uit te dagen, maar ze maakte hem alleen maar aan het lachen. Hij schudde met zijn wijsvinger in Peters richting. 'Nu weet ik waarom ik je van het begin af aan mocht.' Hij pauzeerde even en keek op naar het hoge plafond alsof hij nadacht over het oneindige mysterie van de sterren in de nachtelijke hemel. Toen hij weer naar hen keek, was de uitdrukking op zijn gezicht compleet veranderd. De Britse grappenmaker was in geen velden of wegen meer te bekennen.

'De tijden zijn veranderd,' begon hij. 'Nou ja, tijden veranderen altijd, maar nu veranderen ze in ons voordeel. Alles ligt tegenwoordig vast als een huis; de wil om compromissen te sluiten is verdwenen. Met andere woorden, de maatschappij bestaat uit tijgers en lammeren. Ik denk dat dit altijd wel zo is geweest, maar de verandering die in ons voordeel werkt, is dat de tijgers allemaal zwak zijn. In het verleden waren deze tijgers wraakzuchtig – dat was altijd zo. Je hoeft maar naar de oorlogen in het verleden te kijken om dat te begrijpen. Maar nu zijn de tijgers zowel wraakzuchtig als eigenzinnig. Ze hebben allemaal hun hakken in het zand gezet. En dat is goed voor ons. Hun eigenwijsheid heeft hen kwetsbaar gemaakt. Ze zijn makkelijk te manipuleren en in diskrediet te brengen. Hierdoor komen alle makke schapen zonder leider in de wei te staan, klaar om geschoren te worden.' Hij grijnsde. 'Door ons.'

Mijn god, dacht Peter, waar ben ik in terechtgekomen? Hij probeerde zo uitdrukkingsloos mogelijk te kijken. 'Hoe gaat dat precies in zijn werk? Dat scheren, bedoel ik.'

'Laten we niet op de zaken vooruitlopen, ouwe jongen. Wij moeten eerst onze positie bepalen.'

Peter knikte. 'Oké. Dat begrijp ik. Maar wie bedoelt u met "wij"?'

Op het moment dat hij het zei, wist hij dat hij een fout maakte.

'Waarom vraag je dat?' Brick verstrakte en hij keek Peter achterdochtig aan. Peter wist dat hij iets moest doen om zijn plotselinge argwaan te sussen.

'Ik wil graag weten voor wie ik werk.'

'Je werkt voor mij.'

'Core Energy.'

'Het spreekt vanzelf dat je een officiële positie in het bedrijf krijgt.'

'Maar ik werk daar niet.'

'Waarom zou je daar werken?' Brick spreidde zijn handen. 'Weet jij iets van energie?' Hij wuifde zijn eigen woorden weg. 'Laat maar zitten, dat is niet waarvoor ik je inhuur.'

'Ik neem aan dat u Richards daar ook niet voor hebt ingehuurd.'

Brick glimlachte. 'Als je deze onbeschaamde houding aan blijft nemen, jongetje, dan garandeer ik je dat je op je bek zult gaan.' Plotseling dempte hij zijn stem. 'Laat me je een vraag stellen, Tony. Als je je werk goed doet, is dat de enige vraag die ik je ooit zal stellen: heiligt het doel de middelen?'

'Soms,' zei Peter. 'Mensen die alles zwart-wit zien, zien het verkeerd. Het leven is een continuüm van grijze kleuren. Elke nuance heeft zijn eigen regels en voorwaarden.'

Brick tikte met zijn wijsvinger tegen zijn lippen. 'Daar hou ik van, ouwe jongen. Niemand heeft dat nog zo verwoord. Maar goed, het maakt niet uit. In dit geval heb je het fout. Hier zijn geen doelen, alleen maar middelen. We vragen – nee, we eisen – resultaten. Als een middel niet het vereiste resultaat oplevert, stappen we over op een ander middel. Begrijp je dat? Er zijn hier geen doelen, alleen maar middelen.'

'Dit gefilosofeer is allemaal goed en wel,' zei Peter, 'maar het helpt me niet om te begrijpen wat we aan het doen zijn.'

'Je wilt een voorbeeld.' Brick stak een vinger in de lucht. 'Goed dan. Laten we eens kijken naar de recente aardbeving en tsunami in Japan, waardoor het land vier reactoren moest sluiten die cruciaal waren voor de elektriciteitsvoorziening. Maandenlang hebben Tokyo en andere grote steden hun elektriciteitsgebruik moeten rantsoeneren. Zelfs in Tokyo's belangrijkste kantoorgebouwen, de hoofdkwartieren van de meest prestigieuze bedrijven, moest de airconditioning op zevenentwintig graden gezet worden. Weet je wat het is om met zevenentwintig graden te moeten werken? In een pak en met stropdas? De kledingvoorschriften moesten versoepeld worden. Voor Japanners een absoluut taboe, dat doorbroken moest worden. Nu wordt het land gedwongen om voor zijn elektriciteitsvoorziening over te stappen op de duurdere, meer vervuilende fossiele brandstoffen. Er is geen alternatief voorhanden. Een economische puinhoop is het gevolg. Op dat moment komen wij en bieden een goedkoper energiealternatief. Wat kan de Japanse regering anders doen dan ja zeggen? Ze wist niet hoe snel ze ons aanbod moest accepteren.

Zoals ik al zei, dit is een voorbeeld, maar wel een verhelderend voorbeeld. Core Energy zorgt nu voor een betaalbare, continue energiestroom.'

'Oké, dat begrijp ik,' zei Peter. 'Maar jullie maken misbruik van een natuurramp, een eenmalige gebeurtenis die niemand had kunnen voorzien.'

'Daar lijkt het wel op, ja.' Er gleed een glimlach over Bricks gezicht. 'Maar het feit wil dat de meltdowns niet plaatsgevonden hebben door wat er in de natuur gebeurde. Het was een menselijke fout. De reactoren waren twintig jaar oud. Hun koelsystemen werkten nog steeds op elektriciteit. De verbeterde versies gebruiken echter zwaartekracht om de kernen onder water te zetten. Zo worden de staven gekoeld als elektriciteit niet meer voorhanden is.'

Peter schudde zijn hoofd. 'Ik weet niet zeker of ik dat begrijp.'

'Het werkt in ons voordeel als we gebruikmaken van menselijke hebzucht, ouwe jongen. Atoominspecteurs en belangrijke bedrijfsfunctionarissen kregen... hm... een kleine stimulans om de andere kant op te kijken.'

Het duurde even voordat Peter de enorme omvang besefte van wat Brick hem vertelde. Toen de waarheid tot hem doorgedrongen was, voelde hij zich duizelig worden en kreeg hij de neiging om over te geven. 'Bent u...' Even kon hij geen woorden vinden. 'Wilt u zeggen dat Core Energy de ramp veroorzaakt heeft?'

'Zo ver zou ik niet willen gaan,' zei Brick. 'Maar we hebben zeker ons aandeel geleverd. Het is waar dat bijvoorbeeld Frankrijk tachtig procent van zijn elektriciteit krijgt van zijn nucleaire reactoren. We hebben nog geen manier gevonden om ze uit te schakelen, zoals we dat in Japan gedaan hebben. Het land krijgt het benodigde gas via een pijplijn die helemaal uit Rusland komt. In feite geldt dat voor alle landen van Europa. Wat denk je dat er gebeurt als die pijplijn afgesloten wordt, of als delen ervan opgeblazen worden? Wat zou er gebeuren als de zorgvuldig aangewakkerde lenterevoluties de blokkade van het Suezkanaal of de Golf van Akaba tot gevolg hebben? Is dat dan een catastrofe of een mogelijkheid? Begrijp je waar ik naartoe wil? Elk bedrijf in de wereld zoekt mogelijkheden om de toevoer te controleren. Wij streven er echter naar om de vraag te controleren. Op die manier zitten wij als een spin midden in het web.'

De schok moest op Peters gezicht te zien zijn geweest, want Brick zei: 'O, niemand van Core Energy kan ermee in verband gebracht worden, als dat het is waar je je zorgen over maakt. Er is een – wat is daar de juiste benaming voor? – geheime eenheid die dat soort zaken regelt. Ze creëert de vraag en daardoor de gelegenheid die nodig is voor Core Energy om zijn zaken uit te breiden. En hier ga jij een rol spelen, ouwe jongen. Waarom denk je dat ik je ingehuurd heb?'

Vanuit zijn schuilplaats onder de stapel half versplinterd hout zag Bourne het grootste deel van de politiewagens afbuigen om de helikopter te achtervolgen. Eén politiewagen en een ziekenwagen reden door naar de open plek. Hij had de omgeving al afgespeurd en hij wist dat ze door het enige gat in het hek binnengekomen waren.

Vanuit zijn ooghoek zag hij iets bewegen. Rebeka kroop uit de geïmproviseerde schuilplaats van bakstenen en brokstukken, waaronder zij zich verscholen had. Toen ze hem zag, gebaarde hij naar de houten platen. Ze begreep zijn bedoeling en knikte. Ze inspecteerde de directe omgeving. Bourne deed hetzelfde. Hij groef zich een weg door de lagen afval en weggegooide rotzooi die onder de platen lagen. Zijn vingers stuitten op enkele blikken, die hij lostrok.

De dienstauto's naderden; ze hadden nog maar weinig tijd voordat de agenten hier rond zouden krioelen. Ze konden het zich niet veroorloven om opgepakt te worden als ooggetuigen, of erger nog, als mogelijke verdachten bij een politieonderzoek. De Zweedse politie nam het schieten met vuurwapens buitengewoon serieus. Ze zouden opgesloten worden en er zou geen einde komen aan de verhoren.

Rebeka haastte zich naar hem toe. 'Ik heb niets brandbaars gevonden,' fluisterde ze.

'Ik gelukkig wel.' Hij hield de twee gedeukte verfblikken omhoog. Ze waren voor twee derde leeg, maar er was nog voldoende verf over om te ontsteken.

Terwijl hij de deksels opende, haalde zij een aansteker tevoorschijn. Bourne zette de blikken precies onder een soort schoorsteen van platen. Hij verschoof ze zo dat er genoeg trek zou ontstaan. Ze stak de verf aan en ze trokken zich terug achter de stapel platen. De onderkant was erg droog en vatte bijna onmiddellijk vlam.

De agenten en de ziekenbroeders zagen de vlammen en de rook. Ze sprintten zo snel mogelijk naar het vuur. Op dat moment waren Bourne en Rebeka al vijftig meter verder.

'Mooie afleidingsmanoeuvre, maar we zijn hier nog niet weg.'

Bourne leidde hen behoedzaam kruipend langs de rand van het terrein totdat hij een plek bereikte die uit het zicht was. Hij gaf haar een stuk hout en zei: 'Graven.'

Terwijl zij aan het werk ging, greep hij de onderkant van het hek en probeerde het omhoog te trekken. Het gaf geen centimeter mee.

'Wacht,' zei hij.

Hij stond voor een van de overhellende posten en trapte er twee keer hard tegenaan. De post kantelde zodat het hek schuin kwam te staan. Ze klauwden tegen het hek op en eenmaal boven sprongen ze aan de andere kant op het trottoir.

Als een haas gingen ze er vandoor.

Het probleem is,' zei dokter Steen, 'dat Soraya te lang gewacht heeft.' Hij behandelde Delia alsof zij volkomen achterlijk was. 'Ze wachtte totdat ze een acute aanval kreeg. Als ze mijn advies opgevolgd had...'

'Maar dat heeft ze niet gedaan,' zei Delia kortaf. Ze haatte de manier waarop doktoren andere mensen kleineerden. 'Laten we verdergaan.'

Dokter Santiago, de chirurg die Soraya's team leidde, schraapte zijn keel. 'We zoeken even een rustig plekje voor dit gesprek, goed?'

Delia en Thorne waren door een verpleegster meegenomen door de grote, metalen deur naar de geheiligde omgeving van operatiekamers en herstelruimten. Dokter Santiago ging hen voor naar een kleine, claustrofobische herstelruimte die nog vrij was. Het rook er sterk naar desinfecterende middelen.

'Oké,' zei Delia, al moe bij de gedachte dat ze een prognose te horen zou krijgen die weer haaks stond op wat ze eerder gehoord had. 'Voor de dag ermee.'

'Het komt erop neer,' zei dokter Santiago, 'dat ze een bloedinkje heeft gehad, toen het oedeem is gaan lekken. Dat hebben we behandeld; we laten het overtollige vocht uit haar hersens weglopen. We doen alles wat we kunnen. Haar lichaam moet nu de rest doet.'

'Is haar toestand verergerd door de foetus?'

'De hersens zijn een bijzonder complex orgaan.'

'In godsnaam, geef antwoord.'

'Ik ben bang van wel, ja.'

'In hoeverre verergerd?'

'Dat kan ik onmogelijk zeggen.' Dokter Santiago haalde zijn

schouders op. Hij was een aantrekkelijke man met donkere ogen en een haakneus. 'Het is een... complicatie die we liever niet gehad hadden.'

'Ik weet zeker dat Soraya er niet zo over denkt.' Ze liet met opzet een ongemakkelijke stilte vallen, voordat ze verderging: 'Ik wil haar nu zien.'

'Natuurlijk.' Beide doktoren schenen opgelucht dat ze het gesprek konden beëindigen. Doktoren voelden zich niet graag hulpeloos en ze vonden het nog veel verschrikkelijker als ze dat toe moesten geven.

Toen zij weggingen, wendde Delia zich tot Thorne. 'Ik ga eerst.'

Hij knikte. Toen ze zich wilde omdraaien, zei hij: 'Delia, ik wil dat je weet...' Zijn stem stokte en hij was niet in staat verder te gaan.

'Wat je ook te zeggen hebt, Charles, je moet het tegen haar zeggen, oké?'

Hij knikte opnieuw.

Dokter Santiago stond haar op te wachten. Hij glimlachte flauwtjes en gebaarde. 'Deze kant op.'

De gang waar ze doorheen liepen, leek een eigen sfeer te ademen. Hij stopte bij een deuropening waar een gordijn voor hing, en deed een stap opzij.

'Vijf minuten,' waarschuwde hij. 'Niet langer.'

Delia voelde haar hart in haar keel bonzen. Ze had intens te doen met haar vriendin en kon zich niet voorstellen wat ze achter het gordijn zou aantreffen. Ze trok het gordijn opzij en stapte de kamer in.

12

'Jouw auto.'

'Staat op naam van het bedrijf van mijn vriend,' zei Bourne. 'Hij regelt het wel met de politie.'

Rebeka keek achterom. Ze werden niet gevolgd.

'Ik heb hier een kleine flat,' zei ze. 'We kunnen ons daar schuilhouden totdat we weten wat we gaan doen.'

'Ik heb een beter idee.'

Ze waren in een woonwijk, waar de straten zich in rap tempo vulden met verkeer en mensen die op weg waren naar hun werk. Bourne pakte zijn mobiele telefoon en belde, ondanks het vroege uur, Christien.

'Wat hebben jij en Alef in godsnaam allemaal uitgespookt?' Christiens stem gonsde in zijn oren. 'Ik word nu al bestookt met telefoontjes van de politie.'

'Hij heeft zijn geheugen terug. Zijn naam is Harry Rowland. Dat zegt hij tenminste. Ik kon niets doen.' Bourne legde in het kort uit wat er zich een dag eerder in Sadelöga had afgespeeld. Hij noemde Rebeka, maar alleen als een vriendin van hem. Hij wilde de situatie niet ingewikkelder maken of zijn vriend reden geven tot argwaan.

'Verdomme,' zei Christien. 'Ben jij ongedeerd?'

'Ja. We moeten op de een of andere manier de helikopter zien te traceren die Rowland heeft opgepikt.'

'Ben je nu op een veilige plek?'

Bourne zag een klein café dat al open was. 'Nu wel, ja.'

Christien kreeg hun locatie in Gamla Stan, zei Bourne dat hij daar moest blijven wachten en dat hij hen zelf zou komen ophalen.

Al hun voelsprieten stonden uit toen ze het café in gingen. Binnen keken ze goed rond en zagen dat de achteruitgang achter de keuken lag. Ze kozen een tafeltje achter in de zaak zodat ze iedereen die naar binnen of naar buiten ging in de gaten konden houden.

Toen ze besteld hadden, vroeg Bourne: 'Hoe heeft de Israëlische regering het klaargespeeld om een onderzoeksfaciliteit in Dahr El Ahmar te vestigen?'

Rebeka verstarde toen ze het woord onderzoeksfaciliteit hoorde. 'Je weet het dus.'

'Ik dacht dat je mij naar een tijdelijke voorpost van de Mossad in Libanon had gebracht.'

Hij wachtte even toen de ober hun koffie en broodjes voor hen neerzette.

'Toen ik ontsnapte in de helikopter die ik in Syrië had gestolen, besefte ik dat Dahr El Ahmar geen militair kamp is. De Mossad is daar om een onderzoeksfaciliteit te bewaken.'

Rebeka deed suiker in haar koffie. 'Wat heb je gezien?'

'Ik zag de camouflagenetten en ik vloog laag genoeg om de bunker eronder te kunnen zien. Er worden experimenten gedaan in dat gebouw en ik vraag me af waarom deze experimenten in Libanon gedaan worden en niet in Israël, waar het een stuk veiliger is om ze te doen.'

'Maar ís het in Israël wel een stuk veiliger?' Rebeka keek hem vragend aan. 'Waarom zouden onze vijanden op Libanese bodem zoeken naar Israëlische onderzoeksfaciliteiten?'

Bourne keek haar aan. 'Dat doen ze niet.'

'Nee,' zei ze langzaam. 'Dat doen ze niet.'

'Wat is dat voor een laboratoriumbunker? Wat onderzoeken ze daar?'

Drie mensen kwamen het café binnen, en eentje vertrok. Ze deed wat meer suiker in haar koffie en nam een slok. Ze staarde zonder iets te zien naar een plek tussen hem en de deur en hield zich bezig met haar eigen gedachten, alsof ze overwoog wat ze zou doen.

Uiteindelijk zei ze: 'Heb je wel eens gehoord van SILEX?'

Hij schudde zijn hoofd.

'In de nucleaire brandstofindustrie doet al tientallen jaren de theorie de ronde dat je U-235, de isotoop die gebruikt wordt voor het verrijken van staven uranium, met lasers kunt verkrijgen. Lange tijd werden de mogelijkheden overschat en alle ontwerpen bleken of ineffectief of onbetaalbaar te zijn. Maar in 1994 kwamen enkele nucleaire fysici met SILEX op de proppen – deling van isotopen door laserexcitatie. De Amerikanen controleren dat proces en er is nu zelfs een project aan de gang met SILEX als basis. In Dahr El Ahmar hebben we een parallelle methodologie ontwikkeld. Ze wordt in het grootste geheim getest, omdat de angst bestaat dat de technologie, als ze gestolen wordt, door terroristencellen of door landen als Iran bij het ontwikkelen van wapens gebruikt kan worden.'

Bourne dacht even na. 'Rowland wilde de technologie in Dahr El Ahmar stelen.'

'Dat dacht ik. Maar feit is dat Harry niets wist van waar het echt om gaat in Dahr El Ahmar, laat staan van de experimenten. Nee, hij was op zoek naar jou. Het is ironisch dat ik hem, door hem te achtervolgen, linea recta naar jou heb geleid.'

'Dat kon je niet weten.'

Ze trok een gezicht.

Ze zagen buiten een lange, zwarte wagen voorbijrijden. Hij reed langzamer dan de rest van het verkeer. Het kon niets te betekenen hebben, of juist alles. Ze hielden hun ogen gericht op de glazen deur. Twee oudere dames kwamen binnen en gingen zitten. Een snelle jongen met een iPad onder zijn arm stond op en liep naar buiten. Een jonge moeder met een kind stommelde naar binnen en keek om zich heen, op zoek naar een vrij tafeltje. Drie obers liepen heen en weer. Nadat er enkele minuten niets gebeurd was, ontspande Rebeka.

'Ik neem een risico als ik je dit vertel,' zei ze.

'Kolonel Ben David is er al van overtuigd dat ik weet wat

Dahr El Ahmars geheim is. Waarom is Harry Rowland gestuurd om mij te vermoorden? Dat is de vraag die beantwoord moet worden.'

'Waarom? Denk je dat alles met elkaar in verband staat?'

'Die mogelijkheid kunnen we niet uitsluiten, tenzij we weten wat het doel van het netwerk is.'

'Om dat te weten te komen, hebben we Harry nodig.'

Hij knikte. 'Ons enige houvast is de helikopter die hem opgepikt heeft.'

Rebeka keek nadenkend. 'Wat stel je voor dat we...?'

Haar vraag werd abrupt onderbroken toen twee geüniformeerde agenten binnenkwamen en de aanwezigen kritisch begonnen op te nemen.

Martha Christiana zat naast Don Fernando Hererra in een privéjet. Ze was het gewend als een koorddanser te balanceren – in feite vond ze dat prettig. Maar voor het eerst sinds ze opdrachten aannam, was ze niet zeker of ze haar evenwicht wel zou kunnen bewaren. Don Fernando bleek een grotere uitdaging te zijn dan waarop ze zich ingesteld had.

In de eerste plaats was hij een soort mysterie en in de tweede plaats gedroeg hij zich anders dan elke andere oudere man die zij ontmoet had. Hij bruiste van energie en bleef niet hangen in de herinneringen aan vroeger, maar stond open voor de toenemende complexiteit van de hedendaagse technologie. Maar bovenal was hij niet bang voor de toekomst die steeds meer flexibiliteit vroeg. De ervaring had haar geleerd dat oudere mannen hun creatieve reserves hadden opgebruikt en blij waren als ze zich in comfort terug konden trekken en de huidige, onbegrijpelijke ontwikkelingen aan zich voorbij laten gaan. Don Fernando's kennis van de technologische ontwikkelingen was zowel uitgebreid als verbluffend.

Ze vond Don Fernando charmant, erudiet, en op het psychologische vlak buitengewoon scherpzinnig. Hij trok haar aan zoals een planeet aangetrokken werd door de zon. De intimiteit die tussen hen ontstond, stemde haar vrolijk, maar baarde haar ook zorgen. Ze wentelde zich in die intimiteit als een strandganger in de zon. Als ze bij hem was, was ze gelukkig. Dit stond een succesvolle uitvoering van haar opdracht behoorlijk in de weg. Dat wist ze, maar het weerhield haar er niet van om ermee door te gaan. Dit gedrag was haar volkomen vreemd, en als zodanig stelde het haar voor raadsels.

En dan nog iets. Er was iets in Don Fernando wat haar herinnerde aan een tijd voor Marrakech, aan een tijd voordat ze de vuurtoren ontvluchtte. Een herinnering aan woeste stormen en muren van water die furieus kapotsloegen op de kaap waaruit haar huis als een soort massieve naald omhoogstak. Of waren haar gedachten hiernaartoe afgedwaald omdat Don Fernando haar naar Gibraltar vloog?

'Ik zou je graag mee uit eten willen nemen,' had hij eerder die dag gevraagd.

'In welk restaurant?' had ze gevraagd. 'Wat moet ik aandoen?' Ze droeg een strakke, zwarte rok en een bijpassende bolero met tressen. Eronder droeg ze een witte, zijden blouse die bovenaan met een ovale onyx was vastgespeld.

'Het is een verrassing.' Zijn ogen schitterden. 'En wat betreft je kleding, er is niets mis met wat je aanhebt.'

De verrassing was het vliegtuig dat op de startbaan van een particulier vliegveld net buiten Parijs op hen stond te wachten. Pas op het moment dat ze opstegen, had hij haar verteld wat hun bestemming was.

Met bonzend hart had ze gevraagd: 'Waarom Gibraltar?'

'Wacht maar af.'

Nu waren ze geland. Er stond een auto met chauffeur voor hen klaar. Meteen nadat ze ingestapt waren, vertrok hij en volgde de weg langs de kust die zij maar al te goed kende. Twintig minuten later kwam de vuurtoren in zicht, oprijzend van de rotsachtige kaap van haar jeugd.

'Ik begrijp het niet.' Ze draaide zich naar hem om. 'Waarom heb je me hier mee naartoe genomen?'

'Ben je boos?'

'Ik weet niet hoe je... ik weet niet... Nee, ik...'

De auto stopte. De vuurtoren torende dreigend boven hen uit.

'Hij is nu geautomatiseerd. Dat is al jaren zo,' zei Don Fernando, toen ze uitstapten. 'Maar hij wordt nog wel gebruikt, hij dient nog steeds zijn oorspronkelijke doel.'

Don Fernando ging haar voor naar de westkant van de vuurtoren. Hij liep met haar naar de begraafplaats die enkele honderden meters verderop lag. Ze stopte en las wat er op de grafsteen stond. Het was het graf van haar vader.

'Waarom heb je dit gedaan, Don Fernando?'

'Je bént boos. Misschien had ik het niet moeten doen.' Hij pakte haar zachtjes bij de elleboog. 'Kom. We vertrekken meteen weer.'

Maar ze bewoog niet. Ze bleef stokstijf staan en schudde zijn hand af, net zo zachtjes als hij hem gepakt had. Ze deed enkele passen totdat ze recht voor het graf stond. Iemand had bloemen in een zinken bus achtergelaten, maar dat was zo te zien al een tijdje geleden gebeurd. De bloemen waren verdroogd, veel bloembladen waren verdwenen.

Martha Christiana keek naar de steen waaronder haar vader begraven lag. Toen knielde ze tot haar eigen verrassing neer en raakte de aarde aan. Boven haar joegen wolken door de azuurblauwe lucht. Zeevogels doken krijsend naar elkaar. Ze keek omhoog en zag het nest van een zeearend. De gedachte aan haar familie en aan thuis drong zich aan haar op.

Onbewust gingen haar vingers naar de broche. Ze speldde hem los, maakte een ondiepe holte in de aarde op haar vaders graf en legde de broche erin. Daarna bedekte ze hem bijna plechtig. Vervolgens legde ze haar handpalm op de aarde alsof ze hem nog kon voelen – als een kloppend hart.

Toen ze opstond, zei Don Fernando: 'Wil je naar binnen?'

Ze schudde haar hoofd. 'Ik hoor hier buiten.'

Hij knikte, alsof hij haar helemaal begreep. Dat teken van hun onuitgesproken, natuurlijke band irriteerde haar niet, maar gaf haar eerder een fijn gevoel. Ze stak een arm door de zijne en liep met hem naar de rand van de rotsachtige kaap. Onder hen verhief de zee zich en sloeg in de diepte schuimend tegen de granieten tanden.

'Toen ik een klein meisje was,' zei ze, 'ging ik altijd hiernaartoe. De zee was net breekbaar glas als ze kapotsloeg op de rotsen. Ik moest dan altijd aan mijn familie denken. Het maakte me verdrietig.'

'Is dat de reden waarom je bent weggegaan?'

Ze knikte. Terug in de auto, terwijl ze langzaam wegreden van de kust en de dreigende vuurtoren, vroeg ze: 'Hoe ben je dit te weten gekomen?'

'Je kunt tegenwoordig overal achter komen,' zei hij met een glimlach.

Ze zei niets meer. Het maakte niet uit dat hij haar geschiedenis boven water had gekregen, alleen het feit dat hij het wist. Nog iets wonderbaarlijks: ze vond het eigenlijk niet erg dat hij het wist. Ze begreep, zelfs zonder het te vragen, dat het hun geheim zou blijven.

Ze keek naar het voorbijglijdende landschap en als iemand die uit een plezierige droom in een wrede werkelijkheid ontwaakte, herinnerde zij zich dat ze gestuurd was om deze man te doden. Het idee kwam haar nu volstrekt absurd voor, maar ze wist dat zij geen keuze had. Ze had nooit een keuze als ze eenmaal een opdracht van Maceo Encarnación had aangenomen.

Ze schudde haar moeilijke gedachten van zich af en zag dat ze afsloegen en van Castle Road een deel van Gibraltar inreden dat ze niet kende. Na verscheidene smalle straatjes kwamen ze bij een driehoekig grasveld dat bezaaid was met langgerekte cipressen en palmbomen. Martha draaide het getinte raampje naar beneden en hoorde het geluid van ruisende varens. Een wolk meeuwen stak schitterend af tegen de lucht. De zon weerkaatste op een oranjegeel dak, dat dichterbij kwam toen de auto een oprit op reed en tot stilstand kwam voor een zuilenportiek.

'Waar zijn we?' vroeg Martha.

Zonder iets te zeggen leidde Don Fernando haar de stenen

trap op. Ze liepen door het portiek naar een grote, koele hal die gedomineerd werd door een kroonluchter van geslepen kristal en een kolossaal mahoniehouten bureau, waarachter een jonge vrouw zat die heel efficiënt tegelijkertijd de telefoon beantwoordde en gegevens invoerde op haar computer.

Een of ander bedrijf, dacht Martha. Waarschijnlijk een van hem.

Don Fernando overhandigde de vrouw een opgevouwen papier, dat zij ontvouwde alsof het een officieel document was. Haar pientere ogen scanden de inhoud. Daarna ging haar blik omhoog en keek ze Don Fernando en Martha Christiana onderzoekend aan. Ze pakte een telefoon en zei enkele woorden. Toen knikte ze en met een glimlach wees ze in de richting van twee klapdeuren.

Aan de andere kant van de deuren werden ze opgewacht door een wat oudere, geüniformeerde vrouw met een vriendelijk gezicht en dito houding. Ze had haar handen gevouwen alsof ze een non was. Toen ze hen zag, draaide ze zich om en ging hen voor door een brede gang die belegd was met een dik tapijt en waarop enkele dichte deuren uitkwamen. Aan de muren hingen foto's van Gibraltar door de jaren heen. Het enige wat op de foto's niet veranderde was de grote rots in de vorm van een opgetrokken schouder, die al ontelbare jaren oud was.

Uiteindelijk stopte de vrouw voor een deur en gebaarde. 'Neem alle tijd die u nodig hebt,' zei ze. Ze liep terug in de richting van waar ze gekomen was, voordat Martha de kans kreeg haar te vragen wat dit allemaal te betekenen had.

Aan de uitdrukking op Don Fernando's gezicht viel niets af te lezen.

'Ik ben hier als je me nodig hebt.'

Ze stond op het punt hem te ondervragen, maar ze realiseerde zich meteen dat het niet zou helpen. Ze legde zich neer bij de situatie, duwde de zware deur open en stapte naar binnen.

'Hoe kunnen ze nu op zoek zijn naar ons?' zei Rebeka. 'Ze kunnen nooit weten hoe wij eruitzien.'

'Ze zijn hoe dan ook hier. Of ze onze gezichten nu kennen of niet, ze zijn op zoek naar de mensen die op het bouwterrein waren en te voet ontsnapt zijn.'

'Iedereen die er schuldig uitziet of zich probeert te verbergen.'

Bourne keek haar aan. 'Sla me.'

Ze keek hem aan. In zijn ogen vond ze het antwoord dat ze zocht. Ze boog zich over de tafel en sloeg hem in het gezicht. Daarna sprong ze op, waardoor haar stoel omviel. 'Klootzak!' schreeuwde ze.

De agenten keken toe, maar dat deden de anderen in het café ook, zelfs de obers, die als standbeelden bleven staan.

'Rustig nou,' zei Bourne met luide stem, terwijl hij bleef zitten.

'Rustig? Hoe heb je mij dit aan kunnen doen? En nog wel met mijn eigen zus!'

'Hij stond nu ook op en begon aan de tweede scène van het toneelstukje. 'Ik zei dat je je rustig moet houden!'

'Je hoeft me niet te vertellen wat ik moet doen!' Ze wierp haar hoofd in haar nek. 'Je hebt het recht niet.'

'Ik heb alle recht,' zei hij, terwijl hij haar bij haar pols pakte.

Rebeka probeerde zich los te rukken, maar hij bleef haar vasthouden. 'Laat me los, godverdomme!'

Het lichamelijke contact was voor de agenten genoeg reden om op hen af te lopen. 'Meneer,' zei de oudste van de twee, 'de dame wil dat u haar loslaat.'

'Bemoei je er niet mee,' zei Bourne.

'Laat los!' De jonge agent kwam dreigend naar voren en Bourne liet Rebeka's pols ogenblikkelijk los.

'Is alles goed met u, mevrouw?' vroeg de oudere agent. 'Wilt u een aanklacht indienen?'

Met vlammende ogen zei Rebeka: 'Ik wil hier alleen maar weg.' Ze graaide haar jas en schoudertas bij elkaar, draaide zich om en beende het café uit. Alle ogen volgden haar.

De oudere agent richtte zijn aandacht nu op Bourne. 'Betaal

je rekening en donder op. En blijf uit de buurt van die vrouw. Begrepen?'

Bourne boog zijn hoofd, gooide enkele kronen op tafel en maakte dat hij wegkwam. Toen de deur achter hem dichtviel, kwam het café weer tot leven. De agenten gingen zitten en dronken hun koffie op. Ze waren het incident alweer vergeten.

Bourne trof Rebeka om de hoek. Ze lachte.

'Hoe is het met je wang?'

'Ik zal je de andere wang toekeren.'

Ze lachte nog harder. Het was een zeldzaam ontspannen moment in hun tijd samen. Hij zag Christien aan de andere kant van de straat staan naast een zwarte, nieuwe Volvo. Hij rookte een klein sigaartje en bestudeerde de bijna constante stroom jonge vrouwen, dik ingepakt in hun winterjassen, alsof hij totaal geen zorgen kende.

Bourne en Rebeka liepen het verkeer ontwijkend naar de overkant van de straat. Hij grijnsde naar hen – vooral naar Rebeka – toen hij het achterportier voor haar openhield. Bourne ging voorin naast hem zitten. Christien had de motor laten lopen. Zodra hij een gaatje zag, voegde hij zich in de verkeersstroom.

'Ik heb de helikopter getraceerd,' zei Christien. Hij vroeg Bourne niet verder over Rebeka omdat hij snugger genoeg was om te weten dat Bourne hem niet meer zou vertellen dan hij over de telefoon gedaan had. 'Dat was geen probleem. Er zijn er niet veel met die kenmerken – in feite is er maar één.'

'Wat voor kenmerken zijn dat?' vroeg Rebeka.

Christien keek haar in de achteruitkijkspiegel vluchtig aan. 'Hier begint de ontvoering interessant te worden.'

Hij gaf Bourne een map met foto's. Rebeka leunde naar voren om ze beter te kunnen zien.

'We hebben toegang tot een aantal beveiligingscamera's van de stad.' Christien sloeg Prästgatan in. Hij reed langzaam omdat het steeds drukker begon te worden. 'Ik heb die foto's laten vergroten en onze computer heeft ze kunnen verscherpen. Blader ze maar door; jullie zullen zien waarom.'

Er waren vier 8x10-foto's. Door de vergroting en de verscherping was bijna alle kleur eruit verdwenen, maar Bourne en Rebeka herkenden allebei de helikopter die op hen had geschoten en die Harry Rowland had weggekaapt. Alsof ze daar nog een bevestiging van moesten krijgen, was Harry Rowland op de tweede foto te zien terwijl hij door een zijraampje keek. Bourne bladerde door naar de derde foto.

'Kungliga Transport,' las Rebeka. 'Hij ziet eruit als een gewone bedrijfshelikopter.'

'Ja,' zei Christien, 'maar dat is het niet. Kijk naar de laatste foto. Boven de staartrotor.'

Bourne bladerde door; deze foto was zelfs nog verder ingezoomd. Hij hield hem omhoog zodat er meer licht op viel.

'Dat is een bedrijfslogo,' zei hij, 'maar ik kan de naam niet onderscheiden.'

'Het is te klein, zelfs ondanks de vergroting.' Ze stopten voor een stoplicht. Christien tikte met een vinger op het logo. 'Zie je de vorm? Die is vrij ongewoon, dus we hebben er ons nieuwste computerprogramma op losgelaten, echt het meest geavanceerde, en raad eens, we hadden een hit. Deze helikopter is het eigendom van SteelTrap.'

'Het internetbeveiligingsbedrijf,' zei Rebeka. 'Een van de grootste.'

Christien knikte. 'En als we het dan toch hebben over het geavanceerdste... de software van SteelTrap is iedereen echt lichtjaren voor.'

'Wat!' zei Bourne, 'Probeert SteelTrap mij te vermoorden en tegelijkertijd Harry Rowland te redden?' Hij draaide zich om naar Rebeka. 'Jij zei dat Rowland voor een terroristennetwerk werkte.'

'Welk?'

'Jihad bis saif,' zei Rebeka. 'Ik hoorde kolonel Ben David er in Dahr El Ahmar over praten. Hij dacht dat ik nog buiten bewustzijn was.'

'Met wie praatte hij?' vroeg Bourne.

Ze schudde haar hoofd. 'Dat weet ik niet.' Ze ging met haar

armen over elkaar achteroverzitten. 'Maar één ding lijkt duidelijk: het ziet ernaar uit dat SteelTrap meer doet dan alleen maar supergeavanceerde software produceren.'

'Wat dan?' zei Christien.

Bourne gromde. 'Bloed produceren.'

13

Toen Martha Christiana de oude vrouw zag zitten naast het grote raam met het weidse uitzicht, zag ze zichzelf. De kamer was spaarzaam ingericht en nog spaarzamer aangekleed. Er lag maar een beperkt aantal persoonlijke spullen: een kam, een haarborstel met een zilveren handvat, een klein, vergeeld handwerkje van een vuurtoren die alleen op een kaap stond, en een vervaagde foto van een mooie maar frêle vrouw die een klein meisje tegen zich aangedrukt hield. Dat was alles. Maar de kamer was wel tot de nok toe gevuld met zo'n intense eenzaamheid dat het Martha de adem benam.

De oude vrouw keek niet om toen zij de kamer door liep en de foto oppakte van haar en haar moeder. Ze zag nu ook een tweede foto die achter de eerste had gestaan. Er stond een slanke man in een jopper op die naast het lichtbaken van de vuurtoren stond. Het daglicht dat binnenstroomde, verlichtte hem, maar benadrukte ook zijn afzondering van alles, behalve van dat enorme lichtbaken.

Martha Christiana keek naar de foto van haar vader, maar ze pakte hem niet op. Ze raakte hem ook niet aan. Ze voelde diep in haar hart dat het een soort heiligschennis zou zijn als ze de foto aanraakte, maar ze wist niet waarom dat zo was. Uiteindelijk zette ze de foto neer en liep naar de oude vrouw. Ze keek naar buiten en zag een grasperk, een groepje palmbomen, en verderop, aan de overkant van de straat, nietszeggende gebouwen. Niet bepaald een mooi uitzicht, maar ze keek er met een bijna beangstigende intensiteit naar. Martha was ervan overtuigd dat ze niet naar het gras, de bomen of de gebouwen keek. Dat alles had geen betekenis voor haar. Ze zat licht voorovergebogen, gespannen turend, alsof ze door een telescoop in het verleden keek.

'Mam,' zei Martha met een bibberige stem, 'wat zie je?'

Bij het horen van haar stem begon haar moeder heen en weer te wiegen. Ze was zo mager als een lat. Onder haar papierdunne huid zag je op sommige plekken haar botten wit doorschijnen. Haar bleekheid scheen als een winterzon.

Martha ging voor de oude vrouw staan. Hoewel haar wangen diep gerimpeld waren, haar hele gezicht getekend was door tijd, pijn en verlies, was iets in haar onveranderd gebleven. Martha voelde een scheut van pijn door haar lichaam trekken.

'Mam, ik ben het, Martha. Je dochter.'

De oude vrouw keek niet op, of misschien kon ze niet opkijken. Ze leek gevangen te zijn in het verleden. Martha aarzelde, maar stak toen haar hand uit en nam de skeletachtige hand in de hare. Hij was koel als marmer. Ze keek naar de gezwollen, blauwe aderen die bijna door haar huid heen leken te breken. Toen keek ze op in haar moeders ogen, grijs en ragfijn dooraderd als passerende wolken die uit elkaar worden getrokken door tegendraadse windstromen.

'Mam?'

Haar ogen bewogen, maar er was geen teken van herkenning – totaal niet. Het was alsof ze niet bestond. Al zoveel jaren bestonden haar ouders niet meer voor haar. Haar vader was al dood, en nu, hier, aan het einde van haar moeders leven, was er niets meer voor haar. Ze was een steen die in de zee gegooid was, wegzinkend in de diepte zonder zelfs maar een rimpeling achter te laten.

Een tijdlang bleef ze bewegingloos als de grote rotspartij aan de rand van Gibraltar haar moeders hand vasthouden. Eén keer bewogen haar moeders lippen en fluisterde ze iets wat Martha niet kon verstaan. Martha drong aan, maar het gebeurde niet nog een keer. Stilte omhulde hen. De voorbije jaren lagen als tere, dode blaadjes om hen heen.

Uiteindelijk, toen ze haar adem weer terug had, liet Martha Christiana haar moeders hand los. Ze liep naar de deur, zonder goed te weten wat ze deed. Toen ze de deur opende, stond Don Fernando geduldig in de gang te wachten. Ze deed de deur verder open, en zei: 'Kom binnen. Alsjeblieft.'

'Zo, ouwe jongen.' Brick nam een hap uit een enorme olijf, zoog de Spaanse peper tussen zijn lippen als een tweede tong, en vermaalde hem vervolgens tot een oranje moes. 'Ik heb een karweitje voor je. Ben je er klaar voor?'

'Zeker,' zei Peter, 'Kom maar op.'

'Zo wil ik het horen.'

Zijn hart sloeg op hol. Hij had geen idee wat Brick hem zou vragen, maar het zou niet prettig zijn. Wie a zegt, moet ook b zeggen, dacht hij. Er is een verdomd goede reden waarom een cliché een cliché is.

De twee mannen zaten in de keuken van Bricks huis in Virginia. Tussen hen in stonden verschillende schalen met eten – plakken salami en mortadella, brokken pecorinokaas, een diepgroene fles olijfolie, stukken knapperig stokbrood, olijven, en vier grote flessen donker Belgisch bier, waarvan er twee leeg waren. Dick Richards was een uur eerder vertrokken, samen met Bogs, die hem drie straten van het hoofdkwartier van Treadstone zou afzetten.

Brick veegde zijn lippen af, stond op en liep naar een ladekast. Hij trok een la open en rommelde erin totdat hij vond wat hij zocht. Hij ging weer tegenover Peter zitten.

'Nou,' zei Peter, 'waar wilt u dat ik naartoe ga?'

'Nergens heen.'

'Wat?'

'Je blijft waar je nu bent.' Brick schoof een klein pakje over tafel.

'Wat is dit?'

'Dubbelzijdige scheermesjes.'

Peter pakte het pakje op en maakte het open. Er zaten inderdaad vier dubbelzijdige scheermesjes in. Hij pakte er één voorzichtig op, en zei: 'Ik kan me niet herinneren wanneer ik zo'n ding voor het laatst gezien heb.'

'Ja,' zei Brick, 'ze zijn nog uit de vorige eeuw.'

Peter lachte.

'Dit is geen grap, beste vriend. Als je er verkeerd mee omspringt, ben je zo een vinger kwijt. Ze zijn speciaal geslepen.'

Peter legde het mesje terug op de andere. 'Ik begrijp het niet.'

'Makkelijk zat, ouwe jongen. Jij blijft hier wachten. Bogs zal iemand hiernaartoe brengen. Hij zal de introductie doen, daarna neem jij het over. Heel ontspannen allemaal. Je wacht op Bogs' teken, en dan...' Hij gebaarde met zijn hoofd richting het pakje scheermesjes.

'Wat?' Peter voelde een golf misselijkheid omhoogkomen. 'Bedoelt u dat ik deze persoon om zeep moet helpen met een van die scheermesjes?'

'Gebruik ze alle vier, als je daar zin in hebt.'

Peter slikte. 'Ik denk niet...'

Bricks bovenlichaam schoot naar voren. Zijn hand nam Peters rechterpols in een ijzeren greep. 'Het interesseert me geen ene sodemieter wat je denkt. Doe het gewoon.'

'Jezus.' Peter probeerde wanhopig de paniek die hij voelde opkomen te beteugelen. Bedenk snel iets, sprak hij zichzelf toe. 'We zijn hier ver van de bewoonde wereld. Zou een pistool niet makkelijker zijn?'

'Iedere schijtlaars kan een gozer van dichtbij neerknallen.' Hij maakte van zijn vrije hand een pistool en drukte het einde van zijn vingerloop tegen Peters slaap. Toen begon hij van het ene op het andere moment te grijnzen en liet zijn pols los. 'Ik wil zien uit welk hout je gesneden bent, ouwe jongen. Zien wat je in je mars hebt, en zien of ik je een groter karwei kan toevertrouwen.' Hij stond op. 'Je wilde toch voor mij werken? Dit is de weg die je gekozen hebt. Dit is je kans.' Hij knipoogde, zijn grijns verdween. 'Maak er verdomme geen knoeiboel van, oké?'

Het enige waar Soraya aan meedeed, was een wekelijks pokerspelletje bij de burgemeester thuis. Maar dat was ook iets wat Delia en haar bond: beide vrouwen waren van nature verlegen, maar buitengewoon eerzuchtig, zeker wat poker betreft. Gevraagd worden voor pokerpartijen met hoge inzet was een van Delia's grootste pleziertjes en vormde het cement van haar vriendschap met Soraya. Het was tijdens deze besloten bijeenkomsten, zittend om een tafel met daarop een groen laken en in het gezelschap van de meest vooraanstaande politici van Washington, dat ze Soraya goed leerde kennen en dat ze kon zien wat haar gevoelens voor haar waren. De seksuele lading verdween geleidelijk en veranderde in een diepe, blijvende vriendschap. Ze besefte dat ze tot Soraya werd aangetrokken, maar niet als een minnares. Al snel voelde ze een acute opluchting dat Soraya noch lesbisch, noch bi was. Er waren geen compliccrende factoren voor hun vriendschap. Net als haar vriendin nam Soraya Delia voor wie ze was. Voor het eerst in haar leven voelde Delia geen aarzeling, geen schaamte, en geen koppigheid om zichzelf aan een andere persoon bloot te geven. Ze voelde zich nooit beoordeeld en in ruil opende zij haar hart en haar ziel voor Soraya.

Delia had een stoel gepakt en zat nu naast het bed van haar vriendin. Ze pakte haar hand. Soraya knipperde met haar ogen. Haar oogleden zagen er bont en blauw uit. In feite had ze de verdwaasde blik van iemand die net een behoorlijk pak rammel had gekregen.

'Hallo, Raya.'

'Deel...'

Uit haar beide armen kwamen slangetjes. Van onder het verband om haar hoofd kwam nog steeds een drain tevoorschijn. Afschuwelijk ding, dacht Delia. Ze probeerde haar blik af te wenden zonder dat dat opviel, maar ze faalde.

'Ik veronderstel dat je mij geen spiegel wilt voorhouden.' Soraya deed een vergeefse poging om te glimlachen. Het zag er vreemd, scheef uit, grotesk bijna, en een ademloos moment lang was Delia bang dat de operatie de zenuwen aan die kant van haar hoofd had aangetast. Maar toen Soraya verder praatte, besefte ze dat het voornamelijk door de moeheid kwam in combinatie met de uitwerking van de narcose.

'Hoe voel je je, Raya?'

'Ik voel me zoals ik eruitzie. Misschien nog wel slechter.'

Nu was het Delia's beurt om te glimlachen. 'Het is goed nu. Alles is goed nu.'

'Hendricks vertelde me dat het goed gaat met de baby.'

Delia knikte. 'Dat klopt. Geen problemen.'

Soraya zuchtte en ontspande zichtbaar. 'Wanneer mag ik hier weg? Hebben de doktoren daar iets over gezegd?'

Delia lachte. 'Waarom? Heb je alweer de kriebels om aan het werk te gaan?'

'Ik heb werk te doen.'

Delia boog zich over haar heen. 'Op dit moment is jouw enige werk beter worden – voor jou en je baby.' Ze pakte de hand van haar vriendin. 'Luister, Raya, ik heb iets gedaan... iets wat jij niet wilde dat ik zou doen. Maar gezien de omstandigheden dacht ik... ik heb Charles over de baby verteld.'

Soraya sloot haar ogen, overweldigd door schuldgevoel. Maar ze wist dat ze verder moest op dit pad, stap voor stompzinnige stap.

'Het spijt me, Raya. Echt. Maar ik maakte me zulke grote zorgen om jou. Ik vond dat hij er recht op had om het te weten.'

'Dat is je normale gevoel van fatsoen, Deel,' zei Soraya. 'Ik dacht niet helemaal helder. Ik had het kunnen weten.' In feite hád ze het geweten. Ze had gerekend op Delia's gevoel van fatsoen.

'Waar is Charlie nu?'

'Hij is al een tijdje hier,' zei haar vriendin. 'Ik ben behoorlijk verrast dat hij zó lang blijft.'

'Weet zijn vrouw dat hij hier is?'

Delia trok een gezicht. 'Ann is op het Capitool, zoals altijd ondergedompeld in haar senatoriale, procedurele programma met betrekking tot de inkomsten en uitgaven van de binnenlandse veiligheidsdienst voor volgend jaar.'

'Hoe weet je dat?'

'Ik lees *Politico*. Zij vinden haar ook niet aardig.'

'Wie wel, behalve haar kiezers? En, natuurlijk, *The Beltway Journal*.'

'Nu ga je vast zeggen dat je begrijpt waarom hij met haar getrouwd is.'

Soraya's lippen vertoonden een zweem van een glimlach. 'Zíj trouwde hem. Zij was net een niet te stoppen leger. Hij kon geen nee zeggen.'

'Iedere volwassene kan nee zeggen en dat ook menen, Raya.'

'Maar Charlie niet. Hij was verblind.'

'Senator Ring heeft die uitwerking op veel conservatieve Republikeinen. Ze zou naakt in *Playboy* kunnen staan.'

'In dat geval,' zei Soraya, 'zouden we allemaal mooi van haar af zijn.'

'Ik weet het niet. Ik denk dat zij in staat is om zoiets in haar voordeel om te buigen.'

Soraya lachte en kneep in de hand van haar vriendin. 'Wat zou ik zonder jou aan moeten, Deel?'

Delia kneep terug. 'Dat weet God alleen.'

'Luister, Deel. Ik wil Charlie zien.'

Delia's gezicht betrok. 'Raya, is dat nou wel zo'n goed idee?'

'Het is belangrijk. Ik...'

Plotseling sperde ze haar ogen wijd open en begon ze naar adem te snakken. Haar hand verkrampte en haar bovenlichaam kromde zich. De monitoren waarmee ze verbonden was, leken op tilt te slaan. Delia begon te schreeuwen en Thorne duwde de deur open. Zijn gezicht was wit en vertrokken.

'Wat is er?' Zijn blik ging van haar naar Soraya. 'Wat is er gebeurd?'

Delia kon het zachte geluid horen van rennende voetstappen en gealarmeerde stemmen. Ze schreeuwde: 'Help! Ze heeft hulp nodig! Nu!'

Bourne en Rebeka gingen zwijgend het appartement binnen dat

zij aan Sankt Eriksgatan in Kungsholmen gehuurd had. Het was op de tweede verdieping, anderhalf stratenblok van het water. Christien wachtte beneden op hen in de Volvo, samen met een lijfwacht-boodschapper van zijn kantoor die hij had opgepikt op een van tevoren afgesproken straathoek in Gamla Stan.

Het stel controleerde alle kamers en checkte de ondiepe kasten. Ze keken zelfs onder het bed en achter het douchegordijn. Toen ze zich ervan overtuigd hadden dat het appartement veilig was, knielde Rebeka op de tegelvloer van de badkamer.

'Hoeveel geld heb je hier weggestopt?' vroeg Bourne.

'Ik zorg dat ik altijd geld op een veilige plek opgeborgen heb. Het is niet safe om veel geld bij je te hebben.'

Bourne knielde naast haar en hielp haar met het zorgvuldig verwijderen van twee voegen. Hij zorgde ervoor dat ze niet zouden verkruimelen. Ze kon de nu geïsoleerde tegel optillen. Er lag een dik pak bankbiljetten onder – kronen, euro's, Amerikaanse dollars.

Ze propte het pak in haar zak en stond op. 'Kom,' zei ze. 'Deze plek bezorgt me de kriebels.'

Ze verlieten het appartement en haastten zich de zwak verlichte trappen af.

Ilan Halevy, de Babyloniër, zat achter het stuur van de huurauto die hij op een strategische plek geparkeerd had aan de overkant van de straat voorbij de ingang van het gebouw waarin Rebeka haar appartement gehuurd had. Hij had uren staan wachten, maar voor hem voelden die uren als minuten. Het leek erop dat hij zijn hele leven al had staan wachten op iets wat te gebeuren stond. Als tienjarig jongetje had hij gewacht op het moment dat zijn ouders zouden gaan scheiden; als tiener van veertien had hij gewacht op het moment dat de pestkop, die hij het ziekenhuis in had gewerkt, zou sterven; kort daarna had hij staan wachten op een trein die hem van het binnenland van zijn land naar de hoofdstad zou brengen. Dat was de drukste, uitdagendste en meest verwarrende plek die hij kon bedenken om in op te gaan. Hij had opnieuw iemand gedood, maar deze keer op zijn eigen voorwaarden. Hij koos weloverwogen voor een rijke Amerikaanse zakenman, met wie hij een gesprek had aangeknoopt in de bar van het duurste hotel van de hoofdstad. Nu, met geld in zijn zak en een nieuwe identiteit, schoor hij zijn baard af en kocht in de Brioni-boetiek twee sets westerse kleren. Hij betaalde ze met één van de creditcards van de zakenman. Voor die tijd had hij nog nooit een creditcard in het echt gezien, laat staan dat hij er een gebruikt had.

Kort erna wist hij heel onopvallend het criminele circuit van Tel Aviv binnen te dringen en al snel vestigde hij op meedogenloze wijze zijn naam. Hij veronderstelde dat hij om die reden de aandacht van kolonel Ben David had getrokken. In elk geval was hij, toen Ben David hem benaderd had, erg op zijn hoede. Maar na verloop van tijd bouwden de twee mannen een band op met elkaar. Ondanks het feit dat ze elkaar zeer toegedaan waren, zou niemand echter de fout maken om hun band met vriendschap te verwarren, zeker de twee hoofdrolspelers zelf niet.

Halevy zuchtte. Hij verlangde hevig naar shoarma waarvan hij het heerlijke schapenvet over Israëlische couscous zou uitgieten. Hij haatte de Scandinavische landen – vooral Zweden. Hij haatte hun blonde en blauwogige vrouwen die het weerzinwekkende Arische ideaal van de supermens hooghielden. Er was geen Zweeds catwalkmodel dat hij niet graag in haar perfect gebeeldhouwde gezicht zou willen trappen. Geef mij maar te allen tijde een donkerhuidige, donkerharige amazone met mediterrane trekken, dacht hij.

Hij was nog steeds verstrikt in deze wrange gedachten, toen hij een nieuwe Volvo zag stoppen voor het gebouw dat hij in de gaten hield. Rebeka stapte uit en liep over het trottoir naar de voordeur. Hij stond op het punt om uit te stappen, toen hij zag dat Bourne haar volgde.

Waarom zijn zij nog steeds bij elkaar, vroeg hij zich af. Werkt zij met hem samen? Hij knarsetandde van woede en bleef in de auto zitten wachten. Een situatie waaraan hij gewend was, maar soms, zoals nu, kon die hem tot razernij drijven.

Langs de E4 reed Christien een parkeerplaats op bij een fastfoodrestaurant en een tankstation. Nadat ze kort bij Rebeka's appartement gestopt waren, reden ze nu Gamla Stan uit naar het noorden. Bourne vroeg zich af waar ze naartoe gingen.

Zodra Christien de wagen geparkeerd had op een plek ver weg van de andere auto's, gaf Sovard, de lijfwacht-boodschapper, zijn baas een klein pakje.

'Twee tickets,' zei Christien, en hij gaf het pakje aan Bourne.

Rebeka pakte haar ticket met enige tegenzin aan. 'Waar naartoe?'

Christien pakte een iPad uit Sovards tas en tikte op het scherm. 'Tot nu toe heeft de obsessie van Zweden voor veiligheid ons goede diensten bewezen,' merkte hij op.

Ze bekeken met hun drieën een film die duidelijk snel en ruw in elkaar geflanst was en bestond uit opnames van verscheidene vaste bewakingscamera's op diverse locaties. In het begin was er weinig interessants te zien; tarmac en werkers in overall met gehoorbeschermers die in kleine karretjes heen en weer reden. Arlanda Airport.

Opeens was er veel activiteit en even later kwam de onherkenbaar gemaakte helikopter van SteelTrap in beeld. Na de landing ging bijna onmiddellijk de zijdeur open en klommen er drie mannen naar buiten. Een van hen was onmiskenbaar Harry Rowland. Hij liep wankelend tussen de twee anderen en verdween uit het zicht van de camera.

Het volgende beeld van een andere camera was van een ander deel van het vliegveld. Er waren drie mannen te zien die zich over het tarmac haastten. Hoewel het een beeld van verder weg was, was het duidelijk dat het om dezelfde mannen ging die uit de SteelTrap-helikopter waren gekomen. Er stond een privévliegtuig op hen te wachten. Een immigratiefunctionaris controleerde hun paspoorten, stempelde ze, en gebaarde dat ze het vliegtuig in mochten.

Weer een ander beeld. Deze keer was het een opname van dezelfde scène maar dan vanuit een andere hoek genomen, waarschijnlijk met een telelens, te oordelen naar het bibberige beeld.

Een voor een bukten de mannen zich en verdwenen in de buik van het toestel.

Een laatste beeldwisseling. Het vliegtuig rolde over de startbaan en maakte snelheid. Toen het vliegtuig uit beeld verdween, stopte Christien de film en borg de iPad op.

'De piloot heeft een vluchtplan doorgegeven aan de toren in Arlanda. Het vliegtuig vliegt via Barcelona naar Mexico-Stad.'

'Goed werk,' complimenteerde Bourne hem.

Christien knikte. 'Jullie AeroMexico-vlucht zal ongeveer dezelfde route nemen als het SteelTrap-vliegtuig, maar zij hebben een voorsprong van twee uur. Jason, ik weet dat jij een paspoort hebt. En jij, Rebeka?'

'Dat heb ik altijd bij me,' zei ze met een spottend glimlachje.

Hij knikte. 'Mooi. Dan zijn we klaar.'

Hij zette de Volvo in de versnelling en reed van de parkeerplaats de E4 op richting Arlanda Airport.

Sovard liep terug van de security, waar hij Christiens vooraanstaande gasten naartoe gebracht had, toen hij aangesproken werd door een man die hem naar de tijd vroeg. Toen hij op zijn horloge keek, voelde hij een immense pijn in zijn nek. Hij viel voorover, maar de man ving hem op en sleepte hem zo goed en zo kwaad als dat ging naar een kantoor voor gevonden voorwerpen. Het was niet verlicht en onbemand omdat het buiten werktijd was.

In zijn huidige, half verlamde toestand had Sovard geen idee hoe hij in het afgesloten kantoor terecht was gekomen. In elk geval hing hij nu met zijn rug tegen een stapel koffers, tassen en rugzakken. Hij stond te tollen op zijn benen. Hij ving wel een glimp op van de verse littekens in de nek van de man. Toen hij probeerde om zijn evenwicht te hervinden, gaf de man hem een geweldige dreun op beide oren, waardoor zijn ogen bijna uit hun kassen sprongen. Hij voelde zich misselijk en niet in staat om zijn gedachten te ordenen, laat staan dat hij een manier zou kunnen bedenken om te ontsnappen.

'Ik heb weinig tijd.' De man drukte op een zenuwknoop achter Sovards rechteroor waardoor zijn hoofd van pijn uit elkaar leek te knappen. 'Waar gaan zij naartoe?'

Sovard keek hem met een lege blik aan. Uit zijn mondhoek droop een sliert kwijl op zijn shirt. Het had een rozeachtige kleur van zijn eigen bloed.

'Ik vraag het je nog één keer.' Opnieuw gebruikte de Babyloniër maar één vinger. Hij drukte op Sovards halsslagader waardoor de bloedsomloop stokte. Daarna liet hij weer los. 'Je hebt tien seconden, daarna breng ik je keer op keer op het punt van bewusteloosheid, totdat je mij smeekt om je te doden. Eerlijk gezegd vind ik dat wel een leuk vooruitzicht, maar ik denk altruïstisch, ik denk aan jou.'

Hij herhaalde de procedure twee keer voordat Sovard trillend zijn hand opstak. Hij had genoeg gehad. De Babyloniër boog zich voorover. Sovard opende zijn mond en sprak twee woorden.

Tachtig minuten later gingen Bourne en Rebeka in de eerste klas op hun plaatsen zitten. Ze kregen van de stewardess warme doekjes en glazen champagne uitgereikt.

'Stemt dit weemoedig?' vroeg Bourne. Hij volgde de stewardess met zijn blik.

Rebeka lachte. 'Helemaal niet. Mijn leven als stewardess lijkt een eeuwigheid geleden.'

Bourne keek uit het raampje terwijl de crew de laatste voorbereidingen trof. Daarna deden ze hun veiligheidsgordels om. Het toerental van de enorme motoren werd opgevoerd terwijl het vliegtuig naar de kop van de startbaan taxiede. Door de intercom vertelde de captain dat ze een vliegtuig voor zich hadden voordat ze konden opstijgen.

'Jason,' zei ze zacht, 'waar denk je aan?'

Het was voor het eerst dat ze hem niet met Bourne aansprak. Dat maakte dat hij zich naar haar toedraaide. Er lag een zachtheid – bijna een kwetsbaarheid – in haar ogen die hij nog niet eerder gezien had.

'Niets.'

Ze keek hem een moment aan. 'Vraag jij je ooit wel eens af of het geen tijd is om ermee op te houden?'

'Op te houden met wat?'

'Niet doen. Je weet best wat ik bedoel. Het grote spel.'

'Om wat te gaan doen?'

'Zoek een eiland in de zon, ga op je lauweren rusten, drink een biertje, eet pasgevangen vis, vrij, slaap.'

Het vliegtuig minderde vaart, draaide de startbaan op, twee linten gele lichtjes liepen van hen weg.

'En dan?'

'Dan,' zei ze, 'doe je alles de volgende dag opnieuw.'

'Je maakt zeker een grapje.'

Er viel een stilte die verbroken werd toen het vliegtuig plotseling vaart begon te maken. Ze stegen op, de wielen werden ingetrokken, en ze vlogen hoger en hoger.

Rebeka liet haar hoofd tegen de rugleuning rusten en sloot haar ogen. 'Natuurlijk maak ik een grapje.'

Ze duwde het blad met eten dat ze gekregen had weg, maakte haar veiligheidsgordel los, stond op en liep naar voren. Ze bleef bij de wc wachten. Bourne volgde haar, toen ze geen aanstalten maakte om de wc te gebruiken, nadat het BEZET-lichtje uit was gegaan en een vrouw van middelbare leeftijd uit de wc was gekomen. Een gevoel van weemoed, scherp als de geur van verbrande bladeren, leek bezit genomen te hebben van haar.

Ze stonden schouder aan schouder in de benauwde ruimte. Ze zwegen allebei totdat Rebeka zei: 'Ben je al eens in Mexico-Stad geweest?'

'Eén keer, voor zover ik me kan herinneren.'

Ze had haar armen om zich heen geslagen. 'Het is een vervloekte slangenkuil. Een heerlijke slangenkuil, toegegeven, maar toch een slangenkuil.'

'Het is er in de afgelopen vijf jaar alleen maar erger op geworden.'

'De kartels werken niet langer ondergronds sinds ze met de

Colombianen samen zijn gegaan. Er is zoveel geld dat alle functionarissen, zelfs de politie, meedoen. De drugshandel is onbeheersbaar geworden en dreigt het hele land te overspoelen. De regering heeft noch de wil, noch de puf om het tij te keren. Hoe dan ook, elke keer als iemand met gezag de handschoen opneemt, wordt hij een kopje kleiner gemaakt.'

'Niet echt een stimulans om tegen het tij in te gaan zwemmen.'

'Tenzij je misschien met Gods hamer zwaait.'

Het was net alsof er een stilte uit de hoge, heldere lucht op hen neerdaalde. Bourne luisterde naar haar zachte, gelijkmatige ademhaling. Het voelde alsof hij naast haar in bed lag. Toch was hij zich er bewust van dat hij zich volledig afgesneden voelde van haar – nee, niet van haar alleen, maar van iedereen. En in een flits begreep hij wat ze van hem probeerde te weten te komen. Was hij niet in staat om diepere gevoelens voor iemand te hebben? Het kwam hem nu voor dat alle doden, elke scheiding die hij zich kon herinneren, hun sporen keer op keer bij hem hadden achtergelaten. Hij was nu volledig verdoofd en niet meer in staat om iets anders te doen dan in de duisternis de ene voet voor de andere te zetten. Hij kon er niet aan ontsnappen en dat wist Rebeka. Dat was de reden waarom zij het idee van een eiland in de zon opwierp. De duisternis achter zich laten was geen optie voor hem. Hij had zo lang in de mysterieuze duisternis rondgedoold, dat het zonlicht hem alleen maar zou verblinden. Hij begreep dat dit besef haar verdrietig stemde en haar had ondergedompeld in melancholie. Het viel te bezien of dat kwam doordat zij zichzelf in hem herkende, of omdat zij echt verlangde naar een vrijwillige ballingschap.

'We moeten terug naar onze plaatsen,' zei hij.

Ze knikte afwezig. Ze verlieten de wc en liepen terug door het gangpad. Op dat moment zag hij Ilan Halevy. Hij zat met een hoed over zijn ogen getrokken op de laatste rij van de eerste klas en las in de *Financial Times*. De Babyloniër keek over de rand van de krant en liet een kwaadaardige grijns zien.

14

'Waarom mag ik niet naar haar toe?'

'Ze is ingestort, Charles.' Delia duwde hem met haar handen tegen zijn borst weg van de recovery.

Hij stond tegen de muur, terwijl doktoren en verpleegsters met roestvrijstalen karretjes voorbij haastten.

Hij volgde hen met zijn ogen. Zijn mond hing halfopen en hij leek moeite te hebben met ademhalen. 'Wat gebeurt er, Delia?'

'Ik weet het niet.'

'Jij was daarbinnen.' Hij keek haar met rusteloze blik aan. 'Jij moet toch wel íéts weten.'

'We waren aan het praten en van het ene op het andere moment stortte ze in. Dat is het enige wat ik weet.'

'De baby.' Hij bevochtigde zijn lippen. 'Hoe is het met de baby?'

Delia deed een stap achteruit. 'Ah, nu snap ik het.'

'Wat bedoel je?'

'Waarom jij hier bent. Ik begrijp het. Dat is om de baby.'

Thorne leek verward – of was het ontsteltenis? 'Waar heb je...'

'Als de baby sterft, sterven al jouw problemen met hem.'

Hij vloog op. Zijn ogen spuwden vuur. 'Wat denk je verdomme wel...'

'Als de baby sterft, krijg je geen problemen met Ann. Heb ik gelijk of niet? Je hoeft je niet te verantwoorden. Het is net alsof de baby nooit bestaan heeft, alsof je affaire met Soraya een verre herinnering is, ver weg van de pers en de bloggers die zeven dagen in de week op zoek zijn naar stront.'

'Je bent gek, weet je dat? Ik geef om Soraya. Heel erg veel. Waarom kun je dat niet geloven?'

'Omdat jij een cynische, zelfingenomen klootzak bent.'

Thorne haalde diep adem en probeerde zichzelf onder controle te krijgen. Zijn ogen vernauwden zich. 'Weet je, ik dacht dat jij en ik vrienden zouden kunnen zijn.'

'Je bedoelt dat je dacht dat je me kon rekruteren.' Ze produceerde een ijzig lachje. 'Flikker op.'

Ze draaide hem haar rug toe en liep naar dokter Santiago die net uit Soraya's kamer kwam.

'Hoe is het met haar?'

'Stabiel,' zei dokter Santiago. 'Ze wordt naar de intensivecareafdeling gebracht.'

Delia was zich er bewust van dat Thorne achter haar was komen staan. Ze kon hem bijna horen luisteren. 'Wat is er gebeurd?'

'Een kleine blokkade die ontstaan is tijdens de operatie. Dat komt zelden voor. We hebben de blokkade verwijderd en we geven haar nu een lage dosis bloedverdunner. We stoppen ermee zodra we denken dat het veilig is.'

'Veilig voor haar,' zei Delia. 'Hoe zit het met de veiligheid van de baby?'

'Mevrouw Moore is onze eerste prioriteit. Haar leven gaat voor. Trouwens, de foetus...'

'Haar baby,' zei Delia.

Dokter Santiago wierp haar een ondoorgrondelijke blik toe. 'Juist. Het spijt me.'

Delia keek hem met een sombere, bijna wanhopige blik na, terwijl hij de gang door liep.

Thorne zuchtte. 'Nu ik begrijp hoe de verhouding tussen jou en mij is, zal ik mijn kaarten op tafel leggen.'

'Wanneer zul je begrijpen dat jouw kaarten mij geen donder kunnen schelen?'

'Ik vraag me af of Amy er hetzelfde over denkt.'

Delia reageerde als door een slang gebeten. 'Wat zei je?'

'Je hebt me wel gehoord.' De uitdagende toon in zijn stem was onmiskenbaar. 'Ik heb uitdraaien van jouw voicemails met Amy Brandt.'

'Wat?'

'Verrast? Het is een simpele hack. We gebruiken een softwareprogramma dat de gegevens van de beller kopieert. Op die manier kunnen we toegang krijgen tot jouw mobiele telefoon – eigenlijk tot die van iedereen – en de wachtwoordbeveiliging omzeilen.'

'Dus jij hebt...'

'Elke boodschap die jij en Amy bij elkaar hebben ingesproken.' Hij kon een zelfgenoegzame grijns niet onderdrukken. 'Sommige ervan zijn behoorlijk pikant.'

Ze sloeg hem zo hard in zijn gezicht dat hij achteruit tuimelde.

'Je slaat als een kerel, weet je dat?'

'Hoe kun jij in hemelsnaam met jezelf leven?'

Hij lachte flauwtjes. 'Het is smerig werk, maar iemand moet het doen.'

Ze keek hem behoedzaam aan. 'Als je iets te zeggen hebt, zeg het dan.'

'We weten allebei iets van de ander.' Hij haalde zijn schouders op. 'Gewoon iets om te onthouden.'

'Het maakt me niet uit...'

'Maar het maakt Amy wel uit, of niet soms? In haar werk moet ze voorzichtig zijn. Een hele hoop ouders vinden het niet leuk als hun kinderen les krijgen van een lesbienne.'

Delia dacht aan alle dingen die ze nu zou kunnen zeggen, maar op dat moment werd Soraya door enkele streng kijkende verpleegsters uit de recovery gereden. Ze liepen langs hen heen door de gang naar de intensivecareafdeling. Daarna bleef het even stil.

'Dus dat is onze wapenstilstand,' zei Thorne.

Delia draaide zich naar hem om. 'Heb je ooit om Soraya gegeven, al was het maar voor één moment?'

'Ze is een duivelin in bed.'

'Hoe zit dat? Heb je aan Ann niet genoeg?'

'Ann heeft seks met haar werk. Voor de rest is ze een kouwe kikker.'

'Ik voel met je mee,' zei ze scherp.

Hij toonde haar een wolfachtige grijns. 'En ik voel met jou mee.' Hij greep zich in zijn kruis. 'Je weet niet wat je mist.'

Maceo Encarnación keek uit het raampje, terwijl zijn vliegtuig voorafgaand aan de landing boven Mexico-Stad cirkelde. Hij zag de bekende bruine smog die als een vuile deken over de naar alle kanten uitdijende metropool lag. Deze permanente atmosferische deken werd veroorzaakt door een combinatie van de geografische ligging en de ongebreidelde uitstoot van giftige stoffen. Mexico-Stad, dat gebouwd was op de ruïnes van de grote megalopolis Tenochtitlán, leek te verzuipen in zijn eigen toekomst.

Het eerste wat hij opsnoof, toen hij op de roltrap stapte, was de stank van menselijke uitwerpselen, die gebruikt werden om vele gewassen mee te bemesten. In de straatmarkten lagen het fruit en de groenten gewoon op de grond en honden en baby's pisten en poepten op de waren zonder dat iemand er iets tegen deed.

Encarnación dook in een zwarte, geblindeerde SUV die met draaiende motor stond te wachten. De wagen spoot weg op het moment dat hij zich achterin genesteld had. Zijn schitterende koloniale huis in California-stijl, met zijn pseudobarokke vierkante raampartijen, voortuin, en prachtige hal met houten lambriseringen, lag aan Castelar Street, in Colonia Polanco, op iets meer dan een kilometer van Chapultepec Park en het Nationaal Historisch Museum. Het was gebouwd van lichtgele stenen en *tezontle*, de inheemse roodachtige vulkanische stenen die zo kenmerkend waren voor veel belangrijke gebouwen in de stad.

De grond waarop zijn stadspaleis stond was de duurste van heel Mexico-Stad, maar omdat het gebied behoed werd voor verdere ontwikkeling door het machtige Nationaal Instituut voor Schone Kunsten, waarvan Encarnación niet geheel toevallig een invloedrijk lid was, konden er geen hoge gebouwen neergezet worden, zoals dat wel gebeurd was in Lomas de Chapultepec of Colonia Santa Fe.

'Welkom thuis, Don Maceo. We zijn blij dat u terug bent.'

De man die naast Encarnación zat, was klein en gedrongen als een pad. Hij had een donkere huid, een uitdagende Azteekse haakneus, en gepommadeerd zwart haar dat dik en glanzend als de manen van een paard achterovergekamd was.

Zijn naam was Tulio Vistoso; hij was één van de drie machtigste drugsbaronnen in Mexico. Iedereen, behalve Encarnación, noemde hem de Azteek.

'Er is tequila om te drinken, Don Tulio,' zei Encarnación op vriendschappelijke toon, 'en er is nieuws om te verteren.'

De Azteek was ogenblikkelijk op zijn hoede. 'Problemen?'

'Er zijn altijd problemen.' Encarnación wapperde met een hand. 'Maar hoe moeilijk is het om de problemen op te lossen? Daar gaat het om.'

De Azteek gromde. Hij droeg een zwart linnen pak met eronder een mooi *guayabera*-shirt. Aan zijn voeten had hij *huaraches*-sandalen van krokodillenleer die de kleur hadden van gepolijst mahoniehout. De chauffeur was Encarnacións lijfwacht, de onverstoorbare, gewapende man naast hem hoorde bij de Azteek.

Tijdens de tocht naar het huis van Encarnación werd er niets meer gezegd. Beide mannen kenden de waarde van stilte en het op de juiste tijd en plaats bespreken van zaken. Beide mannen hadden geen onbezonnen karakter. Ze zouden nooit iets doen voordat het moment daar was.

De vertrouwde straten, lanen en pleinen gleden voorbij in een amalgaam aan kleuren en kakofonische geluiden. De muren van restaurants en kroegen waren weelderig begroeid met bougainville. Voorthotsende bussen braakten roetdeeltjes uit. Ze passeerden het plein van Santo Domingo dat vol zat met *evangelistas* met hun oude, logge typemachines waarop ze voor de analfabeten in de stad liefdesbriefjes of condoleances in elkaar flansten. Maar ook verklaarden ze eenvoudige contracten die ondertekend moesten worden, of uitzettingsbevelen, en af en toe typten ze korte, grimmige haatbriefjes. De mooi gestroomlijnde SUV manoeuvreerde behendig door de woelige zee van taxi's die in schreeuwende kleuren geverfd waren, en vrachtwagens en bussen die tot de nok toe vol zaten met stinkende mannen, vrouwen, kinderen en dieren. Terwijl de klokken van de kerken en de kathedralen onophoudelijk luidden, zocht de SUV zich een weg door de nagenoeg ondoordringbare doolhof naar de nette Colonia Polanco, en naar de in het centrum ervan gelegen villa die afgeschermd werd door hoge muren en pijnbomen en die beveiligd werd door hekken die onder hoogspanning stonden.

Encarnacións huis was schitterend ontworpen en het had magnifieke versieringen. Maar het was gebouwd als een fort, wat, ook voor hem, absoluut noodzakelijk was in de buitenwijken, die in handen waren van de georganiseerde misdaad. Toch waren het niet de steeds machtiger wordende drugsbaronnen waar het huis tegen beschermd werd. Het werd beschermd tegen het steeds veranderende politieke landschap dat zo instabiel was als drijfzand. Jarenlang was Encarnación er getuige van geweest dat zijn zogenaamd onkwetsbare vrienden hun functies verloren door machtswisselingen. Hij had gezworen dat hem dat nooit zou overkomen.

Het was tijd voor *la comida*, de grote, theatrale lunch van de Stad van de Azteken, een maaltijd die even serieus genomen werd als een heiligenfestival en die met een bijna religieuze hartstocht beleefd werd. De lunch begon om halfdrie en duurde vaak tot zes uur. De lange tafel in Encarnacións zonovergoten eetkamer stond vol met gegrild vlees met pittige *pasilla*-pepers; babypalingen, wit als suiker en in een dikke, zure saus; gegrilde vis; tortilla's, heet en dampend rechtstreeks van het vuur; kip in hete saus; en natuurlijk met flessen oude tequila.

De twee mannen zaten tegenover elkaar, brachten een dronk uit met tequila die de kleur van sherry had, en begonnen hun enorme eetlust te bevredigen, althans voor het moment. Ze werden bediend door Anunciata, de aantrekkelijke dochter van Maria-Elena, Encarnacións oude kokkin. Omdat hij iets bijzonders in haar zag, hoefde ze van hem niet de fijne kneepjes te leren van het koken met de duizenden variaties aan gebakken pepers en exquise sauzen, maar leerde hij haar de fijne kneepjes van de vernietigende technologische mogelijkheden in cyberspace. Haar geest was net zo beweeglijk en aantrekkelijk als haar lichaam.

Toen ze voldaan waren, de tafel afgeruimd was, en de espresso's en sigaren geserveerd waren, kwam Anunciata binnen met enorme schalen met warme chocola met een scheut chilisaus. Ze klopte de drank vervolgens tot schuim met een traditionele houten *molinillo*. Dit was het belangrijkste onderdeel van het ritueel. Mexicanen geloven dat het krachtige karakter van de drank in het schuim zit. Nadat ze voor beide mannen een mok neergezet had, verdween ze net zo stil als ze gekomen was, en gaf de beide mannen de gelegenheid om hun snode plannen te bespreken.

De Azteek was in een joviale bui. 'Beetje bij beetje, als haar dat van een kalende schedel afvalt, draagt de president de macht aan ons over.'

'Wij runnen deze stad.'

'Wij hebben er de controle over, inderdaad.' Don Tulio keek de ander met een schuin hoofd aan. 'Bevalt je dat niet, Don Maceo?'

'Integendeel.' Encarnación nam peinzend een slok van zijn warme chocola. Nu hij deze geweldige drank proefde, wist hij pas echt dat hij thuis was. 'Maar controle krijgen en controle houden zijn twee totaal verschillende dingen. Als het ene lukt, is dat nog geen garantie dat het andere ook lukt. Het land blijft, Don Tulio. Lang nadat jij en ik tot stof zijn weergekeerd, bestaat Mexico nog.' Hij hief zijn vinger als een leraar in een klaslokaal. 'Je moet niet de fout maken om het tegen het land op te nemen, Don Tulio. Regeringen kunnen omvallen, regimes kunnen vervangen worden. Het tarten van Mexico zelf, het uitdagen, te denken dat je het ten val kunt brengen, is overmoed, en dat is een fatale fout die je ondergang zal betekenen, ongeacht de reikwijdte van je macht.'

De Azteek die er niet geheel zeker van was waar het gesprek naartoe ging, spreidde de spatelvormige vingers van zijn handen. Trouwens, hij had er ook geen idee van wat overmoed nu precies inhield. 'Is dit het probleem?'

'Het is een probleem, een discussiepunt voor een ander tijdstip. Het is niet hét probleem. Encarnación genoot van het gepeperde chocoladeschuim dat zoet en tegelijkertijd pittig smaakte. 'Ja,' zei hij, terwijl hij zijn lippen aflikte. 'Hét probleem.'

Hij haalde een pen en kladblokje uit zijn borstzak, schreef iets op het eerste blaadje, scheurde het af, vouwde het in tweeën, en schoof het over de tafel naar de ander toe. De Azteek keek hem even aan en sloeg vervolgens zijn blik neer terwijl hij het opgevouwen papier pakte. Hij opende het om te zien wat Encarnación geschreven had.

'Dertig miljoen dollar,' zei hij.

Encarnación ontblootte zijn tanden.

'Hoe heeft dit kunnen gebeuren?'

Encarnación rolde de warme chocola door zijn mond en keek naar het plafond. 'Dit is de reden waarom ik je gevraagd heb om mij van het vliegveld te halen. Ergens tussen Comitán de Dominguez en Washington D.C. is die dertig miljoen dollar verdwenen.'

De Azteek zette zijn mok neer. Hij leek van streek. 'Ik begrijp het niet.'

'Onze partner zegt dat de dertig miljoen dollar vals is. Ik kon het eerst zelf ook niet geloven en daarom heb ik niet één maar twee experts gestuurd. Onze partner heeft gelijk. De echte dertig miljoen die zijn reis in Comitán de Dominguez begonnen is, bleek bij aankomst vals te zijn.'

De Azteek gromde. 'Hoe heeft de partner dat ontdekt?'

'Dit is een ander slag mensen, Don Tulio. Zij hebben onder andere veel ervaring met het vervalsen van geld.'

Don Tulio bevochtigde zijn lippen. Hij keek peinzend. 'De

dertig miljoen is tijdens die vele duizenden mijlen in andere handen gekomen.' Comitán de Dominguez, in het zuiden van Mexico, was het eerste distributiepunt voor de drugszendingen uit Colombia. Daarna werden ze overgeladen en door Guatemala naar de grens met Mexico gebracht. 'Het betekent dat er een dief onder ons is.'

Op dat moment sloeg Encarnación met zijn vuist op tafel. Zijn mok schudde, waardoor er warme chocola gemorst werd op het geborduurde tafelkleed, een cadeau dat zijn oma van vaders kant op haar trouwdag gekregen had. De Azteek keek verschrikt, terwijl zijn lichaam verstijfde.

'Een dief onder ons,' herhaalde Encarnación. 'Ja, Don Tulio, je slaat de spijker precies op zijn kop. Een erg slimme dief, inderdaad. Een verrader!' Zijn ogen schoten vuur en zijn hand trilde van nauwelijks ingehouden woede. 'Je weet van wie die dertig miljoen is, Don Tulio? Het heeft me vijf jaar gekost met de meest tactvolle, frustrerende, en zenuwslopende onderhandelingen om zover te komen. Onze afnemers moeten dat geld binnen achtenveertig uur krijgen, of de deal is van de baan. Heb je enig idee wat voor moeite het heeft gekost om het vertrouwen van deze mensen te winnen? *Dios de diablos*, Don Tulio! Er valt met die mensen niet te praten. Ze zijn onbuigzaam. Er is geen enkele bewegingsruimte, totaal geen flexibiliteit. We zitten aan hen vast, en zij aan ons. Tot de dood ons scheidt, *comprende, hombre*?'

Zijn vuist suisde weer omlaag, waardoor de kop-en-schotels op tafel rinkelden. 'Dit gebeurt niet in mijn bedrijf. Dat kan niet. Ben ik duidelijk?'

'Absoluut, Don Maceo.' De Azteek wist wanneer het tijd was om te gaan. Hij stond op. 'Je kunt ervan verzekerd zijn dat dit probleem opgelost wordt.'

Encarnación volgde de Azteek met zijn ogen zoals een roofdier een prooi volgt. 'Binnen vierentwintig uur breng je mij de dertig miljoen en het hoofd van de verrader. Dat is de oplossing die ik eis, Don Tulio. Een andere oplossing is er niet.'

De Azteek keek hem met dode vissenogen aan en knikte. 'Uw wil is mijn bevel, Don Maceo.'

Toen Bogs in de buurt van het Treadstone-hoofdkwartier was, parkeerde hij de auto aan de stoeprand. Dick Richards wilde uitstappen, maar Bogs hield hem tegen.

'Waar gaat dat heen?' zei Bogs.

'Ik ga aan het werk,' antwoordde Richards. 'Ik ben al veel te lang weg geweest.' Hij keek omlaag naar Bogs' hand op zijn arm. 'Laat me gaan.'

'Je gaat pas weg als ik je zeg dat je kunt gaan, en niet eerder.' Bogs keek Richards strak aan. 'Het is tijd dat je aan het werk gaat.'

'Aan het werk gaan? Ik was aan het werk.'

'Nee,' zei Bogs. Je hebt zitten slapen. Nu ga je iets tot stand brengen. Ik zal je precieze instructies geven. Jij moet ze tot in detail uitvoeren. Je doet wat ik je opdraag, zoals ik het je opdraag, niet meer en niet minder, snap je?'

Richards voelde zich plotseling week worden vanbinnen. Hij knikte onzeker. 'Natuurlijk.'

'Wat we bedacht hebben, is niet makkelijk.' Hij boog zich naar Richards. 'Maar wat is in het leven nu eigenlijk makkelijk?'

Richards knikte weer, nu nog onzekerder. Hij had dit niet verwacht. Tot op dat moment was zijn leven als triple agent relatief rustig verlopen en volgde het een patroon dat makkelijk te volgen was. Hij wist nu dat hij in slaap gesust was en ten onrechte een bedrieglijk gevoel van rust en veiligheid gehad had. Bogs had gelijk, hij had zitten slapen. Nu werd hij in het diepe gegooid; nu kwam het onbekende, waar monsters op de loer lagen die hem met één hap konden verzwelgen.

'Wat...' De woorden bleven hem in de keel steken. Hij bevochtigde zijn lippen alsof hij daardoor het praten wilde vergemakkelijken. 'Wat wil je dat ik doe?'

'Wij willen dat jij een trojan installeert op het intranet van Treadstone.'

'Treadstone heeft een elektronische beveiliging. De trojan zal bijna onmiddellijk ontdekt worden.'

Bogs knikte. 'Ja, inderdaad.' Hij had een vervaarlijke schittering in zijn ogen. 'En als jij slim genoeg bent om niet gepakt te worden, zullen je bazen je opdragen om de trojan onschadelijk te maken.'

Dit stond Richards niet aan; het stond hem helemaal niet aan. 'En?'

'En je doet je werk, Richards, op jouw gebruikelijk snelle en doeltreffende manier. Je zult indruk op hen maken. Je isoleert de trojan, neutraliseert hem, en verwijdert hem.' Hij boog zich zo dicht naar Richards toe, dat deze de uienlucht in zijn slechte adem kon ruiken. 'Als je hem verwijdert, zet je tegelijkertijd een virus op de computer dat alle bestanden op de Treadstone-servers zal aantasten.'

Richards keek bedenkelijk en schudde zijn hoofd. 'Wat hebben jullie daaraan? Ik zal de archiefbestanden die offsite opgeslagen zijn, nooit bereiken. Ze zijn geïsoleerd van de servers. Het onsiteserversysteem zal schoongemaakt worden. Het zal de bestanden uit de archieven herstellen. Het systeem zal binnen twaalf uur weer werkzaam zijn.'

'Je moet de storingstijd uit zien te breiden tot vierentwintig uur.'

'Dat...' Richards slikte. Hij voelde zich ijskoud worden, maar tegelijkertijd had hij het gevoel dat hij hoge koorts had. 'Dat lukt me wel.'

'Natuurlijk lukt je dat.' Bogs' grijns leek wel een kilometer breed. *Daar kan ik je beter mee opeten, lieve kind.* 'Zoveel tijd hebben we nodig.'

15

Peter had verwacht dat Tom Brick met hem op het schuiladres zou blijven, maar nadat hij zijn moorddadige instructies had gegeven, ging hij weg. Eenmaal alleen in het grote huis, liep Peter even rond alvorens hij op een stoel ging zitten. Hij haalde de sleutel uit zijn zak die hij gevonden had in Florin Popa's schoen toen hij hem verborg in de doolhof van buxusbomen bij de Blackfriar Country Club.

Hij hield de sleutel tegen het licht, draaide hem om en om, en bestudeerde elke millimeter ervan. Hij was klein en had een ronding aan het einde, waar een blauw, rubberachtig materiaal omheen zat. Het leek op het materiaal dat vóór 11 september gebruikt werd voor sleutels van openbare kluisjes. Daarna waren al dat soort kluisjes weggehaald. Deze sleutel had geen opvallende kenmerken, maar hij kon zich niet voorstellen dat er niet iets was waaraan hij kon zien waarvoor hij gebruikt werd.

Hij sneed met een van de vlijmscherpe scheermesjes die Brick hem gegeven had om degene te vermoorden die Bogs mee zou nemen, het rubberachtige materiaal door en krulde het naar achter. Tot zijn grote teleurstelling was aan geen van beide kanten van het omhulsel iets te zien. Toen hij het echter helemaal binnenstebuiten keerde, zag hij dat aan het einde het woord *recursive* was gegraveerd.

Hij bestudeerde de sleutel nu met andere ogen en bedacht dat hij misschien toch niet voor een slot was.

Nu hij een spoor had om te volgen, had hij er geen behoefte

meer aan om in het huis te blijven en uit te vogelen hoe hij onder het vermoorden van iemand die hij helemaal niet wilde doden, uit kon komen. Hij stond op en liep naar de voordeur. Die zat op slot. Datzelfde gold voor de achterdeur. Alle ramen waren ook afgesloten.

Hij kon de minuscule draadjes zien die het alarm onmiddellijk zouden laten afgaan als er een ruit ingeslagen zou worden.

De ramen op de eerste verdieping waren ook op die manier beveiligd, maar de ramen waren hier kleiner. Beneden in de keuken doorzocht hij de laden zonder iets te vinden wat hij kon gebruiken, maar in een bergkast vond hij een gereedschapskist, met daarin een glassnijder. Hij sprintte terug naar boven, koos een raam dat uitkeek op een grote eik en kraste een lijn in het glas langs het raamkozijn. De glassnijder kerfde diep in het glas. Hij trok aan twee andere kanten ook lijnen in het glas, legde de glassnijder neer en liep naar het bed. Hij haalde een sloop van een kussen, wikkelde het om zijn linkerhand en liep terug naar het raam. Langzaam en zorgvuldig maakte hij een vierde inkerving.

Hij hield de vingers van zijn rechterhand tegen het glas en met zijn omwikkelde linkerhand sloeg hij er zachtjes tegenaan. Het bewoog iets. Hij sloeg iets harder, waarna het glas zich van het kozijn losmaakte. Hij greep het met de vingers van zijn rechterhand voordat het aan gruzelementen kon vallen. Vervolgens draaide hij het om en legde het plat neer. Hij zorgde er wel voor dat het alarmdraad intact bleef. Heel voorzichtig klom hij door het open raamkozijn, draaide zich om en sprong naar de vork tussen twee dikke eikentakken. Het lukte hem om zijn armen rond een van de takken te slaan. Hij klom naar de laagste tak en vandaar sprong hij op de grond.

Hij haalde zijn mobiele telefoon, die hij in zijn kruis verborgen had, tevoorschijn en belde Treadstone. Hij vroeg om een auto en vertelde waar hij ongeveer was. Hij liep van het huis naar de weg. Hij gaf de chauffeur de naam door die op het straatnaambordje stond.

Het kostte hem drie telefoontjes om vast te stellen dat er een boot was genaamd *Recursive*. Hij lag aan ligplaats 31 in de Dockside Marina, 600 Water Street sw. Tegen die tijd had zijn chauffeur hem afgezet op de plaats waar hij zijn auto buiten de Blackfriar Country Club achtergelaten had. Veertig minuten later parkeerde hij zijn auto bij de Dockside Marina.

Hij bleef even zitten en liet de sleutel door zijn vingers gaan. De motor maakte tijdens het afkoelen tikkende geluiden. Toen stapte hij uit en liep naar de steiger waar de boten aangemeerd lagen. De meeste boten waren afgedekt tegen het winterweer. Sommige plekken waren onbezet. Die boten lagen in het droogdok. Op enkele boten waren mensen aan het werk. Ze ruimden vissersspullen op, spoten het dek schoon, rolden touwen op, reinigden de zitplaatsen of poetsten de relingen. Hij knikte glimlachend naar hen terwijl hij langs hen kuierde. Het leven in een haven verliep veel kabbelender en rustiger. Dat mocht hij niet vergeten.

Het leek hem knap onwaarschijnlijk dat een lijfwacht als Florin Popa een boot bezat. Maar gelet op het feit dat de sleutel zo goed verborgen was geweest, was Popa misschien niet de eigenaar, maar maakte hij alleen maar gebruik van de *Recursive*.

Peter volgde de ligplaatsnummers totdat hij bij nummer 31 was. De *Recursive* was een Cobalt van twaalf meter met binnenboordmotor. Te oordelen naar het open dek en de zitaccommodatie was het een pleziervaartuig en geen vissersboot. Hij hield zich vast aan een van de meerpalen en sprong aan boord. Als eerste controleerde hij of er iemand aan boord was. Dat was makkelijk te zien aangezien de Cobalt geen afgesloten kajuit had en op een kleine plek voorin na ook geen benedendekse ruimte.

Hij pakte de sleutel en stak hem in het contactslot. De sleutel ging er maar tot de helft in. Hij zou de motor er niet mee aan de praat krijgen. Nadat hij de sleutel er weer uitgehaald had, begon hij alles grondig te onderzoeken. Hij haalde de kussens voor de opbergruimten weg, opende het dashboard voor de passagiersplaats en trok aan de metalen ring waardoor een andere, grotere opbergruimte zichtbaar werd. Het leverde allemaal niets op. Nergens op de *Recursive* was een slot te vinden waar hij de sleutel in kon doen.

De schemering viel over D.C. en een ijzige wind geselde het water. Peter zat op de achterkussens in het niets te staren en probeerde te bedenken wat hij over het hoofd zag. In de sleutel stond *Recursive* gegraveerd. Hij was aan boord van de *Recursive*. De sleutel zou toch ergens op moeten passen. Waarom kon hij dat niet vinden?

Hij brak zich nog ongeveer een kwartier het hoofd over deze ergerlijke vraag. Tegen die tijd was het helemaal donker geworden. De lichten waren aangegaan. Hij moest toegeven dat hij geen antwoord had, althans voor dit moment. Hij belde Soraya thuis, maar hij verbrak al snel de verbinding, omdat hij zich herinnerde dat ze hem verteld had dat het nummer buiten gebruik was. In plaats daarvan toetste hij haar mobiele nummer in. Hij kreeg meteen haar voicemail. Hij sprak een korte, noodzakelijkerwijs cryptische boodschap in, vroeg of ze hem terug wilde bellen en verbrak de verbinding.

Thuis draaide hij van wat kliekjes een maaltijd in elkaar, maar het smaakte hem totaal niet. Daarna doolde hij afwezig door het huis, terwijl zijn gedachten heen en weer schoten. Hij voelde zich moe en gespannen. Daarom deed hij een dvd in de speler en keek naar enkele afleveringen van *Mad Men*, waardoor hij iets rustiger werd. Hij zakte weg in een dagdroom waarin hij Don Draper was, alleen was zijn naam Anthony Dzundza. Roger Sterling was Tom Brick, Peggy was Soraya, en Joan was de afgetrainde vrouw in de sportschool die Peter al maandenlang probeerde te benaderen.

Martha Christiana zag de verschrikkelijke inertie van wat over was van haar moeder, en zei: ‘Eindigt een leven op deze manier?’

‘Bij sommigen.’ Don Fernando stond vlak bij haar. ‘Bij de geknakten.’

‘Zij is niet altijd geknakt geweest.’

'Ja,' zei hij, 'dat is ze wel.' Toen ze hem aankeek, glimlachte hij bemoedigend. 'Ze is geboren met een stoornis in haar hersens, iets wat niet goed werkte. In die tijd was het niet iets wat gediagnosticeerd kon worden, maar zelfs vandaag de dag kan er weinig aan gedaan worden.'

'Medicijnen.'

'Medicijnen zouden de jonge vrouw die ze ooit was, veranderd hebben in een zombie. Zou dat beter geweest zijn?'

Martha's moeder bewoog ongemakkelijk en maakte een klagend geluid. Martha liep naar haar toe en hielp haar naar de badkamer, waar ze enkele minuten binnenbleven. Don Fernando liep naar het dressoir, pakte een voor een de twee foto's op en bekeek ze nauwgezet. Liever gezegd, hij bekeek hoe Martha Christiana als jong meisje geweest was. Hij had het ongewone vermogen dat hij iemands psychische eigenaardigheden af kon lezen van oude foto's van die persoon.

Achter hem ging de deur open. Hij zette de foto's terug en hielp Martha die haar moeder naar het bed begeleidde. De oude vrouw leek uitgeput. Ze maakte een totaal afwezige indruk, alsof ze al in slaap was.

Op dat moment kwam de verpleegkundige binnen, maar Martha gebaarde dat ze weg moest gaan. Eensgezind en zonder wat te zeggen legden zij de oude vrouw in bed. Toen zij haar hoofd op het kussen legde en Martha haar haar rond haar uitgemergelde gezicht drapeerde, lichtten haar ogen iets op. Zij keek haar dochter aan en even zou je kunnen denken dat zij Martha herkende. Maar de glimp van een glimlach verdween zo snel dat het moeilijk te geloven was dat hij er ooit geweest was.

Martha zat op de rand van het bed, terwijl haar moeder haar ogen sloot en dieper wegzakte in de ondoordringbare warboel van haar geest. 'Uiteindelijk eindigen we allemaal zo.'

'Of we sterven jong.' Don Fernando's mond vertrok. 'Behalve ik, natuurlijk.' Hij knikte. '*No one here gets out alive.*'

'"Five to one."' Martha herkende de tekst van Jim Morrison.

Hij glimlachte. 'Ik houd niet alleen van Bach en Jacques Brel.'

Martha draaide zich om. 'Hoe kan ik haar hier achterlaten?'

'Je hebt haar eerder achtergelaten.' Ze keek hem aan, maar voordat zij iets kon zeggen, zei hij: 'Dat is geen kritiek, Martha, het is slechts een feit.' Hij liep naar haar toe. 'En het feit wil dat zij hier het beste af is. Zij heeft zorg nodig en de mensen hier geven haar die.'

Ze draaide zich om en keek neer op het slapende gezicht van haar moeder. Er was iets gebeurd. Ze herkende zichzelf niet meer in haar.

Uiteindelijk viel Peter in slaap en droomde van de Cobalt die op volle snelheid voer, terwijl hij wanhopig zwemmend aan de razende schroef probeerde te ontkomen. Toen hij de volgende ochtend ongeïnteresseerd cornflakes in een vrolijk gestreepte kom schudde, kreeg hij een ingeving.

Hij startte zijn laptop en googelde *recursive*, waardoor hij op het zelfstandig naamwoord *recursie* terechtkwam. De belangrijkste definitie ervan in het postmoderne tijdperk was 'het proces van een functiedefiniëring of een cijfercalculatie door een herhaalde toepassing van een algoritme'. Dat zei hem niets, maar toen hij keek waar het woord van afstamde, ontdekte hij wat het Latijnse woord *recursio* betekende, namelijk 'het herhalen van een stap in een procedure', zoals bij shampooën: inzepen, afspoelen, herhalen.

Daardoor overwoog hij de mogelijkheid of er iets recursiefs ín de *Recursive* zou kunnen zitten. Het probleem daarmee was dat hij alles in de boot gecontroleerd had en niets gevonden had. Maar hoe zat dat met het gebied róndde *Recursive*?

Nadat Peter gedoucht had, kleedde hij zich in recordtijd aan. Hij reed terug naar de jachthaven en haastte zich naar aanlegplaats 31. Hij sprong aan boord van de Cobalt. Alles zag er nog hetzelfde uit als een dag eerder. Hij bestudeerde het gebied rond de boot nauwkeurig. Aan de havenkant en aan de voor- en achterzijde van de boot kon hij niets bijzonders ontdekken. Aan de stuurboordkant leek het niet anders te zijn, totdat hij onder de tweede stootrand een touw voelde dat aan de onderkant vastgebonden was.

Met stijgende opwinding trok hij het touw op totdat hij bij het einde was. Er was een immense, waterdichte tas aan vastgeknoopt. Door het zware gewicht kostte het hem enige moeite om hem op een van de kussens op het achterdek te zetten. Er zat een slot aan de tas. Toen hij de sleutel in het slot stak en naar rechts draaide, sprong het slot open.

Hij verwijderde het slot en de tas opende zich als de muil van een dier. De tas zat propvol stapeltjes biljetten van vijfhonderd en duizend dollar. De aanblik benam hem de adem. Instinctief keek hij om zich heen om te zien of iemand hem in de gaten hield. Hij zag niemand. De paar mensen die hij eerder had gezien, waren met hun boten uitgevaren. De jachthaven was verlaten.

Het volgende halfuur besteedde hij aan het tellen van het geld. Hij ontdekte al snel dat elk stapeltje hetzelfde aantal biljetten bevatte. Toen hij klaar was, kon hij niet geloven wat het totale bedrag was.

Mijn hemel, dacht hij. Dertig miljoen dollar!

Bourne en Rebeka stapten met de Babyloniër in hun kielzog in Mexico-Stad uit het vliegtuig.

'Er is geen uitweg,' zei Rebeka. 'Hij heeft ons hier in de val laten lopen.'

'We moeten nog door de douane.' Bourne zag dat de Babyloniër vijf of zes mensen achter hen liep. Hij moest wel op die afstand blijven om hen niet uit het oog te verliezen.

'We moeten opsplitsen,' zei Rebeka. Ze hield haar paspoort geopend in haar hand, terwijl ze in de rij van de eerste klas ging staan om Mexico binnengelaten te worden.

'Dat is precies wat hij van ons verwacht,' zei Bourne. 'Ik denk dat een man als hij dat alleen maar prettig vindt. Verdeel en overwin.'

Ze schuifelden richting de witte lijn waar ze moesten wachten totdat ze aan de beurt waren om hun paspoorten te laten zien.

'Heb jij een beter idee?' vroeg Rebeka.

'Zeker,' zei Bourne, 'zo dadelijk.'

Hij keek naar de gezichten om hem heen – van de mannen

en vrouwen, van de kinderen in alle leeftijden, en van de families met kinderwagens en andere attributen die horen bij baby's en peuters. Drie tienermeisjes met teddybeerrugzakken giechelden en maakten een dansje, een vrouw in een rolstoel van een luchtvaartmaatschappij werd in de rij naast hen gezet, een klein meisje ontsnapte aan haar moeder en wandelde door de mensenmassa die lachte en haar over haar bol aaide.

'Wat we moeten doen,' zei Bourne, terwijl hij in beweging kwam, 'is zorgen dat er wat gebeurt.'

'Wat?' Maar ze volgde hem toen hij overstapte naar de langere rij met economyclasspassagiers die door de hal slingerde.

Hij ging naast de vrouw in de rolstoel staan. Ze was gekleed in een elegant, rozeachtig pakje van Chanel. Haar volle, zwarte haar zat in een ingewikkelde knot op haar hoofd. Hij boog zich voorover en zei: 'U zou niet in zo'n lange rij moeten hoeven te wachten. Laat me u helpen.'

'U bent erg vriendelijk,' zei ze.

'Tim Moore,' zei hij. Hij noemde de naam die in het paspoort stond dat hij nu gebruikte.

'Constanza.' In haar gezicht kon je de DNA-vermenging zien van de Olmec en hun Spaanse veroveraars zoals die tijdens hun eeuwenoude bloedige veldslagen had plaatsgevonden. Haar huid had de kleur van honing en de onbetwistbare, schijnbaar tijdloze schoonheid van haar gezicht werd gekenmerkt door scherpe, bijna genadeloze gelaatstrekken. 'Echt, ik weet niet waarom ze mij hier neergezet hebben. Degene die me hier neergepoot heeft, zei dat ik even moest wachten, maar ze is niet teruggekomen.'

'Maakt u zich geen zorgen,' zei Bourne. 'Mijn vrouw en ik zullen u hier snel doorheen helpen.'

Met Rebeka in zijn kielzog duwde hij de rolstoel uit de lange rij en liep linea recta naar de kop van de rij van de eerste klas.

'Halevy houdt ons in de gaten,' fluisterde Rebeka.

'Laat hem,' zei hij. 'Hij kan nu niets doen.'

Constanza keek hem met een vragende blik aan. 'Wat zei u, meneer Moore?'

'Ik heb uw paspoort nodig.'

'Natuurlijk.' Ze gaf het aan hem, terwijl zij naar de immigratiebalie gingen.

Hij overhandigde de drie paspoorten. De beambte opende ze en bestudeerde hun gezichten. 'Deze vrouw is een Mexicaans staatsburger. Jullie zouden in die rij daar moeten staan.'

'Señor en señora Moore horen bij mij,' zei Constanza. 'Zoals u kunt zien, kan ik me zonder hun hulp niet bewegen.'

De beambte gromde. 'Zaken of plezier?' vroeg hij op verveelde toon aan Bourne.

'We zijn op vakantie,' zei Bourne net zo verveeld.

Hun paspoorten werden gestempeld en Bourne duwde de rolstoel verder richting de plek waar de bagage afgehaald kon worden. Rebeka volgde hen op de voet. Ze bleven bij Constanza en hielpen haar met haar bagage. De Babyloniër stond zich op enige afstand op te vreten, omdat hij niet dichterbij kon komen.

In de aankomsthal werd ze opgewacht door haar chauffeur, een potige Mexicaan met kleine varkensoogjes, een pokdalig gezicht, en de uitstraling van een liefhebbende oom. Hij ontvouwde een prachtige aluminium rolstoel en zette haar ogenschijnlijk zonder enige inspanning in deze rolstoel over.

'Manny,' zei Constanza, terwijl ze naar de uitgang liepen, 'dit zijn señor Moore en zijn vrouw, Rebeka. Ze waren zo vriendelijk om mij door de douane te helpen. Het zijn aardige mensen, Manny. Je komt tegenwoordig nog maar zo weinig aardige mensen tegen, vind je ook niet?'

'Absoluut, señora,' zei Manny plichtmatig.

Ze draaide haar hoofd. 'Meneer Moore, ik nodig u en Rebeka uit om mijn gasten te zijn. Er is ruimte zat in de auto en, aangezien het lunchtijd is, sta ik erop dat jullie met mij lunchen.' Zij wuifde met haar hand. 'Ik duld geen tegenspraak. Kom mee.'

Ze had wat de ruimte betreft niet overdreven. Haar auto was een Hummer-limousine met een op maat gemaakt interieur waardoor zij net zo comfortabel was als een huiskamer.

'Vertelt u eens, meneer Moore, wat doet u voor werk?' vroeg Constanza, toen ze zich geïnstalleerd hadden en Manny zich in het uitgaande verkeer van het vliegveld gevoegd had. Ze had het lichaam waar de meeste twintigjarige vrouwen een moord voor zouden doen: rondborstig, langbenig en met een slanke taille.

'Import-export,' zei Bourne zonder enige aarzeling.

'Ik begrijp het.' Constanza keek naar Rebeka, die achterom-keek naar de parkeerplaats voor de aankomsthal. 'Ik houd van mensen met geheimen.'

Rebeka draaide zich om. 'Wat zei u?'

'Mijn overleden man, Acevedo Camargo, was een man die bijna helemaal uit geheimen bestond.' Ze glimlachte ironisch. 'Soms denk ik dat dat de reden was waarom ik verliefd op hem werd.'

'Acevedo Camargo,' zei Bourne. 'Ik heb die naam eerder gehoord.'

'Dat verbaast me niet.' Er was een onmiskenbare twinkeling te zien in Constanza's ogen, toen ze zich tot Rebeka richtte. 'Mijn overleden man heeft zijn geld verdiend, zoals zoveel slimme mannen in Mexico, in de drugshandel.' Ze haalde haar schouders op. 'Ik schaam me er niet voor, feiten zijn feiten en het is trouwens beter dan door het stof te gaan voor gringo's.' Ze gebaarde met haar hand. 'Sorry, maar ik ben hier nu in mijn eigen land. Ik kan zeggen wat ik wil, en wanneer ik dat wil.'

Ze glimlachte vriendelijk. 'U moet me niet verkeerd begrijpen. Acevedo was een goede man, maar in Mexico sterven goede mannen vaker wel dan niet. Acevedo keerde zich af van de drugshandel. Hij werd een politicus, een kruisvaarder tegen de mensen die hem multimiljonair hadden gemaakt. Moedig of stom? Waarschijnlijk allebei. Ze hebben hem erom vermoord, hebben hem op straat, op weg van zijn kantoor naar zijn gepantserde wagen, neergemaaid. Niemand kon hem redden, zelfs al had hij tien lijfwachten gehad in plaats van drie. Ze zijn die avond allemaal omgekomen. Ik herinner me dat de zon rood was als de lap van een stierenvechter. Dat was Acevedo – een stierenvechter.'

Ze zakte terug, duidelijk uitgeput door haar herinneringen.

Manny reed over de Circuito Interior Highway richting de schemering in het westen.

'Het spijt me verschrikkelijk,' zei Rebeka, nadat ze een snelle blik met Bourne gewisseld had.

'Dank u,' zei Constanza, 'maar dat is echt niet nodig. Ik wist in wat voor leven ik terecht zou komen, toen ik verliefd op hem werd.' Ze haalde haar schouders op. 'Wat kun je doen als hartstocht en het lot verstrengeld raken? Zo is het leven in Mexico. Het bestaat gelijkelijk uit armoede, hopeloosheid, en stront. Een eindeloze opeenvolging van mislukkingen. Excuses voor mijn botheid, maar ik sta al lang genoeg in het leven om te weten hoe vervelend het is om ergens omheen te draaien.'

Haar slanke, elegante hand met glanzend gelakte nagels en juwelen ringen aan de vingers, beschreef cirkels in de lucht. 'Zo is het leven hier. We leren om elk pad te nemen dat ons uit de shit leidt. Ik koos Acevedo. Ik wist wie en wat hij was. Hij zou en kon die dingen nooit voor mij verborgen houden. Na verloop van tijd ging ik hem adviseren. Niemand wist dat natuurlijk. Dat soort dingen hoort een vrouw niet te doen.' Ze glimlachte bijna weemoedig. 'Ik bezorgde hem meer geld in plaats van kinderen. Keuken en kinderkamer waren geen plekken voor mij. Dat heb ik hem meteen duidelijk gemaakt. Ondanks dat hield hij van mij en wilde hij mij.' Haar glimlach werd breder. 'Hij was zo'n goede man. Hij begreep zoveel. Behalve hoe hij moest overleven.' Ze zuchtte. 'Ondanks zijn slimheid heeft hij nooit begrepen dat het geen verschil uitmaakte of de wet verkracht en beroofd werd door de regering of door de criminelen.'

Ze keek hen met een dappere glimlach op het gezicht aan. 'Nu ik eraan terugdenk, ben ik er zeker van dat hij wist dat hij vermoord zou worden. Het maakte hem niet uit. Hij deed wat hij wilde doen.' Weer die mysterieuze glimlach. 'Moedig en stom, zoals ik al zei.'

De limousine ging van de snelweg af en sloeg links af de Avenue Rio Consulado in en vervolgens de Paseo de la Reforma. Ze reden nu echt de stad in, het centrum van het Distrito Federal, met zijn tweeëntwintig miljoen zielen. Constanza richtte haar blik weer op Bourne en Rebeka.

'*Dios mio*,' zei ze, terwijl ze door de tjokvolle straten van het historische centrum reden, 'hoor me toch over mijn leven ratelen, terwijl ik juist zo nieuwsgierig ben naar jullie levens.'

'Dus,' zei Don Fernando, 'bij wie hoor jij?'

Martha Christiana nam een hap van haar beboterde croissant. 'Waarom zou ik bij iemand moeten horen?'

'Alle vrouwen smachten ernaar om bij iemand te horen.'

Ze nam een slok van haar koffie verkeerd die in een witte porseleinen kop zat ter grootte van een kleine kom. 'Hoe zit dat dan met de onafhankelijke vrouwen?'

'Júíst de onafhankelijke vrouwen!' zei hij met enige geestdrift. 'Onafhankelijkheid moet met iets verbonden zijn, anders heeft ze geen betekenis. Ze staat dan nergens in contrast mee. Ze verwelkt en verbittert.'

Ze zaten aan een ronde tafel met een glazen blad met bewerkte gietijzeren poten. De tafel was één van de misschien tien tafels die op het dakterras stonden van het restaurant dat uitkeek op de drukke haven van Gibraltar en de diepblauwe Middellandse Zee erachter. De lucht was bezaaid met vriendelijk uitziende wolkjes. Een verfrissend windje ging door haar haar. Het was al laat toen ze klaar waren in de kamer van haar moeder die opgesloten leefde in haar eigen geest. Martha wilde graag praten, maar in het begin schaamde ze zich. Later, nadat hij geholpen had om haar moeder in bed te leggen, was haar schaamte tot haar eigen verbazing als sneeuw voor de zon verdwenen.

Ze keek nu op in zijn krachtige, gegroefde, zongebruinde gezicht. Hij zag haar blik en hij spreidde zijn handen. 'Wat? Ik ben de man die van vrouwen houdt.'

'Op dit moment klink je anders niet zo.'

'Dan heb je mij niet goed begrepen.' Hij schudde zijn hoofd. 'Niemand kiest ervoor om alleen te zijn. Niemand wil alleen zijn.'

'Ik wel.'

'Nee,' zei hij kalm, 'dat is niet waar.'

‘Alsjeblieft, zeg me niet wat ik wil.’

‘Mijn excuses,’ zei hij zonder het echt te menen.

De eieren werden gebracht, samen met *patatas bravas* en *salsa verde*. Zwijgend aten ze een tijdje. De spanning tussen hen groeide. Net toen Martha zich realiseerde dat de stilte opzettelijk was, zei hij: ‘Dus bij wie hoor jij?’

Een flauwe glimlach plooide zich rond haar lippen. Ze probeerde die te verbergen door enkele stukjes aardappel in een dooier te dopen en in haar mond te proppen. Nu begreep ze waar dit gesprek over ging en waarom hij haar meegenomen had naar Gibraltar. Ze kauwde bedachtzaam en slikte de hap door.

‘Waarom wil je dat weten, Don Fernando?’

‘Omdat,’ zei hij kalm, ‘jij naar me toe bent gekomen als de engel des doods.’ Hij zag de glinstering in haar ogen, hoewel die zich slechts iets verwijdden. ‘Nu vraag ik me af of we daaraan voorbij zijn.’

‘En als dat niet zo is?’

Hij glimlachte. ‘In dat geval moet je me vermoorden.’

Ze ging achteruit zitten en veegde haar lippen af. ‘Dus je weet het?’

‘Daar lijkt het wel op.’

‘Sinds wanneer?’

Hij haalde zijn schouders op. ‘Vanaf het begin.’

‘En je liet mij m’n gang gaan.’

‘Je intrigeert me, Martha.’

Ze keek hem even onderzoekend aan. Toen begon ze hees te lachen. ‘Het kan niet anders dan dat ik het aan het verleren ben.’

‘Nee,’ zei hij. ‘Je wilt niet langer alleen zijn. Je wilt bij iemand horen.’

‘Ik hoor bij Maceo Encarnación.’

Het was eruit. Ze had de angstaanjagende naam gezegd.

Hij schudde zijn hoofd. ‘Dat, lieve Martha, is een illusie.’

‘Nu ga je mij waarschijnlijk vertellen dat het een illusie is die door Maceo Encarnación gecreëerd is.’

'In feite is het een illusie die jij zelf gecreëerd hebt.' Don Fernando, wetend dat zij van versgeperst sap van bloedsinaasappels hield, schonk haar glas bij. 'Maceo Encarnación bezit die macht niet.' Hij pauzeerde even alsof hij diep nadacht. 'Tenzij jij hem die macht gegeven hebt.'

Hij haalde opnieuw zijn schouders op en keek haar indringend aan. 'Je bent daar te sterk voor. Dat weet ik zeker.'

'Hoe?' zei ze. 'Hoe weet je dat?'

Hij antwoordde haar met zijn ogen.

'Ik heb een aantal jaren een relatie gehad met Maceo Encarnación, na een heel stel...' Ze stond op het punt om te zeggen, na een heel stel mannen die me gebruikt hebben en die ik gebruikt heb, nadat ik uit Marrakech ontsnapt was, maar in plaats daarvan beet ze op haar tong. Ze kon niet praten over die maanden van vernedering, zelfs niet met deze man die ze, dat besefte ze nu, was gaan vertrouwen. Dat was een verbijsterende openbaring, aangezien ze er vrij zeker van was geweest dat ze nooit een man zou kunnen vertrouwen. Inclusief Maceo Encarnación, die haar zo genereus voor haar diensten betaalde, net zoals hij betaald had voor haar opleiding. Je bent een natuurtalent als het op doden aankomt, had hij haar ooit gezegd. Al jouw vaardigheden hoeven alleen maar verfijnd te worden. In hun relatie speelde vertrouwen geen enkele rol. Hun relatie was strikt zakelijk, niet meer, maar ook niet minder. Bleef het feit dat ze nooit overwogen had om hem te bedriegen. Tot nu.

Don Fernando Hererra, de man die tegenover haar zat en die naar het scheen tot in het diepste van haar ziel kon kijken, had alles veranderd. Hij had haar leven op zijn kop gezet, waardoor ze elke regel die zij zichzelf had opgelegd overtrad. Maar bij nadere beschouwing misschien ook niet. Misschien was hij een bode, misschien had hij haar alleen maar de sleutel gegeven. De rest was haar keuze geweest, zoals hij had gesuggereerd. Zij had zelf de deur geopend en zij was zelf in een totaal nieuwe wereld gestapt. Hij had haar niet verteld hoe ze moest handelen of wat ze moest voelen – hij had geprobeerd om haar te vertellen dat zij haar beslissingen al genomen had.

Ze wist zonder het te hoeven vragen dat Don Fernando het zo zag, en daar was ze immens dankbaar voor. Hij was de soort man over wie ze gedroomd had, maar ze had zichzelf ervan overtuigd dat zij die nooit zou ontmoeten, dat hij naar alle waarschijnlijkheid ook niet bestond.

En toch...

Ze wendde haar blik af en keek naar de deinende boten, naar de opgedoekte zeilen, en naar de netten die te drogen hingen op de dekken van de vissersvloot die net teruggekeerd was. De granieten rotsen rezen hoog op uit de zee.

'Toen ik klein was,' zei ze, 'dacht ik altijd dat ik aan het einde van de wereld woonde.' Ze wachtte, bijna bang om verder te gaan. Toen zette ze de volgende stap in de helder verlichte ruimte. 'Ik had ongelijk. Het was het begin.'

16

Constanza Camargo woonde op de hoek van Alejandro Dumas en Luis G Urbina in Colonia Polanco. Bourne keek door de geblindeerde ramen uit op de modernistische, hoekige, kunstmatige vijver midden in Lincoln Park. Voorbij de dikke, geometrische bomenrijen aan de noordzijde lag Castelar Street. Het koloniale huis was warm en comfortabel ingericht en had een gastvrije en door de overvloed aan persoonlijke spullen zelfs een intieme uitstraling. Er stonden foto's en souvenirs ter herinnering aan een half leven van wereldreizen.

'Iemand in deze familie houdt van Indonesië,' zei Bourne, terwijl hij en Rebeka Constanza volgden naar de eetkamer met donkere lambrisering. Het behang in de kamer was donkergroen met een semi-abstract bospatroon. De openslaande deuren gaven toegang tot een binnenplaats die gedomineerd werd door een lindeboom en een betonnen fontein die bestond uit twee dolfijnen die in het midden aan elkaar vastzaten. De vale muren waren begroeid met paarse en roze bougainville.

'Dat ben ik,' zei Constanza. 'Op Java stond ik bij zonsopkomst boven op de Borobudur, het boeddhistische heiligdom. In de namiddag luisterde ik naar de stem van de muezzin die echoënd door de schemerige vallei galmde. Ik was onmiddellijk verliefd.'

Toen ze eenmaal aan de robuuste schragentafel zaten, werden ze omringd door bedienden. Ieder droeg een terrine met stoofpot of een schaal met brood of flessen met tequila, wijn, of bronwater.

Terwijl de lunch op een ordelijke, bijna rituele manier geserveerd werd, zei Constanza met de bekende twinkeling in haar ogen: 'Ik heb jullie mijn levensverhaal verteld, nu zijn jullie aan de beurt.'

'We zijn naar Mexico-Stad gekomen om iemand te zoeken,' zei Bourne voordat Rebeka antwoord kon geven.

'Ah.' Constanza glimlachte. 'Geen vakantie dus.'

'Jammer genoeg niet.'

Ze wachtte, terwijl een bediende iets van de goed gevulde stoofpot van varkensvlees opschepte. 'Mag ik aannemen dat jullie zoektocht urgent is?'

'Waarom gaat u daarvan uit?' vroeg Rebeka.

Constanza keek haar aan. 'Dacht je nu echt dat ik die boosaardige man niet in de aankomsthal heb zien rondspoken? Ik mag dan oud zijn, maar ik ben nog niet achterlijk!'

'Als ik zo oud als u ben, hoop ik dat ik ook nog zo scherp ben,' zei Rebeka.

'Met gevlei kom je overal,' zei Constanza met een knipoog. 'Waarom denk je dat ik jullie een lift heb aangeboden?' Ze boog zich naar hen toe en fluisterde op samenzweerderige toon: 'Ik wil betrokken zijn bij de actie.'

'Actie?'

'Waar jullie ook mee bezig zijn. Waar die boosaardige man jullie ook van wil weerhouden.'

'Nu we er toch geen doekjes meer om winden,' zei Bourne, 'die boosaardige man wil ons vermoorden.'

Constanza keek bezorgd. 'Dat zou ik niet pikken.'

Rebeka schudde haar hoofd. 'U schrikt hier niet van?'

'Na een leven als het mijne,' zei Constanza, 'schrik je nergens meer van.' Ze keek weer naar Bourne. 'Zeker niet van iemand die zegt dat hij in de im- en export werkt. Mijn man heeft jarenlang in dat soort werk gezeten!'

Ze sloeg haar handen in elkaar en was niet langer meer geïnteresseerd in eten, als ze dat al ooit geweest was. 'Dus vertel wat je kunt en ik zal jullie helpen om de persoon te vinden naar wie jullie op zoek zijn.'

‘Zijn naam is Harry Rowland,’ zei Bourne.

‘Of Manfred Weaving,’ voegde Rebeka eraan toe.

‘Valse namen,’ zei Constanza met een vrolijke glinstering in haar ogen. ‘O, ja, ik weet alles van valse namen. Acevedo gebruikte ze heel vroeger toen we naar het buitenland reisden.’

‘Er is iets waardoor we deze man misschien makkelijker kunnen traceren,’ zei Bourne. ‘We denken dat hij voor SteelTrap werkt.’

Constanza kreeg een donkere, bijna onheilspellende blik in haar ogen. Ze keek van de een naar de ander. ‘Dit zal ongetwijfeld overspannen, misschien zelfs wel melodramatisch overkomen. Ik zou willen dat het zo was.’ De ondoorgrondelijke blik in haar ogen verhulde geheimen die het best verborgen konden blijven. ‘Mijn dringende advies is om deze Rowland of Weaving te vergeten. Wat je ook van deze man wil, vergeet hem. Vertrek met het eerstvolgende vliegtuig uit Mexico-Stad.’

Na een rusteloze nacht, waarin Charles Thorne haar achtervolgde door een labyrint van bedompte gangen die stonken naar verdovingsmiddelen en de dood, werd Delia in haar eigen bed wakker met een barstende hoofdpijn die zelfs door drie ibuprofencapsules niet verdreven kon worden. Tegen beter weten in keek ze of Soraya’s verpleegster gebeld had. Ze had één voicemailbericht en twee sms’jes van Amy die zich afvroeg hoe het met haar ging. Amy en Soraya konden niet echt met elkaar opschieten, wat haar veel verdriet deed. Ze had het niet willen geloven, maar Amy was jaloers op de vertrouwelijkheid die zij met Soraya had. Zelfs ondanks het feit dat zij Amy verzekerd had dat er geen fysieke component aan hun vriendschap zat en dat Soraya volslagen hetero was, geloofde Amy haar niet. Ik heb alle artikelen gelezen over hoe ongeremd homoseksualiteit in de Arabische wereld is, had Amy op een van haar mindere momenten gezegd. ‘Het moet allemaal buiten het zicht van de wereld gehouden worden, het is allemaal sub rosa, wat de drang alleen maar sterker maakt.’ Niets van wat Delia zei kon Amy van haar mening afbrengen, dus probeerde ze dat ook maar niet meer. Geleidelijk aan werd Soraya geen onderwerp van gesprek meer.

Nadat ze zich had gedoucht en aangekleed, at ze iets bij een McDrive. Qua smaak had ze net zo goed de kartonnen verpakking kunnen opeten.

Op haar werk probeerde ze uit te vinden hoe een ultra-ingewikkeld ontploffingsmechanisme in elkaar zat. Toen ze op haar horloge keek, waren er twee uren voorbij. Ze stond op, rekte zich uit en kuierde door het laboratorium om haar hoofd helder te krijgen.

Het had geen zin. Haar gedachten en haar groeiende kwaadheid jegens Charles Thorne bleven haar beheersen. Natuurlijk bleef Soraya haar eerste zorg, maar ze snapte totaal niet waarom haar vriendin zich tot dat monster aangetrokken voelde. *Misschien is het iets heteroseksueels*, dacht ze. Die gedachte amuseerde haar, maar stemde haar tegelijkertijd bitter. Hij had haar vernederd. Erger nog, zij had zich door hem laten vernederen.

Ze ging terug naar haar werkplek, maar ze kon zich niet meer concentreren. Ze pakte haar overjas en ging terug naar het ziekenhuis. Op de een of andere manier leek het haar belangrijk dat zij dicht bij Soraya was, zeker nu ze buiten bewustzijn en kwetsbaar was.

Ze was al moe en hongerig toen ze door de hal naar de intensivecareafdeling liep, en toen Soraya's verpleegster haar verzekerd had dat Soraya's toestand onveranderd was, ging ze naar de kantine in de kelder. Ze laadde haar blad vol met een allegaartje aan gerechten en een glas water en ging, nadat ze betaald had, aan een tafeltje zitten. Ze at, terwijl ze de klok aan de muur in de gaten hield. Haar gedachten waren bij haar vriendin. Ze hoopte dat zij met elke ademhaling dichter bij genezing kwam.

Lieve Heer, dacht ze, *blijf bij Raya, behoed haar voor onheil, zorg dat het goed gaat met haar en de baby.*

Haar ogen begonnen te branden en haar huid voelde als perkament. Dat kwam waarschijnlijk door de droge ziekenhuislucht. Ze wist dat ze niet moest blijven zitten, dat ze een blokje om moest gaan, maar iets weerhield haar daarvan. Ze wachtte op het geluid van haar telefoon... ze wachtte op goed nieuws.

En eindelijk gebeurde het. Haar mobiele telefoon trilde. Ze sprong op en luisterde naar de verpleegster terwijl ze al op weg naar boven was. Haar hart klopte in haar keel. Het wachten op de lift duurde haar te lang, dus ging ze naar het trappenhuis en sprintte met twee treden tegelijk de trap op, terwijl ze alleen maar dacht: kom op, Raya, hou vol!

Ze drukte op de grote vierkante knop van de automatische deuren en ging de intensivecareafdeling binnen. Aan beide kanten van een breed, centraal middenpad waren nissen van waaruit allerlei biepjes, fluitjes en zuchtgeluiden klonken van de machines die de intensivecarepatiënten in leven, en in sommige gevallen aan het ademen hielden.

Ze haastte zich langs de patiënten met brandwonden en de hartpatiënten. Soraya's nis was de laatste aan de rechterkant. Haar verpleegster, een jonge vrouw met strak achterovergekamd haar, keek Delia met een meelevende blik aan. 'Ze is wakker,' zei de verpleegster als reactie op de intens bezorgde blik van Delia. 'De vitale functies zijn stabiel. Dokter Santiago en een van zijn collega's zijn bij haar geweest. Ze leken tevreden met de vooruitgang van de patiënt.'

Delia had het gevoel alsof ze op hete naalden liep. 'Wat is de prognose?'

'De doktoren zijn voorzichtig optimistisch.'

Delia haalde opgelucht adem. 'Dan is ze dus buiten levensgevaar?'

'Dat denk ik wel, ja.' De verpleegster produceerde een professioneel glimlachje, waar niets uit af te lezen viel. 'Hoewel ze nog een lange weg heeft om te gaan, heeft ze een opmerkelijke vooruitgang geboekt.'

'Ik wil naar haar toe,' zei Delia.

De verpleegster knikte. 'Verg alstublieft niet te veel van haar. Ze is nog steeds erg zwak en haar lichaam werkt voor twee.'

Toen de zuster weg wilde gaan, vroeg Delia: 'Is er nog iemand anders voor haar geweest?'

'Ik heb u gebeld meteen nadat de doktoren klaar waren met hun onderzoek.'

'Dank u,' zei Delia uit de grond van haar hart.

De verpleegster knikte. 'Bel maar als u me nodig hebt.' Ze wees. 'Ik ben in mijn monitorruimte.'

Delia knikte. Ze deed het gordijn opzij en ging naar binnen. Soraya was verbonden met een verbijsterende hoeveelheid machines. Ze zat rechtop in het hoge ziekenhuisbed. Haar gezicht klaarde aanzienlijk op toen ze Delia zag.

'Deel,' zei ze, en ze tilde haar hand op zodat haar vriendin hem kon pakken. Ze sloot haar ogen even toen ze de warmte van Delia's hand voelde. 'Ik ben voor de poorten van de hel weggesleept.'

'Dat hebben de doktoren me gezegd, ja.' Delia's glimlach was oprecht. Raya zag er veel beter uit dan toen ze op de recovery lag. Haar wangen hadden weer een rozige kleur en zagen er gelukkig niet meer zo vaalbleek uit. 'Het is allemaal behoorlijk heftig geweest, maar het ergste is nu voorbij. Dat weet ik zeker.'

Soraya glimlachte en Delia barstte in tranen uit.

'Wat is er? Deel, wat is er?'

'Dat is je oude glimlach weer, Raya. De glimlach die ik ken en waar ik zoveel van hou.' Ze boog zich voorover en kuste haar vriendin liefdevol op beide wangen. 'Nu weet ik dat ik mijn beste vriendin terug heb. Alles zal weer goed komen.'

'Kom bij me zitten,' zei Soraya.

Delia ging op de rand van het bed zitten en bleef de hand van haar vriendin vasthouden.

'Ik heb aan één stuk door gedroomd, Deel. Ik droomde dat ik met Amun in Parijs was en dat hij niet vermoord was. Ik droomde dat ik met Aaron was. En ik droomde dat Charlie hier was.' Ze keek Delia aan met een blik die alweer behoorlijk helder was. 'Is Charlie nog hier, Deel?'

'Nee, hij is weggegaan.' Delia's blik dwaalde even af. 'Hij zei dat de baby alles anders maakte en dat hij jou in zijn leven wilde houden.'

'Met andere woorden, je hebt je in hem vergist.'

'Ik denk het.' Ze was niet van plan om Soraya te vertellen dat Thorne haar bedreigd had.

'Mooi. Dat is fijn.' Soraya kneep in haar hand. 'Je hebt precies gedaan wat ik wilde dat je zou doen.'

'Wat?' Delia keek op.

Soraya liet een berouwvolle glimlach zien. 'Ik heb je gebruikt, Deel. Voordat ik in elkaar stortte, ben ik bij hem geweest, maar wat ik wilde, vervulde me met zoveel walging, dat ik het hem niet kon vertellen. Ik had jou nodig om dat voor mij te doen.' Ze kneep in de hand van haar vriendin. 'Niet boos zijn.'

'Hoe zou ik boos op jou kunnen zijn?' Delia schudde haar hoofd. 'Maar ik begrijp het niet.'

Soraya gebaarde. 'Kun je me wat ijswater geven?'

Delia stond op, schonk water in een plastic beker en gaf hem aan Soraya die gulzig begon te drinken.

Ze gaf de lege beker terug en zei: 'Ik moet Charlie op de een of andere manier aan mij gebonden zien te houden.'

'Nogmaals, ik begrijp het niet.'

Soraya lachte zacht en legde een hand op haar buik. 'Kom hier, Deel. Ik kan de baby voelen bewegen.'

Delia boog zich voorover en legde haar hand naast die van Soraya. Toen ze de baby voelde schoppen, begon ze ook te lachen. Ze zakte weer terug in haar stoel. 'Oké, Raya, het is tijd om me te vertellen hoe jij, ik en Thorne met elkaar in verband staan.'

Soraya keek haar even onderzoekend aan. Uiteindelijk zei ze: 'Mijn relatie met Charlie is anders dan hoe ik jou heb laten geloven.'

Delia schudde sprakeloos haar hoofd.

'Het is puur zakelijk.'

'Jouw affaire met hem was puur zakelijk?' Delia voelde de schok in haar hele lichaam. 'Hou je me nu verdomme voor de gek?'

'Ik wou dat het waar was.' Soraya zuchtte. 'Het was de reden waarom ik aanvankelijk met hem aanpapte.' Ze glimlachte.

'Meer is er niet te vertellen. Ik voel me zo schuldig dat ik je op die manier gebruikt heb.'

'Jezus, nee, Raya...' Dingen die ze eerst niet had kunnen plaatsen, begonnen nu duidelijk te worden. 'Eerlijk gezegd heb ik nooit kunnen begrijpen wat je in hem zag.'

'Geheimen, Deel. Geheimen. Ze beheersen mijn leven. Dat weet je toch.'

'Maar dit. Met hem naar bed gaan omdat...'

'Het is een eeuwenoude traditie. Vraag het Cleopatra. Lucretia Borgia, en Mata Hari.'

Delia bekeek haar vriendin nu met heel andere ogen. 'En de baby?'

Soraya's ogen schitterden. 'Is niet van hem.'

'Wacht, wat? Maar je vertelde me...'

'Ik weet wat ik je verteld heb, Deel. Maar het is voor mij belangrijk dat Charlie gelooft dat de baby van hem is.' Ze streek over haar buik. 'De baby is van Amun.'

Delia voelde zich verward, alsof ze haar houvast verloren had in deze nieuwe, mysterieuze werkelijkheid die Soraya stukje voor stukje aan haar onthulde. 'En wat als hij om een vaderschapstest vraagt?'

'En wat als ik zijn vrouw over ons vertel?'

Delia keek Soraya verbaasd aan. 'Raya, je jaagt me de stuipen op het lijf.'

'O, Deel, dat wil ik helemaal niet. Je bent mijn vriendin. We zijn hechter dan zussen met elkaar. Zelfs Peter weet niet wat ik je verteld heb. Alsjeblieft, probeer het te begrijpen.'

'Ik wil het begrijpen, Raya. Echt. Maar dit bewijst dat je iemand nooit echt kent ook al denk je dat je ontzettend hecht bent met elkaar.'

'Maar we zijn hecht, Deel.' Ze stak haar hand uit. 'Luister naar mij, vanaf het moment dat ik uit Parijs terugkwam, ben ik gaan beseffen dat er meer in het leven is dan geheimen. Maar meer heb ik niet, echt niet.' Ze lachte. 'Behalve jou, natuurlijk.' Ze werd meteen weer serieus. 'Maar door mijn zwangerschap ben ik gaan nadenken. Als ik de baby als wapen gebruik tegen

Charlie is dat gruwelijk. Ik voel me voor het eerst in mijn leven smerig, alsof ik een grens gepasseerd ben die me misselijk maakt. Ik kan mijn kind niet op deze manier gebruiken. Ik wil dat niet voor hem. Ik wil dit leven niet voor hem. Hij verdient meer dan schaduwen, Deel. Hij verdient het zonlicht en kinderen van zijn eigen leeftijd. Hij verdient een moeder die niet altijd over haar schouder kijkt.'

Delia boog zich naar haar toe en gaf haar een kus op de wang. 'Dit is goed, Raya. Vanaf het moment dat je me over de baby vertelde, hoopte ik dat je tot deze conclusie zou komen.'

Soraya glimlachte. 'Nou, dat ben ik.'

'Je moet het Peter wel vertellen.'

'Dat heb ik min of meer al gedaan.'

'Echt? Hoe nam hij het op?'

'Zoals Peter is. Hij is zo rationeel. Hij begrijpt het.'

Delia knikte. 'Hij is een goede kerel.' Ze keek bezorgd. 'Wat ga je Thorne vertellen?'

'Helemaal niets. Ik hoef jou niet te vertellen hoe Charlie is.'

Delia dacht met een rilling van afschuw terug aan het verschrikkelijke, vernederende gesprek dat culmineerde in het moment dat hij zich in zijn kruis greep en zei: 'Je weet niet wat je mist.'

Ze wilde haar vriendin vertellen wat Thorne gedaan had, hoe hij haar mobiele telefoon gehackt had en opnames had gemaakt van de amoureuze voicemails die Amy voor haar had ingesproken, maar ze beet op haar tong. Ze wilde Soraya niet overstuur maken, niet zolang ze was zoals nu en niet nu Soraya op het punt stond om aan een nieuwe fase van haar leven te beginnen en ze alle shit achter zich wilde laten.

In plaats daarvan glimlachte ze en verbeet haar bitterheid jegens Thorne. Ze zei: 'Nee, ik heb hem de afgelopen dagen veel beter leren kennen.' Ze zoende Soraya op haar wang. 'Maak je niet ongerust. Jouw geheimen zijn veilig bij mij.'

'Aangezien ik weet dat je mijn advies toch niet zult aannemen,' zei Constanza tegen Bourne, 'heb ik geen andere keuze dan jullie te helpen.'

‘Natuurlijk hebt u een keuze,’ zei Rebeka.

Constanza schudde langzaam haar hoofd. ‘Je hebt nog steeds geen idee wat het leven hier inhoudt. Het leven wordt bepaald door het lot. Enkel en alleen door het lot. Dit kan niet verklaard of begrepen worden, behalve misschien in het licht van de geschiedenis. Ik zal jullie een verhaaltje vertellen.’

La comida was eindelijk afgelopen en ze waren naar haar prachtige, pronkerige woonkamer gegaan met de ebbenhouten lambrisering die herinneringen opriep aan rijke en vervlogen tijden. Ze zat met haar handen in haar schoot in haar rolstoel. Terwijl ze sprak, leken de jaren te vervagen en openbaarde zich de magnifieke, opwindende schoonheid die zij ooit geweest was.

‘Maceo Encarnación heeft mij niet alleen het leven van mijn man gekost, maar ook mijn benen. Dat gebeurde zo.’ Ze pakte een platte, zilveren doos en knipte hem open. Nadat ze hun er een sigaartje uit aangeboden had, nam ze er zelf ook eentje uit. Manny, die nooit van haar zijde week, stak hem voor haar aan. ‘Ik hoop dat jullie het niet erg vinden dat ik rook,’ zei ze op een toon waaruit duidelijk bleek dat ze niet van plan was om het niet te doen.

Ze zat even bedachtzaam te roken voordat ze verderging. ‘Zoals ik al zei, is het leven in Mexico onlosmakelijk verbonden met de kringloop van het lot. Passie is ook belangrijk – we zijn niet voor niets Latijns-Amerikaans! – maar als het erop aankomt staat passie het lot in de weg. Acevedo kwam erachter toen hij zijn drugsbazenbestaan vaarwel zei en de politiek inging. Hij was voorbeschikt om een drugsbaron te zijn – dat was zijn roeping. Hij liet dat bestaan achter zich en dat werd zijn dood.

Ik had van zijn fout moeten leren, maar de waarheid was dat mijn verlangen om wraak te nemen mij verblindde. Het dreef mij weg van mijn lotsbestemming en uiteindelijk kostte het mij m’n benen. Dit is wat er gebeurde: nadat Acevedo doodgeschoten was, haalde ik een groep mannen bij elkaar, Colombianen die hun bestaan, zelfs hun levens, aan Acevedo te danken hadden. Ze kwamen hier bij elkaar en op mijn aanwijzing gingen ze op pad om het miserabele leven van Maceo Encarnación te beëindigen.'

Ze nam een trek van haar sigaartje. Er kringelde rook vanaf als van een net afgevuurd pistool. 'Ik was stom. Ik had de macht van Maceo Encarnación fout ingeschat. Liever gezegd, ik had zijn macht onderschat. Hij wordt beschermd door een mystieke, bijna goddelijke macht. Acevedo's getrouwen werden onthoofd. Daarna ging hij in hoogsteigen persoon achter mij aan.'

Ze sloeg met haar vuist op haar nutteloze benen. 'Dit is het resultaat. Hij vermoordde me niet. Waarom niet? Tot op de dag van vandaag weet ik daar het antwoord niet op. Waarschijnlijk vindt hij het feit dat ik als een invalide door het leven moet een passender straf dan de dood. Maar het is nog waarschijnlijker dat het slechts een staaltje pure wreedheid was.'

Ze maakte een wegwerpgebaar alsof de reden waarom ze nog in leven was onbelangrijk was. 'Dit verhaal is bedoeld als waarschuwing, meneer Moore, het is geen poging om medelijden op te roepen.' Ze keek naar Rebeka. 'Maar je begrijpt nu misschien wel hoe de kringloop van het lot werkt. Het heeft jullie bij mij gebracht, of mij bij jullie, en daar is een reden voor. Het lot en mijn verlangen naar wraak komen nu samen. Het heeft me de wapens gebracht die ik nodig heb, Rebeka, omdat ik absoluut niet geloof dat jij de vrouw van meneer Moore bent...' Ze glimlachte. 'Zoals ik ook niet geloof dat zijn naam Moore is.' Haar blik gleed nu terug naar Bourne. 'Meneer Moore, u zou uw vrouw nooit om de reden die u noemde mee naar Mexico nemen, net zomin als dat u uw vrouw het hok van een tijger in zou laten gaan.'

Ze zwaaide waarschuwend met haar wijsvinger. 'En vergis u niet, als u achter Maceo Encarnación aan gaat, begeeft u zich in het territorium van de tijger. Er zal geen genade zijn, geen tweede kans, alleen, als u geluk hebt, de dood.' Ze drukte haar sigaartje uit. 'Maar als u erg veel geluk hebt en buitengewoon slim bent, verlaat u het tijgerterritorium met wat u en ik willen.'

17

Tulio Vistoso arriveerde in Washington D.C. met een hoofd vol bezorgdheid en een hart vol moordneigingen. Het moet voor Florin Popa toch niet zo moeilijk geweest zijn, dacht hij, om, wat hij zo slim verdonkeremaand had op het steile, verraderlijke pad langs de Cañon del Sumidero net buiten Tuxtla Guttiérez en vervangen door ontraceerbare, valse biljetten, veilig te stellen. En toch had Popa gefaald, en zijn leven was voorbij als hij Don Maceo en zijn vervloekte, almachtige klanten niet binnen zesendertig uur gerust zou kunnen stellen.

Hij was nog steeds aan het foeteren op de kolossale puinhoop die was aangericht, toen hij bij de Dockside Marina aankwam. Op de Cobalt krioelde het van de agenten. Hij realiseerde zich met een schok dat het geen gewone agenten waren. Het waren federale agenten! Hij kon ze op een kilometer afstand ruiken. Ze bewogen net zo behoedzaam als een span trekpaarden. Hij keek ontsteld toe. De boot werd goed bewaakt en de omgeving was afgezet met geel tape.

Christene zielen, wat was er in hemelsnaam gebeurd? Hij keek onwillekeurig om zich heen, alsof Popa ergens in de buurt rond zou hangen. Waar was Popa in godsnaam, vroeg Don Tulio zich af, terwijl de moed hem langzaam in de schoenen zonk. Was Popa er met de dertig miljoen vandoor? Don Tulio's dertig miljoen. Dat idee benauwde hem. Of hadden de federale agenten het geld? Was Popa door hen gevangengenomen? Hij begon met trillende vingers als een razende sms'jes te sturen aan zijn mensen met de mededeling dat ze zo snel mogelijk de dertig miljoen terug moesten zien te halen.

De Azteek wilde zich wel de haren uit zijn kop trekken. Zijn hoofd tolde van de onheilspellende mogelijkheden van wat er gebeurd kon zijn, maar een laatste restje werkelijkheidszin voorkwam dat hij rare dingen ging doen. In plaats daarvan draaide hij zich om en beende weg. Hij veegde met een hand langs zijn voorhoofd. Ondanks de kou, zweette hij als een otter.

Hij zag hoe iemand zijn auto op het parkeerterrein parkeerde. De jonge man die uitstapte, liep langs Don Tulio. Hij haastte zich over de loopplank naar aanlegplaats 31. De Azteek voelde dat er iets vreemds aan de hand was en draaide zich om. Het was duidelijk dat de federale mieren die op het dek krioelden, kropen voor de nieuw aangekomene: *el jefe*. Dat interesseerde Don Tulio zozeer, dat hij in plaats van ervandoor te gaan, besloot om zo onopvallend mogelijk rond te blijven hangen. Dit betekende dat hij ook de loopplank af liep naar de aanlegsteigers. Hij koos een verlaten boot die zo ver mogelijk van de *Recursive* af lag, klom aan boord en deed alsof hij druk met iets bezig was, terwijl hij onderwijl de nieuwkomer in de gaten hield.

Doordat het in de jachthaven erg rustig was en doordat het water de stemgeluiden meevoerde, kon hij flarden van het gesprek opvangen. Zo begreep hij dat el jefe Marks heette. Hij keek om en zag dat de wagen van Marks een witte Chevy Cruze was. Hij stapte van boord en liep rustig naar het parkeerterrein waar hij vlug het kenteken van de Cruze op een papiertje schreef. Terug op de boot richtte hij zijn aandacht op Marks zelf en overdacht hij zijn volgende stappen.

Hij wist uit ervaring dat je je beter meteen tot de baas van je vijanden kon richten dan dat je je van onderaf een weg omhoogwerkte. Maar een treffen met federale agenten, zeker op hun eigen terrein, was een riskante aangelegenheid die tot in detail overdacht moest worden. Dat wist Don Tulio maar al te goed. Hij wist ook dat hij maar één mogelijkheid kreeg op een confrontatie met jefe Marks, dus daar moest hij het beste van zien te maken. Het gevaar van zo'n actie verontrustte hem niet;

hij leefde elke dag van zijn leven met gevaar. Dat was al zo geweest vanaf dat hij tien jaar oud was en de straten van Acapulco onveilig maakte. Hij hield van de zee, al lang voordat hij een klifduiker werd die voor geld indruk probeerde te maken op gringo's. Hij sprong van de hoogste kliffen, dook het diepste, en bleef het langste onder water. Het woelige water was als een vader en moeder voor hem en het gaf hem een rustig gevoel dat hij nergens anders kon vinden.

Hij werd de koning van de duikers en incasseerde een deel van hun verdiensten. Dat zou zo eindeloos door hebben kunnen gaan, ware het niet dat een gringo-toerist hem beschuldigde van het feit dat hij met zijn tienerdochter geneukt had. Dat de gringa er zelf op aangestuurd had, was onbelangrijk, afgezet tegen de immense rijkdom van haar vader en de wanhopige wil van de autoriteiten om Acapulco een toeristische bestemming van wereldklasse te laten blijven.

Hij wist ternauwernood aan de politie te ontkomen, vluchtte naar het noorden en dook onder in de gigantische stedelijke uitgestrektheid van Mexico-Stad. Maar hij vergat niet hoe de gringo zijn leven verwoest had, want hij hield van de oceaan en hij miste zijn oude leventje ontzettend. De jaren vergleden en er begon zich een nieuw leven om hem heen te weven. Als eerste maakte hij kennis met het anarchisme. Toen hij ouder was, richtte hij zijn woede op de institutionele corruptie en gebruikte hij extreem geweld tegen iedereen met een vaste baan. Maar uiteindelijk werd hij slim en sloot hij zich aan bij een drugskartel. Hij schuwde geen middel om zich een weg in de hiërarchie omhoog te banen. Dit maakte indruk op zijn superieuren, maar dat stopte abrupt op het moment dat hij zijn aanhangers opdracht gaf om de hoofden van zijn bazen met machetes af te hakken.

Vanaf dat bloedige moment was hij el jefe. Hij vergrootte zijn macht door toenadering te zoeken tot de andere kartelhoofden. Hij voelde zich niet op zijn gemak in de maatschappij. Hij wist niet hoe hij zich in de diepe en verraderlijke politieke wateren van de hoofdstad moest bewegen. Daarom sloot hij een verbond met Maceo Encarnación. Dat pakte voor hen beiden goed uit.

De Azteek deed weer alsof hij druk bezig was, terwijl hij probeerde op te vangen wat er gezegd werd. Hij ontdekte dat Popa dood was. Jefe Marks had hem gedood, waarna hij bij toeval de sleutel ontdekt had. De verdomde sleutel, dacht Don Tulio met een heftigheid die in al zijn vezels voelbaar was. Hij heeft de verdomde sleutel. Maar toen hij even rustig nadacht, klampte hij zich vast aan de hoopgevende gedachte dat Marks de verdomde sleutel misschien wel had, maar dat dat nog niet betekende dat hij ook de dertig miljoen had. Deze gedachte werd gevolgd door een tweede hoopgevende gedachte. Als de federale agenten het geld hadden, waarom onderzochten ze de boot dan zo fanatiek?

Kokend van woede rolde hij voor de zoveelste keer een touw op. Toen hij zag dat de agenten aanstalten maakten om ermee op te houden, ging hij de kajuit binnen, waar hij geduldig bleef wachten. Hij bestreed de verveling door de klinknagels in het dek te tellen. Toen de agenten de *Recursive* verlieten en naar het parkeerterrein liepen, zag hij hun schaduwen langsglijden. Hij luisterde naar het starten van de wagens. Toen hij ze hoorde wegrijden, wist hij dat hij tevoorschijn kon komen.

Hij keek naar de *Recursive*. Hij zag niemand, maar hij weerstond de drang om aan boord te gaan. Hoewel de uren die hem nog restten genadeloos wegtikten, wist hij dat het stom zou zijn om alles te riskeren door naar de *Recursive* toe te gaan zolang het nog licht was. Het was veel beter om geduldig te zijn en te wachten totdat het donker was. Hij ging terug naar de boot, ging op het dek liggen en viel meteen in een diepe, ongestoorde slaap.

'Manny komt jullie om middernacht ophalen,' zei Constanza.

Nadat zij hun welterusten gewenst had, trokken Bourne en Rebeka zich terug in twee naast elkaar liggende slaapkamers in de gastenvleugel van het huis. Maar bijna onmiddellijk verscheen Rebeka in de deuropening van zijn kamer.

'Ben je moe?' vroeg ze.

Bourne schudde zijn hoofd.

Ze liep langs hem heen naar binnen, ging met de armen om zich heen geslagen bij het raam staan en keek neer op de binnenplaats. Bourne ging naast haar staan. De wind suisde door de palmbomen. In een sprankje maanlicht zagen ze de blaadjes van de lindeboom bewegen.

'Jason, denk jij ooit na over de dood?' Toen hij niet reageerde, ging ze verder. 'Ik denk er de hele tijd aan. Misschien ligt het gewoon aan deze plaats. Mexico-Stad lijkt doordrenkt van de dood. Het bezorgt me koude rillingen.'

Ze draaide zich naar hem om. 'Wat als we morgen niet overleven?'

'Dat gebeurt niet.'

'Maar wat als dat wel gebeurt?'

Hij haalde zijn schouders op.

'Dan sterven we in duisternis,' zei ze als antwoord op haar eigen vraag.

Ze huiverde. 'Sla je armen om me heen.' Toen hij haar stevig in zijn armen nam, zei ze: 'Waarom voelen wij diep vanbinnen niet hetzelfde als wat andere mensen voelen? Gevoelens glijden van ons af zoals water afglijdt op water. Wat is er met ons aan de hand?'

'We kunnen doen wat we doen,' zei Bourne zacht, 'alleen maar omdat we zijn wat we zijn.' Hij keek op haar neer. 'We kunnen niet meer terug. Er is maar één uitweg uit het leven dat wij leiden. Als je, zoals wij, goed bent in wat je doet, wil je die uitweg niet nemen.'

'Houden we dan zoveel van wat we doen?'

Hij zweeg veelbetekenend.

Hij hield haar vast totdat Manny zijn komst met een discreet klopje op de half openstaande deur aankondigde.

'Zijn naam is onbelangrijk,' zei Manny, terwijl hij hen door de helverlichte straten van Mexico-Stad reed. 'Hij staat bekend onder de naam *el Enterrador*.' De doodgraver.

'Is dat niet een beetje extreem?' zei Rebeka vanaf de pluche achterbank van de gepantserde Hummer.

Manny keek naar haar in de achteruitkijkspiegel en ontblootte lachend zijn tanden. 'Wacht maar tot u hem ontmoet hebt.'

Ze zagen in de verte in de flikkering van zwaailichten politiewagens in een halve cirkel op de weg staan. Het schijnsel van de koplampen verlichtte een zestal agenten dat met knuppels insloeg op een stuk of tien tieners die bewapend waren met stiletto's en kapotte bierflessen.

'Een gewone doordeweekse nacht in Mexico-Stad,' zei Manny zonder merkbare ironie.

Ze reden door de Zona Rosa en het historische centrum, en verder door de ogenschijnlijk eindeloze uitgestrektheid van een stad die zijn tentakels als een octopus over de hoogvlakte uitstrekte, in de richting van de dreigende vulkaan Popocatépetl, die als een oude Azteekse god boven alles uittorende.

Ze zagen branden, straatbendes die elkaar bestookten, en wraakzuchtige knokpartijen. Uit nachtclubs klonken rauwe gringo-technomuziek en inheemse *ranchera*-klanken. En af en toe hoorden ze een schot. Ze werden keer op keer gepasseerd door luidruchtige, gepimpte wagens vol dronken tieners. *Cumbia* en rap dreunden uit zelfgemaakte speakers. Een nachtmerriescenario zonder einde.

Maar uiteindelijk bereikten ze Villa Gustavo a Madero. Manny remde af en zachtjes rolden ze door de donkere, slapende straten naar het centrum van de stad binnen de stad. In de verte staken boomkruinen zwart af tegen de onduidelijke, fonkelende horizon. Het was net een prehistorische wereld, totdat ze via met bomen omzoomde achterafweggetjes het binnenste van het hart bereikten: de Cementerio del Tepeyac.

'Natuurlijk,' zei Rebeka om de bijna ondraaglijke spanning te breken. 'Waar anders zou el Enterrador uithangen dan op een begraafplaats.'

Maar Manny bracht hen niet naar een van de grafkelders, maar naar de Basilica de Guadelupe. Het openen van de deur van de basilica kostte hem geen moeite en hij ging hen voor naar binnen.

Het ongelofelijk ingewikkeld en subtiel geschilderde interieur was oogverblindend. De sierlijke kroonluchters verlichtten de talloze cherubijnen die overal aan het gewelfde plafond hingen. Manny bleef vlak bij de deuropening staan en gebaarde dat ze door het middenpad verder moesten lopen. Ze hadden het altaar nog lang niet bereikt, toen er iemand verscheen: een man met een puntbaard en een snor. Zijn donkere ogen leken zich door hun kleren, zelfs door hun huid te boren, alsof ze rechtstreeks in hun harten konden kijken.

Hij had de bleekheid en de uitstraling van een geest, en hij sprak zo zacht dat Bourne en Rebeka wel naar voren moesten buigen om te kunnen horen wat hij zei.

'Jullie komen van Constanza Camargo.' Het was geen vraag. 'Volg mij.'

Toen hij zich omdraaide, schoof hij de wijde mouwen van zijn kerkelijke gewaad omhoog waardoor zijn onderarmen zichtbaar werden. Aderen lagen als kabels op de huid die bezaaid was met tatoeages van doodkisten en grafzerken. Prachtig, maar tegelijkertijd ook angstaanjagend.

Volgens zijn feilloze innerlijke klok was het bijna 4 uur in de morgen toen de Azteek wakker werd. Hij had honger. Niets aan te doen. Er waren dertig miljoen redenen om het knagende hongergevoel in zijn maag te negeren. Hij vond een waterdichte zaklantaarn en nam die mee aan dek.

Buiten leek de glinstering van Washington ver weg te liggen. Don Tulio keek naar de *Recursive*. Er was niemand te zien. In feite leek de hele jachthaven verlaten. Toch bleef de Azteek nog op de boot staan en luisterde naar de nachtelijke geluiden – het gekabbel van golfjes tegen scheepsrompen, het gekraak van masten, en het tinkelende geluid van tuigage – het waren de normale geluiden in een jachthaven. Don Tulio luisterde nog intenser of hij ook afwijkende geluiden hoorde – het gedempte geluid van een voetstap, het onderdrukte geluid van stemmen, alles wat wees op de aanwezigheid van mensen.

Hij was pas tevreden, toen hij niets hoorde. Hij klom op de

steiger en keek eerst naar het gebouwtje van de havenmeester. Daarna liep hij stil en snel naar aanlegplaats 31 en stapte aan boord van de *Recursive*.

Hij ging meteen naar de tweede stootrand aan stuurboordkant en voelde eronder. Het nylonkoord zat er nog steeds! Met bonzend hart haalde hij het touw op. Het gewicht voelde precies zoals dat zijn moest; met elke decimeter dat hij het touw binnenhaalde, raakte hij er meer van overtuigd dat zijn dertig miljoen veilig aan het uiteinde van het touw vastzat.

Maar toen hij het touw helemaal opgehaald had en hij de zaklantaarn aanknipte, zag hij dat er een loden gewicht aan het eind vastgebonden was.

'Bent u hiernaar op zoek?'

Don Tulio draaide zich snel om. Hij zag jefe Marks de waterdichte tas omhooghouden. De tas was leeg, de dertig miljoen en zijn leven waren foetsie. Overmand door een laatste golf moordzuchtige woede, wierp hij zich op zijn kweller. De explosie die hij hoorde, deed zijn trommelvliezen bijna knappen. Hij voelde de kogel door zijn linkerbiceps gaan, maar hij bleef als een dolle stier doorgaan en trok Marks met zich mee over de reling. Ze verdwenen onder water. Het koude, zwarte water benam hun beiden de adem.

'Chinatown? Echt?' Charles Thorne zat aan de formicatafel tegenover de grote, slanke man, die gekleed was in een glanzend, Chinees pak. Het was een niet al te beste imitatie van de Amerikaanse stijl.

'Probeer de moo goo gai pan,' zei Li Wan, terwijl hij met zijn eetstokjes gebaarde. 'Dat is echt heel lekker.'

'Jezus, het is vier uur 's ochtends,' zei Thorne met een nors gezicht. Het had geen zin om Li te vragen hoe hij het voor elkaar kreeg dat een restaurant voor hem openbleef tot in de late uurtjes van de nacht als er niets meer, zelfs de katten niet, in de straten van Chinatown rondzwierf. 'Trouwens, het is niet eens een echt Chinees gerecht.'

Li Wan haalde zijn schouders op. 'In Amerika wel.'

Thorne schudde zijn hoofd, haalde zijn eetstokjes uit het papieren zakje, en tastte toe.

'Ik veronderstel dat je vlees met zenen en vismagen verwachtte,' zei Li met een zichtbare huivering.

'Beste vriend, je bent te lang in Amerika.'

'Ik ben ín Amerika geboren, Charles.'

Thorne likte zijn eetstokjes af. 'Dat is precies mijn punt. Je hebt vakantie nodig. Ga terug naar je vaderland.'

'China is niet míjn vaderland. Ik ben hier in D.C. geboren en opgegroeid.'

Li, een prominente advocaat op het gebied van het intellectueel eigendomsrecht, was afgestudeerd aan de Georgetown University, wat hem tot een rechtgeaard Amerikaan maakte. Maar toch vond Thorne het leuk om hem af en toe op stang te jagen; het was onderdeel van hun relatie.

Thorne keek bedenkelijk. Ondanks wat Li gezegd had, vond hij de moo goo gai pan helemaal niet lekker. 'Als buitenstaander ben je anders op de hoogte van een verschrikkelijke hoop geheimen van de Chinezen.'

'Wie zegt dat ik een buitenstaander ben?'

Thorne keek hem bedachtzaam aan, voordat hij een passerende ober aanhield. Die stopte en ging voor hem staan met het air van iemand die ondanks het late uur betere dingen te doen had. Thorne pakte de beduimelde plastic menukaart op en bestelde General Tso's kip. 'Extra knapperig,' zei hij. Het was twijfelachtig of de ober hem hoorde, of dat hem dat, als dat wel het geval was, iets uitmaakte, totdat Li hem aansprak in het Kantonees zoals alleen een Chinees dat kon, het Kantonees dat je ballen deed verschrompelen. Weg was de ober, alsof Li zijn achterwerk in de fik had gestoken.

Nadat Li voor hen beiden chrysantenthee ingeschonken had, zei hij: 'Echt, Charles, na al die jaren zou het je sieren als je én Kantonees én Chinees zou leren.'

'Wat? Omdat ik dan obers in Chinatown kan intimideren? Dat is het enige waar het tegenwoordig goed voor is.'

Li keek hem met zijn bekende ondoorgrondelijke blik aan.

'Dat doe je opzettelijk,' klaagde Thorne. 'Dat weet je heel goed. Ik heb je wel door.'

De ober bracht een schaal met General Tso's kip en nadat hij Li een vragende blik had toegeworpen en een knikje als antwoord had gekregen, ging hij er als een haas vandoor.

'Is het extra knapperig?' vroeg Li.

'Dat weet je best,' antwoordde Thorne, terwijl hij iets van het gerecht in zijn kom met rijst schepte.

De twee mannen aten in een gemoedelijke stilte te midden van het gesis en de stoom die uit de keuken achter hen kwam. Het gebruikelijke geschreeuw en geharrewar ontbrak echter. De ongewone stilte gaf de ruimte een verlaten karakter.

Uiteindelijk, toen de haastige gretigheid van de eerste happen afgenomen was, zei Charles: 'Ik ken je nu een hele tijd, Li, maar ik snap nog steeds niet hoe een buitenstaander als jij vertrouwd is met...'

'Stil, Charles.'

Terwijl hij zijn handen afveegde aan zijn smerige schort, liep hun ober achter hen langs naar het toilet.

Li wees naar Thornes bord. 'Weet je dat er ooit echt een generaal Tso bestaan heeft? Zuo Zongtang. Qing-dynastie. Gestorven in 1885. Uit Hunan. Dat is vreemd omdat het gerecht hoofdzakelijk zoet is en niet kruidig, zoals de meeste Hunangerechten. Het is niet typisch voor Changsha, de hoofdstad van Hunan, en ook niet voor Xiangyin, de geboorteplaats van de generaal. Dus waar komt het vandaan? Sommigen denken dat de oorspronkelijke naam van het gerecht *zongtang*-kip was.'

'Betekenis: voorouderlijke ontmoetingsruimte.'

Li knikte. 'In dat geval heeft het niets met de beste generaal te maken.' Hij nam een slok thee. 'Natuurlijk is het zo dat de Taiwanezen beweren dat zíj het gerecht bedacht hebben.' Li legde zijn eetstokjes neer. 'Het punt is, Charles, dat niemand deze dingen weet – niemand kan ze weten.'

'Wil je beweren dat het onmogelijk is om na te gaan hoe jij zo'n betrouwbare bewaker bent van...'

'Luister,' zei Li op besliste toon. Ik zeg dat in de Chinese cultuur voor veel dingen vele redenen zijn. De meeste redenen zijn te ingewikkeld om helemaal te kunnen begrijpen.'

'Kom maar op,' zei Thorne met volle mond.

'Ik ga je niets over mijn afkomst vertellen. De ogen zouden uit je kassen vallen en je hoofd zou omtollen. Het zij voldoende te zeggen dat ik afstam van de elite die buiten Beijing resideert. Om terug te komen op je suggestie om naar mijn vaderland terug te gaan, ik ben hier voor de machthebbers veel waardevoller dan daar.'

'De "machthebbers".' Thorne liet een scheve grijns zien. 'Is dat een van die typische, ondoorzichtige Chinese zegswijzen?'

'Ze zeggen dat Beijing bestaat uit gelijke delen drijfzand en cement,' zei Li, terwijl hij de scheve grijns als een ziedende forehand over het net retourneerde.

'Wat denken die zogenaamde machthebbers van het feit dat jij Natasha Illion neukt?' Li en Illion, een topmodel van Israëlische afkomst, waren al meer dan een jaar lang het gesprek van de dag.

Li wilde niets zeggen over zijn minnares en keek toe hoe Thorne doorging met eten. Hij wachtte even, voordat hij zei: 'Ik heb begrepen dat je een probleem hebt.'

Thorne verstijfde. Zijn eetstokjes bleven halverwege zijn mond in de lucht hangen. Hij probeerde zijn ontsteltenis te maskeren door ze langzaam en zorgvuldig neer te leggen. 'Wat heb je precies gehoord, Li?'

'Precies wat jij zelf ook hebt gehoord. Er wordt binnenkort een onderzoek ingesteld naar jou en de rest van de leiding van *Politics As Usual* met betrekking tot het illegaal hacken van voicemailberichten. Vertel me eens, weet de illustere senator Ann Ring hiervan?'

'Als ze het wist, zou ze uit haar vel springen,' zei Thorne zuur. Hij schudde zijn hoofd. 'Het onderzoek is nog niet begonnen.'

'Voorlopig niet.'

'Ze mag het onder geen beding te weten komen. Dat zal het einde betekenen.'

'Ja, het einde van je gouden melkkoe. Hoeveel miljoen is je vrouw eigenlijk waard?'

Thorne keek hem somber aan.

'Maar zodra het onderzoek begint, zal ze het weten, als ze het al niet weet.'

'Geloof me, ze weet het nog niet.'

'Tiktak, Charles.'

Thorne huiverde inwendig. 'Ik heb hulp nodig.'

'Ja, Charles,' zei Li Wan, 'dat heb je zeker.'

El Enterrador ging hen voor naar de achterkant van de apsis. Ze liepen door een korte, nauwelijks verlichte gang naar de pastorie die rook naar wierook, geboend hout en mannenzweet. Onder een enorm kruisbeeld lag de plattegrond van de villa van Maceo Encarnación aan Castelar Street.

Weet u zeker dat onze man daar zal zijn, had Bourne eerder die avond aan Constanza Camargo gevraagd.

Als hij, zoals je zei, naar Mexico-Stad gevlogen is, had ze geantwoord, dan is dit de reden waarom.

El Enterrador leidde hen verdieping na verdieping, kamer na kamer, door het huis. 'Twee woonlagen,' fluisterde hij zacht, 'plus, heel belangrijk, een kelder.' Hij vertelde hun waarom.

'Het dak is gemaakt van traditionele, ongeglazuurde Mexicaanse dakpannen. Erg stevig. Op de benedenverdieping zijn twee buitendeuren – voor en achter. Op de eerste verdieping is geen buitendeur, maar er zijn wel ramen. En wat betreft de kelder...' Met zijn lange, stilettoachtige wijsvinger wees hij op de plattegrond.

Toen sloeg hij het bovenste blad om, waardoor een volgend blad zichtbaar werd. 'Dit was de oorspronkelijke plattegrond. Hier zijn de aanpassingen te zien die Maceo Encarnación heeft laten aanbrengen toen hij in het huis trok.' Hij wees opnieuw. 'Kijk, hier – en hier – en hier ook.' Hij keek hen even met zijn ijskoude, donkere ogen aan. 'Misschien goed voor jullie, misschien ook niet. Dat gaat mij niet aan. Ik heb Constanza Camargo gezegd dat ik jullie zal helpen om binnen te komen. De rest moeten jullie zelf doen.'

Hij stond op. Zijn monnikspij wierp een schuine schaduw

over de plattegrond. 'Nadien, als jullie succesvol zijn geweest, als het jullie lukt om te ontsnappen, komen jullie niet hiernaartoe terug en jullie gaan ook niet naar het huis van Constanza Camargo.'

'We hebben met haar besproken wat er nadien zou gebeuren,' zei Rebeka.'

'O ja?' Het was duidelijk dat de belangstelling van el Enterrador gewekt was. 'Nou, nou.'

'Waarschijnlijk mag ze ons.'

El Enterrador knikte. 'Dat moet dan wel.'

'Hoe kent u señora Camargo?' vroeg Rebeka.

El Enterrador keek hen met een vals glimlachje aan. 'We hebben elkaar in de hemel ontmoet,' fluisterde hij, 'of in de hel.'

'Daar word ik niet veel wijzer van,' zei Rebeka.

'We zijn in Mexico, señorita. Hier zijn vulkanen, slangen, krankzinnigheid, goden, en heilige plaatsen. Mexico-Stad is er een van. De stad is gebouwd op het middelpunt van de Azteekse wereld. Hier komen de hemel en de hel samen.'

'Kom op, laten we doorgaan,' zei Bourne.

Het valse glimlachje verscheen weer rond de lippen van de onechte priester. 'Een ongelovige.'

'Ik geloof in aanpakken,' zei Bourne, 'niet in gebeuzel.'

El Enterrador knikte. 'Oké, maar...' Hij gaf Bourne een klein object. Het was een kleine replica van een met kristallen versierde mensenschedel. 'Bewaar dit goed,' zei hij. 'Hij biedt bescherming.'

'Waartegen?' vroeg Bourne.

'Maceo Encarnación.'

Op dat moment moest Bourne denken aan wat Constanza Camargo gezegd had: Ik had zijn macht onderschat. Hij wordt beschermd door een mystieke, bijna goddelijke macht.

'Dank u,' zei hij.

El Enterrador keek hem schuin aan. Hij was zichtbaar blij verrast.

Rebeka vroeg: 'Blijven we hier?'

'Nee. Jullie worden naar het mortuarium gebracht, waar jullie zullen blijven, totdat jullie worden gebeld.'

'Dat specifieke mortuarium wordt gebeld?' vroeg Bourne.

'Dat en geen ander.'

Bourne knikte.

Ze werden uit de pastorie geleid en gingen door een smalle, onopvallende deur naar het kerkhof dat zich eindeloos voor hen uitstrekte. Het was een stad op zich. Er stond een lijkwagen met draaiende motor te wachten.

El Enterrador opende de brede achterklep en ze klommen naar binnen.

'*Vaya con Dios, mis hijos*,' zei hij met vrome stem, en hij maakte een kruisteken. Toen sloeg hij het portier dicht. De lijkwagen reed het kerkhof af, weg van de basilica, en zocht zijn weg over de donkere weggetjes van het Cementerio del Tepeyac richting het mystieke hart van de stad.

18

Peter voelde diep onder water de huiveringwekkende kilte van de dood. Hij voelde handen rond zijn keel en hij schopte van zich af. Maar door het modderachtige water mislukte zijn aanval. Hij wrong zijn vingers onder de handen rond zijn keel en trok ze uit alle macht opzij. De druk was verdwenen, maar ze zonken steeds verder naar beneden.

Hij sloeg met zijn benen in een poging omhoog te komen, maar handen trokken hem terug. Snakte deze man niet net zo naar adem als hij, deden zijn longen geen pijn, knapte zijn hoofd niet bijna uit elkaar, en bonkte zijn hart niet pijnlijk in zijn borstkas?

Peter kon zijn tegenstander niet zien, sterker nog, hij had hem helemaal nog niet gezien. Op het moment dat hij zijn zaklantaarn op de man op de boot richtte, werd hij verblind door het licht van diens zaklantaarn. Meteen daarna kwam de aanval van de man en verdwenen ze samen in het water.

Dieper, steeds dieper.

Peter voelde hoe de kou alle kracht uit hem zoog. Zijn ledematen voelden als loden gewichten. Er werd een arm om zijn keel geslagen. Hij stikte bijna en dat kon hij niet over zijn kant laten gaan. Hij tastte naar het gezicht van de man, duwde een duim in een oog, en drukte uit alle macht. Hoewel het water tegenwerkte, lukte het hem zich aan de verstikkende greep om zijn keel te ontworstelen.

Peter draaide zich om. Geen licht in de duisternis. Hij had

geen idee hoe diep ze gezonken waren, maar hij wist wel dat hij zou stikken als dit nog heel veel langer zou duren.

Hij bewoog zijn onderbenen, waardoor hij iets omhoogging. In plaats van lukraak van zich af te trappen, duwde hij de hak van zijn schoen in het gezicht van de aanvaller. Hij begon meteen ook met zijn benen te slaan. Hij reikte met zijn armen omhoog. Zijn eerste prioriteit was nu om de oppervlakte te bereiken.

Met dat doel in zijn hoofd begon hij nog heftiger te trappen. Het leek een eeuwigheid te duren. Af en toe leek hij voor enkele seconden het bewustzijn te verliezen. Flarden werkelijkheid werden verbonden door leegtes, alsof zijn geest zijn lichaam al verlaten had. Maar eindelijk zag hij een trillende schaduw van licht – in feite was het geen echte schaduw, maar de weerspiegeling van licht op het wateroppervlak.

Toen hij door het wateroppervlak brak, werd hij door krachtige armen omhooggetrokken. Zijn mannen waren gealarmeerd door het schot dat hij afgevuurd had. Ze waren nadat ze aan boord van de *Recursive* gestapt waren meteen naar hem gaan zoeken.

Hij hoorde gegrom boven zich, keek op en zag twee of drie gezichten. Een van de gezichten was van Sam Anderson, zijn plaatsvervanger. Hij knipperde met zijn ogen. Half verblind door de zoeklichten leek hij wel een wezen uit de diepzee. Hij hoorde Anderson roepen dat de lichten gedimd moesten worden en hij was blij dat de mannen ogenblikkelijk reageerden.

Op dat moment voelde hij hoe iets zich aan zijn benen vastklampte. Een immens gewicht trok hem onverbiddelijk terug het water in. Hij schreeuwde. Hoe was het in godsnaam mogelijk dat zijn aanvaller zo lang onder water kon blijven en nog steeds genoeg kracht had om hem mee onder water te sleuren. Die gedachte flitste door hem heen.

Boven zich hoorde hij verward geschreeuw. Andersons krachtige stem die kalm bevelen gaf, klonk erbovenuit. Terwijl de mannen hun greep op hem verstevigden, vuurde Anderson in het water naast Peter.

Toen de vierde kogel in het water sloeg, voelde Peter dat het gewicht losliet. Zijn mannen trokken hem omhoog over de reling en legden hem op het dek van de *Recursive*. Hij werd onmiddellijk in dekens gewikkeld. Een rood zwaailicht verlichtte het dek met ritmische flitsen. Peter zag dat een van de zwaailichten van een ziekenwagen kwam. Een paar potige ambulancebroeders tilden hem op een brancard.

'Anderson,' zei hij met onvaste stem, 'haal die mensen weg. Ik ga nergens heen.'

'Sorry, baas, maar u moet onderzocht worden.'

De brancard werd van de boot op de steiger getild. Peter merkte dat hij vastgebonden en hulpeloos was. Anderson week niet van zijn zijde. Ze reden hem naar het parkeerterrein, waar de ziekenwagen klaarstond.

'Die klootzak is nog steeds in het water. We moeten weten wie hij is. Laat duikers komen.'

'Dat is al gebeurd, baas,' grijnsde Anderson. 'Er zijn al drie boten van de kustwacht ter plekke die met zoeklichten het water afspeuren.'

Vlak voordat de broeders hem in de ziekenwagen wilden schuiven, legde Anderson een mobiele telefoon op Peters borst. 'Terwijl u een nat pak haalde, hebt u een spoedtelefoontje gekregen van minister Hendricks.'

De broeders waren al bezig met het controleren van zijn lichaamsfuncties.

'Zodra ik niet meer aan banden gelegd ben,' zei Peter sarcastisch. 'Verdomme, Anderson, vind die klootzak.'

'Komt voor elkaar, baas.'

De achterklep sloeg dicht en de ziekenwagen vertrok. Anderson liep terug naar ligplaats 31 en ging weer aan het werk. De baas had gezegd dat hij de klootzak moest vinden, en dat was precies wat hij van plan was te doen.

Maria-Elena was als altijd vroeg vertrokken uit de streng beveiligde compound aan Castelar Street. Ze was op weg naar haar favoriete marktjes om inkopen te doen voor het avondeten. Ze was een gewoontedier en had in haar leven maar voor één persoon gewerkt. Maceo Encarnación had haar in Puebla van de straat geplukt toen ze een veertienjarig, graatmager, ondervoed meisje was, en haar in zijn huishouding opgenomen. Al snel bleek dat zij een aangeboren talent voor koken had – ze hoefde alleen maar door de toenmalige kokkin een beetje gepolijst te worden. Vanaf het moment dat zij haar eerste diner klaargemaakt had, werd zij de favoriet van Maceo Encarnación. Hij plaatste haar boven anderen van zijn personeel die al veel langer bij hem waren. Dat veroorzaakte natuurlijk frictie.

Later, toen ze terugkeek vanuit haar verheven positie, besefte Maria-Elena dat de tijdelijke chaos die haar promotie binnen het personeel veroorzaakt had, vooropgezet was geweest. Het was de pesterige manier waarop Maceo Encarnación de ontevredenen en onruststokers uit wilde roeien, nog voordat er iets ongewensts gebeurd was. Na hun ontslag functioneerde de huishouding beter dan ooit tevoren. Volgens haar was Maceo Encarnación een genie in het omgaan met mensen, niet alleen met zijn personeel. Met haar scherpe blik zag ze hoe hij met zijn gasten omging – hoe hij met sommigen de degens kruiste en anderen vleide, en weer anderen vernederde. Hij stelde ultimatums, op slinkse wijze of direct, afhankelijk van de persoonlijkheid van de gast – om van hen gedaan te krijgen wat hij wilde.

Uiteindelijk heeft hij dat met mij ook gedaan, dacht ze. Ze kocht vers fruit, groenten, pepers, vlees, chocola, en vis. Ze kende alle verkopers en zij kenden haar. Ze vergaten nooit voor wie ze werkte. Ze kreeg vanzelfsprend alleen het beste van het beste en ze hoefde veel minder te betalen dan de andere klanten. Af en toe gaven ze Maria-Elena kleine dingetjes voor haarzelf en voor haar dochter Anunciata. Ze was per slot van rekening belangrijk in hun wereld. Trouwens, ze was weliswaar al begin veertig, maar nog steeds was zij een mooie, begerenswaardige vrouw, hoewel zij zichzelf helemaal niet mooi vond, niet zo mooi als Anunciata. Hoe dan ook, ze had helemaal geen behoefte aan een man.

Na het boodschappen doen, wandelde ze altijd over Avenida Presidente Masaryk, waar Maceo Encarnación in de deftige, peperdure boetieks zijn inkopen deed. Zeventien jaar geleden, vlak na Anunciata's geboorte, terwijl zij nog in het ziekenhuis lag, was Maceo Encarnación langsgekomen en had haar een met edelstenen versierde armband van Bulgari gegeven. Ze had hem wekenlang niet durven te dragen, maar ze bekeek hem elke dag en elke avond legde ze hem voor het slapen gaan onder haar kussen.

Nadat ze die ochtend enkele zwaar beveiligde etalages had bekeken, vertrok ze van de Avenida Presidente Masaryk en ging ze naar haar echte bestemming, de Piel Canela-boetiek aan Oscar Wilde 20. Ze ging midden voor de etalage staan en keek naar de fluweelzachte handtassen, handschoenen, enveloptasjes en riemen, die haar herinnerden aan de prachtige slangen waarover ze in haar jeugd droomde. Haar ogen vulden zich langzaam met tranen toen de begeerte in haar hart en longen brandde als het vuur van waaruit de feniks ooit verrees. Daar, in het midden van de etalage, lag de handtas die ze zo zielsgraag wilde hebben, en half op de dubbele riem lagen de elegante handschoenen. Ze hadden beide de kleur van karamel. Maria-Elena wilde ze zo graag dat ze bijna geen adem meer kon halen. Maar ze wist dat ze ze nooit zou kopen. Tranen vormden kleine stroompjes op haar wangen. Ze huilde en huilde. Het was niet omdat ze geen geld had. Ze was lang genoeg bij Maceo Encarnación in dienst en hij was genereus genoeg dat ze zich best wat kon veroorloven. Maar ze was een meisje van de straat; ze kon deze dure items niet voor zichzelf kopen, net zomin als dat ze ooit bij Maceo Encarnación weg zou kunnen gaan, zelfs niet na wat er gebeurd was.

De laatste stop tijdens haar ochtendexcursie was La Baila geweest, aan de Paseo de la Reforma, slechts vier straten ten zuiden van Lincoln Park. Het prachtige restaurant, betegeld met kleurige Mexicaanse tegels, serveerde heerlijk, authentiek eten. In feite was het Maria-Elena met de jaren gelukt om de eigenaar het recept te ontfutselen van de verbazingwekkende *mole de Xico* die dertig ingrediënten bevatte.

Ze was buiten aan een tafeltje gaan zitten, omdat het heerlijk zacht weer was. Ze negeerde de helse uitlaatgassen van het verkeer op de Reforma. Toen Furcal, haar favoriete ober, aan haar tafeltje kwam, bestelde ze het gebruikelijke: *atole*, een warm maïsdrankje, vandaag op smaak gebracht met *nopal*, *empanadas de plátano rellenos de frijol*, en een dubbele *espresso cortado*.

Ze had alle tijd voor zichzelf, omdat ze voorlopig geen verplichtingen aan Maceo Encarnación had. Ze kon nu haar gedachten de vrije loop laten, net zoals ze dat elke avond kon tussen het moment dat ze naar bed ging en het moment dat ze in slaap viel. Behalve dat ze zelfs dan, binnen Maceo Encarnacións compound, niet echt vrij was, omdat hij haar elk moment van de dag of de nacht nodig zou kunnen hebben. In ieder geval niet zo vrij als nu, hier in haar eentje in een vertrouwd restaurant, omringd door de roetbruine lucht van de stad, in de schaduw van de imposante vulkaan de Popocatépetl.

Een serveerster die ze niet kende, had vriendelijk naar haar geglimlacht toen ze de *atole* neerzette.

'Ik hoop dat het drankje u bevalt,' had ze gezegd.

Maria-Elena, altijd beleefd, bedankte haar, nam een slokje, en vervolgens nog een grotere, en knikte, waarna de serveerster, die Beatrice heette, wegliep.

Ze nam de mok in beide handen. Ze kon nu bekijken wat de gevolgen waren van wat zij in het dagboek van Anunciata gelezen had. Afgelopen week was ze er toevallig op gestuit toen ze de kamer van haar dochter opruimde. Het was ongetwijfeld onopzettelijk onder het bed geschopt. Maria-Elena kon zich het moment goed herinneren dat ze zich ervan bewust werd dat het boekje dat ze in haar handen hield, een dagboek was. Ze kon zich het allesbeslissende moment voordat ze het dagboek opende, nog helder voor de geest halen. Het moment dat alles nog was zoals het altijd geweest was. Ze had het bijna niet geopend. Sterker nog, ze had zich daadwerkelijk gebogen om het ongelezen terug te leggen op de plek onder het bed van Anunciata. Wat zou er dan gebeurd zijn? De werkelijkheid zou niet verscheurd en veranderd zijn.

Maar nieuwsgierigheid had als een kwaadaardige slang haar werk gedaan. En zelfs toen had ze nog op het punt gestaan om het dagboek terug te leggen. Maar iets – de slang van het willen weten? – had haar daarvan weerhouden.

Ze was niet opgestaan en dat verbaasde haar nu. Alsof ze in gebed was, legde ze het boek geopend op haar schoot, en ze las wat ze nooit had moeten lezen. Tegen het einde stonden vurige regels die haar geest verschroeiden. Ze zou geschreeuwd hebben als ze niet meteen haar vuist in haar mond gestoken had.

Anunciata – haar dochter, haar enig kind – was regelmatig bij Maceo Encarnación in bed gekropen. De vurige woorden beschreven elk weerzinwekkend detail van de eerste keer en van elke keer erna. Maria-Elena sloeg het dagboek dicht. Haar geest stond in brand, maar haar hart, dodelijk verwond, was al tot as vervallen.

Maria-Elena haalde een blad papier uit haar handtas en vouwde het open. Ze begon nauwgezet en met verkrampte hand te schrijven. Terwijl ze daarmee bezig was, stroomden de tranen over haar wangen. Ze druppelden op het papier. Het maakte haar niet uit. Haar hart liep over van schaamte en verdriet, maar ze stopte niet. Ze schreef door totdat ze aan het afschuwelijke einde kwam. Toen vouwde ze het papier weer op zonder nog te kijken naar wat ze geschreven had. Waarom zou ze? De inhoud was in haar hart gegrift.

De kwaadaardige slang wroette in haar verder. Ze dronk haar *atole* op, liet de rest onaangeroerd, gooide enkele biljetten op tafel en beende weg over het trottoir. Ze ging terug naar de Piel Canela-boetiek aan Oscar Wilde 20, en ging naar binnen. Opgehitst door de slang in haar trok ze de creditcard tevoorschijn waarmee ze het eten voor Maceo Encarnación betaald had. Daarmee rekende ze haar lang begeerde tas en handschoenen af. Ze streelde ze, terwijl de verkoopster de rekening opmaakte, en vroeg toen of ze als cadeau ingepakt konden worden. Ze keek toe hoe ze in pastelkleurig crêpepapier verpakt werden, waarna ze zorgvuldig in een imposante doos gestopt werden waarop aan beide kanten in gouden letters de naam van de boetiek stond. De deksel werd erop gedaan en er werd nog een roze met groene strik omheen gedaan.

Op het kaartje dat de verkoopster haar overhandigde, schreef ze de naam van haar geliefde dochter. Daaronder schreef ze: dit is voor jou.

Met haar droomwens in haar handen verliet ze de winkel. De scherpe zon deed pijn aan haar ogen. Ze bleef op het trottoir staan, niet in staat om een pas te verzetten. Haar benen weigerden dienst en ze voelde een scherpe pijn aan de linkerkant van haar borst. *Dios*, wat was er aan de hand met haar? Ze had een vieze smaak in haar mond. Wat had er in haar drankje gezeten?

Ze werd duizelig en zakte in elkaar. Geschreeuw en het geluid van rennende voeten klonken als verre echo's in haar oren en leken niets met haar van doen te hebben.

Terwijl ze op de grond lag en zij naar de schemerige hemel keek, kwamen de tranen weer, samen met een snik die opborrelde uit de krochten van haar ziel, waar de kwaadaardige slang zich oprolde en uitstrekte, terwijl zijn gevorkte tong heen en weer schoot. Haar geest, amberkleurig, balancerend op de rand van een dodelijke bewusteloosheid, keerde terug naar het enige wat ertoe deed: het moment van openbaring van een week geleden.

De catastrofe was haar fout. Had ze het Anunciata maar verteld, maar ze had haar dochter de smerige bijzonderheden over haar afkomst willen besparen. Nu had de moeder dezelfde smerige bijzonderheden in haar dochters dagboek gelezen, wetende dat zowel moeder als dochter hetzelfde kolossale bed gedeeld hadden, dezelfde monsterlijke, almachtige man, dezelfde bezoedeling. Maceo Encarnación was Anunciata's vader. Nu was hij ook haar minnaar.

Dat was haar laatste gedachte, voordat het gif dat ze in het café binnengekregen had, haar hart definitief stopte.

Martha Christiana zat tijdens de vlucht terug van Gibraltar naar Parijs somber voor zich uit te staren. Don Fernando zat naast haar en bladerde door het laatste *Robb Report*. Ze keek uit het raampje naar de oneindig blauwe lucht. Onder haar zag de wolkendeken er zo comfortabel uit dat zij zich voorstelde dat ze erop kon liggen rusten.

Ze had nu het meest behoefte aan rust. Rust en de diepe, ongestoorde slaap van de rechtschapenen, maar ze wist dat beide niet voor haar weggelegd waren. Don Fernando had haar keer op keer verbaasd. Hoe zou ze, nu ze haar vaders graf bezocht had en nadat ze gezien had wat er van haar moeder geworden was, verder kunnen gaan op hetzelfde pad dat ze jaren gegaan was? Maar hoe zou ze daarvan af kunnen wijken, vroeg ze zich af.

Ze wendde zich tot Don Fernando. 'Ik heb dorst. Waar is de stewardess?'

'Ik heb het cabinepersoneel gisteren terug naar Parijs laten gaan,' zei hij zonder op te kijken.

Ze zakte terug in haar somberheid. Ze besefte dat ze geen houvast meer had in een wereld waarvan ze dacht dat ze alle aspecten kende. Maar nu was ze met een aspect geconfronteerd waar ze niet op had kunnen anticiperen en waar ze niet mee om wist te gaan. Ze voelde zich weer het kleine meisje, verloren en alleen, dat alleen maar weg wilde rennen van waar ze was naar het lege onbekende. Ze voelde zich duizelig, alsof ze van een grote hoogte naar beneden viel. Nu realiseerde ze zich pas hoe compleet Maceo Encarnación een wereld om haar heen gecreëerd had, een omgeving waarin ze kon functioneren – maar als wat? Als zijn ijzeren vuist of als zijn marionet, dansend op de muziek van elke nieuwe opdracht? Doden, doden, en nog meer doden. Ze zag nu in hoe hij haar had laten denken dat het doden het enige was waar ze goed in was, en dat zij niets was zonder hem, zonder zijn opdrachten, en zonder het geld dat ze van hem kreeg.

Jij leeft voor de dood, had Maceo Encarnación haar gezegd. Dat maakt jou speciaal, uniek. Daarom ben je mij zo dierbaar.

Ze zag nu wat hij haar eigenlijk had laten geloven, hoe hij haar gevleid had, hoe hij haar ego gestreeld had, en hoe hij haar gepaaid had met zijn woorden. Ze zag zichzelf nu als een marionet die naar zijn pijpen danste. In haar woedde een ijzige wind die haar deed huiveren.

'Wat vind je van deze nieuwe Falcon 2000S?' vroeg Don Fernando, terwijl hij het opengeslagen tijdschrift op haar schoot legde. Op de foto, die twee pagina's besloeg, was een privévliegtuig te zien. 'Dit vliegtuig moet binnenkort grondig onder handen genomen worden. In plaats daarvan denk ik eraan om een nieuw te kopen.'

'Meen je dat nu echt?' Ze keek naar hem en niet naar de foto van het vliegtuig. 'Hou je je daar nú mee bezig?'

Hij haalde zijn schouders op en pakte het tijdschrift terug. 'Misschien heb je niets met vliegtuigen?'

'Misschien heb jij geen idee wat er aan de hand is?' zei ze veel feller dan haar bedoeling was.

Hij legde het tijdschrift weg. 'Ik luister.'

'Wat gaan we nu doen?'

'Dat ligt helemaal aan jou.'

Ze schudde geërgerd haar hoofd. 'Begrijp je het niet? Als ik jou niet vermoord, vermoordt Maceo Encarnación mij.'

'Dat begrijp ik.'

'Dat denk ik niet. Ik zal nooit aan hem kunnen ontsnappen.'

'Ook dat begrijp ik.'

'Dus wat moet ik...?'

'Ben je nog steeds van plan om mij te vermoorden?'

Ze snoof. 'Doe niet zo gek.'

Hij draaide zich nu helemaal naar haar om. 'Martha, zo'n ommekeer is niet zo makkelijk.'

'Niemand weet dat beter dan ik. Ik heb gezien wat voor puinhoop zoiets kan veroorzaken. Op het laatste moment...'

'Gaan ze er niet mee door.'

'Zelfs hoewel ze dat wel willen.'

'Soms plegen ze zelfmoord als ze geen uitweg zien.'

Ze keek hem vastberaden aan. 'Dat zal mij niet gebeuren.'

Hij pakte haar hand. 'Hoe kun je daar zo zeker van zijn, Martha?'

'Op Gibraltar nam je mijn hart en ontleedde het. Je pikte er alle zwarte stukken uit en zette het weer in elkaar.'

'Nee,' zei hij. 'Dat heb je zelf gedaan.'

Er gleed een glimlach over haar gezicht. 'Maar wie gaf me het scalpel?'

Het vliegtuig daalde en raakte de bovenkant van de wolken. Van het ene op het andere moment verdween het in de grijze massa. Het leek alsof ze nu alleen in de lucht waren, verloren voor de wereld. Het geronk van de motor was een soort stilte geworden die als een lijkwade om hen heen hing.

'We landen binnenkort,' zei Martha. 'Ik zal hem dan moeten bellen.'

'Dat moet je zeker doen.'

'Maar wat zal ik hem vertellen?'

'Vertel hem wat hij wil horen,' zei hij. 'Vertel hem dat je je opdracht volbracht hebt. Vertel hem dat ik dood ben.'

'Hij wil altijd bewijs zien.'

'Dan zullen we hem dat geven.'

'Het moet een overtuigend bewijs zijn.'

'Het zal overtuigend zijn,' verzekerde Don Fernando haar.

Ze fronste haar wenkbrauwen. 'Ik begrijp het niet.'

Hij gespte de veiligheidsgordel los en stond op. 'Het vliegtuig gaat niet landen.'

De wateren rond Acapulco waren turkoois en helder, zodat je tot op de rotsachtige bodem kon kijken. Om er vanaf grote hoogte in te kunnen duiken, moest je vaardig zijn en over stalen longen beschikken. Beide had je ook nodig om de diepte te overleven die je als klifduiker bereikte, en om je adem in te kunnen houden tijdens de weg omhoog die bemoeilijkt werd door stromingen, onderstromingen en draaikolken.

Toen hij elf was, was Tulio Vistoso de beste klifduiker van het zongebleekte vakantieoord, en kon hij zijn adem bijna negen minuten inhouden.

Het water rond Dockside Marina was zwart als olie, maar het gebrek aan licht was voor de Azteek geen afschrikwekkend probleem. Hij had de benen van jefe Marks losgelaten toen de kogels in het water terechtkwamen; ze vasthouden zou stom geweest zijn. Als het hem op dat moment niet lukte om Marks mee naar onder te trekken, zou het slechts een kwestie van tijd zijn voor hij hem wel te pakken kreeg. Dat wist hij zeker. Niet dat Maceo Encarnación hem veel tijd had gegeven. In werkelijkheid was de helft van die tijd al voorbij. Hij moest naar Mexico-Stad terugkeren met het hoofd van iemand, en tenminste de toezegging dat de dertig miljoen terug zou komen.

Op het moment dat er niet meer geschoten werd en jefe Marks uit het water getrokken was, kwam Don Tulio in actie. Hij wist dat het niet zo lang zou duren, voordat er duikers zouden komen. Hij moest zich of zien te verbergen, of hij moest uit het water zijn voordat dat zou gebeuren. Met de boten in het water was het nagenoeg onmogelijk om uit de haven weg te zwemmen. Trouwens, hij moest ervan uitgaan dat de gringoagenten het gebied afgezet hadden.

Hij kwam aan de oppervlakte naast een gladde pijler vlak bij de *Recursive* en hij voelde de bewegingen van de andere boten. De krachtige zoeklichten bestreken het donkere water, waardoor de schaduwen waarin hij zich verborgen wilde houden oplosten. Het was duidelijk dat dat geen mogelijkheid was. Zijn tweede keuze, het netwerk van palen en dwarsbalken onder de steiger, was ook geen optie. Toen hij met zijn hoofd boven water kwam, hoorde hij het gehijg en gesnuif van honden. Ze zouden hem onder de steiger zeker in de gaten krijgen.

Er bleef maar één mogelijkheid over, een mogelijkheid die hij eigenlijk niet wilde gebruiken. Hij liet zich terugzakken om het zoeklicht te vermijden en bewoog zich zonder een rimpeling te veroorzaken langzaam en doelgericht naar de smalle spleet tussen de steiger en de stuurboordkant van de *Recursive*. Hij zwom verder totdat hij zich onder het tweede en grootste stootkussen bevond.

Hij tastte met zijn vingertoppen en vond de metalen ring die in dezelfde kleur geschilderd was als de romp. Als je niet wist dat die ring er zat, zou die je nooit opgevallen zijn. Maar de

Recursive was in de allereerste plaats een smokkelaarsboot; hij zat vol foefjes. Dit foefje liep net boven de waterlijn helemaal langs de stuurboordkant van de boot. De ruimte was bedoeld om plastic zakken met China white en heroïne in te doen, maar in geval van nood kon zij ook een persoon herbergen. Maar ze was niet helemaal waterdicht, althans niet als de Azteek erin ging liggen. Dat was dan ook de reden dat hij het eigenlijk niet zo zag zitten. Negen minuten je adem in kunnen houden was één ding, maar vastzitten in een ruimte ter grootte van een doodkist terwijl die zich langzaam met water vulde, was een compleet andere zaak.

Maar toch was dit de enige mogelijkheid die Don Tulio nu had, en hij pakte haar met beide handen aan. Hij draaide de ring om, opende het luik en wrong zich naar binnen. Water stroomde met hem naar binnen, waardoor er een laag op de bodem kwam te staan. Hij sloot het luik snel en draaide van binnenuit de ring om zodat hij niet gezien kon worden.

Zijn hart ging als een bezetene tekeer en hij begon te bidden tot een God die hij sinds lang ontrouw was, behalve als hij vloekte.

Veertig minuten nadat hij op de eerstehulpafdeling binnengebracht was, mocht Peter met een infuus in zijn arm rechtop zitten. Hij belde Hendricks uit bed.

'Waar heb jij in godsnaam gezeten?' vroeg de minister op knorrige toon.

Hendricks bond behoorlijk in, toen Peter hem vertelde dat hij geïnfiltreerd was in Core Energy, dat de directeur van het bedrijf compromitterende uitspraken gedaan had, dat Dick Richards heimelijk werkte voor Tom Brick, en dat hij het spoor gevolgd had naar de dertig miljoen aan boord van de *Recursive*. Maar dat duurde niet lang.

'Ik baal ervan als mijn beide directeuren uit de running zijn.'

Peter was meteen op zijn qui-vive. 'Waar hebt u het over?'

'Soraya ligt in het ziekenhuis,' zei de minister. 'Ze is ingestort en heeft een spoedoperatie moeten ondergaan.'

Peter schrok zo, dat hij bijna het infuus uit zijn arm trok. 'Hoe is het met haar?'

'Stabiel, dat is het laatste wat ik weet. Delia is bij haar. Ze wijkt bijna niet van Soraya's zijde.'

'Waar ligt zij?'

'In hetzelfde ziekenhuis waar jij ook bent, maar je klinkt niet echt alsof je in staat bent...'

'Er is niets met mij aan de hand,' snauwde Peter op iets te agressieve toon. Hij besefte dat te laat. 'Excuses, meneer, die hele toestand in de jachthaven is me niet in de koude kleren gaan zitten.'

'Goed. Hou me daarvan op de hoogte. Als je weet wie die man is, wil ik daar onmiddellijk over ingelicht worden, begrepen?'

'Ja, meneer.'

Het was even stil. 'Wat doen we met Richards? Wil je hem oppakken of wil je hem nog zijn gang laten gaan?'

Peter dacht na over deze vraag. 'Geeft u me een dag of twee om te zien wat hij van plan is. Nu ik aan Brick ontsnapt ben, wil ik zien wat er gebeurt.'

'Ik zou wel willen weten wie hij door jou had willen laten vermoorden.'

'Ik ook, meneer. Maar het zou ook heel goed niemand geweest kunnen zijn. Brick speelt graag spelletjes. Daar wilde ik niet aan meedoen en ik wilde graag het spoor van de sleutel volgen.'

'Ik begrijp het. Maar vanaf nu moeten we Richards zien als een bedreiging.'

'Zeker, meneer. Maar als we hem kunnen gebruiken om solide bewijs te krijgen voor wat Brick echt van plan is, wil ik die mogelijkheid niet onbenut laten.'

'Goed.' Hendricks klonk aarzelend. 'Maar als je ondersteuning nodig hebt...'

'Ik bel u zo spoedig mogelijk.'

'Doe dat. En ik wil dat jij zo lang als nodig is bescherming krijgt.'

'Dat is nu precies wat niet moet gebeuren, meneer. Met alle respect, maar ik kan mijn werk niet doen als ik geschaduwd word. Ik ben geen kantoorbediende. Ik kan wel voor mezelf zorgen.'

Het bleef stil aan de andere kant van de lijn.

'Meneer?'

'Peter, pas in hemelsnaam goed op jezelf,' zei Hendricks voordat hij de verbinding verbrak.

'Jullie hebben twee mogelijkheden,' zei de lijkbezorger. 'Jullie kunnen op de grond slapen of in een van deze doodkisten.'

'Mooie zijde,' zei Rebeka, terwijl ze met haar hand langs de rand van een kist ging.

De lijkbezorger grijnsde. 'En ook zo zacht als een wolk.' Hij was een bleke, magere man met ingevallen borst, een dun snorretje, en volle, rode, vrouwelijke lippen. Zijn handen zagen eruit alsof ze van porselein gemaakt waren. Hij had gelakte nagels. Zijn naam was Diego de la Rivera.

'U mag kiezen,' zei hij. 'Ik kom u roepen als het zover is.'

'Weet u zeker dat u door een van de mensen van Maceo Encarnación gebeld wordt?' vroeg Bourne.

'Sterker nog,' zei De la Rivera, 'ik weet zeker dat Maceo Encarnación mij zelf belt.'

'Hoe komt dat?'

'De lippen van De la Rivera krulden omhoog. 'Ik ben met zijn zus getrouwd.'

Dit gaf Bourne een ongemakkelijk gevoel. 'Het bloed kruipt kennelijk waar het niet gaan kan.'

De lippen van De la Rivera krulden zich verder tot een grijns. 'Maceo Encarnación is niet van hetzelfde bloed als ik. De man is gemaakt van geld, maar toch behandelt hij zijn zuster nog steeds als stront.' Hij spoog op de grond. 'En mij? Hij vindt het prettig om mij werk te bezorgen; hij vindt dat het mij verlaagt. "Je bent slechts in mijn geld geïnteresseerd," zegt hij, maar ik wil alleen maar dat hij ons als mensen behandelt. Maar weet je? Hij nodigt ons zelfs niet bij hem thuis uit. Nee, ik voel geen bloedverwantschap, ik niet, maar mijn vrouw ook niet. Wat mij betreft kan hij naar de hel lopen.' Hij wuifde met zijn hand. 'Dus wat jullie binnen ook aanrichten, ik zal het met applaus begroeten.'

Hij ging weg zonder nog wat te zeggen en knipte het plafondlicht uit. De lamp op zijn bureau brandde nog. Het leek erop dat hij die altijd aanliet, ook als hij er niet was. Het enige wat ze nog hoorden, was het constante gezoem van de koelcellen in de kelder, dat spookachtig door de betonnen vloer te horen was.

'Wil je even gaan liggen?' Rebeka keek van Bourne naar de open doodkist. Ze schoot in de lach toen ze zijn gezichtsuitdrukking zag. 'Ik ook niet.'

Bourne vouwde de gedetailleerde kaart van de stad open die el Enterrador hem gegeven had, en hij begon hem bij het schemerlicht van de lamp te bestuderen. 'Is het duidelijk wat we moeten doen als we eenmaal binnen zijn?' zei hij.

'Eerst Rowland en daarna Maceo Encarnación.'

Bourne schudde zijn hoofd. 'Eerst Rowland en daarna maken we ons uit de voeten.'

'Maar wat doen we met Encarnación?'

Bourne keek op. Haar ogen reflecteerden het licht van de lamp. Haar pupillen werden door een krans van licht omzoomd. 'Luister, ik heb eens nagedacht,' zei hij zacht. 'Ik begin te geloven dat Jihad bis saif...'

'... zich in de volle openbaarheid verborgen houdt.'

'Echt?'

Ze knikte. 'Het is deel van het rijk van Encarnación. Dat moet wel.'

Hij keek weer op de kaart van de stad met zijn labyrint van straten. 'Waarom zeg je dat?'

'We zijn hier aangekomen en reden door... Ik heb geluisterd naar wat Constanza Camargo vertelde, en ik wist het.'

'Je ziet het verkeerd,' zei Bourne. 'Jihad bis saif is een geest. Het bestaat niet.'

'Maar hoe zit het dan met wat ik in Dahr El Ahmar afgeluisterd heb?'

'Dahr El Ahmar. Dat is de sleutel, of niet soms?' Bourne keek weer op. 'Je hebt opgevangen wat kolonel Ben David zei. Je zei toch dat hij dacht dat jij nog steeds buiten bewustzijn was?'

Ze knikte.

'Maar misschien wist hij wel dat jij luisterde.'

Ze staarde hem aan.

'Denk eens na, Rebeka. Ben David wist dat jij mij binnen Dahr El Ahmar gebracht had, een ultrageheim kamp van de Mossad in een vreemd land. Daar houdt men zich bezig met een nog geheimer onderzoek naar een procedure die op één lijn staat met SILEX, de splitsing van isotopen door laserstralen, met de bedoeling om snel en doeltreffend nucleair materiaal te verrijken voor het verbeteren van wapens.

Van het ene op het andere moment weet hij niet meer of hij jou kan vertrouwen of niet. Dus bedenkt hij een valstrik. Hij praat binnen jouw gehoorsafstand over Jihad bis saif. Kom op, waarom zou hij dat doen als jij binnen gehoorsafstand bent? Zou hij echt het risico willen lopen dat jij niet buiten bewustzijn bent. Natuurlijk niet. Nee, hij praatte over Jihad bis saif zodat hij zou kunnen zien wat jij zou doen. En wat deed je? Je ging ervandoor. Geen wonder dat hij de Babyloniër achter jou aan stuurde.'

Rebeka schudde haar hoofd. 'Nee, dat kan niet.'

'Maar je weet wel beter,' drong Bourne aan. 'We kennen Ben David beter dan wie ook. Ik denk dat wij hem allebei op zijn ergst gezien hebben.'

'Maar hoe zit het dan met Rowland?'

'Die was gestuurd door Maceo Encarnación,' zei Bourne. 'Encarnación is degene die mij dood wil hebben. Je hebt zelf gezien hoe de helikopter in Stockholm achter mij aan joeg.'

Hij kon zien dat ze diep ademhaalde en probeerde tot zichzelf te komen. Toen ze naar hem opkeek, glinsterden haar ogen en er trok een lichte huivering door haar heen. 'Ik dacht nog wel dat ik zo slim was.'

'Vergeet het. We maken allemaal fouten.'

'Ik kon niemand binnen de Mossad vertrouwen, en als klap

op de vuurpijl verraadde Ben David mij.'

'Ik kan me zo voorstellen dat hij anders tegen dat verraad aankijkt.'

Ze haalde opnieuw langzaam adem. 'Wat is er echt tussen jullie gebeurd? Eerder, bedoel ik.'

Bourne keek haar lang aan. Ze werd zich scherp bewust van de open doodkisten. Met hun bleke, zijden bekledingen waren het in het schemerdonker net spookachtige eilandjes. Ze zagen er helemaal niet zacht en comfortabel uit.

'In de nadagen van Mubaraks regime in Egypte, verloor zijn regering de controle over de Sinaï,' zei Bourne. 'Maar ik weet zeker dat je dat al wel weet.'

Ze knikte.

'Dat is het moment dat Ben David en ik elkaar voor het eerst hebben ontmoet. Een eenheid van de IDF, het Israëlische defensieleger, was daar aanwezig om toezicht te houden op de lokale bedoeïenenkaravanen die drugs, wapens en slaven van Eritrea naar Israël smokkelden. Ben David was daar met vijf van zijn Mossad-agenten en deed onderzoek naar een gerucht dat Mubarak of een hoge pief uit zijn regering achter de zendingen zou zitten. Hij probeerde bij de bedoeïenenhoofdmannen in het gevlij te komen door hun smeergeld te betalen. Ik zat zelf midden in mijn eigen onderzoek dat zijdelings te maken had met de IDF. Het zal duidelijk zijn dat onze doelstellingen elkaar in de weg zaten.'

'Dat zal hij niet leuk gevonden hebben.'

'Hij vond het ook niet leuk,' zei Bourne. 'Op de typische Ben David-manier flanste hij een verhaal over mij in elkaar en verkocht dat aan de IDF-commandant. Het gevolg daarvan was dat de IDF achter mij aan ging.'

'En daarmee bereikte hij een tweeledig doel, namelijk dat zowel jij als de IDF hem niet meer dwarszaten, waardoor hij vrij spel kreeg in het bereiken van zijn eigen doel. Heel slim.'

'Maar niet slim genoeg,' zei Bourne. 'Ik ontsnapte aan de IDF door mij voor te doen als een wapenhandelaar en me aan te sluiten bij een bedoeïenenkaravaan. Toen Ben David en zijn eenheid de karavaan aanvielen, was ik natuurlijk ter plekke.'

Rebeka gebaarde dat ze op de grond moesten gaan zitten. 'Wat gebeurde er?' vroeg ze toen ze eenmaal zaten.

'Ben David kreeg de verrassing van zijn leven. Volgens de karavaanleider kwamen de zendingen uit Pakistan, Syrië en Rusland, en had de Egyptische regering er niets mee van doen.'

'Geloofde je hem?'

Bourne knikte. 'Hij had geen reden om te liegen. Hij wist niet beter dan dat ik daar was om een van mijn eigen zendingen in de gaten te houden. Hij werd betaald door Russische wapenhandelaars, zoals degene voor wie ik mij uitgaf, en door terroristencellen met connecties met de Colombiaanse en Mexicaanse kartels.'

Zijn ogen glinsterden. 'De informatie die Ben David had, was of incorrect, of opzettelijk verkeerd gegeven. Hoe dan ook, hij verknoeide daar in de Sinaï zijn eigen tijd en die van de Mossad. Maar het probleem was dat Ben David mij niet wilde geloven. Hij gaf het bevel dat ik geëxecuteerd moest worden, en dat was ook bijna gebeurd.

'Maar je wist te ontsnappen.'

'Met hulp van mijn nieuwbakken bedoeïenenvrienden. Ben David was furieus en hij zwoer dat hij me zou vinden en dat hij me dan zou vermoorden.'

'En dat is het einde van het verhaal?'

'Totdat het een vervolg kreeg, toen wij naar Dahr El Ahmar vlogen.'

'Verdomme, had ik dat maar geweten.'

'Wat zou je anders gedaan hebben?' zei Bourne. 'Jij had acuut medische verzorging nodig. Het Mossad-kamp was de veilige haven die het dichtstbij was.'

'Ik zou je gewaarschuwd hebben.'

Bourne gromde. 'Het terugzien van Ben David was waarschuwing genoeg.'

'Hij heeft er alles aan gedaan om jou neer te halen,' zei ze. 'Maar goed, je hebt hem dan ook voor zijn leven getekend.'

'Hij kreeg wat hij verdiende.'

Ze keek naar de schaduwen op zijn gezicht. 'Hij vergeeft het je nooit.'

'Ik wil zijn vergeving niet.'

'Hij zal je altijd blijven achtervolgen.'

Bourne liet een zweem van een glimlach zien. 'Hij is niet de eerste en hij zal ook niet de laatste zijn.'

'Het moet...' Ze leek haar stem te verliezen, of ze durfde gewoon niet verder te gaan.

'Het moet wat?'

'Een moeilijk leven zijn waarvoor je gekozen hebt.'

'Ik denk,' zei hij zacht, 'dat dat leven mij gekozen heeft. Ik ben een toevallige passant.'

Ze schudde haar hoofd. 'Jij bent een agent van de verandering.'

'Misschien ben ik alleen het middelpunt van een balanceeract.'

'Dat is genoeg... meer dan genoeg voor één man.'

Ze bleven stil en met gesloten ogen bij elkaar zitten, verzonken in hun eigen gedachten, totdat ze een scherp geluid hoorden. Het plafondlicht ging aan. Diego de la Rivera stond in de deuropening.

'Ik heb het telefoontje gekregen,' zei hij. 'Het is zover.'

19

'Je bent gek.' Martha Christiana keek op naar Don Fernando. 'Wil je zeggen dat wij alleen in dit vliegtuig zitten?'

'Ja.'

'Zijn de piloot en de navigator er met parachutes uitgesprongen?'

'Drie minuten geleden. Het vliegtuig vliegt nu op de automatische piloot.'

'En je bent van plan om dit vliegtuig te laten neerstorten...'

'Inderdaad.' Hij trok een dikke, ingegraveerde gouden ring van zijn vinger. In het midden van de ring zat een rode, cabochongeslepen robijn. 'De reddingsploeg zal deze ring vinden. Er is er maar één van. Hij zal herkend worden als mijn ring.'

Martha snakte naar adem. Ze had nog steeds moeite om dit knotsgekke plan te geloven. 'Maar ze zullen geen menselijke resten vinden.'

'O, jawel.'

Ze volgde hem naar achter in het vliegtuig, waar ze bij het zien van drie lijkzakken terugdeinsde. Ze keek hem met opengesperde ogen aan. 'Dit is een grap, toch?'

'Rits de zakken open.'

Hij zei het zo rustig dat ze een rilling over haar rug voelde lopen. Dit was een kant van hem die ze tot dan toe nog niet eerder had gezien.

Ze wrong zich langs hem heen, boog zich over de bovenste lijkzak en ritste hem met schokkerige bewegingen open. Ze keek neer in het bleekwitte gezicht van een lijk.

'Drie mannen,' zei Don Fernando. 'De piloot, de navigator en ik. Zo zal het gerapporteerd worden.'

'En waar blijf jij? Je verdwijnt gewoon en laat Aguardiente Bancorp gewoon in de steek?'

'Het is een kwestie van vertrouwen,' zei hij, terwijl hij zich omdraaide. 'Kom op. We hebben niet veel tijd meer.' Hij haalde een paar parachutes tevoorschijn en gaf een ervan aan haar. 'Of wil je neerstorten en sterven?'

'Ik kan niet geloven dat dit gebeurt.'

'Maar het gebeurt.' Hij wurmde zich in het tuig van zijn parachute en gespte de riemen op zijn borst vast. Alsof hij haar aarzeling nu pas in de gaten had, keek hij verbaasd en zei: 'Bedenk je je?'

'Ik begrijp niet...'

'Want als je je bedenkt, vermoord me dan nu, dan is het voorbij. Je hebt niet veel tijd meer. Volbreng de opdracht van Maceo Encarnación. Ik betwijfel of ik je tegen kan houden.'

Haar frons verdiepte zich. 'Hij zei dat je hem alles af wil nemen.'

'Wat weet je precies over zijn imperium?'

Ze schudde haar hoofd.

'Nou dan, er is geen enkele reden waarom je je door hem zou laten beïnvloeden.'

Ze dacht terug aan haar ontmoeting met Maceo Encarnación op de Place de la Concorde terwijl het verkeer onophoudelijk om hen heen cirkelde en het geschreeuw en gelach van onbekende toeristen klonk. In de schaduw van de guillotine en de heerschappij van de terreur. 'Maar hij heeft invloed.'

'En dus...' Hij spreidde zijn armen. Toen ze geen antwoord gaf, stapte hij naar haar toe, pakte de parachute uit haar handen en deed de riemen over haar schouders. Toen hij de riem om haar middel wilde aanhalen, greep ze hem vast.

'Wacht.'

Ze keken elkaar aan.

'Dit is je laatste kans, Martha,' zei hij. 'Je moet nu beslissen.

Blijf bij Maceo Encarnación of zet de eerste stap in het nieuwe leven waarover je het op Gibraltar gehad hebt.'

Hij duwde haar handen weg en trok de riem om haar middel strak aan. 'Het lijkt mij dat jouw verleden bepaald is door de mannen die jij gevolgd bent.' Hij ging haar voor naar de deur en legde zijn hand op de enorme metalen hendel waarmee hij de deur kon ontgrendelen. 'Doorgaan of veranderen, Martha. Zo eenvoudig is jouw keuze.'

'Jij noemt dit een eenvoudige keuze?'

'Noem haar zoals je wilt, maar jij moet haar maken.' Hij ging met zachte stem verder. 'Niemand kan je met deze beslissing helpen, Martha. Ik zou het niet eens willen proberen.'

Ze haalde diep adem. Ze dacht aan de vuurtoren, aan haar vaders graf, aan haar moeder die verloren was in een wereld waarin Martha nog steeds een kind was, nog steeds deel uitmaakte van haar leven. Ze keek in de ogen van Don Fernando en ze wilde er iets in lezen, maar hij hield zich aan zijn woord; hij wilde haar op geen enkele manier beïnvloeden. En opeens besefte ze dat hij de eerste man in haar leven was die niet geprobeerd had om haar te manipuleren.

Toen knikte ze en ze haalde zijn hand weg van de deurhendel. 'Laat mij maar,' zei ze.

Hij lachte en kuste haar liefdevol op beide wangen. 'Wacht, ik kan je beter eerst nog wat laten zien.'

'Je zei net dat we geen tijd meer hadden.'

Hij leidde haar door het gangpad naar voren, opende de deur naar de cockpit, en toonde haar de piloot en de navigator die levend en wel in hun stoelen zaten.

'U kunt beter uw veiligheidsgordel om gaan doen, baas,' zei de piloot. 'We landen over vijf minuten.'

Charles draaide zich rusteloos om in zijn bed. De waarheid was dat hij Li Wan haatte en vreesde, maar toch waren zij door de geheimen die zij deelden als door een teer membraan onlosmakelijk met elkaar verbonden. Thorne draaide zich weer om, maar het lukte hem niet om lekker te liggen.

Het ergste was nog wel dat hij jaloers was op Li Wan. Hij was verliefd geweest op Li's minnares Natasha Illion, het Israëlische topmodel. En hij zou er een eed op zweren dat Li dat wist. Iedere keer dat ze elkaar zagen, glorieerde hij met Natasha, althans, zo kwam het op hem over. En Natasha, wellicht deelgenoot van Li's kleine grapje, droeg altijd de meest uitdagende outfits met decolletés tot haar navel of doorkijktopjes. Thorne kon het niet helpen dat hij steelse blikken wierp op haar kleine, maar prachtige borsten met tepels als kersenrode knopjes. Thorne kreunde en hij stelde zich voor hoe zijn mond zich om een ervan sloot.

Hij wist zeker dat Li, en Natasha waarschijnlijk ook, hem uitlachten tijdens hun gezamenlijke avondjes uit, alsof hij een dier was dat zij constant door de spijlen van zijn kooi aan het pesten waren.

Het licht van het klokje op het nachtkastje scheen door zijn oogleden. Het was amper een uur nadat hij teruggekomen was van zijn afspraak met Li in het restaurant in Chinatown. General Tso's kip lag als een steen op zijn maag, onbeweeglijk en onverteerbaar.

Hij draaide zich weer om, rolde door en ging rechtop zitten. Vandaag kon hij niet in de slaap vluchten, en er was geen enkele mogelijkheid om te ontsnappen aan de strop die steeds strakker om zijn nek kwam te liggen. Natuurlijk kon hij Soraya vragen om immuniteit met betrekking tot de komende tsunami van aantijgingen, maar dat zou betekenen dat hij als de eerste de beste smekeling op zijn knieën terug moest naar haar. Hij zou voor altijd in haar macht zijn en hij wist uit bittere ervaring dat zij meedogenloos kon zijn als zij het gevoel had dat ze onrechtvaardig behandeld werd.

Maar wat moest hij doen als zij zijn enige redding was? Li had laten doorschemeren dat hij hem wilde helpen, maar hij zou zich nog liever voor de trein gooien dan dat hij bij die klootzak in het krijt zou staan.

Nee, dacht hij, terwijl hij zijn benen over de rand van het bed slingerde, Soraya was zijn laatste en beste hoop om uit het water te komen, voordat justitie alle boten tot zinken zou brengen.

Toen bedacht hij zich dat zij in het ziekenhuis lag en dat zij in verwachting was van zijn baby. Opeens begon de kip zich in zijn maag op een uitermate onplezierige manier te roeren.

Hij sprong op en sprintte door de slaapkamer en de badkamer naar het toilet, waar hij net op tijd aankwam om de inhoud van zijn maag met zo'n kracht uit te spugen dat hij het gevoel had dat zijn ingewanden mee naar buiten kwamen.

Li Wan zwolg in genot tussen de onmogelijk lange benen van Natasha Illion. Hij pakte zijn gecodeerde mobiele telefoon en drukte een knop in. De geluiden kregen onmiddellijk een holle klank toen het signaal langs een hele serie beveiligde substations geleid werd die kriskras in het land lagen, om vervolgens aan de andere kant van de Grote Oceaan verder te gaan op zijn duizelingwekkende tocht langs massa's hoogst geheime luisterposten in Beijing.

De kantoren van het SAG, het staatsagentschap voor graan, lagen in het kolossale Guohong-gebouw in de centrale regeringswijk. Hoewel de bovenste drie verdiepingen hetzelfde SAG-logo hadden, mochten de werknemers die op de verdiepingen eronder werkten, er niet komen. Er was een aparte lift die vanuit de immense lobby zonder onderweg te stoppen naar de bovenste verdiepingen ging. De werknemers van de onderste verdiepingen wisten niet beter dan dat op de bovenste drie verdiepingen de kantoren waren van de ministers die het agentschap leidden en direct in verbinding stonden met het politbureau zelf. Niemand voelde enige behoefte om naar die verdiepingen te gaan; sterker nog, die verdiepingen bestonden in hun beleving helemaal niet.

Maar voor Li Wan, en voor mensen zoals hij, bestond het Guohong-gebouw slechts uit die bovenste drie verdiepingen. Hun interesse betrof niet de graanproductie, quota's, of de jaarlijkse toewijzingen. De uiteindelijke bestemming van het telefoontje waartoe hij, liggend tussen de zijdezachte benen van Natasha Illion, vanuit Washington de aanzet gegeven had, was een groot kantoor op de bovenste verdieping van het Guohong-gebouw.

Het was zes uur 's avonds in Beijing, maar het maakte niet uit hoe laat het was, aangezien die drie verdiepingen in werkelijkheid vierentwintig uur per dag in vol bedrijf waren.

De eerste minister stond in de hoek van een enorme open ruimte met vijftienhonderd computers die via intranet met elkaar verbonden waren en bemand werden door jongeren in de leeftijd van tien tot negentien jaar. Deze jongeren waren allemaal hackers, geselecteerd door het leger, en hun enige taak was om door de firewalls en het intranet te breken van buitenlandse regeringen en multinationals die de buitenlandse regeringen en legers voorzagen van het meest geavanceerde wapentuig en de meest verfijnde technologieën. Ze werden daartoe opgedeeld in kaders. Elk kader werkte aan de volgende generatie trojans, wormen en virussen, zoals Stuxnet, Ginjerjar, of Stikyfingers. Iedereen die de herkomst van deze aanvallen probeerde te achterhalen, zou na een lange, moeizame zoektocht ontdekken dat het IP-adres toebehoorde aan Fi Xu Lang, een in ongenade gevallen professor in de economie die in een godvergeten gat in de provincie Guangdong woonde.

De minister was echt trots op de operatie die hijzelf bepleit en opgezet had. De gestolen informatie van een verscheidenheid aan bronnen was al bijzonder waardevol geweest voor zijn vriend generaal Hwang Liqun en de rest van de Chinese legertop.

Hij voelde de trilling van zijn mobiele telefoon en liep weg van de computerruimte naar zijn kantoor aan de andere kant van de hal. Hij ging achter een ebbenhouten bureau zitten dat ingelegd was met ivoor. Het was netjes opgeruimd. Aan een kant stonden zes telefoons in slagorde naast elkaar, aan de andere kant stond een presse-papier die gemaakt was van de hoorn van een neushoorn, en voor hem lag een geopend dossier waar met grote letters TOP SECRET op stond. De minister was rond de vijftig en had het lange, elegante gezicht van een dirigent of een choreograaf. Zijn zwarte haar was strak achterovergekamd en liet zijn brede, intelligente voorhoofd helemaal vrij. Zijn lange, magere handen waren net zo goed verzorgd als zijn haar en zijn gezicht. Toen hij zijn mobiele telefoon aannam, keek hij naar een foto die aan de binnenzijde van het dossieromslag geniet was. Hij wachtte geduldig tot Li Wans telefoontje doorgeschakeld was naar een van zijn telefoons. Hij hield de hoorn aan zijn oor zonder zijn blik van de foto af te halen. Het was een zwart-witte bewakingsopname die met een telelens gemaakt was.

Zodra de gecodeerde lijn open was, zei hij: 'Ik luister.' Hij had de hoge, scherpe stem van een kind dat bestraft wordt.

'Minister Ouyang, er heeft zich een belangrijke ontwikkeling voorgedaan.'

Ouyang kneep zijn ogen halfdicht. Hij stelde zich het vertrek voor van waaruit zijn agent belde. Aan Amerika's oostkust was het nu vijf uur in de ochtend. Hij vroeg zich af of Li Wan alleen was of dat hij in het gezelschap van zijn langbenige vriendin was.

'Dit kan van positieve of negatieve invloed op mijn avond zijn, Li. Wat is er aan de hand?'

'Door stom toeval is ons een buitengewone mogelijkheid in de schoot geworpen.'

'Met betrekking tot Thorne?'

'Ja.'

'Hij en zijn makkers bij *Politics As Usual* zijn betrokken bij een hackschandaal dat hun in de afgelopen anderhalf jaar enkele uitzonderlijke primeurs heeft bezorgd, die hun winst behoorlijk op hebben gestuwd. Het heeft echter ook tot gevolg dat de Amerikaanse justitie een onderzoek gaat instellen.'

'Dat is mij bekend.' Ouyang had zelfs een informant binnen justitie. 'Ga door, kameraad Li.'

'De reden om met Charles Thorne aan te pappen was van meet af aan om greep op zijn vrouw te krijgen.'

'Als voorzitter van het pas opgerichte Homeland Strategic Appropriations Committee is senator Ann Ring van buitengewoon belang voor ons.' Ouyang bleef naar de foto kijken alsof hij zo de geheimen probeerde te ontrafelen in het hoofd van de man op de bewakingsfoto. Toen zei hij scherp: 'Tot dusverre ben je niet echt succesvol geweest.'

'Maar dat gaat veranderen,' zei Li. 'Thorne staat met zijn rug tegen de muur. Hij heeft mijn – onze – hulp nodig. Volgens mij is het nu de geschikte tijd om hem, nu hij in de problemen zit, onze hulp aan te bieden.'

Ouyang bromde binnensmonds. 'In ruil voor wat?'

'In ruil voor senator Ann Ring.'

'Ik had de indruk – een indruk die jij me trouwens gegeven hebt – dat Thornes huwelijk niet is wat het zou kunnen zijn, of wat het zou móéten zijn.'

De idiote suggestie, door het benadrukte woord, was dat de persoonlijke problemen van het paar op de een of andere manier Li's schuld waren. Dit was typisch een opmerking voor minister Ouyang. Li concentreerde zich op het navigeren door de steeds woeliger wordende wateren.

'Die verwijdering zal nu in ons voordeel werken,' zei Li.

Ouyang liet zijn vingertoppen over het gezicht van de man op de foto gaan, en zei: 'Verklaar je nader.'

'Ik ben ervan overtuigd dat Thorne haar in vertrouwen genomen had over het ophanden zijnde onderzoek als hij en Ann hechter waren geweest. Hij vertelde mij dat daar absoluut geen sprake van kon zijn. Maar als ik – wij – hem een uitweg bieden, een manier om zich in te dekken tegen elke betrokkenheid, zal hij zeer dankbaar zijn – en zijn vrouw ook.

Senator Ring heeft een voorbeeldige staat van dienst. Elke zweem van een schandaal – zelfs als het haar man betreft – kan vernietigend zijn voor haar positie van voorzitter van het Homeland Strategic Appropriations Committee. Als zij in ongenade valt en terug moet treden, zijn we weer terug bij af. We zullen dan kostbare tijd verliezen. We kunnen ons niet veroorloven om opnieuw te moeten beginnen.'

Nee, dacht minister Ouyang, dat kunnen we ons zeker niet.

'Ik heb een hekel aan stompzinnigheid,' zei hij.

Li hield wijselijk zijn mond dicht.

'Als we Thorne uit zijn hachelijke positie proberen te bevrijden bestaat het risico dat we onszelf blootgeven.' Het leek alsof Ouyang tegen zichzelf praatte in een poging om de voors en tegens van Li's bewering tegen elkaar af te wegen. 'Zoals je weet, Li, loopt er een erg dunne lijn tussen een voordeel en een risico.'

Zijn blik week nooit van het gezicht dat hij nu zo goed kende, een gezicht dat in zijn nachtmerries keer op keer opdook, een eindeloze herhaling die hem furieus maakte.

'Dat begrijp ik, minister. Maar ik heb Thorne getraind. Hij weet het zelf niet, maar hij is onze helper.'

'Van het beste soort,' erkende Ouyang.

'Precies.'

Het gezicht had natuurlijk een naam en die was hem net zo vertrouwd als zijn eigen naam – een verschrikkelijke naam, een naam die hij ten koste van alles wilde vernietigen alsof hij nooit bestaan had.

'Ik heb lang en hard gewerkt om dit contact te cultiveren. Hij kan gered worden van de aanzwellende storm,' zei Li vol overtuiging.

'Je hebt mijn toestemming zolang je je niet blootgeeft en zolang ons plan geen gevaar loopt.' Hij boog bedachtzaam zijn hoofd en concentreerde zich op zijn belangrijke gesprek met Li en de even belangrijke foto. Hij gromde: 'Stel me niet teleur, Li.'

Terwijl Li stotterend zijn dankbaarheid betuigde, tikte Ouyang met zijn vingertoppen op de ogen van de man op de foto, eerst op het ene oog, daarna op het andere, en hij stelde zich voor dat hij hem eerst blind maakte, alvorens hij hem vermoordde. De echo van zijn naam weerklonk eindeloos in zijn hoofd.

Jason Bourne, Jason Bourne, Jason Bourne.

'Hallo!'

'Hé, hallo.' Soraya glimlachte toen ze Peter haar kamer binnen zag komen en zijn vertrouwde stem hoorde. Maar toen ze zijn verfomfaaide kleren zag, veranderde haar uitdrukking meteen. 'Wat is er in hemelsnaam met jou gebeurd?'

'Dertig miljoen dollar.' Hij trok een stoel bij en begon het verhaal te vertellen over het web dat steeds zichtbaarder werd en waar Richards, Core Energy, Tom Brick en Florin Popa bij betrokken waren, en dat leidde tot de dertig miljoen die in een waterdichte tas aan de *Recursive* in de Dockside Marina gehangen had.

'Wat heeft dat allemaal te betekenen?' vroeg Soraya toen ze alles gehoord had.

Peter schudde zijn hoofd. 'Ik weet het niet, maar ik zal er wel achter zien te komen.'

'Hoe zit het met Richards?'

Hendricks had hem dezelfde vraag gesteld. 'Ik heb besloten om hem nog even zijn gang te laten gaan. Wat Brick ook van plan mocht zijn, Richards heeft ermee te maken.'

'Denk je niet dat Brick argwaan zal koesteren over het feit dat je niet gewacht hebt op de persoon die hij mee naar het huis in Virginia zou nemen?'

Peter schoof zijn stoel dichterbij. 'Ik denk het niet. Iedereen zou ervandoor gegaan zijn. Volgens mij was het een test.'

'Een intelligentietest?'

'Brick vertrouwt me niet helemaal.' Peter haalde zijn schouders op. 'Waarom zou hij ook? Wat hem betreft dook ik uit het niets op en heb hem een hoop leed bespaard. Maar wat maakt het uit? In zijn werk moet hij eerst alles over mij te weten zien te komen, voordat hij mij compleet zal kunnen vertrouwen.'

'Dus je neemt weer contact met hem op?'

Peter gaf haar een knipoog. 'Uiteraard.' Hij stond op. 'Rust jij nu maar uit. Ik wil dat je snel weer op de been bent.'

Don Tulio zat in zijn huurauto en keek hoe Sam Anderson zijn team, dat de haven minutieus afgezocht had naar een teken van de man die hun baas aangevallen had, de huid volschold. Hij stuurde zijn mannen terug voor een nieuwe zoektocht. Anderson gaf orders aan een man die Sanseverino heette. Die naam had Don Tulio opgevangen. Sanseverino knikte en hij liep naar het parkeerterrein. Don Tulio volgde Sanseverino, die Peters auto naar het ziekenhuis reed. Don Tulio was een excellente chauffeur; hij wist hoe hij iemand zonder op te vallen moest volgen.

Hij zat nu in zijn auto en zag hoe Sanseverino de ingang van de eerstehulpafdeling binnenliep en opgeslokt werd door het ziekenhuis. Hij was niet van plan om Sanseverino te volgen, want het ziekenhuis was natuurlijk vergeven van de veiligheidsagenten, en het was zeer waarschijnlijk dat hij ontdekt zou worden. Waarom zou hij dat risico lopen, als hij alleen maar hoefde te wachten totdat jefe Marks zou opduiken, in zijn auto zou gaan zitten en weg zou rijden? Don Tulio, die niet veel tijd meer had, zou hem volgen en terugpakken wat hem toebehoorde. Het vliegtuig dat hij gecharterd had om hem terug naar Mexico te vliegen stond startklaar op hem te wachten.

Hij wist zeker dat de dertig miljoen verdwenen waren. De federale agenten hadden het geld, wat betekende dat het in rook opgegaan was. Zijn mannen, die het offerlam dat hij uit zijn rangen gekozen had, onthoofd hadden, waren hard aan het werk om de dertig miljoen te vervangen. Maar hij wilde zich ook graag ten opzichte van Don Maceo rehabiliteren. Don Maceo zou al wel tot bedaren gebracht zijn, in ieder geval tijdelijk, door het hoofd dat de luitenant van de Azteek hem gebracht had. Maar hij zou niet onder de indruk zijn totdat het geld terug was en Don Tulio hem een tweede hoofd gebracht had, en hem geïnformeerd had over wiens hoofd het was.

De Azteek controleerde nogmaals de 911-revolver en de kogels met een holle punt. Daarna legde hij de revolver op de zitting naast zijn knipmes. Hij leunde met zijn hoofd achterover en sloot half zijn ogen. Hij had zichzelf aangeleerd om net als een reptiel met halfgesloten ogen te slapen. In deze toestand zou hem niets ontgaan. Zijn geest kwam tot rust, terwijl zijn voelsprieten uit bleven staan. Door deze bijzondere kwaliteit ontging het hem niet dat jefe Marks in gezelschap van Sanseverino het ziekenhuis verliet. De twee mannen liepen rechtstreeks naar Marks' auto. Er ontstond even een woordenwisseling toen Sanseverino erop stond dat hij wilde rijden. Marks legde zich erbij neer en Sanseverino kroop achter het stuur, terwijl Marks naast hem ging zitten.

Don Tulio startte de motor vlak voordat Sanseverino dat deed. Hij volgde op veilige afstand toen de auto het parkeerterrein van het ziekenhuis af reed. Hij zorgde dat het aantal auto's dat zich tussen hen bevond steeds varieerde. Onder het rijden neuriede hij een cumbia-wijsje dat hem herinnerde aan zachte armen en krachtige benen, bezwete lichamen, en door mescal benevelde hoofden die allemaal bewogen op de indringende beat.

'Excuses voor het feit dat we hem nog niet gevonden hebben, baas,' zei Sanseverino, terwijl hij een bocht nam. 'Misschien is hij door de stroming meegezogen, want als hij daar nog ergens lag, hadden de duikers hem nu al wel gevonden. Ik heb gehoord dat de stroming heel sterk was, dus heeft Anderson een groter gebied af laten zoeken.'

'Verdomme,' zei Peter, 'ik moet weten wie hij is, zodat ik het geldspoor kan volgen tot de bron. Zonder hem bevinden we ons op een dood spoor.'

'Dood is dood,' zei Sanseverino.

'We moeten doorgaan totdat we hem gevonden hebben,' mopperde Peter. Hij was in een rotstemming. Alles gaat verkeerd vandaag, dacht hij. Hij wilde niet toegeven dat hij zich erg veel zorgen over Soraya maakte. En hij vond het ook niet fijn dat zij hem buitengesloten had; dat was niets voor haar.

'Anderson zei dat u het moet laten zitten en naar huis moet gaan,' zei Sanseverino. 'Neem een dag en een nacht om een beetje bij te komen.'

Peter schudde zijn hoofd. 'Nu Soraya uit de running is, is Treadstone onderbemand.'

'U realiseert zich toch dat we min of meer in een cirkeltje ronddraaien?' zei Sanseverino. 'Ik heb geen idee waar dit toe leidt.'

'Haal maar een keer diep adem.' Peter haalde zijn mobiele

telefoon tevoorschijn. 'Zo meteen weet je het.' Hij zocht Delia's nummer in zijn telefoonboek en drukte op het verlichte nummer. Even later nam zij de telefoon op.

'Met Peter,' zei hij bruusk. 'We moeten praten.'

'Ik ben...'

'Nu.'

'Hm-hm.'

Hij grijnsde kwaadaardig. 'Dat klopt. Hum maar een eind weg. Waar ben je?'

'Ik ben niet op kantoor. Ik ben bezig met een opdracht.'

'Ik kom naar jou toe.' Hij knipte met zijn vingers. 'Adres.'

Don Tulio volgde de auto van jefe Marks de stad uit. Ze raakten steeds verder verwijderd van de bewoonde wereld. Hij had al snel geen idee meer waar hij was. De huurauto beschikte niet over een gps-systeem. Maar zijn mobiele telefoon wel. Hij wurmde hem met één hand tevoorschijn en schakelde hem in.

Niet dat het veel uitmaakte waar ze exact waren, in ieder geval niet op dat moment. Hij hoefde alleen maar de auto voor hem in de gaten te houden. En omdat er steeds minder verkeer was, moest hij ook een manier zien te vinden om te voorkomen dat zijn wagen door Marks of Sanseverino gespot zou worden. Dat vereiste enig manoeuvreerwerk, maar gelukkig reden er, ondanks het feit dat het niet meer zo druk was, nog wel vrachtwagens waarachter hij zich van tijd tot tijd kon verbergen.

Don Tulio kneep zijn wrede Azteken-ogen dicht tegen de zon en wisselde regelmatig van snelheid. Het zou niet goed zijn om dezelfde snelheid aan te houden als die van Marks' auto, aangezien dat te veel zou opvallen. Door in en uit het blikveld van hun spiegels te gaan, maakte hij zich zo goed als onzichtbaar.

Ze hadden bijna veertig minuten gereden toen Don Tulio rechts een groot, roodstenen gebouw zag liggen: Silversun High School. Vlak bij de hoofdingang stond een aantal officieel uitziende wagens kriskras door elkaar geparkeerd. Toen hij beter keek, zag hij figuren in hesjes, waarop in grote, heldergele letters

ATF gedrukt was. Ze waren van het Bureau voor Alcohol, Wapens, Tabak en Explosieven.

Even later minderde Marks' wagen vaart en maakte aanstalten om rechtsaf de weg naar de school in te slaan.

Dit is mijn kans, dacht de Azteek, zo'n mogelijkheid krijg ik niet meer.

Hij gaf gas en dook als uit het niets op achter Marks' wagen. Met een druk op een knopje gleed zijn raampje helemaal naar beneden. De Chevy meerderde vaart. Hij greep zijn 911 van de zitting naast hem. Hij week uit naar rechts en had de Chevy razendsnel ingehaald.

Toen hij naast de wagen reed, ving hij een glimp op van Marks' bleke gezicht dat hem met onderzoekende blik aankeek. Hij zag de loop van Marks' Glock. Hij richtte de 911 op Marks' gezicht en drukte af. Twee, drie schoten, toen stampte hij op de rem, waardoor hij voorkwam dat er teruggeschoten kon worden.

Voor hem slingerde de Chevy wild heen en weer, zwenkte uit om vervolgens met piepende remmen en gierende banden een bocht van 180 graden te maken. Daar had de Azteek op gewacht. Hij gaf vol gas en ramde de Chevy in de flank, waardoor de beide portieren aan de chauffeurskant ingedeukt werden. De voorkant van zijn wagen lag in de kreukels. Door de klap sloegen zijn tanden op elkaar.

Zijn hoofd sloeg achterover tegen de stoelleuning en de airbag werd geactiveerd. Hij doorboorde hem met de punt van zijn mes en sloeg de resten van zich af. De veiligheidsgordel zat muurvast. Hij gebruikte zijn mes als een machete en hakte erdoorheen alsof het een liaan in de jungle was.

Hij probeerde zo snel mogelijk uit de auto te komen, omdat hij wilde zien wat hij aangericht had. Het portier zwaaide open. Het maakte een krijsend geluid van metaal over metaal. De scharnieren waren ontwricht. Hij stapte uit, een beetje verdwaasd door de plotselinge, brute zwaartekracht.

Hij wankelde naar de Chevy. Daar zag hij dat Sanseverino van opzij geraakt was. Omdat hij geen kant op had gekund door de geactiveerde airbag, was de linkerkant van zijn lichaam verpletterd door het ingeramde portier. Zijn hoofd stond in een onnatuurlijke hoek alsof hij de voetpedalen wilde inspecteren. De Azteek zag dat hij helemaal niets aan het inspecteren was. Hij was dood.

Hij boog zich verder voorover om de rest van de auto te kunnen bekijken. Waar was jefe Marks? Het portier aan zijn kant stond open en het raampje was naar beneden, maar er was geen lichaam te zien, niet dood en niet levend. Hoe kon dat? De Azteek had van heel dichtbij drie kogels door het raam van de Chevy afgevuurd.

Zijn aandacht werd gewekt door een nauwelijks zichtbare beweging. Hij haastte zich om het wrak heen en zag Marks onder de auto liggen. De jefe was bij bewustzijn.

'Hoe kan dat?' zei de Azteek in het Engels. 'Ik heb drie keer op jou geschoten. Hoe kan het dat je dat ongedeerd overleefd hebt?'

Marks keek op naar Don Tulio en zei met een stem die nog het meeste weg had van het geritsel van droge bladeren: 'Kogelvrij glas.'

'Verdomme!'

'Wie ben jij?'

'Ik ben de brenger van jouw dood.' De Azteek liep naar de plek waar Peter lag. 'Jij hebt mijn dertig miljoen gestolen, hufter.'

'En van wie heb jíj die dertig miljoen gestolen?'

Don Tulio hield de 911 in één hand en opende het mes met zijn andere. Vervolgens wees hij met de revolver naar Marks. 'Aangezien je hoofd binnen dertig seconden van je lichaam geblazen wordt, zal ik het je vertellen. Don Maceo Encarnación.'

'Ik spuw op Don Maceo Encarnación,' zei de jefe. 'En ik spuw op jou.'

In een oogwenk richtte Peter de Glock die hij in zijn hand hield, haalde de trekker over, en schoot de man die boven hem uittorende links in zijn borst. Maar Peter hoorde niet één, maar twee schoten. Terwijl de man achteruit tuimelde, voelde Peter een verblindende pijn. Hij probeerde adem te halen, hoestte, en voelde een golf warm bloed in zijn keel stromen. Hij kon geen adem meer krijgen. Zijn hart werkte als een bezetene en hij voelde de kracht uit zijn lichaam vloeien.

Dus zo eindigt het, dacht hij. En vreemd genoeg leek hem dat niets meer uit te maken.

20

Rebeka lag bewegingloos boven op Bourne, terwijl de lijkwagen door de brandende, scherpe ochtendschemering reed. Ze lagen in de gepolijste iepenhouten kist die Maceo Encarnación besteld had voor Maria-Elena, zijn overleden kokkin. Diego de la Rivera zat naast de chauffeur. De kist stond vergrendeld op de roestvrijstalen rails. Verder lag er niets in de wagen. Voor de raampjes hingen zwarte gordijntjes.

'Maceo Encarnación wil dat de overledene in de kist teruggebracht wordt naar het mortuarium,' had Diego de la Rivera hun vlak voor hun vertrek verteld. 'Het materiaal en de stijl van de kist waren al bepaald. Zijn bewakers kennen mij; ze kijken wel in de wagen, maar ze nemen niet de moeite om hem te onderzoeken. Geloof me.'

Het ging precies zoals Diego de la Rivera voorspeld had. De lijkwagen werd buiten de poort tegengehouden. Rebeka en Bourne konden in hun kist de gedempte stemmen horen. Even later werd de brede achterklep geopend. Nu hoorden ze meer stemmen die van dichterbij kwamen. Toen werd de klep weer dichtgeslagen. Er klonk rauw gelach. Daarna mocht de lijkwagen het terrein van Maceo Encarnación oprijden. De wielen knarsten over het grind, terwijl de wagen op begrafenissnelheid de halfronde oprit afreed naar de achterkant van de villa.

Opnieuw klonken er stemmen, maar nu minder knorrig. De achterklep werd weer opengemaakt, maar deze keer werd de doodkist ontgrendeld. Diego de la Rivera droeg de kist samen met zijn chauffeur het huis binnen, waarschijnlijk naar de plaats waar Maria-Elena opgebaard lag.

De kist werd ergens neergezet. Drie klopjes, gevolgd door twee klopjes gaven aan dat ze aan het einde van hun reis gekomen waren. De deksel van de doodkist werd opgetild en zij rezen als vampiers in de nacht uit de kist omhoog. De kamer was schemerdonker en het rook er naar parfum en de dood.

Behalve het lichaam van de onfortuinlijke Maria-Elena, waren Diego de la Rivera en zijn chauffeur de enige aanwezigen. Ze waren in de slaapkamer van de vrouw. De kamer stond vol met snuisterijen. Planken vol miniatuurschedels en -geraamtes die allemaal in felle kleuren beschilderd waren. Het was duidelijk dat ze door de jaren heen tijdens de dodenfestivals verzameld waren. Het lichaam lag op de witte, katoenen sprei, met aan de randen decoratieve gaatjes. Maria-Elena was een aantrekkelijke vrouw geweest met een breed Olmec-gezicht, grote borsten en brede heupen, maar met een slanke taille. Haar handen lagen gevouwen op haar buik. Ze droeg een gele jurk met een dessin van rode klaprozen, waardoor ze er net zo feestelijk uitzag als de schedels en geraamtes van papier-maché waarmee ze omringd werd.

'De deur wordt bewaakt door een gewapende man. Hij is degene die ons aan de buitendeur begroet heeft,' fluisterde Diego de la Rivera. '*Vaya con Dios*. Vanaf nu moeten jullie jezelf zien te redden.'

Bourne pakte hem bij de elleboog. 'Nog niet.'

Maceo Encarnacións mannetje draaide zich om toen Diego de la Rivera uit de slaapkamer van Maria-Elena kwam.

'Ik heb iets in de lijkwagen laten liggen,' zei hij schaapachtig.

De man knikte. 'Ik loop wel even met je mee.'

Op het moment dat de man achter De la Rivera aanliep, kwam Bourne de kamer uit en gaf hem een klap in zijn nek. Verdwaasd draaide de man zich half om en kreeg vervolgens een dreun tegen de zijkant van zijn hoofd. Hij zakte bewusteloos in elkaar.

Bourne sleepte hem de slaapkamer in en ontwapende hem. Hij stak de Sig Sauer achter zijn broeksband. Hij vond nog een knipmes en stak dat in zijn zak. Hij koos een kledingstuk uit de ladekast van Maria-Elena en propte die in de mond van de bewaker. Daarna bond hij met een sjaal de handen achter zijn rug en schoof hem onder het bed. Hij trok de rand van de sprei tot op de grond waardoor hij helemaal aan het zicht onttrokken was.

'Nu,' zei Bourne tegen De La Rivera die de slaapkamer binnen kwam lopen, 'is het *vaya con Dios*.'

Bourne en Rebeka stonden buiten de gesloten slaapkamerdeur van Maria-Elena doodstil te wachten. Ze luisterden naar de geluiden in het huis en waren bedacht op voetstappen, stemmen, alles wat kon wijzen op de aanwezigheid van bewakers in en buiten het huis. Maar behalve een radio die zachtjes Besame Mucho in de versie van Tino Rossi uit 1945 liet horen, was er geen teken van leven.

Het was erg vroeg. De zon was nog maar net op. Het was zeer waarschijnlijk dat de bewoners van het huis nog sliepen. Maar iemand moest op zijn en luisteren naar de kabbelende muziek. Ze hoorden op de overloop zachte voetstappen. Ze doken een badkamer in en lieten de deur op een kiertje open.

Bourne zag een prachtige, jonge vrouw die een lang, zijden gewaad aanhad waarop een ingewikkeld patroon van bloemen en stengels geborduurd was. Ze liep de brede trap van glanzend hout af en haastte zich door de gang. Ze was duidelijk naakt onder het gewaad. Gezien haar trekken en haar trieste uitdrukking vermoedde hij dat zij de dochter van Maria-Elena was. Voorzichtig glurend zag hij haar de kamer van haar moeder binnengaan. Even later, toen zij uit hun schuilplaats tevoorschijn kwamen, hoorden zij vanachter de slaapkamerdeur een laag, wanhopig gejammer opstijgen.

'Arm ding,' fluisterde Rebeka in Bournes oor.

Bourne probeerde zich de plattegrond voor de geest te halen van de villa die el Enterrador hun had laten zien. De slaapkamers van de hoofdbewoners waren op de bovenverdieping. Het had Bourne enigszins verbaasd dat de dochter van Maria-Elena daarvandaan gekomen was en niet van de benedenverdieping, waar normaal gesproken haar slaapkamer moest zijn. Daarbij kwam nog dat de kamerjas die zij omgeslagen had, waarschijnlijk net zo duur was als het jaarsalaris van haar moeder. Deze eigenaardigheden werden naar de achtergrond gedrukt toen zij met al hun voelsprieten uit de trap op liepen.

Toen ze zich ervan overtuigd hadden dat er niemand anders op de trap was, snelden ze het laatste stuk omhoog. Ze bereikten de eerste verdieping zonder problemen. Deze verdieping was in tweeën gedeeld. In de westvleugel – links van hen – waren de enorme vertrekken van Maceo Encarnación. Naast een imposante slaapkamer waren er ook nog een luxueuze badkamer en een volledig gelambriseerde studeerkamer. In de oostvleugel – rechts van hen – waren vier gastenkamers met badkamer. Ze slopen richting de oostvleugel en hielden hun hoofden beneden de balustrade totdat ze de muur bereikten waar de slaapkamers begonnen, twee aan elke kant.

Bourne gaf aan dat hij de slaapkamers aan de linkerkant zou controleren en dat Rebeka de kamers aan de andere kant moest doen. Ze knikte dat ze het begrepen had en liep de gang door. Hij bleef haar even nakijken, voordat hij zelf naar de eerste deur liep.

Hij drukte een oor tegen de deur en luisterde, maar behalve het lage gezoem van de airconditioning hoorde hij niets. Hij legde zijn hand op de deurknop, draaide hem om, opende de deur, en stapte zonder geluid te maken de kamer binnen. Voor het raam hingen zware gordijnen. In het schemerdonker zag hij het gebruikelijke meubilair: bed, toilettafel, kast en stoel. Er lag niemand in bed. De sprei was onberoerd. Er hing een muffe lucht in de kamer; het had geen zin om de badkamer te controleren.

Terug in de gang zag hij Rebeka uit de eerste slaapkamer aan haar kant komen. Ze schudde haar hoofd: daar was ook niemand. Ze liepen verder de gang door totdat ze voor de deuren van de volgende twee slaapkamers stonden.

Toen ze zachte voetstappen op de trap hoorden, draaiden ze zich om, hurkten en drukten zich stijf tegen de muur. Maria-Elena's prachtige dochter wervelde de trap op alsof ze op een wolk liep. Haar extravagante gewaad wapperde achter haar aan. Op de overloop sloeg ze links af, liep naar de westvleugel en verdween achter de zwaar bewerkte mahoniehouten deur naar de vertrekken van Maceo Encarnación.

Bourne en Rebeka wisselden een blik uit voordat ze verdergingen met waar ze mee bezig waren. Bourne drukte zijn oor tegen de slaapkamerdeur, maar deze keer hoorde hij heel flauwtjes het geluid van stromend water. Hij gaf Rebeka een teken dat ze hem moest volgen, draaide langzaam de deurknop om en opende de deur net ver genoeg zodat hij naar binnen kon gluren. Het was in deze kamer net zo schemerdonker als in de vorige, maar hier was het beddengoed teruggeslagen. In het kussen was duidelijk de afdruk van een hoofd te zien.

Bourne glipte de kamer binnen. Rebeka volgde hem zonder enig geluid te maken. De douche stond aan, de deur naar de badkamer stond heel iets open. Hij gebaarde dat hij naar binnen zou gaan, terwijl zij de kasten nakeek. Bourne sloop de slaapkamer door, duwde de deur iets verder open en gleed zijdelings de badkamer binnen die vol stoom stond. Er brandden heldere lichtjes die oogverblindend gereflecteerd werden door de witte tegels.

In één stap was hij de ruimte door en met gestrekte arm trok hij het ondoorzichtige douchegordijn weg. Het water kletterde neer in een lege ruimte. Er stond niemand onder de douche.

Hij besefte in een flits wat er aan de hand was. Met een onverstaanbare grom draaide Bourne zich om en haastte zich terug naar de slaapkamer. Rebeka stond half in een kast en draaide zich om. Terwijl zij dat deed, sprong Harry Rowland uit de diepte van de kast tevoorschijn en ramde zijn vuist in haar zij, op de plek waar zij zes weken eerder in Damascus een messteek had opgelopen. Voordat Bourne iets had kunnen doen, had hij een mes gepakt en op haar keel gezet. Vanuit die positie keek hij Bourne met de grijns van een doodshoofd aan.

Bourne wist zeker dat Rebeka wel tien manieren wist om zichzelf te bevrijden. Maar ze was daar niet toe in staat; daar zorgde Rowland wel voor. Hij hield haar in een dodelijke greep en drukte haar keel dicht, waardoor zij als een vis naar adem hapte. Op de plek waar hij haar geslagen had, vormde zich een rode vlek.

'Toen ik in Dahr El Ahmar rondneusde, pikte ik heel wat stukjes bruikbare informatie op,' zei Rowland. 'Zo weet ik de plek waar zij gewond is geraakt en de ernst van die wond.'

Hij bewoog nauwelijks waarneembaar. Bourne kon niet zien wat hij deed omdat Rebeka ervoor stond. Toen sloeg hij haar in haar zij. Zij siste van pijn door haar opeengeklemde kaken. De bloedvlek werd groter. Ze keek Bourne met bloeddoorlopen ogen aan.

'Laat haar gaan, Rowland,' zei Bourne.

'Is dat een vraag of een dreigement? Hoe dan ook.' Rowland schudde zijn hoofd. 'Dit klotewijf heeft de halve wereld achter mij aangezeten en nu heb jij je bij haar aangesloten.' Hij ontblootte zijn tanden. 'Kijk, zo is het om je geheugen weer terug te krijgen.' Hij knikte en ging verder. 'O ja, ik weet wie je bent, jij armzalige amnesiefreak. Ik voel echt medelijden met jou. Je hebt geen leven, met die schaduw op je nek, die je dag en nacht, slapend en wakend met je meesleept. Het is een nachtmerrie van onvoorstelbare proporties.' Rebeka bewoog en hij sloeg haar opnieuw op dezelfde plaats. Bloed druppelde door haar kleren op de grond. 'Alleen ik weet hoe het is om geen verleden te hebben, om stuurloos in het heden te dwalen.'

'Wat wil je?' Bourne zocht een manier om te voorkomen dat hij Rebeka nog meer aan zou doen.

'Ik wil dat de achtervolging stopt. Ik wil jullie dood.'

Bourne zag hoe Rebeka haar laatste restjes kracht probeerde te verzamelen en hij wist waarom ze dat deed. Hij gaf een teken met zijn ogen dat ze nog niets moest doen. Ik heb een plan, zeiden zijn ogen. Laat Rowland aan mij over. Maar ze negeerde hem. Dat kwam door haar harde en meedogenloze training.

'Er is voor ons allemaal nog een andere manier om hier uit

te komen,' zei Bourne in een uiterste poging om Rowland af te leiden voordat Rebeka in actie zou komen.

Achteraf kon Bourne niet meer achterhalen wat er precies verkeerd was gegaan – was Rebeka te uitgeput geweest door de pijn? Was Rowland te snel? Ze kwam, nog steeds duizelend, in beweging. Hij sloeg haar aanval af en terwijl zij ronddraaide joeg hij zijn mes in haar zij. Desondanks lukte het haar om hem een stomp op het puntje van zijn kin te geven.

Hij tuimelde achteruit en liet haar los. Zij wankelde. Het mes stak tot het heft in haar zij. Bourne deed een stap vooruit en ving haar in zijn armen op. Met haar in zijn armen snelde hij de slaapkamer uit en liep door de gang naar de deur naar de kelder.

Hij had de plattegrond goed in zijn hoofd geprent. Uit wat el Enterrador hem verteld had over de kelder, concludeerde hij dat dat de enige mogelijke vluchtweg was. Bourne wilde Rebeka, die bloedend in zijn armen lag, zo snel mogelijk naar een ziekenhuis brengen. Daarom moest hij weg zien te komen van het landgoed van Maceo Encarnación.

Hij liep met haar de betonnen trappen af. Hij vond het lichtknopje en meteen baadde de ruimte in het licht. In een gereedschapskist lag een zaklantaarn die hij aanknipte. Hij liep naar het elektriciteitspaneel en schakelde de elektriciteitsvoorziening van het hele huis uit. De lichten gingen uit, niet alleen in de kelder, maar in het hele huis, samen met het alarmsysteem.

In het midden van de kelder is een afvoerpijp, had el Enterrador hem verteld. De grondwaterspiegel onder het huis vereist een grote pijp. Hij is groot genoeg om een mens door te laten.

Bourne vond de pijp. Rebeka kreunde toen hij haar op de grond liet zakken. Het heft van het mes stak nog steeds uit haar zij. Hij kon het er niet uittrekken zonder dat de wond opnieuw zou gaan bloeden. Zelfs als hij de wond zou verbinden, zou hij veel harder bloeden dan hij nu deed. Hij pakte het rooster dat de afvoer afdekte en trok het omhoog. Het gaf niet mee.

Plotseling hoorde hij het geluid van rennende voetstappen op de vloer boven zijn hoofd. Hij keek naar Rebeka. Bloed droop op het beton onder haar. Boven zou een duidelijk bloedspoor naar de kelderdeur leiden.

Charles Thorne lag in zijn kingsize bed en rolde rusteloos heen en weer. De voordeur viel in het slot. Hij ging recht overeind in bed zitten. Of had hij het gedroomd? Hij hoorde zachte voetstappen in de richting van de slaapkamer komen. Hij herkende de manier van lopen.

Zijn vrouw was thuisgekomen.

'Heb ik je wakker gemaakt?' vroeg Ann Ring vanuit de deuropening.

'Zou het wat uitmaken?' Hij schudde met zijn hoofd om wat wakkerder te worden.

'Niet echt.'

De woordenwisseling typeerde hun relatie. Een huwelijk dat gevoed werd door hete seks, was verworden tot een kabbelend huwelijk toen de chemie uitgewerkt was en plaats had gemaakt voor een alledaagse sleur.

Hij volgde zijn vrouw met zijn ogen, toen zij door de slaapkamer naar de toilettafel liep, waar zij haar sieraden afdeed.

'Het is bijna zeven uur. Waar ben je geweest?'

'Waar jij ook geweest bent. Uit.'

Ann ritste haar jurk open en liet hem van zich af glijden. Hij keek naar haar rug, die bleek en schemerig in het schijnsel van de stad oplichtte. Thorne kon zich de tijd herinneren dat de hartstocht tussen hen zo ondraaglijk was, dat ze, ongeacht waar ze waren, alleen maar konden denken aan seks. Nu leek het net alsof hij naar een foto keek. Nu was het ondraaglijk om naar haar te kijken in het besef van wat hij verloren had.

Wat is er van mij geworden, vroeg hij zich af. Hoe ben ik zo ver afgedwaald? Er was geen antwoord mogelijk, behalve natuurlijk het meest voor de hand liggende: het leven gaat zoals het gaat. Uit een beslissing vloeit een andere voort. Je kunt het zien als een kleine inkeping in een rots die een aardverschuiving kan veroorzaken, en feit was dat hij nu onmiddellijk gevaar liep om eronder bedolven te worden.

Ann liep naakt naar de badkamer en knipte het licht aan. Toen hij de douche hoorde lopen, stond hij op en liep naar de plek waar haar kleren op de grond lagen. Bij het schijnsel van het licht dat uit de badkamer kwam, doorzocht hij de zakken in de jurk en daarna haar tasje.

Er viel een schaduw op hem en hij verstijfde.

'Kan ik je ergens mee helpen?' Ann stond in de deuropening en keek hem met koude reptielenogen aan.

Ze was toch niet onder de douche gegaan. Hij sloot zijn ogen en vervloekte zichzelf omdat hij in deze voor de hand liggende val gelopen was. Achteraf voor de hand liggend. Zijn haat voor haar was zo intens dat hij hem bijna kon proeven.

Ze kwam op hem af. 'Laat mijn spullen met rust, grote klootzak die je bent.'

Hij deed snel een stap naar achteren, toen zij haar tasje uit zijn handen griste.

'Wil je weten waar ik was?' Ann snoof terwijl ze haar hoofd schudde. Haar gezicht straalde pure minachting uit. 'Ik heb een bezoekje gebracht aan meneer Li.' Een glimlach krulde rond haar mond toen ze de schrik in zijn ogen zag. 'Je hoort het goed, jóúw meneer Li.' Ze trok een la van de toilettafel open en legde haar tasje erin. Daarna leunde ze op de open la alsof ze hem wilde laten zien hoezeer hij haar verveelde. 'Alleen was hij nooit echt jóúw meneer Li. In ieder geval niet exclusief.'

'Hoe...?' Thorne voelde zich als verlamd. Zijn hersens leken niet meer in staat om twee gedachten met elkaar te verbinden. 'Hoe ben jij...?'

Ze lachte zachtjes. 'Wie denk je dat hem bij zijn Israëlische vriendin geïntroduceerd heeft?'

Bourne graaide een koevoet uit de gereedschapskist en gebruikte hem om het rooster open te wrikken. Hij zette het rooster opzij en scheen met de zaklantaarn in de pijp om te zien hoe die liep. De pijp ging ongeveer een meter of drie steil naar beneden, waarna hij een knik maakte en veel minder steil schuin verder liep. Hij nam de zaklantaarn tussen zijn tanden, nam Rebeka in zijn armen en liet zich in de pijp zakken. Hij kwam hard terecht op de plek waar de pijp een knik maakte.

Hij bewoog haar iets in zijn armen, maar hij voelde geen reactie. Hij hield zijn hoofd vervolgens zo dat de lichtbundel op haar gezicht viel. Hij zag dat haar ogen gesloten waren. De wond in haar zij was diep en hij vroeg zich af of het mes misschien een vitaal orgaan geraakt had. Hij had geen idee. Hij probeerde het bloeden te stelpen, maar dat lukte slechts gedeeltelijk.

'Rebeka,' zei hij zacht. Daarna wat harder. Maar ze opende haar ogen pas nadat hij haar op haar wang geslagen had. 'Niet doodgaan,' zei hij. 'Ik haal je hier uit.' Ze keek hem met wazige ogen aan. 'Hou nog even vol.'

Er was snelheid geboden. Hij manoeuvreerde haar voorbij de knik. Daarna zakten ze verder door de pijp die steeds minder steil werd. Hun vluchtroute rook naar beton, dode bladeren en verrotting. De bodem van de pijp was vochtig. De echo's van hun vorderingen volgden hen als geesten in de duisternis.

Hij keek omhoog en liet de lichtstraal langs de bovenkant van de pijp gaan op zoek naar de splitsing waar el Enterrador hem over verteld had. Die zou ongeveer driehonderd meter voorbij de muur van het landgoed zijn en uitkomen in een dichtbegroeid deel van Lincoln Park.

De pijp werd steeds nauwer. Daar had el Enterrador het niet over gehad. Bourne kon niet zo snel vooruitkomen omdat hij Rebeka's lichaam langs de nauwere gedeeltes moest zien te loodsen. Hij ging zo goed en zo kwaad als het ging verder en bleef tegen haar praten om te zorgen dat ze niet weg zou zakken. De splitsing was nog steeds niet te zien. Op dat moment begon de zaklantaarn te haperen. Even werd het helemaal donker, waarna het licht het weer deed, maar nu veel flauwer. De batterijen waren bijna leeg.

Bourne probeerde met Rebeka bovenop zich en met hun hoofden naar voren de snelheid erin te houden, maar de afvoerpijp werd steeds nauwer, waardoor ze slechts langzaam vorderden. Hij kon haar hartslag horen en haar onregelmatige ademhaling die steeds hijgender werd omdat ze naar adem snakte. Hij moest haar hier weg zien te krijgen. Ze had frisse lucht nodig.

Hij zette door en kwam centimeter voor vervloekte centimeter vooruit. Iedere seconde was nu van levensbelang. De zaklantaarn haperde weer. Het duurde nu langer voordat hij weer aanschoot. De lichtbundel werd steeds zwakker en begon te flikkeren. Maar uiteindelijk zag hij in dit flikkerende licht de contouren van de splitsing en de pijp die naar het park liep.

Hij probeerde nu nog sneller vooruit te komen. Hij sleepte Rebeka met zich mee. Zijn rug was rauw en nat van het schuren over de bodem van de pijp. Een halfronde rand, glanzend als een maansikkel aan een nachtelijke hemel, lonkte naar hem, maar verdween toen de batterijen van de zaklantaarn definitief de pijp aan Maarten gaven. Opeens was het pikdonker om hen heen.

'Natasha Illion?' Thorne voelde de wereld onder zijn voeten wegzakken. 'Ik...'

'... begrijp het niet?' Ze keek hem nog steeds met een ijzige glimlach aan. 'Arme Charles. Tasha en ik zijn vriendinnen. Laten we het daar maar bij laten.'

'Teringteef!' schreeuwde hij. Hij deed een uitval naar haar.

Ann haalde haar hand uit de la van de toilettafel. Ze had een kleine Walther PPK/S in haar hand. Thorne zag het niet, of het maakte hem niets uit. Furieus kwam hij met gestrekte armen op haar af om haar te wurgen.

Ann haalde de trekker twee keer met vaste hand over. De krachtige .32 ACP-kogels doorboorden hem. Thorne sloeg met zo'n kracht tegen de muur dat hij terug stuiterde.

Zijn ogen sperden zich vol schrik en ongeloof wijd open. Hij voelde een verblindende pijn en wankelde tegen haar aan. Hij greep haar vast op een manier die even deed denken aan de manier waarop zij elkaar ooit als minnaars vastgrepen en zich overgaven aan hun dierlijke lustgevoelens.

Zijn mond opende en sloot zich als een vis die naar adem hapt. 'Waarom? Jij...'

Ann keek met een kille, bijna klinische blik toe hoe hij aan het doodgaan was. 'Je bent een verrader, Charles. Je hebt mij verraden, ons huwelijk, maar bovenal ons land.' Hij zakte op zijn knieën. 'Weet je wel wat je te wachten stond met die achtenswaardige meneer Li? Achtenswaardig als spion, ja.'

Thorne voelde zich alsof hem niets ergers meer kon overkomen. De aardverschuiving was begonnen en ze bedekte hem compleet.

'Goodbye, Charles.' Ann duwde hem weg en zag dat ze onder het bloed zat. Ze stapte over hem heen en liep terug naar de badkamer, waar ze onder de douche ging staan om zich schoon te boenen.

Bourne bleef doorgaan. Hij zag de rand van de schacht nog steeds in gedachte voor zich. De pijp was nu zo nauw dat hij zijn armen boven zijn hoofd uit moest strekken. Zo legde hij de laatste meters af naar de rand. Toen hij de rand voelde, sprong zijn hart op van blijdschap.

Hij legde Rebeka neer en ging in de schacht staan. Hij tastte boven zijn hoofd en voelde de onderkant van het luik. Er hing een metalen ring aan. Hij draaide deze naar links, duwde, en werd beloond met een vloed aan licht en frisse lucht.

Vrijheid!

Hij tilde Rebeka op en duwde haar door de opening naar buiten. Hij volgde haar. Ze werden door het daglicht overspoeld. De pijp eindigde precies midden in een groepje bomen die vier rijen dik in een perfect symmetrisch vierkant geplant waren.

Hij zorgde dat Rebeka uit het zicht bleef, keek om zich heen, en luisterde of er iemand achter hen aan kwam. Hij hoorde in de verte wel verkeerslawaai. Het was nog te vroeg voor wandelaars. Ze waren alleen.

Toen hij Rebeka onderzocht, zag hij dat er al pus uit de wond kwam. Hij probeerde met een doek die hij uit de gereedschapskist had meegenomen, het bloeden te stoppen, maar de doek was vrijwel meteen doordrenkt met bloed. De moeizame tocht door de afvoerpijp had de wond geen goed gedaan. Hij luisterde naar haar hart en daarna naar haar longen. Wat hij hoorde beviel hem helemaal niet. Hij probeerde te berekenen hoeveel bloed zij verloren had – het was waarschijnlijk meer dan de hoeveelheid bloed die zij tijdens hun vlucht van Damascus naar Dahr El Ahmar verloren had. Haar gezicht was asgrauw. Ze had geen kleur meer in haar ogen. Ze probeerde wat te zeggen, maar dat lukte niet. Hij moest haar snel in een ziekenhuis zien te krijgen, anders zou ze zeker doodbloeden.

Ze opende haar mond en zei iets onverstaanbaars.

'Bewaar je krachten,' fluisterde hij. 'Nog even en je ligt in een ziekenhuis.'

Hij keek weer om zich heen. Vervoer, dat was wat ze nodig hadden.

'Rebeka,' zei hij, 'ik ga een auto voor ons regelen.' Hij stond op, zocht zich een weg tussen de bomen door, en liep door het park tot hij een parkeerplaats zag. Auto's reden voorbij. Een taxi passeerde. Hij dacht erover om die aan te houden, maar taxi's werden maar al te vaak gereden door bendeleden op zoek naar niets vermoedende toeristen om hen te beroven. In plaats daarvan ging hij naast een geparkeerde auto staan. Hij stond op het punt om de auto open te breken, toen er een politieauto langsreed. De politieagenten zagen hem en minderden vaart. Bourne draaide zich om en begon binnensmonds te vloeken.

Er kwam een andere taxi de hoek om. Hij was vrij. Bourne hield hem aan. Uit zijn ooghoek zag hij dat de politiewagen optrok en verder reed. Toen de taxi stopte, zei Bourne tegen de chauffeur dat hij moest wachten. Hij liep de weg terug die hij gekomen was. Toen hij Rebeka door het park naar de wachtende auto bracht, mompelde zij opnieuw iets. Deze keer hield hij zijn oor vlak bij haar mond. Ze opende haar ogen en probeerde hem aan te kijken. Ze herhaalde wat ze gezegd had. Een naam.

Ze arriveerden bij de wachtende taxi. Bourne zette Rebeka achterin en ging er zelf naast zitten.

'*Qué pasa con ella?*' zei de chauffeur.

'Ponernos al Hospital General de Mexico,' zei Bourne.

'Hé, ze bloedt. Ze maakt mijn hele zitting smerig.'

'Ze is neergestoken,' zei Bourne, terwijl hij zich voorover-boog. *'Vamos!'*

De chauffeur trok een scheef gezicht, maar zette de auto in de versnelling en voegde in het verkeer in. Ze waren nog geen drie straten onderweg of Bourne wist dat ze de verkeerde kant opgingen. Hospital General de Mexico lag in het zuiden; zij reden naar het noorden. Hij wilde net wat zeggen toen de chauffeur naar de kant reed, waar twee mannen met een Maya-uiterlijk gehurkt in een hoek bij elkaar zaten en furieus zaten te roken.

Bourne boog zich naar voren, sloeg een arm om de keel van de chauffeur en rukte hem naar achteren. Op hetzelfde moment graaide hij met zijn vrije hand onder zijn jas naar zijn pistool en trok het uit het schouderholster.

'Het ziekenhuis,' zei Bourne, terwijl hij de loop tegen de zijkant van het hoofd van de chauffeur drukte, 'of ik schiet.'

'En dan het risico lopen dat de auto onbestuurbaar wordt?' De chauffeur bleef in de richting van zijn maten rijden en schudde zijn hoofd. 'Dat wil je niet.'

'Bourne haalde de trekker over en het hoofd van de chauffeur explodeerde in een regen van bloed, hersens en bot. De taxi reed slingerend door in de richting van de twee mannen. Zij herkenden de wagen en kwamen in de benen. De taxi schoot de stoep op en schreeuwend maakten ze zich uit de voeten.

Bourne was ondertussen naar voren gekropen. Hij duwde de chauffeur de auto uit en gleed achter het stuur. Hij miste op een haar een stoplicht en verscheidene voetgangers, voordat hij de wagen weer terug op de weg kreeg.

Hij maakte een spectaculaire bocht van 180 graden waarbij hij over een vluchtheuvel schoot. Achter zich hoorde hij krijsende remmen, toeterende claxons en luid geschreeuw. Hij schoot van de ene baan in de andere en scheurde in zuidelijke richting naar het ziekenhuis.

Hij keek in de achteruitkijkspiegel naar Rebeka en zag hoe

intens bleek zij was. Er was niet te zien of ze nog ademhaalde. Ze baadde in het bloed.

'Rebeka,' zei hij. Hij zei haar naam nog een keer, maar nu harder. 'Rebeka!'

Ze reageerde niet. Haar ogen keken uitdrukkingsloos omhoog. Hij scheurde verder door de steeds chaotischer wordende straten, langs moderne gebouwen en over pleinen die omzoomd werden door de ruïnes van het verleden, de rokerige, bloedrode dageraad van Mexico-Stad tegemoet.

Boek drie

21

Het interne alarm van Treadstone ging precies om 07.43 uur af. Anderson, de hoogste Treadstone-official die aanwezig was, belde Dick Richards om 08.13 uur, nadat zijn staf er niet in geslaagd was om de trojan te identificeren die de firewall had weten te omzeilen en de servers had aangevallen, laat staan die te isoleren en te vernietigen.

'Kom onmiddellijk naar het hoofdkwartier,' zei Anderson.

Richards had op de rand van zijn bed op het telefoontje zitten wachten, terwijl hij onderwijl zijn nagels bijna tot op het leven had af zitten bijten. Hij sprong op, gooide water in zijn gezicht, greep zijn regenjas, en spoedde zich naar de deur. Op weg naar zijn werk kon hij een zelfingenomen glimlachje niet onderdrukken.

Toen hij veertien minuten later arriveerde, was het kantoor in rep en roer. Niemand had tot op dat moment kunnen ontdekken hoe de trojan de servers had kunnen infecteren. Het was deze vraag, en ook de vraag hoeveel schade er aangericht was, die de discussie op de IT-afdeling beheerste.

Nadat hij zich bij het haastig bijeengroepen team gevoegd had, ging Richards achter de computer zitten en begon aan het opsporen van de trojan die hij zelf gecreëerd had en als een soort tijdbom op het intranet van Treadstone geplaatst had. Het maken van de trojan was leuk geweest, maar het infecteren van de Treadstone-computers was veel moeilijker geweest dan hij zich voorgesteld had. Hij vervloekte zichzelf voor het feit dat hij in de korte tijd die hij nu bij Treadstone werkte, niet meer aandacht besteed had aan de gecompliceerdheid van de firewall.

Hij had de fout gemaakt ervan uit te gaan dat de firewall van Treadstone op dezelfde manier gebouwd was als die van het ministerie van Defensie en het Pentagon, waar hij heel vertrouwd mee was. Maar tot zijn ontzetting ontdekte hij al snel dat de firewall compleet anders was en dat de algoritmen hem volkomen vreemd voorkwamen.

Hij had er urenlang zijn hoofd over gebroken in een poging om de structuur ervan te doorzien. Het lukte hem niet om binnen te komen, totdat hij ontdekte hoe de basisalgoritme werkte. Het was al bijna vier uur toen hij de oplossing vond. Opgetogen stond hij op, ging uitgebreid naar de wc, en haalde om het te vieren een biertje en een paar plakken ham uit de koelkast. Hij rolde de plakken ham als een sigaar op, doopte ze in de mosterd, en at ze een voor een op. Daarna spoelde hij ze weg met het bier. Onder het eten en drinken overdacht hij de mogelijkheden om de firewall te omzeilen en de server met de trojan te infecteren. Het moest net lijken alsof de aanval van buitenaf kwam.

Hij waste zijn handen, liep terug naar zijn computer, en begon aan het risicovolle en delicate proces van het doorbreken van de Treadstone-firewall. Het programma dat hij uitgedacht had, was klein, maar buitengewoon krachtig. Als het eenmaal binnen was, zou het de server nabootsen en de verzoeken om informatie van Treadstone op een dood spoor zetten, en dat zou al het intranetverkeer in een klap tot stilstand brengen.

Nu moest Richards de computerterminal infecteren met het virus dat hij geprepareerd had en tegelijkertijd moest hij de trojan isoleren en daarna vernietigen. Dat was bijna net zo risicovol als het infecteren. Hij moest het net laten lijken alsof het virus uit de trojan kwam, terwijl het geïsoleerd werd. Dat was al moeilijk genoeg, maar Sam Anderson trok een stoel bij en ging naast hem zitten.

'Hoe gaat het?'

Richards gromde, hopende dat Peters plaatsvervanger verveeld zou raken en weg zou gaan. Maar hij bleef zitten en keek naar de computertaal die over het scherm vloog. Stuxnet was volkomen achterhaald vergeleken met het programma dat hij nu ontworpen had: het was een beter virus dat het beste van Stuxnet gebruikte in een compleet nieuwe structuur die in zijn kringen bekendstond als Duqu. Het maakte naast oorspronkelijke patronen gebruik van zowel valse als gestolen digitale certificaten om zo op slinkse wijze het opstartprogramma, het hart van elke computer, te infiltreren. Van daaruit verdraaide het elke opdracht.

'Boek je al vorderingen?'

Richards knarste uit frustratie en bezorgdheid met zijn tanden. Hij had er geen rekening mee gehouden dat hij op zijn vingers gekeken zou worden. 'Ik heb de trojan geïdentificeerd.'

'En?'

Wat zou Anderson argwanend kunnen maken, dacht hij, hij wist per slot van rekening geen snars van softwareprogramma's. 'Nu moet ik hem isoleren.'

'Je bedoelt verplaatsen?'

'Zoiets ja.' De stroom stompzinnige vragen maakte het voor Richards lastig om zich te concentreren. 'Alhoewel, verplaatsen is in de computerwereld een relatief begrip.'

Anderson boog zich voorover. 'Kun je me dat uitleggen?'

Richards kon met moeite een schreeuw onderdrukken. Het werken voor drie bazen was zonder deze inmenging al zenuwslopend genoeg. 'Misschien een andere keer.'

Anderson stond op het punt om een nieuwe vraag te stellen, toen zijn telefoon ging. Hij nam aan en luisterde even naar de stem aan de andere kant van de lijn. 'Verdomme.' Hoe meer de stem aan de andere kant zei, hoe harder hij begon te vloeken.

Richards gluurde hem van opzij aan. 'Wat is er aan de hand?'

Maar Anderson beende al door het vertrek. Hij greep zijn jas en sprintte de deur uit.

Richards haalde zijn schouders op en ging verder met zijn complexe sabotage.

'Ik heb een lichaam nodig.' Minister Hendricks telefoneerde met

Roger Davies, zijn eerste assistent. 'Man, geen familiebanden. Een strafblad zou ideaal zijn. Ik wil ook dat je een zorgvuldig uitgekozen schoonmaakploeg stuurt. Er moet een appartement schoongemaakt worden.' Hij luisterde even naar Davies' reactie, voordat hij hem in de rede viel. 'Ik begrijp het. Ik wil dat je het in orde maakt.'

Hendricks verbrak de verbinding en keek met een blik van afschuw neer op het lichaam van Charles Thorne. 'Dat is een mooi staaltje schieten, Ann,' zei hij. 'Maar ik zou willen dat je een andere manier gekozen had.'

'Ik ook.' Ann stond naast hem in haar slaapkamer. Ze had een dikke badjas aan. Nadat ze haar campagneleider gebeld had, overwoog ze of ze zich aan zou kleden, maar Hendricks had haar te goed getraind. Ze wilde de plaats van handeling niet verstoren, totdat hij er was met verdere orders. 'Maar hij gaf me geen keuze. Ik denk dat hij gewoon doordraaide.'

Hendricks, met één hand in een zak van zijn overjas, veegde met de rug van zijn andere hand over zijn voorhoofd. Hij liet Ann haar jurk van de vloer rapen, terwijl hij deze nakeek op bloedspatten. Daarna zei hij haar dat ze de jurk in de kast moest hangen. Haar schoenen waren een ander verhaal. Hij zag verscheidene bloedspetters. Daarom stopte hij ze in een vuilniszak die hij meegenomen had. Hij had voordat hij naar binnen was gegaan weggooihandschoenen en -overschoenen aangedaan.

Hij pakte haar Walther PPK/S op en begon die zorgvuldig schoon te maken. 'Denk je dat je Li in je eentje aankunt?'

'Hoe lang heb ik nu in het geheim voor jou gewerkt? Zestien jaar?' Ann knikte. 'Natuurlijk kan ik hem aan.' Ze keek naar Hendricks. 'Maar het is niet Li over wie je je zorgen maakt.'

'Nee.' Hendricks zuchtte. 'Ik maak me zorgen over degene aan wie hij rapport uitbrengt.' Hij draaide zich om, omdat hij niet langer naar het lichaam wilde kijken. Hij had dit smerige werkje aan een groot aantal van zijn ondergeschikten kunnen geven, maar hij wist dat er op die manier lekken ontstonden, zelfs in de meest geheime organisaties. Hij had geleerd dat hoe smeriger het werk was, hoe belangrijker het was dat je het zelf deed. En dit was een buitengewoon smerig zaakje. Hij zuchtte. 'De structuur van de Chinese geheime dienst is behoorlijk ondoorzichtig. Het zou ons enorm helpen als we weten tegen wie we het echt opnemen.'

Hij keek haar weer aan. 'Dat is informatie die jij nu voor mij moet verkrijgen, Ann. We kunnen het arme Charles niet meer vragen.' Natuurlijk konden ze dat niet. Thorne was een stompzinnige spion geweest – hij gaf desinformatie door aan Li zonder te weten dat die informatie vals was. Zijn overweldigende zucht naar macht had hem verblind. Jammer voor hem, maar goed voor Hendricks. Hij wist dat zucht naar macht onvermijdelijk tot beoordelingsfouten zou leiden. Dat Thorne met Li in zee was gegaan om op die manier primeurs voor *Politics As Usual* te krijgen, was zo'n beoordelingsfout. Jammer genoeg was daar voortijdig een einde aan gekomen.

Het was mogelijk, peinsde de minister, dat Ann haar privéleven met Thorne verkeerd had aangepakt. Dat was het risico dat je moest nemen als je mensen probeerde te manipuleren; hun gedrag was niet altijd voorspelbaar.

'Maak je geen zorgen,' zei Ann.

Je kon veel van Ann Ring zeggen, dacht Hendricks, maar één ding was zeker, ze had ijs in haar bloedvaten.

'Hoe dan ook, je ziet er zorgelijk uit.'

'Het gaat om Soraya.'

'O ja, ik heb het gehoord.' Ann keek hem aan. 'Hoe is het met haar?'

'Ze is bijna doodgegaan,' zei Hendricks met meer emotie dan hij wilde.

Ann keek hem koel aan. Ze had haar armen over elkaar geslagen. 'Maar ze is niet doodgegaan, of wel soms?'

'Nee.'

'Laten we dan God op onze blote knieën danken.'

'Ik had een andere keuze...'

'Je hebt haar gekozen omdat zij de juiste persoon voor de job was.'

'Toen je mij vertelde dat jouw man verliefd op haar was.'

'Echt, Christopher, dat was de reden helemaal niet. Charles' verliefdheid op haar maakte de opdracht die jij haar gaf alleen maar makkelijker. Ze zou wel een andere manier gevonden hebben; ze is een uitzonderlijk slimme meid. En uit wat jij mij vertelde, maak ik op dat ze het leuk vond om de desinformatie aan Charles door te spelen.'

Hendricks knikte. 'Het bezorgde haar veel plezier om direct betrokken te zijn bij het ten val brengen van Li en zijn trawanten.'

'Nou,' zei Ann. 'Zie je wel. Je voelt je alleen schuldig over het feit dat ze met een hersenschudding in het ziekenhuis is terechtgekomen.'

Dat was het helemaal niet, dacht Hendricks somber. Of in ieder geval was het niet alles. Hij maakte zich het meeste zorgen over Soraya's zwangerschap. Het leek hem zonneklaar dat zij zwanger was van Charles Thorne. Als dat waar was, hoe zou Ann dan reageren? Zij was zijn meest waardevolle hulp. Hij kon het zich niet veroorloven om haar te verliezen, zeker niet nu zij in zo'n direct contact met Li stonden.

De vraag die Hendricks nog het meest dwarszat was de identiteit van Li's baas. Geen van de bronnen van het ministerie van Defensie kon zeggen wie Li Wans opdrachtgever was.

Hendricks richtte zich weer op de meer praktische zaken. 'Ann, ik wil dat je je aankleedt en dat je hier weg bent voordat het team arriveert. Heb je een plek waar je naartoe kunt?'

Ze knikte. 'Ik heb een kamer in het Liaison. Ik maak er gebruik van als ik tot laat door moet werken.'

'Ga daar heen. Morgen neem je de rol aan van treurende echtgenote.'

'Hoe zit het met Li?'

'Die zal jou willen condoleren,' zei Hendricks. 'Moedig hem aan om dat persoonlijk te komen doen.'

'Dat zal niet makkelijk zijn. Zoals we weten, is hij een erg behoedzame man. Als hij nu argwaan krijgt, zullen we nooit weten wie zijn opdrachtgever is en wat ze willen.'

'Je hebt gelijk.' Hendricks dacht even na. 'Je moet hem iets geven wat zijn argwaan weg zal nemen.'

'Dat moet dan wel iets groots – iets belangrijks zijn.'

Hendricks knikte. 'Mee eens. Verraad zijn vriendin.'

'Wat?' Ann keek hem verbijsterd aan. 'Dat kunnen we niet maken. Je weet dat dat niet kan.'

'Heb jij een beter idee?'

Stilte. 'Mijn hemel,' zei Ann Ring. 'Hier heb ik niet voor getekend.'

'Dat heb je wel gedaan, Ann. Dat weet je heel goed.'

Ze bevochtigde haar lippen. Haar gezicht was bleek. 'Het zijn wel mensen, die we gebruiken.'

'Maar geen onwetende burgers,' zei Hendricks. 'We hebben allemaal hetzelfde contract getekend.'

'Met bloed.'

Hij sprak haar niet tegen.

Ze wierp een laatste blik op het lichaam van haar man. 'Op welk moment voel je helemaal geen menselijke emotie meer?'

'Je kunt beter opschieten,' zei Hendricks. Hij had geen duidelijk antwoord voor haar.

Vier minuten later verliet Ann Ring het appartement. De schoonmaakploeg arriveerde kort daarna. Davies bracht de man die Charles Thorne dood had geschoten toen Charles hem stoorde tijdens de inbraak die hij pleegde. Hendricks wrong de Walther in de rechterhand van het lijk en legde de wijsvinger om de trekker. Toen hij en Davies klaar waren en gecontroleerd hadden dat alles in orde was, belde hij Eric Brey, de directeur van de FBI en lichtte hem zonder enige emotie in over de moord.

'Verdomme,' zei Peter Marks, 'Ik leef nog.'

'U klinkt teleurgesteld,' zei Anderson.

Hij voelde een schok en de constante trilling van een motor. Zijn ogen gingen heen en weer.

'U ligt in een ziekenauto,' zei Anderson. 'Delia was het eerste bij u. Zij was in de school toen het schieten plaatsvond. Zij heeft mij meteen gebeld.'

Peter streek met zijn tong langs zijn lippen. 'Hoe ben ik eraan toe?'

'Goed,' zei Anderson.

'Waar ben ik geraakt?'

'U...' Andersons blik gleed naar de broeder rechts van hem.

Peter voelde een plotselinge steek in zijn maag. 'Ik voel helemaal niets.'

Uit Andersons blik viel niets af te lezen. 'Trauma. Dat heeft niets te betekenen.'

'Maar ik voel...' Peter bereidde zich voor op een schok. 'Is mijn ruggengraat geraakt?'

Anderson schudde zijn hoofd.

Ik kan beter dood zijn, dacht Peter, dan als invalide verder te moeten.

Anderson legde een hand op zijn schouder. 'Baas, ik weet waar u aan denkt, maar op dit moment is er nog niets zeker. Probeer te ontspannen. Kalm blijven. Er staat een chirurgisch team klaar. Laat de chirurgen hun werk doen. Alles komt goed.'

Peter sloot zijn ogen. Hij zou willen dat zijn ratelende hersens ophielden. Hij moest zich concentreren. *Que sera sera*. De toekomst zou wel voor zichzelf zorgen. 'De man die mij neergeschoten heeft. Ik moet weten wie hij was.'

'Hij droeg geen identificatie bij zich, baas.'

'Vingerafdrukken, gebitsgegevens, DNA.'

'Daar wordt allemaal naar gekeken.'

Peter knikte. Hij bevochtigde zijn lippen. 'Er is nog iets anders. Richards?'

'Ik zit erbovenop, baas. Er was vanmorgen een storing in het intranet. Een trojan. Ik heb Richards erbij geroepen.'

Peter dacht aan het feit dat Richards werkte voor Tom Brick en Core Energy. 'Misschien heeft Richards zelf het virus verspreid. De klootzak is slim genoeg om door de firewall te breken.'

'Daar heb ik aan gedacht,' zei Anderson. 'Ik heb een elektronische keylogger geplaatst op de server die hij gebruikt om de trojan te traceren en te isoleren.'

'Goed werk, Sam.' Peter kromp even in elkaar van de pijn. 'Ik weet nog niet waarom Brick Treadstone wil binnendringen.'

'Daar komen we wel achter. Doe nu maar rustig aan, baas.'

Hij zag dat Anderson de broeder een knikje gaf. Er werd een naald in een ader gestoken en het volgende moment werd hij overspoeld door een weldadige warmte.

'Het is belangrijk. Het is allemaal belangrijk,' zei hij met een stem die steeds onvaster werd.

'Ik zorg overal voor, baas.' Peter voelde zich langzaam wegzakken. Anderson drukte een nummer in op zijn mobiele telefoon en pleegde het eerste van vele telefoontjes.

Bourne jakkerde in de taxi die vergeven was van een bloedgeur, door het meedogenloos kloppende hart van Mexico-Stad. Hij was de Babyloniër nog niet vergeten. Ergens in de helverlichte maalstroom van de stad hield hij zich op, staand op een plein of rijdend door dezelfde chaotische straten als Bourne. Hij maakte ongetwijfeld gebruik van alle contacten die hij in Mexico had, om weer op het spoor van zijn prooi te komen.

Hij dacht liever aan Ilan Halevy dan aan Rebeka. Omdat hij haar onvoldoende beschermd had, was zij gestorven voordat zij haar missie had kunnen volbrengen, een missie die zij zichzelf opgedragen had en die voor haar belangrijk genoeg was om de Mossad te verlaten en in haar eentje op pad te gaan.

Haar missie was nu zijn missie geworden.

Bourne reed met de stank van vuur en angst in zijn neus kriskras door de stad, op zoek naar Halevy. Hij wilde de Babyloniër net zo graag vinden als de Babyloniër hem wilde vinden.

Hij reed naar het oosten, in de richting van het vliegveld. Toen hij het stralende teken van Superama zag, sloeg hij af. Bij Merced Gómez, een supermarkt in de buurt van Benito Juárez International Airport, reed hij een immens parkeerterrein op, zette de wagen op een lege plek, en stapte uit.

Hij opende de kofferbak en zag dat er een hoop vodden in lag. Hij gebruikte een van die doeken om de binnenkant van de auto schoon te maken. Hij pauzeerde even toen hij klaar was en keek naar Rebeka. Haar shirt was opengescheurd. Aan de binnenkant zag hij haar portemonnee. Hij haalde hem voorzichtig tevoorschijn en veegde het bloed eraf. In de portemonnee zaten haar valse paspoort, het geld dat zij onder de vloer van haar huurappartement in Stockholm vandaan gehaald had, en een zilveren halskettinkje met een davidster. Ze had deze talisman nooit aan hem laten zien. Als hij de portemonnee met inhoud achter zou laten, was het net alsof hij iets van haar achterliet, dus nam hij alles mee. Hij wist dat hij verder niets voor haar kon doen. Na een zwijgende afscheidsgroet, sloeg hij het portier dicht. Hij gebruikte de doek om alles af te vegen. Daarna liep hij over het terrein naar de supermarkt.

Op de wc gooide hij de doek weg en waste hij het bloed van zijn handen. In de winkel kocht hij een nieuwe outfit: zwarte jeans, een wit shirt en een antracietgrijs jack. Hij gooide zijn bloederige jas en shirt weg en deed zijn nieuwe kleren aan.

Terug op het parkeerterrein liep hij tussen de rijen auto's door op zoek naar een oudere auto. Achter zich hoorde hij het gegrom van een motor. Het was een grote motor – een Indian Chief Dark Horse. Uit een ooghoek zag hij de motor naderen. Hij reed zo langzaam dat hij er nauwelijks aandacht aan besteedde, maar toen hij een dot gas gaf, draaide hij zich om. De motorrijder was een man, maar door het spiegelende vizier kon hij zijn gezicht niet zien. Het zonlicht weerkaatste tegen het schokbestendige kunststof.

De Indian reed in een rij parallel aan die waar hij liep. Bourne richtte zijn aandacht op de auto van zijn keuze. Hij stak het klerenhangertje dat hij uit de winkel had meegenomen, met de haak naar beneden tussen het raam en het chassis. Het slot sprong open. Hij wilde net het portier openen, toen de Indian opdook en vanaf de tegenoverliggende kant aan kwam scheuren.

Bourne stond bij het portier en keek hoe de motor dichterbij kwam. Hij was bijna bij hem, toen hij het portier openzwiepte. Het voorwiel van de Indian raakte met een doffe knal het metaal en de motor steigerde als een hengst. Zijn achterkant kwam omhoog, waardoor zijn berijder gelanceerd werd. Hij buitelde over het ingedeukte portier en belandde op het dak van de auto.

Toen de motorrijder van het dak gleed, greep Bourne hem vast. Hij gaf hem een oplawaai zodat de motorrijder achterwaarts tegen de zijkant van de auto sloeg. Hij trok de helm af en zag van dichtbij de brandwonden in Halevy's nek.

Toen de Babyloniër naar hem uitviel, gaf Bourne hem een knietje en haalde vervolgens hard uit naar de zijkant van zijn hoofd. Bourne greep hem beet toen hij opzij viel. Halevy trapte hem tegen de zijkant van zijn knie, rukte zich los en ramde hem vol in zijn maag. Bourne draaide zich om en raakte de Babyloniër in zijn nierstreek.

Bourne viel met Halevy boven op zich neer. Halevy trok een mes en haalde uit naar Bournes keel. Bourne klauwde met zijn handen naar de Babyloniër en haalde zijn vingernagels over de brandwonden op Halevy's keel. Halevy week terug, zijn ogen traanden van de immense pijn. Bourne sloeg de pols van de Babyloniër tegen de onderkant van de auto. Het mes kletterde op het asfalt en Bourne drukte zijn onderarm op Halevy's keel.

'Wat weet je over Ouyang?' Ouyang was de naam die Rebeka gezegd had vlak voordat ze stierf.

Halevy keek hem met een onheilspellende blik aan. 'Wie of wat is een Ouyang?'

Bourne drukte op de zenuwknoop aan de zijkant van Halevy's hoofd. Halevy ontblootte zijn tanden en zijn ogen puilden uit. Het zweet liep hem in straaltjes over zijn gezicht. De linkerkant van zijn hoofd was één groot, rauw litteken dat veroorzaakt was door de vlammen die zijn huid geblakerd hadden. Hij begon zwaar te ademen.

'Ouyang,' drong Bourne aan.

'Hoe ken jij Ouyang?'

Bourne drukte opnieuw op de zenuwknoop. Halevy kromde zijn lichaam en zijn gespannen spieren begonnen ongewild te trillen. Uit zijn open mond kwamen grommende geluiden, als van een dier dat in de val zat en op het punt stond om zijn poot door te bijten.

'Ben David houdt zich met Ouyang bezig.'

'Niet de directeur of Dani Amit?'

Halevy schudde zijn hoofd. 'Het is privé. Het heeft niets met de Mossad te maken.'

'Hoe weet jij er dan van?'

'Ik zal nooit...' De Babyloniër probeerde een schreeuw te onderdrukken toen Bourne hem voor de derde keer te grazen nam. Zijn gezicht verschoot van kleur. Zijn brandwond kreeg nu een lichtroze kleur die licht afstak tegen zijn donkere stoppels. Het zweet droop van hem af. 'Oké, oké. Ouyang is een belangrijk lid van het politbureau. Ben David heeft iets met hem, maar ik weet niet wat. Ben David heeft mij ingehuurd om inmenging van Tel Aviv te voorkomen, om er zeker van te zijn dat de directeur en Amit er niet achter komen waar hij mee bezig is.' Even kreeg zijn blik iets leeps. 'Maar Rebeka heeft het ontdekt, of niet soms? Zij heeft jou over Ouyang verteld.'

'Dat doet er niet toe,' zei Bourne.

'O, maar dat doet er wel toe.' De Babyloniër keek Bourne met een gepijnigde glimlach aan. 'Ben David had een oogje op haar. Dat heeft hij altijd gehad.'

'En toch heeft hij jou op pad gestuurd om haar te vermoorden.'

'Zo is hij nu eenmaal.' Halevy haalde enkele keren haperend adem. 'Verscheurd, altijd innerlijk verscheurd, net als ons land, net als elk land in het Midden-Oosten. Hij houdt van Rebeka. Ik weet niet wat hem ertoe bracht om haar dood te verordonneren.' Hij haalde opnieuw reutelend adem. 'Je hoeft me niet te geloven, maar ik ben blij dat ze nog in leven is.'

Toen Bourne dit hoorde, stond hij op en sleepte de Babyloniër aan zijn shirt met zich mee naar de taxi. Hij duwde Halevy's gezicht tegen het raampje.

'Zie je haar? Ze is dood, Halevy,' zei Bourne. 'Ik hou jou en Ben David daarvoor verantwoordelijk.'

'Ik heb het niet gedaan. Je weet dat ik het niet gedaan heb.' Met dat hij dat zei, draaide hij zich om. Hij had een naaldachtig wapen in de palm van zijn hand. De punt ervan had een vochtige glans. Dat kwam waarschijnlijk omdat er een snelwerkend gif op zat. Bourne weerde hem met zijn arm af. Hij voelde hoe de naald door de stof van zijn jack ging. De punt gleed langs zijn huid, maar doorboorde deze niet. Bourne beukte met de muis van zijn hand tegen Halevy's neus. Een tweede klap kwam terecht op de keel van de Babyloniër, waardoor zijn strottenhoofd verbrijzeld werd.

Hij trok zijn arm weg van de naald en gaf Halevy een mep op zijn oor. De Babyloniër snakte naar adem die niet meer zou komen. Hij probeerde op zijn knieën te komen en bleef wanhopig met de naald naar Bourne uithalen. Bourne greep hem vast en dreef zijn knie met alle kracht in Halevy's kruis. Daarna bleef hij op de Babyloniër inbeuken totdat hij voelde dat Halevy's ribben braken.

De Babyloniër was dood. Bourne stapte in de oude auto die hij uitgekozen had. Hij kreeg hem aan de praat en reed het parkeerterrein af. Op Benito Juárez International Airport kocht hij een vliegticket voor de eerste klas. Daarna ging hij op zoek naar eten.

Terwijl hij op zijn eten wachtte, haalde hij de kleine, met kristallen bezette schedel tevoorschijn die hij van el Enterrador gekregen had om hem te beschermen tegen Maceo Encarnación. Hij wordt beschermd door een mystieke, bijna goddelijke macht, had Constanza Camargo hem verteld.

Zijn eten werd gebracht, maar hij merkte dat hij geen honger meer had. Hij liet de schedel door zijn vingers gaan en dacht aan alles wat er met hem en Rebeka gebeurd was sinds ze in Mexico-Stad waren aangekomen. Hij bedacht dat het allemaal op de een of andere manier bepaald was door Constanza Camargo. Daarna begon hij zich nog wat anders af te vragen. Waarom zou Harry Rowland zich in de kast van zijn slaapkamer verbergen, tenzij hij geweten had dat zij eraan kwamen? Maar hoe wist hij zo precies waar zij waren?

Bourne keek naar de met kristallen versierde schedel. Hij moest opeens denken aan andere goden – de goden van de technologie. Hij zette de schedel op tafel en sloeg hem met een klap van zijn vuist aan gruzelementen. Hij speurde tussen de brokstukken en vond het minuscule gps-apparaatje dat in het midden van de schedel had gezeten. Hij liet het tussen de brokstukken liggen zonder het te vernietigen. Hij wilde dat het apparaatje signalen bleef uitzenden, alsof hij het niet gevonden had.

Hij stond op en betaalde voor de onaangeroerde maaltijd. Buiten op het parkeerterrein voor langparkeerders zocht hij een geschikte auto en reed terug naar de stad.

'Er is een aantal manieren om na je dood in leven te blijven.' Don Fernando Hererra lachte toen hij de uitdrukking op het gezicht van Martha Christiana zag. 'Dit is één van die manieren.'

De piloot was geland op een groot veld ten zuiden van Parijs. Er was geen landingsbaan, geen windzak, geen douane. Het vliegtuig was afgeweken van zijn vluchtplan en was na een uitzinnige noodoproep verdwenen van de radarschermen in de torens van de vliegvelden van Charles de Gaulle en Orly.

'Er bestaan geen tovenaars, Martha. Alleen maar illusionisten,' zei Hererra. 'Het idee is om de illusie van dood te creëren. Om dat te bereiken hebben we een geloofwaardige ramp nodig. Dat is de reden waarom het vliegtuig hier geland is, waar niemand gewond zal raken.'

'Zijn die lichamen in het vliegtuig echt?' vroeg Martha.

Hererra knikte en gaf haar een dossier.

'Wat is dit?'

'Kijk zelf maar.'

In de map zaten de forensische rapporten over drie lichamen die gevonden waren in het wrak van het vliegtuig dat nog niet was neergestort. De drie lichamen waren natuurlijk onherkenbaar verbrand, maar ze waren geïdentificeerd aan de hand van hun gebitsgegevens. Hererra's naam werd genoemd en ook die van de piloot en de navigator.

Martha keek op. 'Hoe zit het met hun families. Wat ga je hun vertellen?'

Hererra knikte naar de twee mannen die het vliegtuig verlieten, waarvan de motoren nog steeds draaiden. 'Deze mannen hebben geen familie. Dat was een van de redenen waarom ze aangenomen zijn.'

'Maar hoe...?'

'Ik heb binnen de muren van het Élysée vrienden die alles op de plek van het ongeluk zullen regelen.'

De piloot kwam op Hererra toe lopen. 'De drie lichamen zijn op hun plaats,' zei hij. 'Alles is gereed voor de volgende stap.'

Hererra keek op zijn horloge. 'We zijn nu zeven minuten van de radar. Doe het nu.'

De piloot knikte en draaide zich om naar zijn navigator die iets verderop stond. De navigator had een klein, zwart doosje in zijn hand. Toen hij op een knop drukte, begonnen de motoren van het vliegtuig steeds harder te loeien totdat ze op volle kracht draaiden. Hij drukte op een tweede knop, waardoor het vliegtuig van de rem gezet werd en in beweging kwam. In korte tijd bereikte het vliegtuig een grote snelheid, waarna het zich in de bomenrij aan het einde van het veld boorde. De explosie was oorverdovend. De grond dreunde en er ontstond een olieachtige zwart-rode vuurbal.

'We gaan,' zei Hererra en hij dreef hen allemaal richting een grote SUV die in een hoek van het veld stond te wachten. 'Nu.'

De Cementerio del Tepeyac en zeker de Basilica de Guadelupe zagen er bij daglicht compleet anders uit. Alle sinistere karakteristieken die 's nachts zichtbaar waren geweest, waren als sneeuw voor de zon verdwenen. Wat overbleef was een dun vernis van religiositeit waarachter ongetwijfeld een veelheid aan zonden, zowel vergeeflijke als onvergeeflijke, schuilging.

Hij parkeerde zijn gestolen wagen op enkele honderden meters afstand en hij besteedde enige tijd aan het nauwkeurig onderzoeken van de onmiddellijke omgeving van de basiliek. Hij zag geen spoor van de lijkwagen, waarin hij en Rebeka naar de bedoening van Diego de la Rivera, de zwager van Maceo Encarnación, vervoerd waren. Er was ook geen teken van de mysterieuze namaakpriester el Enterrador. De tatoeages van doodkisten en grafzerken stonden Bourne nog helder voor de geest.

Hij liep om naar de ingang en glipte naar binnen. Binnen echode het behoorlijk en er hing een penetrante wierooklucht. Een koor van engelachtige stemmen steeg hemelwaarts. Er was een mis aan de gang. Bourne liep naar de achterkant van de apsis en kwam in de slecht verlichte gang die naar de pastorie leidde.

Hij stopte toen hij stemmen uit het kantoor hoorde komen. Een van de stemmen was een vrouwelijke alt. Bourne sloop verder en hij zag een glimp van de pastorie die als altijd gedomineerd werd door een enorm kruisbeeld. Toen kwam de eigenaresse van de altstem in beeld. Met een schok herkende hij de prachtige, jonge vrouw die de trap in de villa van Maceo Encarnación afgedaald was en die hij wanhopig had horen huilen toen zij bij haar moeder was, die klaarlag om naar het mortuarium gebracht te worden. Bourne dacht terug aan hoe zij naakt onder haar kostbare kamerjas uit een slaapkamer op de bovenverdieping was gekomen, waar een bediende normaal gesproken niets te zoeken had. Terug op de bovenverdieping was ze het woongedeelte van Maceo Encarnación binnengegaan, die waarschijnlijk in zijn bed op haar lag te wachten.

Wat deed zij hier? Bourne probeerde Maria-Elena's dochter met zijn ogen te volgen, terwijl zij zenuwachtig door de pastorie bewoog. Hij had De la Rivera, de lijkbezorger, de naam van de dode kokkin horen uitspreken. Even later stopte ze voor een man in een gewaad met een monnikskap. Aan de puntbaard kon Bourne zien dat het el Enterrador was.

'Ik vraag vergiffenis voor mijn zonden,' zei ze zacht. 'Ik koester moordzuchtige gedachten.'

'Heb je al naar deze gedachten gehandeld?' vroeg hij met zijn schorre fluisterstem.

'Nee, maar...'

'Dan zal alles goed komen, Anunciata.'

'Dat kunt u niet weten.'

'Waarom niet?'

'Omdat u niet weet wat ik weet,' zei ze somber.

'Vertel het me dan, alsjeblieft,' zei el Enterrador enigszins dreigend.

Ze schrok even terug, maar haalde toen diep adem.

'Ik vertrouwde Maceo. Ik dacht dat hij van mij hield,' zei ze. Haar stem veranderde abrupt van toon en klonk opeens veel donkerder.

'Je kunt hem vertrouwen. Hij houdt echt van jou.'

'Mijn moeders erfenis.' Ze vouwde een papier open en schoof het naar hem toe. 'Maceo sliep met haar, voordat hij met mij naar bed ging. Hij is mijn vader.'

El Enterrador legde zijn hand op haar hoofd. 'Mijn kind,' zei hij, alsof hij een echte priester was. Hij vervolgde op dezelfde zalvende toon. 'Verjaagd uit de Hof van Eden, komen we allemaal van een donkere plek. Dit is ons erfgoed, onze collectieve erfenis. We zijn allemaal zondaars die door een zondige wereld dwalen. Hun relatie was misschien fout, maar jouw ouders hebben jou het leven gegeven.'

'Maar wat als het ergste gebeurt, wat als hij mij zwanger maakt?'

'Natuurlijk moeten we ervoor zorgen dat dat nooit gebeurt.'

'Ik zou zijn *cojones* kunnen afsnijden,' zei Anunciata vol venijn. 'Dat zou me pas gelukkig maken.'

El Enterrador zei: 'Ik ken je moeder al vanaf het moment dat zij naar Mexico-Stad kwam. Zij heeft bij mij gebiecht. Ik denk dat ik haar door moeilijke perioden heb geholpen. Ze had hulp nodig en ze had niemand anders tot wie zij zich kon wenden. Nu kom jij bij mij om hulp en advies. Ga naar je vader. Praat met hem.'

'We hebben een verschrikkelijke zonde begaan.' Anunciata huiverde. 'U zou dat beter dan wie ook moeten weten.'

'Waar is Maceo nu?'

'Wilt u zeggen dat u dat niet weet? Hij is weg. Hij is met Rowland naar het vliegveld vertrokken.'

'Waar gaan ze heen?' zei Bourne terwijl hij de pastorie binnenstapte.

Zowel Anunciata als el Enterrador draaiden zich naar hem om. De priester was duidelijk verbaasd om hem te zien. De jonge vrouw keek alleen maar nieuwsgierig.

'Wie bent u, *señor*?' zei Anunciata.

'Rebeka en ik waren vanmorgen vroeg in de villa.'

'Dan bent u...?'

Maar Bourne wendde zich al van haar af. 'Ik zou nog steeds op het vliegveld moeten zijn. Dat is toch wat u denkt, of niet soms?'

'Hoe zou ik...?'

'Ik heb het gps-apparaatje gevonden dat in de met kristallen versierde schedel zat die u mij gegeven hebt.'

El Enterrador haalde een grote stiletto van onder zijn gewaad tevoorschijn, maar Bourne schudde zijn hoofd en richtte de revolver die hij van Maceo Encarnacións bewaker afgenomen had. 'Leg neer, doodgraver.'

Anunciata keek met grote ogen toe. Ze zag er nu nog mooier uit dan eerder. 'Hij is een priester. Waarom noem je hem el Enterrador?

'Dat is zijn bijnaam.' Bourne gebaarde met zijn hoofd. 'Laat haar de tatoeages op uw onderarmen zien, priester.'

'Tatoeages?' herhaalde Anunciata. Ze keek de ander ontsteld aan.

Hij zei niets en keek haar zelfs niet aan.

Ze schoof de mouwen van zijn gewaad omhoog en staarde naar de complexe afbeeldingen die zichtbaar werden.

'Wat heeft dit te betekenen?' Het was niet duidelijk tegen wie ze dat zei.

'Vertel het haar, doodgraver,' zei Bourne. 'Ik zou dat ook wel willen weten.'

El Enterrador staarde hem aan. 'Het was niet de bedoeling dat je hier terug zou komen.'

'Het was ook niet de bedoeling dat u mij zou volgen.' Bourne knikte. 'Nou, kom maar op met de waarheid.'

'Waarover?' fluisterde el Enterrador. 'Maceo Encarnación vroeg me om hulp, en die heb ik hem gegeven.'

'Rebeka – de vrouw... mijn vriendin – is dood. Leg het mes op de tafel.'

Na enige aarzeling gehoorzaamde el Enterrador.

'De waarheid,' zei Bourne. 'Daarvoor ben ik hier. Hoe zit dat met jou, Anunciata?'

Ze schudde haar hoofd. 'Ik begrijp het niet.'

'Vraag het maar aan de doodgraver. Hij is degene die echt vergiffenis nodig heeft.'

Zij schudde opnieuw haar hoofd.

Bourne zei: 'Rebeka en ik zijn in een doodkist de villa van Maceo Encarnación binnengekomen. Om dat mogelijk te maken zou iemand die in de villa woonde, moeten sterven.'

'Mijn moeder?'

Bourne knikte. 'Jouw moeder. Maar wie wist van tevoren dat zij dood zou gaan?' Hij keek naar de priester. 'Iemand moet geweten hebben dat jouw moeder dood zou gaan. En dat betekent dat ze is vermoord.'

Anunciata had de tranen in haar ogen staan. 'De dokter beweerde dat zij aan een hartaanval gestorven was. Er was niets vreemds aan haar te zien. Dat weet ik omdat ik haar voor de... lijkbezorger aangekleed heb.'

'Vergif laat geen uiterlijke sporen na,' zei Bourne. 'En als je verstand van zaken hebt, kun je makkelijk vergif vinden dat ook geen inwendig spoor nalaat.' Hij knikte. 'Ik denk dat dat uw aandeel in de moord is geweest, doodgraver.' Hij wendde zich tot Anunciata. 'Vandaar zijn bijnaam.'

Zij keek naar el Enterrador. 'Is dat waar?'

'Natuurlijk niet,' schimpte hij. 'Het idee alleen al dat ik je moeder iets aan zou doen is absurd.'

'Niet als Encarnación het u zou vragen.'

'Hebt u het gedaan?' Anunciata's wangen kregen een vuurrode kleur. Ze trilde over haar hele lichaam.'

'Ik heb je al gezegd...'

'De waarheid!' schreeuwde ze. 'Dit is een kerk. Ik wil de waarheid horen.'

Hij deed een greep naar de stiletto, maar zij was sneller. Of misschien had ze zich er al op voorbereid. Ze greep het mes, deed een stap vooruit en met een krachtige zwaai doorboorde ze de keel van el Enterrador.

Zijn ogen sperden zich open en staarden haar vol schrik en ongeloof aan. Onder het vallen klauwde hij naar de rand van de tafel, maar zijn gevoelloze vingers gleden ervan af. Hij belandde midden in de steeds groter wordende plas van zijn eigen bloed.

22

De Earth and Sky Country Club van de partijbonzen uit Beijing lag slechts zeven kilometer ten noordwesten van de hoofdstad. Maar het zouden er net zo goed honderd geweest kunnen zijn. Hier, ver weg van de dikke smoglaag die als een soort permanente schemering boven de stad hing, was de lucht helder. Binnen het drie meter hoge punthek, dat ter extra beveiliging onder stroom stond, stonden eindeloze velden kolen, komkommers, paprika's en bonen keurig naast elkaar. En er waren ook velden met uien, lente-uien, *gai lan*, *bok choi* en pepers, en nog heel veel andere groenten. Wat deze groenten speciaal maakte, waardoor ze deze beveiliging nodig hadden, was het feit dat ze allemaal biologisch waren. Ze werden allemaal onder de beste condities en zonder bestrijdingsmiddelen gekweekt. In het noordelijke deel van Earth and Sky lag de melkveehouderij. De koeien volgden daar een biologisch dieet en de melk werd onder steriele condities geproduceerd.

Minister Ouyang werd in zijn dienstauto naar Earth and Sky gereden voor zijn tweemaandelijkse bezoek. De productie van Earth and Sky kwam helemaal ten goede aan de staat en mocht alleen gebruikt worden door het Centraal Comité en de hogere ministers die, net als Ouyang, op de hoogte waren van het bestaan van Earth and Sky. Er waren binnen de ontelbare ministeries van de centrale regering in Beijing vijfentwintig machtsniveaus. Elk niveau had recht op een bepaald deel van het biologische eten. Hoe hoger de minister, hoe meer hij maandelijks kreeg. Dit feodale systeem was een overblijfsel uit de tijd van Mao en was nodig door de zware lucht- en grondvervuiling in China. Die was bijna op crisisniveau.

Maar vandaag ging minister Ouyang om een geheel andere reden naar de country club. Toen zijn chauffeur het toegangshek met een elektronische code opende, zag hij net binnen het hek een auto staan wachten. Naast de wagen stond een man in legertenue. Hij at een komkommer die hij kennelijk net geplukt had.

Toen Ouyang uit de limousine stapte en op de man toe liep, zag hij duidelijk het vurige litteken op de zijkant van het gezicht van de man.

'Kolonel Ben David,' zei hij, terwijl hij een zonnebril opzette tegen de felle zon. 'Dat is lang geleden.'

Ben David leunde tegen de auto, en zei: 'Weet u dat mijn voorkeur nog steeds naar Israëlische komkommers uitgaat?' Hij kauwde langzaam op de Earth and Sky-groente. 'Dat zal wel door de woestijnzon komen.'

Minister Ouyang liet een zuur glimlachje zien. 'Breng de volgende keer maar liever uw eigen groente mee.'

'Ik zei niet dat het niet smaakte.'

'Wat is er met uw gezicht gebeurd?' zei Ouyang met grote veronachtzaming van de Chinese etiquette.

Ben David loerde hem een tijdje aan. 'Weet u, minister, u ziet er een beetje pips uit. U hebt toch niet van uw beruchte met water aangelengde melk gedronken. U weet wel, die melk waar melamine bij gedaan is zodat zij de eiwittest doorstaat.'

'Ik drink alleen melk van het melkveebedrijf van Earth and Sky,' zei Ouyang koeltjes.

Ben David gooide het kontje van de komkommer op de grond en liep weg bij de auto. 'Weet u-wat ik opvallend vind? We haten elkaar zo erg, dat het een wonder mag heten dat we samen kunnen werken.'

Ouyang ontblootte zijn tandden. 'Nood breekt wet.'

'Hoe dan ook.' Ben David haalde zijn schouders op. 'Wat is de reden van deze persoonlijke ontmoeting zo vlak voor het einde van onze samenwerking?'

Minister Ouyang haalde een dunne dossiermap tevoorschijn en gaf deze aan Ben David.

Ben David opende de map. Zijn litteken leek op te gloeien bij het zien van de foto van Jason Bourne. Hij keek woedend op. 'Verdomme, wat is dit, Ouyang?'

'U kent deze man... persoonlijk?' zei Ouyang met een gekmakende kalmte.

Ben David sloeg de map dicht. 'Is dit de reden waarom ik negen uur heb moeten reizen om hier te komen?'

Ouyang bleef onverstoorbaar. 'Wilt u alstublieft zeggen of het zo is.'

'We hebben elkaar bij twee gelegenheden ontmoet,' zei Ben David op neutrale toon.

'In dat geval bent u dé man voor de job.'

Ben David knipperde met zijn ogen. 'Wat voor job? U vraagt mij goddomme om een jób voor u te doen?'

Hoog in de lucht vloog een vliegtuig over. Het blikkerde in het felle zonlicht. Het geronk klonk zo ver weg dat het wel van de andere kant van de wereld leek te komen. Links van hen reed een tractor over de omgeploegde aarde. De kleilucht was door het draaien van de wind plotseling heel sterk. In het zuidwesten was een bruin waas te zien die zelfs de hoogste gebouwen van Beijing aan het oog onttrok.

'Vertelt u me eens, kolonel, hoe lang werken we nu al aan ons gezamenlijke project?'

'U weet net zo goed als ik...'

Ouyang deed alsof hij op zijn vingers telde. 'Helpt u me even.'

Ben David zuchtte. 'Zes jaar.'

'Een lange periode naar westerse maatstaven, maar nog niet zo lang naar de maatstaven van ons Middenrijk.'

Ben David keek hem vol walging aan. 'Laat die onzin over het Middenrijk maar achterwege. Het zijn zaken. Het zijn altijd zaken geweest. Dit heeft niets te maken met politiek, ideologie, of schijnheilig gepraat. Er is helemaal niets mystieks of zelfs maar mysterieus aan. Wij weten allebei dat het in de wereld alleen maar om geld draait. Geld is wat ons samen heeft gebracht, Ouyang. Het is het eerste en het laatste op onze lijst.' Hij keek hem schuin aan. 'Dit heeft zes lange, moeilijke en gevaarlijke jaren onze samenwerking bepaald. Daar wilt u nu verandering in brengen. Ik hou niet van veranderingen.'

'Ik ben het helemaal met u eens,' zei minister Ouyang. 'Maar de wereld is een dynamische plek en altijd in verandering. Als ons programma geen veranderingen aankan, zal het nooit succesvol kunnen zijn.'

'Maar het is al een succes. Binnen twee dagen...'

'Twee dagen is een eeuwigheid waarin van alles verkeerd kan gaan.' Ouyang wees naar de foto in het dossier. 'Deze Bourne gebruikt zijn niet onaanzienlijke kwaliteiten om ons een halt toe te roepen.'

Ben David deed geschrokken een stap naar achteren. 'Hoe weet u dit?'

'Ik sta in contact met onze andere partners. U kennelijk niet.'

'Verdomme!' Ben David sloeg met het dossier tegen zijn dij. 'U wilt toch niet dat ik achter hem aan ga?'

'Dat hoef ik u niet te vragen,' zei minister Ouyang. 'Hij zal met alle plezier achter u aan gaan.'

De stemmen van het engelachtige koor zwollen aan totdat het gezang de hele Basilica de Guadelupe vulde. In de pastorie keek Bourne neer op het bloederige lichaam van el Enterrador. Hij zei tegen Anunciata: 'We moeten nu gaan.'

Haar ogen flikkerden, net als het robijnrode heft van de stiletto die zij nog steeds in haar hand hield. 'Ik ga helemaal nergens met jou naartoe. Jij maakte deel uit van het plan.'

'Wij wisten niets van de manier waarop wij de villa van Maceo Encarnación binnengesmokkeld zouden worden,' zei Bourne. 'Mijn vriendin is vermoord vanwege het gps-apparaatje dat de doodgraver mij op slinkse wijze in de maag gesplitst heeft.'

Er leek zich een brede kloof tussen hen te bevinden. Ze hadden allebei door toedoen van Maceo Encarnación een groot verlies geleden. Hij werkte nu echter als een soort magneet tussen hen, waardoor ze op een bijzondere manier naar elkaar toe werden getrokken.

Ze liet de stiletto zakken en knikte.

Bourne ging haar voor door de smalle ingang van de pastorie en leidde haar via het deel van het kerkhof dat het dichtst bij de basilica lag, naar de plek waar hij de auto geparkeerd had. Ze reden langzaam weg. Anderhalve kilometer verder parkeerde hij de auto langs de stoeprand en draaide zich naar haar om.

'Als je weet waar Maceo Encarnación en Harry Rowland naartoe zijn, moet je me dat vertellen.'

Ze keek hem met haar grote koffiebruine ogen open aan. 'Ga je hen vermoorden?'

'Als het niet anders kan.'

'Het kan niet anders,' zei Anunciata. 'Er is geen andere manier. Met geen van beiden.'

'Ken je Rowland?'

Ze boog haar hoofd. 'Hij is Maceo's favoriet, zijn beschermeling. Maceo beschouwt hem als zijn zoon. Hij heeft hem van jongs af aan opgevoed.'

'Wie zijn z'n ouders?'

'Dat weet ik niet. Ik denk dat Rowland een wees is, maar we praatten nooit met elkaar. Dat wilde Maceo niet hebben.'

'Is Harry Rowland zijn echte naam?'

'Hij heeft vele namen,' zei Anunciata. 'Dat is onderdeel van de mythe.'

Bourne voelde een koude rilling over zijn rug lopen. 'De mythe?'

'Maceo wordt geobsedeerd door mythes. "Mythes beschermen je." Dat zegt hij altijd. "Mythes zorgen voor veiligheid omdat zij je onderscheiden van anderen, mythes maken je menselijker, mythes boezemen andere mensen ontzag in".'

'Hoe heeft hij de mythes om Rowland geweven?'

Anunciata deed even haar ogen dicht. 'De centrale mythe van de Azteken is dat de mens geschapen was om de goden te voeden, anders zouden de goden alles vernietigen wat de mens had opgebouwd. De goden werden gevoed met mensenbloed.'

'Je hebt het nu over de gewoonte van de Azteken om mensen te offeren.'

Ze knikte. 'De priesters van de Azteken sneden de nog kloppende harten uit de lichamen die geofferd werden en gaven ze aan de goden.' Ze keek even uit het raampje naar de mensen die langsliepen – een vrouw met een fruitmand op haar hoofd, een jongen op een gebutste, blauwe fiets. 'Dat was natuurlijk heel lang geleden.' Ze keek hem weer aan. 'Vandaag de dag zijn het onthoofdingen.' Ze haalde haar schouders op. 'Het bloed is hetzelfde en de goden zijn gesust.'

'Het zijn dezelfde goden die niets gedaan hebben toen de Spanjaarden hun mensen vermoordden.'

Anunciata liet een raadselachtig glimlachje zien. 'Wie kan de bedoelingen van de goden doorgronden? Mexico heeft de Spanjaarden overleefd.' Haar ogen kregen een vooruitziende blik. 'Het belangrijkste is dat de strijd van de Azteken om het lot te beheersen dezelfde strijd is die wij nu voeren. De komst van het christendom naar Mexico heeft daar niets aan veranderd. Er wordt nog steeds bloed verspild en er worden nog steeds offers gebracht. Het lot en het verlangen zijn nog steeds de enige dingen die ertoe doen.'

'Wat heeft dit allemaal met Harry Rowland te maken?'

'Hij is de verkenner, de voorrijder.'

'De Djinn Die De Weg Wijst.'

Anunciata keek hem verbaasd aan. 'Je weet het. Ja, Rowland is de man die de offers brengt die de mythe voeden. Dat onderscheidt hem van de anderen. Dat zorgt ervoor dat anderen hem vrezen.'

'Hij is Nicodemo.'

'In het wapen van Mexico staat tegenwoordig een adelaar die op een cactus zit en een slang verzwelgt,' zei Maceo Encarnación. Hij zat tegenover Nicodemo in een grote leren stoel van zijn Bombardier Global 5000. Ze vlogen al een tijdje. 'Die twee wezens vormen het hart van de Mexicaanse en de Azteekse cultuur. De god van zon en oorlog zei tegen zijn mensen dat zij hun grootste stad moesten vestigen op de plek waar zij een adelaar op een cactus zouden zien zitten die een slang aan het verorberen was. Het was de plek waar het hart van zijn broer begraven was. Op deze plek is Tenochtitlán gebouwd, en eeuwen later verrees Mexico-Stad op de fundamenten ervan.'

Maceo Encarnación keek naar Nicodemo om zijn reactie te zien. Die had een bloedhekel aan lesjes en keek Maceo met zijn gebruikelijke stoïcijnse blik aan. 'Nicodemo, ik vertel je dit verhaal omdat je een buitenstaander bent, een Colombiaan.' Hij wachtte even of er een reactie kwam. Toen Nicodemo bleef zwijgen, vervolgde hij: 'We leren om te verzwelgen en om niet verzwolgen te worden. Dat is toch een waarheid als een koe.'

'Jazeker,' Als het over de dood ging, ontwaakte Nicodemo altijd uit zijn sombere stemming. 'Alleen zou ik willen dat ík de Azteek gedood had.'

'Tulio Vistosa was de verrader naar wie ik op zoek was. Hij heeft de dertig miljoen gestolen.' Maceo Encarnación grinnikte. 'De geldstapeltjes zijn op het laatste moment verwisseld. Erg grappig, maar niet voor hem. Hij stal de valse dollars en liet mij de echte.' Maceo Encarnación schudde zijn hoofd. 'Je moet onder deze stelende schurken geleefd hebben om hen te kunnen begrijpen. Je moet een van hen geweest zijn.'

'Zoals Acevedo Camargo,' zei Nicodemo.

Het streelde Maceo Encarnación dat de ander oplette. 'Constanza Camargo was een geweldige zangeres toen ik haar ontmoette. Als actrice was ze zelfs nog beter, maar ze wilde geen films maken.'

'Omdat ze meer tijd wilde doorbrengen met haar man Don Acevedo.'

Maceo Encarnación schudde zijn hoofd. 'In zekere zin. Toen zij Don Acevedo ontmoette, was zij jong en ontvankelijk. Hij was rijk en charismatisch. Hij overdonderde haar. Ze trouwden binnen een maand. In die tijd was Don Acevedo Camargo dé drugsbaron van het zuiden. Ze werd sterk aangetrokken door dat leven, net zoals ze sterk aangetrokken werd door andere mannen, minnaars die ze in het geheim ontmoette. Ze hield van intriges. Plannetjes die ze beraamde en achter zijn rug ten uitvoer bracht! *Dios mio*, die vrouw was bloeddorstig.'

'Ze was ambitieus.'

Maceo Encarnación knikte. 'Als Lady Macbeth. De rol die ik haar met Bourne en Rebeka liet spelen, vond ze heerlijk.'

Bij het noemen van Rebeka's naam kreeg Nicodemo een donkere blik in zijn ogen. 'Het was niet de bedoeling dat het zo zou gaan,' zei hij zacht. 'Het was niet de bedoeling dat Rebeka zou sterven. Bourne had het loodje moeten leggen.'

'Je kunt nooit rekening houden met de menselijke factor. Je had haar niet moeten neersteken.'

'Ik had geen keuze.'

'Het lijkt mij,' zei Maceo Encarnación, 'dat er altijd een keuze is.'

'In het heetst van de strijd heb je geen keuze,' zei Nicodemo. 'Dan is het puur instinct.'

Op dat moment kwam de stewardess op lange, elegante benen door het gangpad aanlopen. Ze stopte voor Maceo Encarnación en boog zich voorover. Zijn blik gleed naar haar diepe decolleté, terwijl zij hem iets in zijn oor fluisterde. Hij knikte. Zij liep terug door het gangpad. Beide mannen keken naar de wulpse bewegingen van haar welgevormde achterwerk.

Maceo Encarnación zuchtte. Hij pakte zijn mobiele telefoon, drukte een nummer in en hield hem aan zijn oor. 'Iemand zal je komen opzoeken,' zei hij in de telefoon. 'Hij zal binnen het uur in Parijs zijn.'

Nicodemo was blij dat het niet langer over het neersteken van Rebeka ging, en zei: 'Don Fernando Hererra is dood. In de lucht gevlogen toen zijn vliegtuig bij Parijs neerstortte. Waarom stappen we daar uit, als we eigenlijk door moeten gaan?'

Maceo Encarnación hield hem het schermpje van de telefoon voor om hem het laatste nieuws te laten zien. 'Martha Christiana zal het rapport van de lijkschouwer doorsturen, waaruit zal moeten blijken dat Hererra echt in het vliegtuig zat. God mag weten hoe ze het doet, maar zij weet altijd de hand te leggen op dat soort rapporten. Dat is toch geweldig, niet dan? Het is een van haar vele kwaliteiten.' Hij stopte de telefoon weg. 'Jij zoekt haar meteen op, nadat we geland zijn.'

'Wat wil je dat ik doe?' zei Nicodemo. 'Moet ik haar vermoorden?'

'*Dios*, nee!' Maceo Encarnación keek verschrikt. 'Martha Christiana is heel speciaal voor mij.'

'Ik wist niet dat er iemand speciaal voor jou was, maar wat doet dat ertoe?'

Maceo Encarnación keek hem aan alsof hij een stuk ongedierte was. Het was duidelijk dat de Mossad-agente hem om de een of andere onverklaarbare reden veel deed. Hij had dat voor onmogelijk gehouden. Hij vroeg zich af wat voor effect haar dood op hem zou hebben. Hij wist uit ervaring dat het doden van iemand om wie je geeft een grote hoeveelheid emotionele kracht vergt. Nicodemo had natuurlijk veel mensen gedood, de meeste in koelen bloede. Sommigen had hij in de ogen gekeken en het onuitsprekelijke moment gezien dat het leven overgaat in de dood, dat de ziel wegvlucht in de schaduwen, en dat het verlangen je lot wordt. Hij verdreef die onaangename gedachte. 'Martha Christiana is in Parijs. Je hoeft haar alleen maar naar mij te brengen. En, Nicodemo, behandel haar als de dame die zij is.'

'Een dame,' herhaalde Nicodemo. Hij keerde zich naar het raampje en zijn blik dwaalde heel ver weg.

'Nicodemo,' zei Maceo Encarnación, 'waar denk je aan?' Toen Nicodemo geen antwoord gaf, zei hij: 'Mijn dochter is aan de andere kant van de wereld, getrouwd en hopelijk gelukkig.'

'Ik geef niets om Maricruz.'

Je veracht haar, dacht Maceo Encarnación. 'Waar geef je wél om?' Geen antwoord. Opnieuw Rebeka. 'Ik begrijp het.'

'Ik denk aan Jason Bourne,' zei Nicodemo toen de stilte ondraaglijk begon te worden.

'Wat is er met hem?'

'Jason Bourne is meer dan gewoon maar een probleem. Hij kan ons einde betekenen.'

'Doe een beetje rustig.' Dit ging niet over Jason Bourne, en Maceo Encarnación wist dat maar al te goed.

Nicodemo zat rusteloos op zijn stoel en keek uit het raampje. Ondanks de snelheid van het vliegtuig leken de wolken als in een droom voorbij te glijden. 'We weten helemaal niet zeker of Rebeka wel echt dood is.'

Nu komen we bij de kern, dacht Maceo Encarnación. 'Uit wat je mij verteld hebt, lijkt het mij onwaarschijnlijk dat ze het overleefd heeft, ook al zou Bourne haar in het ziekenhuis hebben weten te krijgen, wat hem niet gelukt is. Ik heb mensen op de uitkijk staan; zij zouden het weten als zij opgenomen was.'

'Bourne heeft misschien hulp gehad. Wellicht van een dokter met een particuliere praktijk.'

'Te oordelen naar de wond die jij beschreven hebt, zal geen dokter haar hebben kunnen redden. Ze zou een compleet traumateam nodig hebben gehad, en zelfs dan...' Hij liet even een stilte vallen om wat hij gezegd had te laten doordringen. 'Vergeet haar. Dat is een afgesloten hoofdstuk.'

Nicodemo keek somber. 'Maar het hoofdstuk over Bourne is niet afgesloten.'

'Nee, natuurlijk niet.'

'Ik begrijp niet waarom jij mij niet in Mexico-Stad hebt gelaten om daar met hem af te rekenen.'

'Met hem afrekenen?' zei Maceo Encarnación hem na. 'Ik heb naar je geluisterd; we hebben het een keer geprobeerd. Je weet wat daarvan gekomen is. Rebeka is dood en Bourne loopt nog steeds vrij rond. We moeten een goed plan opstellen en het ten uitvoer brengen, en als het ten uitvoer gebracht is, is Bourne dood. En zo gebeurt het nu ook. Anunciata zal ervoor zorgen.'

De vaardigheden van Dick Richards leken op veel manieren op die van de beste horlogemakers. Het verschil was dat hij in de wereld van de cyberspace werkte, een oneindig gebied, maar zonder dimensies. Het was hem gelukt om zijn eigen trojan te isoleren en hij was nu bezig zich toegang te verschaffen tot het netwerk van Core Energy, waarop hij de vooraf gemaakte codes geplaatst had die het krachtige virus zouden activeren dat hij als een druppel inkt had laten vallen in het cyberhart van eentjes en nulletjes. Die codes waren zelfs voor zijn geheugen te gecompliceerd en ze zouden met geen mogelijkheid ontdekt kunnen worden. Het moest er trouwens op lijken dat de aanval van buiten Treadstone kwam. Het spoor zou uiteindelijk naar de Chinezen moeten leiden. Hij kon het valse ISP-spoor alleen activeren met een code die van buiten het intranet van Treadstone kwam.

Ondanks de airconditioning liep het zweet hem in straaltjes onder zijn oksels vandaan. Het stroomde in geultjes over zijn gekromde rug. Hij voelde enerzijds een grote opwinding, maar anderzijds ook een verschrikkelijke angst.

Dit was zijn grote test, zijn toegangsbewijs tot de topklasse van het hacken. Als hem dit zou lukken, zou hij laten zien dat hij van essentieel belang was voor Tom Brick en Core Energy. Hij wilde dat meer dan wat dan ook. Werken voor de regering was geestdodend. Andere mensen gingen met de eer strijken voor zijn doorbraken. Hij kreeg een miezerig salaris en de president behandelde hem als een hond. Af en toe kreeg hij een aai, maar hij mocht er nooit bij zijn als zijn bazen beslissingen namen. Zijn overplaatsing naar Treadstone had zijn positie onverwacht verbeterd. Maar Soraya, en tot op zekere hoogte Peter ook, behandelden hem met argwaan en minachting, en hij kon hun dat niet kwalijk nemen. Hij was gestuurd om hen te bespioneren. Hij verdiende hun argwaan en minachting. Maar hij zag ook hun bereidheid om hem de credits te geven die hem toekwamen, als hij liet zien dat hij loyaal aan hen was.

Het was waar dat Brick hem vaak als een hond behandelde, maar soms ook niet. En hij betaalde een smak geld meer dan de regering ooit zou doen – of kon doen. Tot op dat moment had Richards geprobeerd om trouw te zijn aan drie bazen, maar de spanning verscheurde hem bijna. Hij kon niet langer op deze manier verder. Het werd tijd dat hij een kant koos.

Maar hoe zat het met Peter? Hoe was het hem gelukt om te infiltreren in Core Energy? Hoe wist hij van Tom Brick? Als Richards een kant zou kiezen, moest hij een beslissing nemen over wat hij met Peter zou doen. Moest hij Peter alles vertellen wat hij wist over Brick, Core Energy, en de geheime persoon die het bieden voor hem deed? Of moest hij Peters echte identiteit aan Brick onthullen? In de tijd dat hij nog niet voor Treadstone werkte, zou de keuze niet zo moeilijk zijn geweest. Maar nu hij voor Treadstone werkte, was de keuze opeens heel lastig. Hij moest toegeven dat hij het hier naar zijn zin had. De werksfeer leek hier meer op die van de particuliere sector. Er waren bijna geen regeltjes. De beide directeuren zagen daarop toe.

In deze impasse werkte hij verder. Omdat hij met zijn gedachten heel ergens anders was, zag hij het bijna over het hoofd. Het instinct dat in de diepste krochten van zijn geest verborgen zat, in het deel dat gaat werken als je in doodsnood zit, gaf een stil signaal af dat zijn concentratie in één klap terugbracht. Er was iets fout. Als door een adder gebeten haalde hij zijn handen van het toetsenbord. Hij staarde naar de code die hij getypt had en voelde een ijzige huivering over zijn ruggengraat trekken. Hij bleef een hele tijd naar het scherm zitten staren. Langzaam legde hij zijn handen in zijn schoot alsof hij een boeteling was die aan het bidden was.

De geluiden die normaal in het Treadstone-kantoor te horen waren – gedempte stemmen, het gezoem van apparaten, en behoedzame voetstappen – leken nu van grote afstand te komen. Hij schrok op van het geluid van zijn mobiele telefoon. Hij nam op.

'Richards, je spreekt met Anderson.'

Zijn schuldige hart klopte hem in de keel en verstikte hem één verschrikkelijk moment. 'Ja, meneer,' wist hij uiteindelijk met schorre stem uit te brengen.

'Zijn er al vorderingen?'

'De, uh, de trojan is geïsoleerd, meneer.'

'Mooi zo.'

'Maar... het blijkt moeilijker te zijn dan ik dacht om hem kwijt te raken. Het... het lijkt erop dat er een of ander mechanisme in zit.' Terwijl hij dit zei, wist hij dat hij dat beter niet had kunnen zeggen.

'Wat betekent dat, verdomme?' donderde Anderson.

Hij had geprobeerd om zichzelf buiten schot te plaatsen als het virus zou toeslaan, maar het leek erop dat hij Anderson kwaad had gemaakt.

'Verdomme, Richards. Geef antwoord.'

'Ik hou me met het probleem bezig, meneer. Ik wilde alleen maar zeggen dat het meer tijd kost dan ik gedacht had.'

'Nu de trojan geïsoleerd is, wil ik niet dat je er verder mee rotzooit. Ik wil niet dat er iets anders teweeggebracht wordt.'

O, jij idioot, vervloekte Richards zichzelf.

'Jouw eerste prioriteit is om uit te vinden hoe dat kloteding door onze firewall is gekomen, begrepen?'

'Ja, meneer.'

'Ik ben over een uur op het hoofdkwartier. Ik wil dat je dan een antwoord voor mij hebt.'

Richards' hand trilde toen hij de verbinding verbrak. Hij probeerde zichzelf te kalmeren, maar zijn hersens werkten zo snel dat het ordenen van zijn gedachten net leek op het bij elkaar drijven van katten. Hij schoof zijn stoel naar achteren en stond op. Met van angst verstijfde benen liep hij naar het dichtstbijzijnde raam. Hij drukte zijn voorhoofd tegen het koele glas. Hij voelde zich alsof hij gloeiende koorts had. Het leek hem nu dat hij in het diepe gesprongen was zonder alles goed te overdenken en zonder te weten of hij een leven dat gedomineerd werd door leugenachtigheid en onbetrouwbaarheid, wel aan zou kunnen.

Met een nauwelijks hoorbare kreun liet hij het raam voor wat het was en liep terug naar zijn bureau. Hij had nu een onmogelijke deadline. Anderson zou binnen het uur terug zijn. Tegen die tijd moest hij zijn positie bepaald hebben en een uitweg weten.

Hij streek met zijn handen door zijn haar en staarde naar het scherm. Wat was er fout? Er zat een minieme tijd tussen het moment dat hij de toetsen indrukte en het moment dat de code op het scherm verscheen. Hij riep een ander scherm op en checkte de hardware via het controlesysteem, maar er was onlangs niets toegevoegd. Hij controleerde het besturingssysteem, maar dat gaf hetzelfde resultaat. Maar toen hij de cve controleerde, zag hij een ongewone piek op het moment dat hij begonnen was te werken. Hij voelde zich plotseling vuurrood worden. Keyloggers die elke toetsaanslag in de gaten hielden, stuwden het verbruik op.

Wat is Anderson een grote hufter, dacht Richards woest. Hij had een keylogger in de software aangebracht die elke toetsaanslag van Richards registreerde. Dit was allemaal voorbereid, doorgestoken kaart. Maar hoe? Er was maar één antwoord mogelijk: Peter Marks. Marks had hem verraden. Hij had er geen vertrouwen in gehad dat hij Tom Brick aan Treadstone zou verraden.

Richards knapte bijna van woede. Hij keek voor de laatste keer naar het scherm met de incomplete code en dacht: krijg de klere... hij kan de klere krijgen... ze kunnen allemaal de klere krijgen.

Zonder verder na te denken maakte hij de keyloggersoftware onbruikbaar en ging verder met zijn code. Hij leek onder het werken bijna geen adem te kunnen halen. Ergens hoopte hij dat Anderson eerder zou opduiken.

Bijna vijftig minuten later, zes minuten voordat Anderson zou arriveren, zette Richards het laatste deel van de code op zijn plaats. Hij hoefde nu alleen nog maar op ENTER te drukken en het virus zou zich over alle Treadstone-servers verspreiden, het hele netwerk platleggen, alle communicatiekanalen bevriezen, en het besturingssysteem zelf onklaar maken.

Hij stond op, pakte zijn jas en in één vloeiende beweging drukte hij de entertoets in. Daarna liep hij het vertrek uit en nam de lift naar de lobby. Hij liep naar buiten, terug naar zijn leven met Tom Brick.

In de wazige verte klonk het klaaglijke geluid van sirenes. Aan het geluid te oordelen scheurden er wagens richting de Basilica de Guadelupe. De mis was afgelopen. Iemand had het lichaam van el Enterrador gevonden.

'Ik weet niet waar Maceo Encarnación en Nicodemo naartoe

zijn,' zei Anunciata. 'Maar ik ken wel iemand die dat misschien wel weet.'

'Wie dan?' zei Bourne. Hij hield zijn blik op de weg en spiedde naar politiewagens.

'Ik zal je ernaartoe brengen.'

'Nee.' Bourne keek haar aan. 'Jouw betrokkenheid stopt hier.' Hij haalde de portemonnee van Rebeka tevoorschijn. 'Het is tijd voor jou om weg te gaan.' Het geld van Rebeka zou iemand helpen om een nieuwe start te maken. Hij wist dat Rebeka dat fijn gevonden zou hebben.

Hij opende de portemonnee en liet Anunciata de inhoud zien. 'Er zit meer dan genoeg geld in om ergens ver weg van Mexico een bestaan op te bouwen. En een nieuw paspoort.' Hij bladerde erdoorheen. 'Je ziet hier de foto van mijn vriendin. Jij kunt heel goed voor haar doorgaan. Je hebt min of meer dezelfde lengte en gewicht. Zoek een goede kapsalon en laat je haar knippen en verven zodat je kapsel op dat van haar lijkt. En een beetje make-up. Dat is alles wat je nodig hebt.'

'Mexico is mijn thuis.'

'Het zal ook je dood worden. Vertrek. Nu. Na vandaag zal het te laat zijn.'

Anunciata hield de sleutels tot haar nieuwe leven in de palm van haar hand. Ze keek hem aan. Haar ogen waren gevuld met tranen. 'Waarom doe je dit?'

'Jij verdient een kans op een nieuw leven,' zei hij.

'Ik weet niet of ik de kracht heb...'

'Het is wat je moeder gewild had voor jou.'

De tranen stroomden haar over de wangen. De sirenes lieten een gehuil horen dat heel goed van haar had kunnen komen.

'Er is iets...'

Bourne wachtte. Ze keken elkaar aan. 'Anunciata?'

'Niets.' Ze keek op. 'Het is niets.' Ze glimlachte. 'Dank je.'

'Nou,' zei Bourne, terwijl hij haar vingers om de portemonnee sloot. 'Vertel me wie ik moet opzoeken.'

Salazar Flores was vliegtuigmonteur. Hij werkte voornamelijk aan privévliegtuigen en in het bijzonder aan de Bombardier Global 5000 van Maceo Encarnación. Bourne vond hem terwijl hij aan het werk was in de onderhoudshangar van het particuliere vliegveld waar Encarnación zijn Bombardier gestald had, precies daar waar Anunciata gezegd had dat hij op dat uur van de dag zou zijn.

Flores was een kleine man van middelbare leeftijd met een scherpe blik. Zijn wangen zaten onder het vuil en zijn handen waren permanent verkleurd door de vloeistoffen waar zij de hele dag mee in aanraking kwamen. Hij keek op toen Bourne naderde, kwam overeind, veegde zijn handen af aan een smerige lap die hij uit de achterzak van zijn overall trok, en wachtte de nieuwkomer op.

'Wat kan ik voor u doen?' zei hij.

'Ik ben van plan om een Gulfstream SPX te kopen en ik denk erover om hem hier te stallen.'

'Dan ben je bij de verkeerde.' Flores wees naar het kantoorgebouw aan de andere kant van de startbaan. 'U moet Castillo hebben. Hij is de baas.'

'Ik wil liever met jou praten,' zei Bourne. 'Mijn vliegtuig gaat per slot van rekening bij jou in het onderhoud.'

Flores keek Bourne waarderend aan. 'Wie heeft u over mij verteld?'

'Anunciata.'

'Echt waar?'

Bourne knikte.

'Hoe is het met haar moeder?'

'Maria-Elena is gisteren gestorven.'

Het leek erop dat Bourne een of andere test doorstaan had. Flores knikte. 'Een onverklaarbare tragedie.'

Bourne was niet van plan om Flores te vertellen hoe onverklaarbaar de dood van Maria-Elena nu eigenlijk was. 'Heb je haar goed gekend?'

Flores bestudeerde hem een tijdje. 'Ik moet even roken.'

Hij liep voor Bourne de hol klinkende hangar uit, waar nog drie andere monteurs aan het werk waren. Hij bleef aan de rand van de startbaan staan, pakte een sigaret en bood Bourne er ook een aan. Hij deed hem tussen zijn lippen en stak hem aan.

Hij keek naar de hoge bewolking alsof hij op zoek was naar een teken. 'U bent een gringo. Ik neem dus aan dat u Anunciata beter kent.' Hij liet rook tussen zijn lippen ontsnappen. 'Maria-Elena heeft een moeilijk leven gehad. Anunciata wilde er liever niet over praten.' Hij haalde zijn machtige schouders op. 'Misschien wist ze het niet. Maria-Elena was heel beschermend met betrekking tot haar dochter.'

'Zij was niet de enige,' zei Bourne. Hij dacht terug aan het gesprek tussen Anunciata en el Enterrador dat hij in de pastorie van de Basilica de Guadelupe had afgeluisterd. 'Maceo Encarnación verzorgde haar als een kasplantje.'

'Daar weet ik niets van.' Flores keek om zich heen alsof elk moment een van Maceo's mannen als een monster uit de schaduw op zou duiken.

Bourne haalde zijn schouders op. 'Ik neem aan dat je hen goed gekend hebt?'

Flores nam een laatste trek van zijn sigaret, liet het peukje vallen en verpulverde het onder de hak van zijn schoen. 'Ik moet weer aan het werk.'

'Komen we op gevaarlijk terrein?'

Flores wierp hem een snelle blik toe. 'Ik weet niet waar u naar op zoek bent, maar ik kan u niet helpen.'

'Dit helpt waarschijnlijk wel.' Bourne liet hem vijf biljetten van honderd dollar zien.

'Madre de Dios!' Flores blies zijn wangen op en liet de lucht fluitend ontsnappen. Hij keek Bourne aan. 'Wat wilt u?'

'Slechts één ding,' zei Bourne. 'Maceo Encarnación is vanmorgen vertrokken. Wat was zijn bestemming?'

'Ik kan u dat niet vertellen.'

Bourne propte de biljetten in een van de zakken van zijn overall. 'Ik weet zeker dat uw vrouw en kinderen wel wat nieuwe kleren kunnen gebruiken.'

Flores keek opnieuw zenuwachtig om zich heen, hoewel niemand binnen gehoorsafstand was en degenen die in het zicht waren, besteedden totaal geen aandacht aan hen. 'Ik kan mijn baan verliezen... of mijn hoofd. Wat zou dat voor mijn vrouw en kinderen wel niet betekenen?'

Bourne pakte nog vijf biljetten van honderd dollar. 'Een paar iPads zullen een held van je maken.'

Flores haalde een hand door zijn haar. Er parelden zweetdruppeltjes op zijn voorhoofd. Bourne kon zien dat zich in zijn hoofd een felle strijd afspeelde tussen hebberigheid en angst. Flores aarzelde nog steeds. Het was tijd om zijn troefkaart uit te spelen.

'Anunciata heeft mij aangeraden om met jou te gaan praten over de bestemming van Maceo Encarnación.'

Toen hij dat zei, sperde Flores zijn ogen open. 'Zij was...'

'Zij wil dat jij het me vertelt.' Een vliegtuig taxiede naar de kop van de startbaan. De motoren loeiden steeds harder. Bourne deed een stap in zijn richting. 'Het is belangrijk, señor Flores. Het heeft met de dood van Maria-Elena te maken.'

Flores keek geschrokken. 'Wat bedoelt u?'

'Dat kan ik niet zeggen,' zei Bourne, 'en jij kunt het beter ook niet weten.'

Flores bevochtigde zijn lippen, keek een laatste keer om zich heen en knikte. Terwijl het vliegtuig over de startbaan snelde en in een waas van geluid en rook opsteeg, boog hij zich naar Bourne toe en fluisterde hem een woord in zijn oor.

Martha Christiana luisterde met een ijzige kalmte naar Maceo Encarnación. Over een uur zou zijn vliegtuig landen en zou een van zijn mensen haar ophalen. Dat zou dan het einde zijn. Ze zou in het centrum van de maalstroom zitten en ze zou er niet uit kunnen ontsnappen. Ze wist zeker dat zij op het moment dat zij zijn vliegtuig binnen zou stappen, zijn gevangene zou zijn, omdat zij te veel belastende informatie over hem bezat. Hij zou hoe dan ook nooit toestaan dat ze bij hem weg zou gaan.

Martha Christiana keek verlangend uit het raam van Don Fernando's woonkamer naar de hemelse contouren van de Notre Dame. Schijnwerpers gaven het bouwwerk een koele, marmeren uitstraling. In het holst van de nacht was zij klaarwakker. Don Fernando niet. Hij sliep aan een kant van het enorme bed. De gordijnen waren gesloten tegen de lichten en het lawaai van de stad.

Onder haar, op de westpunt van het Île Saint-Louis, klonk het gelach van jongelui en gitaargetokkel. Uit een of ander café laaide rauw gezang op. En opnieuw gelach, en een schreeuw. Er brak een gevecht uit. Een bierflesje kletterde op de grond.

Martha keek niet naar beneden. Ze wilde niet betrokken zijn bij de stompzinnigheid onder haar; haar eigen leven zat al vol stompzinnigheid. In plaats daarvan volgde ze met haar ogen de eeuwenoude sierlijke luchtbogen van de kathedraal die de vorm hadden van engelenharpen. Ze was moe, maar ze had geen slaap; in haar beroep was dat een semipermanente toestand.

Als ze geconfronteerd werd met schoonheid, dacht ze vaak terug aan Marrakech, aan de mooie dingen waarmee haar weldoener, haar overweldiger, haar leraar zichzelf omringde. Hij was een estheet geweest. Hij leerde haar om alle kunstvormen te waarderen die schoonheid en plezier in zijn leven brachten. Voor mij is er niets anders, had hij haar ooit gezegd. Zonder kunst en zonder schoonheid is de wereld een verfoeilijke plek, en is het leven niets waard. Ze had daaraan gedacht toen ze zijn bedompte, obsederende museumvilla ontvluchtte. Ze had er nadien vaak aan gedacht, na elke moord, na het uitzitten van een concert of na het bezoeken van een kunstgalerie, of hoog in de lucht als ze van opdracht naar opdracht vloog. En nu dacht ze er ook aan. Met Don Fernando slapend in de andere kamer werd ze opnieuw geconfronteerd met de schoonheid en de verfoeilijkheid van de wereld en van het leven.

Ze sloot haar ogen en oren voor alles behalve het stromen van haar bloed. Ze hoorde haar hartslag zoals waarschijnlijk alleen een dokter deze zou kunnen horen. Haar bovenlichaam zwaaide lichtjes heen en weer, terwijl ze wegzakte in een soort meditatieve toestand. Ze was terug in Marrakech, te midden van het zilveren servies, de houten schermen met een ingewikkeld filigraanmotief, en de kleurige, geometrisch betegelde vloeren en muren. Ze was weer jong, en gevangen.

Ze opende haar ogen en merkte dat ze haar handtas op haar schoot had en dat ze deze wiegde als een speelgoedbeest. Zonder te kijken opende ze de tas, rommelde erin en vond een luciferboekje. Ze haalde het tevoorschijn. Op één kant stond MOULIN ROUGE. Op de plaats van het afstrijkstrookje zat een dun, metalen staafje. Toen ze er een nagel onder wrong en trok, ontrolde zich een nylon draad van ongeveer veertig centimeter. Ze had dit moordwapen zelf gemaakt en ze had daarvoor de aanwijzingen gevolgd die overgeleverd waren door de *hashashin*, de oude Perzische sekte die als doel had om christelijke, ongelovige ridders te vermoorden.

Ze stond zo plotseling op dat haar handtas van haar schoot op de grond gleed. Er klonk geen geluid. Op blote voeten liep ze door de woonkamer naar de deur waarachter Don Fernando lag te slapen.

Hij had haar gezegd dat hij anders was dan alle andere mannen in haar leven. Dat waren mannen geweest die eropuit waren om haar op de een of andere manier te manipuleren, die haar voor hun karretje wilden spannen, of die haar als pistool of mes wilden gebruiken om hun behoefte aan macht en wraak te stillen.

Vanaf het moment dat zij aan boord van zijn vliegtuig stapte, was Don Fernando's plan erop gericht geweest om haar van haar opdracht af te brengen. Hij had ingespeeld op emoties die zij heel lang onderdrukt had. Hij had haar geconfronteerd met haar verleden, met haar overleden vader en met haar dementerende moeder. Hij had haar naar huis gebracht in een poging om haar gunstig te stemmen ten opzichte van zijn wil, en dat was zijn wil om te leven. En tijdens de terugvlucht had hij de duimschroeven verder aangedraaid door keer op keer te liegen tegen haar totdat zij de beslissing had genomen die hij wilde dat ze zou maken: afzien van haar opdracht.

Maar ze was niet zo makkelijk beet te nemen. Ze had haar emoties veel beter onder controle dan hij kon weten. Er was werk te doen. Dat was zonneklaar. Ze doorzag al het gelul dat de mannen als een soort rookgordijn om haar heen optrokken. Ze zag nu eindelijk het pad dat door al die onzin naar de andere kant liep. Het pad dat ze zou volgen.

Altijd gevangen.

Ze stapte Don Fernando's slaapkamer binnen. Hij lag in een diepe schaduw op zijn rug aan de kant van het bed die het dichtst bij haar was. Ze liep naar het raam en trok de gordijnen terug. Zijn patriciërsgezicht werd nu verlicht door de zachte gloed van Parijs. Ze liep naar hem terug en raakte zijn schouder aan. Hij knorde even en draaide zich toen van haar af. Perfect.

Ze tilde het wurgkoord op en concentreerde zich op haar doel. Toen ze alleen nog maar het ritmische kloppen van haar hart kon horen, kwam ze in actie.

Ze bewoog met een volmaakte, dodelijke doelgerichtheid.

23

Vanaf het moment dat dokter Santiago de drain uit de zijkant van haar hoofd haalde en de wond verbonden had, voelde Soraya zich alsof ze van de grauwe wereld van de bijna-doden in een wereld vol kleur en belofte terechtkwam. Ze zag alles nu weer helder. Haar gezicht en gehoor waren weer zo scherp als die van een havik. Alles wat ze voelde, voelde nieuw, anders en opwindend aan.

Toen ze dit tegen dokter Santiago zei, moest hij glimlachen. 'Welkom terug,' zei hij.

Voor het eerst sinds zij opgenomen was, zat ze niet meer vast aan allerlei infusen en monitoren. Ze bewoog zich nog onwennig door de kamer.

'Kijk nou toch,' zei Delia. 'Kijk nou toch!'

Soraya omhelsde haar vriendin en drukte haar tegen zich aan. Ze was zich bewust van de baby die zich tussen hen in bevond. Ze wilde haar vriendin niet loslaten. Ze veegde haar tranen weg en kuste Delia op beide wangen. Haar hart liep over.

Haar terugkeer van het randje van de dood werd slechts door één gedachte overschaduwd. 'Deel, ik moet Peter zien. Wil je me daarbij helpen?'

Zonder iets te zeggen ging Delia weg om een rolstoel te halen, waar Soraya in ging zitten. Uren eerder had Hendricks haar tijdens zijn laatste bezoek verteld dat Peter neergeschoten was. We weten nog niet hoe erg het met hem is, had hij gezegd, maar ik wil dat je overal op voorbereid bent. De kogel heeft zich naast zijn ruggengraat genesteld. – Weet hij het? had ze gevraagd. Hendricks had geknikt. Op dit moment heeft hij nog geen gevoel in zijn benen.

Voordat hij weg was gegaan, had hij Delia een teken gegeven. Ze was samen met hem de kamer uit gelopen. Terwijl Delia haar door de drukke ziekenhuisgangen duwde, vroeg Soraya: 'Waar hebben jij en Hendricks het over gehad toen jullie buiten de kamer waren?'

Er viel een veelzeggende stilte. 'Raya, concentreer je op Peter. Ik denk niet dat dit het moment is...'

Soraya legde haar handen op de banden van de rolstoel waardoor hij tot stilstand kwam. 'Deel, kom voor me staan zodat ik je kan zien.' Toen haar vriendin tegenstribbelde, zei ze: 'Vertel me de waarheid, Deel. Heeft het iets met mijn baby te maken?'

'O, nee!' riep Delia. Ze knielde voor Soraya neer en pakte haar handen. 'Nee, nee, nee, met de baby is niets aan de hand. Het is...' Opnieuw die veelzeggende aarzeling. 'Raya, Charles is dood.'

Soraya voelde alleen maar een schok van teleurstelling. 'Wat?'

'Ann heeft hem neergeschoten.'

Soraya schudde haar hoofd. 'Ik... Ik begrijp het niet.'

'Ze hebben een woordenwisseling gekregen. Charles viel haar aan en zij heeft zichzelf verdedigd. Dat is niet het officiële verhaal. De media hebben te horen gekregen dat hij iemand tijdens een inbraak betrapt heeft.'

Soraya zweeg een tijdje. Verpleegsters liepen op rubberen zolen langs hen heen, telefoons gingen zachtjes af, de namen van doktoren werden omgeroepen, sommige dringend. Voor de rest was het stil.

'Ik geloof het niet,' hijgde Soraya.

Delia keek haar vriendin aan. 'Raya, gaat het goed? De minister heeft het aan mij overgelaten om het jou te vertellen, maar ik weet niet of het nu wel het juiste moment was.'

'Voor zoiets is geen juist moment,' zei Soraya. 'Er is alleen maar het heden.'

Ze ging bij zichzelf na wat ze voelde, maar ze merkte dat ze alleen maar teleurstelling voelde over het feit dat haar zakelijke band met Charles Thorne tot een einde was gekomen. Spionnen waren niet makkelijk te vinden, zeker geen spion die zo perfect geplaatst was in het centrum van de informatiesnelweg. Maar aan de andere kant, als Charles gelijk had over het ophanden zijnde onderzoek, was hij toch niet langer bruikbaar. Wat zij hoofdzakelijk voelde was opluchting. Het had haar tegen de borst gestuit om tegen hem over de baby te liegen. Ze hoefde zich in ieder geval niet meer over die zonde schuldig te voelen.

'Raya, waar denk je aan?'

Soraya knikte naar Delia. 'Laten we Peter gaan opzoeken.'

Het was nu een uur na de operatie en hij was wakker. Hij was blij om hen te zien.

'Hé, Peter,' zei Soraya met een overdreven vrolijke stem. Hij zag eruit als een spookverschijning met zijn bleke armen waaruit allemaal slangetjes kwamen. Je kon zien dat hij veel pijn had, maar hij probeerde dat manmoedig te maskeren. Zijn scheve glimlach brak haar hart.

'Je ziet er goed uit,' zei hij.

'Jij ook.' Ze stond maar ze hield het bed vast ter ondersteuning.

'Ik moet ervandoor,' zei Delia. Zij en Soraya omhelsden elkaar.

'Tot later,' fluisterde Soraya in Delia's oor.

'Je lult,' zei Peter toen Delia weg was. 'Zoals altijd.'

Soraya lachte en raakte zijn knie onder het beddengoed aan, alleen maar om de band tussen hen, die zij zo belangrijk vond, te benadrukken. 'Ik ben blij dat je nog in het rijk der levenden bent.'

Hij knikte. 'Ik zou willen dat ik weer zo goed als nieuw ben als ik hier uit kom.'

De schrik sloeg haar om het hart. 'Wat bedoel je? Wat hebben de doktoren je verteld?'

'De kogel heeft mijn ruggengraat niet geraakt.'

'Dat is goed nieuws!'

'Was dat maar waar.'

'Wat bedoel je?'

'De inslag heeft de ruggengraat deels versplinterd. Overal zitten stukjes.'

Soraya voelde haar keel plotseling droog worden en ze probeerde wanhopig te slikken. Ze keek hem recht in de ogen.

'Ik heb geen gevoel meer in mijn benen,' zei Peter. 'Ze zijn verlamd.'

'O, Peter.' Soraya voelde haar hart op hol slaan en ze voelde zich misselijk worden. 'Weten ze het zeker? Het is nog pas net gebeurd. Wie weet hoe het volgende week is, of zelfs hoe het morgen is?'

'Ze weten het zeker.'

'Peter, je mag niet opgeven.'

'Ik weet het niet. De president zit ons achter de kont aan, jij hebt het over weggaan, en dan gebeurt dit.' Zijn lach klonk zwak en hol. 'Dat is drie, of niet soms? Het is afgelopen.'

'Wie zei dat ik wegga?' Ze had het gezegd nog voordat ze erover nagedacht had.

'Jij zei dat, Soraya. Herinner je je nog onze wandeling door het park? Jij zei toen...'

'Vergeet wat ik zei, Peter. Ik heb alleen maar van mij af zitten praten tegen een vriend. Ik ga nergens heen.' Tot haar niet geringe verbazing, besefte ze dat ze het meende. Verhuizen naar Parijs klonk geweldig, maar het was een onmogelijk idee. Dit was haar leven, bij Treadstone, bij Peter. Ze keek hem aan en ze wist dat ze hem niet in deze toestand alleen kon laten. Misschien zou ze dat wel nooit kunnen, zelfs niet als dit niet gebeurd was.

'Soraya.' Hij glimlachte.

Hij leek nu meer op zijn gemak. Ze kon zien hoezeer de gedachte dat zij weg zou gaan hem bezwaarde en zij baalde ervan dat zij er ooit over begonnen was.

'Ga zitten.' Hij had wat kleur op zijn gezicht gekregen en

leek weer wat meer zichzelf te zijn. 'Ik moet je over heel wat dingen bijpraten.'

In zijn droom wandelde Don Fernando vlak langs de zee. Het rare was dat hij op het water liep en niet op het zand, dat leek te stomen en te borrelen alsof het in een grote pot gekookt werd. Hij had blote voeten. Zijn broekspijpen waren tot zijn kuiten opgerold. Zijn voeten zagen er bleek en vaag uit alsof ze onder water waren. Hij liep steeds verder, maar het landschap leek niet te veranderen, en hij leek nergens naartoe te lopen.

Met de volgende hartslag was hij wakker. Een schaduw met de contouren van een gigantische vogel boog zich over hem heen. Hij herkende de geur van Martha Christiana. Ze was vlak boven hem. Hij voelde zich verlamd alsof hij tussen twee droomwerelden vastzat. In de ene wereld wandelde hij op het water, in de andere wereld vloog Martha met gespreide vleugels boven hem.

Toen was de schaduw opeens verdwenen en Martha was ook verdwenen. Hij hoorde het geluid van het versplinteren van hout en glas, alsof hij de klokken van de Notre Dame hoorde. Met de volgende hartslag stroomde koele lucht de kamer binnen.

Hij kwam overeind, nog steeds half in slaap, en zag hoe de gordijnen als gekken wapperden. Het leek alsof het glas en het kozijn met grote kracht vernietigd was. Hij stond pas op toen hij buiten gegil en geschreeuw hoorde. Eerst was hij gewoon nieuwsgierig naar wat er gebeurd was, maar toen hij het geruïneerde raam zag, sloeg zijn nieuwsgierigheid om in een stijgende ontzetting.

'Martha,' riep hij over zijn schouder. En toen nog harder: 'Martha!'

Geen antwoord. Natuurlijk kwam er geen antwoord. Hij stak zijn hoofd door het raam en lette daarbij niet op de glasscherven die in zijn handen sneden. Hij keek omlaag en zag haar met gespreide armen op de stenen van de smalle straat liggen. Ze werd omringd door fonkelende glasscherven alsof ze een prinses was die in een bed van diamanten lag. Bloed stroomde onder haar vandaan. Van alle kanten kwamen mensen aanlopen. Het schreeuwen ging maar door, zelfs nog toen sirenes de komst van politie- en ziekenwagens aankondigden.

Mijn beste senator Ring,' zei Li Wan, 'laat mij een van de eersten zijn om u oprecht te condoleren met uw verlies.'

Ann Ring glimlachte flauwtjes. Innerlijk was ze blij dat Li zijn opwachting had gemaakt. 'Dank u,' mompelde ze. Wat zijn woorden toch stompzinnig, dacht ze. Ze zijn ontoereikend en leugenachtig. Ze walgde van de huichelachtigheid die bij begrafenissen, grafredes en rouwperioden om de hoek kwam kijken. De doden waren er niet meer. Laat ze toch in vrede gaan.

Li Wan droeg een zwart pak, alsof hij degene was die rouwde en niet zij. Ze realiseerde zich ineens dat wit de Chinese kleur van rouw was. Maar, dacht ze spottend, hij droeg wel een wit overhemd. Het was zo stijf gestreken dat het net leek alsof de kraagpunten hem elk moment zouden kunnen doorboren.

Ann was gekleed in een bloedrood, wollen pakje van St. John. Ze zat in een afgezonderde ruimte in Vineyard Funeral Home aan Fourteenth Street NW. Zelfs terwijl ze rouwde, straalde ze nog seks en charme uit. Ze werd omringd door haar gebruikelijke gevolg. Ook waren er nog enkele vrienden. Het officiële afscheid was morgen pas. Daar zouden honderden collega's, bondgenoten en vijanden op af komen. Nu was het rustig. De geur van de enorme grafkransen en de boeketten bloemen was overweldigend. De kransen stonden tegen de muren en de boeketten stonden in vazen op de tafels en zelfs op de niet gebruikte stoelen.

'Hij en ik hebben samen veel meegemaakt,' zei Li Wan met een lage, monotone stem, 'en dat is mij heel dierbaar.'

'Dat is iets wat we gemeenschappelijk hebben, meneer Li,' zei ze op neutrale toon.

Hij knikte nauwelijks zichtbaar met zijn hoofd en veroorloofde zich een flauw glimlachje, terwijl hij haar een pakje in cadeaupapier gaf. 'Zou u dit ontoereikende teken van mijn verdriet willen accepteren?'

'Dat had niet gehoeven.' Ze nam het pakje aan, legde het op haar schoot en bestudeerde Li's gezicht. Ze wachtte en ze dacht dat hij wist dat zij wachtte.

Op het laatst zei hij: 'Mag ik even bij u komen zitten?'

Ze gebaarde. 'Natuurlijk.'

Hij zat stijf als een schildpad die zijn poten in probeerde te trekken. Het was een bijna vrouwelijke houding die zij weerzinwekkend vond.

'Is er iets wat ik voor u kan betekenen, senator?'

'Nee, dank u.' Wat vreemd, dacht ze. Hij gedraagt zich als een echte Chinees. Niet als een Chinese Amerikaan. Door de speciale aard van deze man en de relatie met hem die door Chris Hendricks zo gepland was, wilde ze die gedachte verder onderzoeken. 'En zegt u alstublieft Ann.'

'Dat is erg vriendelijk van u,' zei hij terwijl hij zijn hoofd boog.

Wat kan ik uit zijn gedrag opmaken, vroeg ze zich af.

Li keek naar de bloemen die op de console stonden die tegen de tegenoverliggende muur stond. 'Ik heb veel herinneringen aan uw man, senator.' Hij zweeg even alsof hij overwoog of hij wel of niet door zou gaan. 'Herinneringen die we op den duur misschien kunnen delen.'

Nu komt de aap uit de mouw, dacht ze. Maar het bleef onduidelijk of hij hier op een officiële missie was. Haar hart sprong op bij de gedachte dat het misschien een persoonlijke missie was, dat er iets gebeurd was tussen Li en Charles wat hun relatie misschien veranderd had, maar als dat niet het geval was, waren Li's eigen doelen wellicht gaan afwijken van die van zijn regering.

'Weet u, meneer Li, ik heb mijn eigen herinneringen aan mijn man. Het kan wellicht plezierig zijn om andermans herinneringen te horen.'

Li draaide nauwelijks zichtbaar met zijn schouders. 'In dat geval zou ik u graag voor de thee willen uitnodigen, senator, zodra u daar natuurlijk aan toe bent.'

'Dat is vriendelijk van u, meneer Li.' Ze moest behoedzaam

zijn, erg behoedzaam. 'Ik heb een vol programma met allerlei vergaderingen, dat in de verdrukking is gekomen. Begrijpt u?'

'Natuurlijk, senator, natuurlijk begrijp ik dat.'

Ze toverde een weemoedige uitdrukking op haar gezicht. 'Aan de andere kant zou het zeker zeer verfrissend zijn om eens niet over bestuurlijke zaken te praten.' Ze wees naar Li's cadeau. 'Misschien vanavond, na mijn wake. Dan heb ik wel tijd om een hapje te eten.'

Li keek hoopvol. 'Tijd voor een diner misschien?'

'Ja,' zei ze, terwijl ze nog weemoediger uit haar ogen probeerde te kijken. 'Dat zou fijn zijn.'

'Als u het prettig vindt, kan ik u hier op komen halen.' De glimlach van meneer Li was poeslief. 'U hoeft alleen maar te zeggen wanneer.'

Sam Anderson liet Treadstone-personeel vijftien minuten lang vruchteloos het gebouw doorzoeken naar Richards. Toen hij niet gevonden werd, riep hij zijn mensen terug en liet hij via de FBI en de politie een opsporingsbevel met de hoogste prioriteit uitgaan.

Daarna voegde hij zich bij het bijeengeroepen IT-team dat koortsachtig bezig was om het virus te identificeren dat bezig was de Treadstone-servers plat te leggen. Hij had er één man uitgelicht, Timothy Nevers, die hij de opdracht gaf om de keylogger en de bijbehorende hardware die hij op de computer van Richards geïnstalleerd had, te checken.

Peter had de juiste man als zijn rechterhand gekozen. Anderson was niet ambitieus en ook niet zelfgenoegzaam. Hij was altijd helemaal gefocust op de opdracht die hij gekregen had en hij kweet zich beter van zijn taak dan wie ook bij Treadstone. In tegenstelling tot veel van zijn collega's bij de geheime diensten was hij iemand met grote communicatieve vaardigheden en hij was een voorbeeldig manager. Degenen die zijn orders moesten opvolgen deden dat zonder vragen te stellen. Zij geloofden in hem en ze geloofden dat hij hen uit de penarie kon halen als ze daarin terechtgekomen waren.

Dit virus betekende een probleem van een uitzonderlijke orde. Elke minuut dat het IT-team er niet in zou slagen om het basisalgoritme van het virus te vinden, zou het virus een nieuwe barrière slechten. De Treadstone-servers begonnen er als een Zwitserse kaas uit te zien; ze konden totaal niets beginnen, zelfs niet als het virus omzeild zou kunnen worden, wat tot op dat moment niet gelukt was.

'Blijf doorgaan,' zei Anderson. Hij wendde zich tot Tim Nevers, en zei: 'Dit is echt onbeschrijfelijk.'

'Zeg dat wel,' zei Nevers. 'Deze Richards is een uitzonderlijk genie op het gebied van softwareprogrammering. Je kunt de trojan nog goed zien. Hij heeft hem trouwens zelf gecodeerd en het systeem ermee besmet.'

'Hoe zit het met het virus?'

Nevers krabde zich op het hoofd. Hij was begin dertig en schoor zijn hoofd al omdat hij kaal begon te worden. 'Tja, kijk, het is een megavirus, zoveel kan ik u wel vertellen.'

'Daar heb ik niet veel aan,' zei Anderson. 'Ik heb iets nodig wat ik aan de andere IT-jongens kan vertellen.'

'Ik doe mijn best,' zei Nevers met zijn vingers boven het toetsenbord.

'Je best doen is niet genoeg.'

Dat had Andersons vader altijd tegen hem gezegd, niet onvriendelijk, maar op een manier waardoor Anderson beter zijn best wílde doen, niet alleen om zijn vader een plezier te doen, hoewel dat er natuurlijk wel als een dreiging boven hing. Hij was geslaagd door beter zijn best te doen, maar het had er ook voor gezorgd dat hij iets belangrijks over zichzelf geleerd had. Andersons vader was een militair – inlichtingen – die eindigde bij de Centrale Inlichtingendienst. Hij had veel van hun onderzoeksmethoden verbeterd. Als dank daarvoor hadden ze hem eruit geknikkerd omdat hij een zwak hart had. Hij haatte het om werkeloos thuis te zitten en hij stierf zestien maanden nadat hij uit de dienst ontslagen was. Zijn meerderen zeiden allemaal 'Dat hadden we wel gedacht,' maar Anderson begreep wat zijn vader geweten had: thuis kon hij niet beter zijn best doen. Hij voelde zich nutteloos. Op een avond ging hij slapen om nooit meer wakker te worden. Anderson was er behoorlijk zeker van dat zijn vader dat wist toen hij in slaap viel.

'Ik heb wat!' zei Nevers. 'Ik weet wat het virusalgoritme is van de trojan. Het vermenigvuldigt zich eindeloos. Echt verbazingwekkend.'

'Wat ik wil weten, Nevers, is of het gestopt kan worden.'

'Interventie,' zei Nevers en hij knikte. 'Niet bepaald de manier waarop je normaal gesproken een virus neutraliseert. Daarom is dit zo ingenieus. Je moet zo te zeggen een schakelaar omknippen van binnenuit het algoritme.'

Anderson trok zijn stoel dichterbij om alles beter te kunnen zien. 'Doe dat dan.'

'Niet zo snel,' zei Nevers. 'Het virus is gecodeerd met valstrikken, onfeilbare mechanismen en doodlopende sporen.'

Anderson kreunde. 'Eén stap vooruit, twee achteruit.'

'Beter dat dan in het duister rondtasten.' Nevers drukte op ENTER. 'Ik heb net alles wat ik ontdekt heb naar de rest van het IT-team gestuurd.' Hij wendde zich grijnzend tot zijn baas. 'Laten we zien wat zij ermee kunnen.'

Anderson gromde.

'Richards heeft de keylogger vernietigd vlak voordat hij het virus activeerde. Dat is de kern van het probleem. De software heeft slechts een deel van de code vastgelegd. We kunnen het virus pas stoppen als we de hele code weten.'

'Ga uit van een redelijke veronderstelling, intervenieer en haal de algoritmeschakelaar over.'

'Dat kan,' zei Nevers, 'maar ik doe dat niet.' Hij keek naar Anderson. 'Kijk, dit virus zit vol angels en klemmen – met andere woorden vol triggers. Als ik niet precies weet wat ik doe, kan ik onbedoeld een van die triggers in werking stellen en alles nog erger maken.'

'Nog erger?' zei Anderson vol ongeloof. 'Wat kan er erger zijn dan dat al onze data uitgewist worden?'

'De moederborden raken overbelast, de servers worden gereduceerd tot een hoop siliconen, zeldzame aardmetalen en gesmolten draden. Vitale gecodeerde boodschappen zijn voor God weet hoe lang onbruikbaar.'

Hij begon te grijnzen. 'Maar het goede nieuws is...' Hij haalde een klein, rechthoekig apparaatje vanonder het bureau tevoorschijn en hield het omhoog. 'Richards heeft de bluetoothzender over het hoofd gezien. Als hij alles van buiten gedownload heeft, zal het allemaal hierop staan. En nog beter, het voert ons zo terug tot de bron.'

Toen Nicodemo Don Fernando Hererra zag, bleef hij doodstil staan. Hererra was dood – althans volgens Martha Christiana. Maar ze had gelogen. Nu was ze zelf dood en lag ze op straat op het Île Saint-Louis. Het was onmogelijk om te zeggen of ze uit het raam op de vierde verdieping gevallen was of dat ze eruit geduwd was. Maar Hererra's aanwezigheid was onweerlegbaar. Hij stond met de politie te praten, terwijl er foto's en vingerafdrukken genomen werden.

Met een beetje moeite kon Nicodemo door de ramen rechercheurs zien lopen in wat Hererra's appartement moest zijn. Het gebouw baadde in het licht en in elke kamer werd naar sporen gezocht. Nicodemo had geen idee wat ze dachten te vinden, maar dat interesseerde hem ook niet. Hij verlegde zijn focus van Martha Christiana, de vrouw die hij voor Maceo Encarnación op moest pikken en naar het wachtende vliegtuig moest brengen, naar Hererra. Er was niets meer wat Nicodemo voor Martha Christiana kon doen, maar er was zeker iets wat hij met betrekking tot Hererra moest doen.

Hij trok zich terug in de schaduw om de hoek, haalde zijn mobiele telefoon tevoorschijn en belde Maceo Encarnación.

'Ik sta om de hoek bij het appartement van Don Fernando Hererra,' zei hij. 'Ik weet niet hoe ik het nieuws moet brengen, maar Martha Christiana is dood.'

Hij hield de telefoon van zijn oor bij het horen van de scheldkanonnade die uit het apparaat opklonk.

'Ik weet niet of ze is gevallen of dat ze is geduwd,' vervolgde hij, toen Maceo Encarnación wat tot rust gekomen was. 'Het spijt me, echt. Maar er zijn andere zaken waar we ons mee bezig moeten houden. Martha Christiana heeft gelogen over het feit dat Hererra dood zou zijn... Ik weet het, ik ook... Maar hij is hier in levenden lijve... Natuurlijk weet ik zeker dat hij het is.'

Nicodemo luisterde ingespannen naar alles wat Maceo Encarnación zei. Toen die uitgesproken was, zei hij: 'Weet je zeker dat je wilt dat ik dat doe?'

Tijdens het antwoord begon Nicodemo al met zijn voorbereiding voor de opdracht die Maceo Encarnación hem gegeven had.'

'Handel het af,' zei Maceo Encarnación tot slot. 'Je hebt vierentwintig uur. Daarna, als je niet terug bent, vertrek ik zonder jou. Duidelijk?'

'Volstrekt,' zei Nicodemo. 'Ik ben terug voordat de deadline verloopt. Daar kun je op rekenen.'

Hij verbrak de verbinding, stopte zijn mobiele telefoon in zijn zak en liep terug naar de plaats van het misdrijf. Martha Christiana was in een ziekenwagen gelegd. Hererra praatte nog steeds met de rechercheurs. Hij praatte, zij knikten. Een van hen maakte zo snel als hij kon aantekeningen.

Nicodemo klopte een sigaret uit een pakje, stak hem aan en rookte ingetogen, terwijl hij verderging met het observeren van wat er plaatsvond. Toen de rechercheurs eindelijk klaar waren met Hererra, gaven ze hem hun kaartjes, waarna hij zich omdraaide en terugliep naar zijn gebouw. Nicodemo keek toe terwijl Hererra een viercijferige code intypte op het paneel rechts van de immense, houten ingang.

Toen de rechercheurs weg waren, liep hij door de snel uitdunnende menigte toeschouwers naar de ingang. Hij keek naar het paneel waarop tien koperen knoppen te zien waren, genummerd één tot nul. Hij haalde een klein flesje uit zijn zak. Er zat heel fijn, wit poeder in dat hij over de knoppen blies. Het poeder hechtte zich aan de olie die Hererra's vingers achtergelaten hadden, waardoor vier witte knoppen zichtbaar werden. Bij de derde combinatie klikte de deur open en stapte hij naar binnen.

Hij bleef even staan op de geplaveide binnenplaats, waar honderden jaren eerder door paarden getrokken rijtuigen vol passagiers stopten en waar livreiknechten zich haasttenom de patriciërs uit het rijtuig en in hun residentie te helpen. Nu woonden er natuurlijk veel mensen in het gebouw, maar de geschiedenis bleef en steeg op uit de keien als de stoom van de glanzende flanken van de paarden.

Twee vrouwen, een jonge en een oudere, leunden tegen een muur naast de voordeur en bespraken de tragedie die zich net afgespeeld had. De oudere vrouw rookte. Nicodemo pakte een sigaret, liep naar hen toe en vroeg om een vuurtje.

'Verschrikkelijk toch.' De jonge vrouw huiverde. 'Wie kan er na zoiets nog slapen?'

'Op straat zal het krioelen van de mensen met een morbide nieuwsgierigheid,' zei de oudere vrouw, terwijl ze haar hoofd schudde.

Nicodemo knikte meelevend. 'Waarom zou iemand uit een raam springen?' vroeg hij zich hardop af.

'Wie kan het zeggen?' De oudere vrouw haalde haar vlezige schouders op. 'Mensen zijn gek, zo denk ik erover.' Ze inhaleerde diep. 'Kende u de arme ziel?'

'Van lang geleden,' zei Nicodemo. 'We waren jeugdvrienden.'

De oudere vrouw keek verdrietig. 'Ze moet erg ongelukkig geweest zijn.'

Nicodemo knikte. 'Ik dacht dat ik haar zou kunnen helpen, maar ik arriveerde te laat.'

'Wilt u naar boven?' vroeg de jongere vrouw, alsof ze plotseling een idee kreeg.

'Ik wil señor Hererra niet storen.'

'O, ik weet zeker dat hij wel een beetje steun kan gebruiken. Hier.' Ze liep naar de deur en haalde haar sleutels uit haar zak. Ze hield het plaatje tegen een metalen paneeltje naast de deur en de deur zoemde open.

Nicodemo bedankte haar en liep de vestibule binnen. Een grote, ijzeren trap liep in een bocht omhoog. Hij ging naar boven. Binnen was het spookachtig stil, alsof iedereen die in het gebouw aanwezig was, vol ontzetting de adem inhield. Op de trap was verder niemand. Alle deuren van de appartementen waren dicht alsof ze een snel verspreidende besmettelijke ziekte buiten moesten houden.

De verdieping waar Don Fernando zijn appartement had, was ook verlaten. Hij liep geruisloos door het trapportaal naar de deur van het appartement. Hij luisterde maar hoorde niets.

Toen legde hij zijn oor tegen de deur.

In het appartement kon Don Fernando nog steeds de geur ruiken van de muffe kleren van de agenten en de rechercheurs. Hij had het gevoel alsof er bij hem ingebroken was. Hij wilde alleen maar de kenmerkende geur van Martha Christiana ruiken en hij was dan ook zeer ontstemd over de invasie van de beambten. Hij stond doodstil en kaarsrecht in de kamer en probeerde zijn gedachten van zijn emoties te scheiden.

Hij was verantwoordelijk voor de dood van Martha Christiana, daar twijfelde hij geen seconde aan. Hij had haar gemanipuleerd en hij had haar in een onhoudbare positie gebracht, door zich te willen meten met Maceo Encarnación. Hij had haar de duimschroeven aangedraaid, langzaam zodat ze het zeker zou weten, maar uiteindelijk had het niets uitgemaakt. Uiteindelijk was ze niet in staat geweest om ofwel hem, ofwel haar werkgever te volgen. Ze had gekozen voor de enige uitweg die echt een einde zou maken aan haar netelige positie. Misschien dat dit haar lot was geweest vanaf het moment dat ze geboren was in een liefdeloos gezin en weggelopen was in de hoop dat ze zichzelf daarmee zou redden. In plaats van zichzelf te redden was ze holderdebolder haar lot tegemoet gegaan, naar zijn appartement op het Île Saint-Louis en naar haar dood op de keien van de Quai de Bourbon.

Misschien had het niets met hem te maken, maar dat geloofde hij niet. Het verlangen had haar lot verwrongen. Nu was ze dood. Hij keek om zich heen en voelde haar gemis, alsof er in deze kamers meer schaduwen waren, schaduwen die hij zo goed had leren kennen, alsof er plotseling een andere kamer was die hem nooit opgevallen was en die hij nooit bekeken had, een kamer wiens inhoud hem angst inboezemde.

Hij controleerde alles opnieuw om er zeker van te zijn dat hij alleen was, zelfs ondanks het feit dat het rationele deel van zijn hersens hem vertelde dat hij alleen was. Hij liep stil naar de badkamer, knielde met krakende gewrichten neer en trok de handtas van Martha Christiana uit de nauwe ruimte tussen het bad op gekrulde pootjes en de marmeren vloer. Hij had de tas onder het bad geschoven voordat de politie binnen was gekomen.

Hij deed de toiletzitting omlaag, ging zitten, en zette de tas op zijn schoot. Hij bleef voor zijn gevoel lang zo zitten. Zijn vingers streelden het zachte leer, hij snoof in een poging haar geur op te vangen die opsteeg uit het binnenste van de tas. Zijn ogen vulden zich met tranen.

Hoewel hij uit zelfbehoud gehandeld had, had hij Martha oprecht gemogen. Hij had ook medelijden met haar gehad om het feit dat zij zo gevangen zat. Maar zijn empathie had haar weinig goed gedaan. Die had haar alleen het laatste zetje richting haar lot gegeven.

Hij zuchtte. Opeens spitsten zijn oren zich. Hij hoorde iets en hij luisterde alsof hij haar zacht op haar blote voeten kon horen lopen, alsof ze nog leefde, alsof de afgelopen uren een nachtmerrie geweest waren waaruit hij nu pas ontwaakte, met haar handtas op zijn schoot. Hij keek naar de tas en wist met absolute zekerheid dat wat hij in zijn handen hield het laatste was wat van haar overgebleven was.

Hij voelde een vreemde onrust. Langzaam opende hij de tas en keek erin. Hij zag de gebruikelijke vrouwenspullen: lipstick, een poederdoos, eyeliner, een pakje zakdoekjes, en haar opvallend dunne portemonnee, alsof het weinige dat erin zat net zo snel zou vervliegen als haar leven. Hij keek er even in en pakte toen haar mobieltje.

Hij was afgegrendeld, maar hij wist genoeg dingen die zij leuk vond. Hij probeerde enkele ervan uit totdat hij de juiste gevonden had. Hij ontgrendelde de mobiele telefoon, zoals zij dat zo vaak gedaan had. Het feit dat deze deur zich voor hem opende, ontroerde hem zeer. Het was net alsof zij hem uitnodigde om het afgegrendelde deel van haarzelf binnen te treden.

'Mea culpa, Martha,' zei hij. 'Was je nu maar hier.'

Buiten, voor de voordeur, hoorde Nicodemo deze woorden die door het appartement zweefden, en hij drukte zijn oor nog steviger tegen de deur. Hierdoor kraakte het oude hout.

Hij verstijfde en durfde bijna geen adem meer te halen.

Don Fernando spitste zijn oren als een hond die plotseling een stuk wild ruikt. Zijn lichaam begon te trillen. Het gekraak van de voordeur was als een pijl door het appartement gegaan en had zijn hart doorboord als een vooraankondiging van de dood.

Hij legde Martha's handtas opzij, stond op, en liep van de badkamer door de slaapkamer naar het woongedeelte. Daar bleef hij even bewegingloos staan en luisterde of hij nog iets hoorde. Hij loerde naar de voordeur die hij zorgvuldig op slot had gedaan, nadat de rechercheurs verdwenen waren. Hij keek naar de houten panelen alsof deze hem konden vertellen wat of wie er aan de andere kant was.

Uiteindelijk sloop hij naar de deur, boog zich voorover en legde zijn oor tegen het oude hout. Hij hoorde iets, maar of het een geluid van het gebouw was of dat hij iemand hoorde ademhalen, kon hij niet zeggen. Hij voelde zich misschien niet bang, maar toch wel behoorlijk ongemakkelijk. Hij had geen pistool in het appartement, wat maar goed was ook. De agenten zouden het in beslag genomen hebben en misschien hebben kunnen denken dat Martha Christiana vermoord was en dat ze geen zelfmoord gepleegd had. Maar nu betreurde hij het dat hij er niet ergens een verborgen had. Hij voelde zich niet veilig.

Nadat hij nog een tijdje vruchteloos aan de deur geluisterd had, ging hij terug naar de badkamer. Hij pakte Martha's handtas en ging verder met zijn weemoedige speurtocht door de inhoud ervan.

Hij checkte als eerste op haar mobiel de inkomende gesprekken. Het laatste inkomende gesprek was van ongeveer vijftig minuten voordat zij uit het raam was gesprongen. Gezien het tijdstip waarop het gesprek was binnengekomen, leek het hem geen onbelangrijk gesprek. Die gedachte werd bevestigd door het feit dat het nummer dat gebeld had in Martha's telefoonboek stond. De naam was beperkt tot initialen, maar hij twijfelde geen moment over wie er achter de initialen ME schuilging: Maceo Encarnación.

Wat had Maceo Encarnación tegen haar gezegd, waardoor ze besloot om zelfmoord te plegen? Hij wist zeker dat ze zich verstrikt had gevoeld tussen hemzelf en Encarnación en dat ze geen uitweg had gezien.

Hij checkte haar voicemailberichten en haar sms'jes, de gebruikelijke dingen waar een mobiel vol mee zat, maar er zaten geen interessante dingen tussen. Daarvoor was Martha Christiana te voorzichtig geweest. Terwijl hij door haar telefoonboek scrolde, ging zijn eigen telefoon. Hij nam op. Het was Christien.

'Ben je nog steeds dood?' vroeg Christien grinnikend.

'Jammer genoeg niet.' Don Fernando haalde diep adem. 'Maar Martha Christiana wel.'

'Wat is er gebeurd?'

Don Fernando vertelde het hele verhaal.

'In ieder geval vormt ze nu geen bedreiging meer voor jou. Ik zal er wel voor zorgen dat de media het nieuws over jouw dood corrigeren.' Het was even stil. 'Weet je waar Bourne is?'

'Ik dacht dat jij hem in de gaten hield.'

'Niemand kan Bourne in de gaten houden, Don Fernando. Jij weet dat beter dan wie dan ook.'

Don Fernando bromde. Gedachteloos stopte hij Martha's mobiel terug in haar handtas. Hij voelde de poederdoos, glad en warm als Martha's huid. Hij merkte dat de aanraking met het gladde oppervlak hem een troostend gevoel gaf.

'Onze vijanden zijn op oorlogspad,' zei Christien. 'Maceo Encarnación en Harry Rowland zijn uit Mexico-Stad vertrokken. Ze zijn een uur geleden in Parijs geland. Het leek me goed om je te waarschuwen.'

'Er staat iets te gebeuren.'

'Ja, maar ik hoop dat het niet is waar we bang voor zijn.'

Don Fernando haalde een hand over zijn gezicht. 'Er is maar één manier om daar achter te komen.'

'Nu Maceo Encarnación in Parijs is, maak ik me zorgen over jou.'

'Maceo Encarnación is veel te slim om zich in Parijs te laten zien. Ik heb hier te veel ogen en oren. Rowland is echter een ander geval.'

'Jason en die Mossad-meid Rebeka volgden Rowland.'

Don Fernando keek naar zijn blote voeten op de tegelvloer van de badkamer. Martha had zijn voeten mooi gevonden. Volgens haar waren ze sexy. 'Als dat zo is, hebben ze gefaald.'

'Het idee dat Jason gefaald zou kunnen hebben, vind ik behoorlijk verontrustend.'

'Ik ook.' Don Fernando voelde zich steeds somberder worden bij het zien van de versierde bovenkant van Martha's poederdoos. 'Luister, Christien, we moeten toch iets voor Jason kunnen doen.'

'Het is allemaal zo snel gegaan en het is te ver doorgeschoten. We kunnen niets doen,' zei Christien. 'Het enige wat we kunnen doen, is erop vertrouwen dat Jason succes heeft.'

'Als iemand dat kan...' *Vaya con Dios, hombre*, dacht Don Fernando, terwijl hij de verbinding verbrak.

Hij was moe – nee, uitgeput. Hij stond op en liep met de poederdoos nog steeds in zijn hand naar de slaapkamer. Het was heel vroeg in de ochtend. Het was het moment dat in de stad, die nog steeds in diepe rust was, het rumoer van het allereerste verkeer weerklonk, en mensen in de rij gingen staan voor de bakkerijen om de baguettes en de croissants voor het ontbijt te halen, en de fietsers zich naar hun werk begaven.

Hij ging op zijn bed liggen. Het beddengoed lag in een kluwen onder hem. Hij keek naar het raam waardoor Martha Christiana uit zijn leven was gesprongen. Hij ging overeind zitten. Zijn blik viel weer op de poederdoos. Het was vreemd, dacht hij, dat Martha een poederdoos bij zich droeg, terwijl hij haar nog nooit met poeder op gezien had. Ze gebruikte lipstick en oogschaduw; haar natuurlijke schoonheid had verder niets nodig. En toch...

Hij bekeek de poederdoos van alle kanten. Toen knipte hij hem in een opwelling open. Er lag een poederdons in het doosje, maar er zat geen poeder onder. Er was alleen maar een dunne, opstaande gouden rand te zien. Met zijn nagel wrikte hij de onderkant omhoog. Eronder zat een micro-SD-kaart van acht gigabyte.

Op dat moment verstijfde hij. Hij hield zijn hoofd schuin in een poging om het geluidje te horen. Hij was er zeker van dat er iemand buiten de voordeur stond. Hij stapte geluidloos uit bed, liep naar de keuken en pakte een groot vleesmes.

Terug in de woonkamer ging hij bij de voordeur staan en luisterde. Hij hoorde opnieuw het geluid. Het was het schurende geluid van schoenzolen op de vloer. Hij deed een stap naar voren en deed de deur behoedzaam van het slot.

Hij hield het mes voor zich zodat hij meteen toe zou kunnen steken, pakte de deurklink, en met een snelle, doeltreffende draai trok hij de deur open.

24

Dick Richards stond in het hoofdkwartier van Core Energy aan Sixteenth Street NW te wachten om toegelaten te worden tot Bricks vorstelijke kantoor. Hij voelde zich alsof hij niet alleen op de vlucht was voor Treadstone, maar ook voor het leven zelf. Hij stond voor zijn gevoel al uren te wachten, terwijl een aanzienlijke hoeveelheid mensen de directiekantoren in en uit liepen.

Hij liep voor de zoveelste keer naar de balie en stelde zich opnieuw voor aan de vrouw die daarachter zat. Zij droeg haar draadloze oortje als een sieraad. Normaal gesproken zag je er met zo'n ding als een buitenaards wezen uit, maar zij kreeg er iets menselijks door. Ze keek hem met haar volle lippen glimlachend aan.

'Meneer Richards...' Het verbaasde hem dat zij zijn naam nog wist. '... Meneer Lang wil u graag spreken.'

Stephen Lang was operationeel directeur. Richards vroeg zich af waarom hij hem wilde spreken. 'Ik ben hier voor Tom Brick.'

De receptioniste glimlachte en raakte de buitenkant van haar oortelefoon aan. 'Hij is op dit moment niet op kantoor.'

'Weet u waar hij is?'

De glimlach bleef onveranderd, nog een voorbeeld van een postmodern sieraad. 'Ik geloof dat meneer Lang het met u daarover wil hebben.' Ze stak een goedgevormde blote arm uit. 'Weet u de weg?'

Richards knikte. 'Ja.'

Hij liep door de doorzichtige glazen deuren, sloeg rechts af, en aan het einde van de gang weer rechts af. Hij was enkele keren in Langs grote hoekkantoor geweest als Brick hem op de hoogte bracht van de logistiek met betrekking tot een of andere opdracht.

Stephen Lang was een oud-atleet die wat begon uit te zakken. Hij had nog wel het basispostuur en de musculatuur van een lijnverdediger, maar zijn gezicht was voller geworden en hij had een buikje gekregen. Toen Richards het kantoor binnenliep, kwam hij van achter zijn bureau vief aanlopen. Hij grijnsde, gaf Richards een stevige hand en knikte naar een van de stoelen die voor het postmoderne bureau stonden. Het bureau had een blad van rookglas.

'Ik heb gehoord dat de Treadstone-computers hopeloos in de war zijn.' Hij ging op de hoek van zijn bureau zitten en knikte. 'Goed werk, Richards.'

'Bedankt. Maar nu zitten ze achter me aan. Ik kan daar niet naar terug.'

'Maak je geen zorgen. Je hebt ons geholpen met het bereiken van ons doel bij Treadstone. Het is nu tijd om verder te gaan.' Lang klapte in zijn handen. 'Luister, Tom wil je persoonlijk feliciteren. Hij is op het laatste moment weggeroepen, dus heeft hij een auto met chauffeur geregeld om jou naar hem toe te brengen.'

'Is hij op zijn schuiladres?'

'Tja, wat betreft dat schuiladres, dat is niet langer veilig.' Lang klapte opnieuw in zijn handen. 'Zoals ik al zei, het is nu tijd om verder te gaan.' Hij stond op ten teken dat het gesprek ten einde was. Hij stak zijn hand uit, en zei: 'Het ga je goed, Richards. Je bent heel waardevol voor ons geweest, dus je kunt een aardige salarisverhoging verwachten, om maar te zwijgen van een bonus.' Hij maakte een wuivende beweging met zijn hand. 'Tom zal je alles uitleggen.'

Richards liep met vuurrode wangen het kantoor uit. Hij zweefde bijna. Eindelijk kreeg hij de erkenning die hij verdiende. Een mollige blondine schonk hem een glimlach in de lift terug naar de lobby. Hij was zo verbaasd toen ze iets tegen hem zei, dat hij nauwelijks hoorde wat ze zei. Ze zag er vagelijk bekend uit, maar als antwoord kwam hij niet verder dan een stompzinnige grijns. Hij keek haar na toen ze door de lobby liep en dacht: andere vrouwen zullen naar me glimlachen – mooie vrouwen, want die waren er, zeker hier in de stad, vrouwen die belust waren op geld en macht.

Zoals Lang al aangekondigd had, stond buiten een zwarte Lincoln Navigator op hem te wachten. Het was een gure, mistroostige namiddag. De wind sloeg de druilerige regen schuin in zijn gezicht. Richards liep snel naar de wagen. Hij hoefde zich niet voor te stellen. Bogs herkende hem, glimlachte en zwaaide het passagiersportier voor hem open. Daarna ging hij zelf achter het stuur zitten en reed weg. Hij reed behoorlijk snel door de volgelopen straten van de stad.

Richards zat op zijn gemak en genoot van de eerste momenten van zijn nieuwe leven. Hij had de juiste keuze gemaakt. Werken voor de regering was voor idioten die het niet erg vonden om lange uren te maken, om elke week hun magere salaris mee naar huis te nemen, en om uiteindelijk volkomen afgemat in het niets te verdwijnen, kapotgemaakt door de eindeloze bureaucratie.

Ze reden over de Woodrow Wilson Memorial Bridge Virginia in en sloegen vervolgens af naar het noorden. Na tien minuten sloeg de Navigator een zijingang van Founders Park in Alexandria in. Het park keek uit over het water. De chauffeur stapte uit, opende het portier voor Richards, en leidde hem over een lange steiger die uitkwam bij de Potomac. Aan het einde ervan stond een weerbestendig tuinhuisje, waar Tom Brick stond te praten met iemand die in de schaduw stond.

Brick draaide zich om toen Richards en de chauffeur bij het tuinhuisje aankwamen. 'Ah, je hebt het gered, Richards. Goed gedaan.' Hij gebaarde naar de persoon die bij hem stond. Hij herkende de mollige blondine bij wie hij in de lift had gestaan.

De verrassing die Richards voelde, werd vrijwel meteen tenietgedaan door een vreselijke pijn in zijn zij. Hij wilde schreeuwen, maar de chauffeur drukte met zijn potige hand zijn mond dicht. Hij bloedde als een rund en hij voelde zijn knieën week worden. De chauffeur hield hem half overeind.

Hij keek naar Tom Brick die, samen met de blondine, ogenschijnlijk emotieloos toekeek.

'Wat?' stamelde hij. 'Waarom?'

Tom Brick zuchtte. 'Het feit dat je mij deze vragen stelt, bewijst dat jouw bruikbaarheidsdatum voorbij is.' Hij liep naar Richards, pakte hem bij de kin, en tilde zijn hoofd op zodat hij hem in de ogen kon kijken. 'Grote idioot, waarom heb jij je als de saboteur bekendgemaakt?'

'Ik... ik...' Richards, die niet goed meer kon nadenken, probeerde wanhopig grip te krijgen op wat er met hem gebeurde. Vanuit zijn ooghoek zag hij dat de blondine hem grijnzend aankeek, en hij realiseerde zich ineens dat zij bij Treadstone werkte – een assistent, iemand die in de unieke positie verkeerde om iedereen binnen de organisatie in de gaten te houden. Jezus, dacht hij. Jezus christus.

'Richards, dit is de prijs die je betaalt voor het feit dat je voor meerdere bazen werkt.' Tom Bricks stem was vriendelijk, quasimeelevend en quasibegripvol. 'Een ander einde was onmogelijk.'

Richards' hersens kregen geen bloed meer en werkten met de seconde trager. Maar toch doorzag hij het. Eindelijk. 'U hebt Peter Marks meteen herkend.'

Brick knikte. 'Dankzij Tricia hier wel ja.'

'Maar waarom hebt u hem dan zijn gang...'

'Toen ik wist dat hij mij gevolgd had en dat hij meer wist dan goed was, was het noodzakelijk dat ik uit zou vinden waar hij op uit was.' Brick nam Richards' kin tussen zijn duim en wijsvinger. 'Jij hebt me niet verteld wie hij was, Richards. Waarom heb je mij dat niet verteld?'

'Ik...' Richards sloot zijn ogen en probeerde te slikken. Hij ging dood, dus wat maakte het verdomme uit. 'Ik dacht dat ik, als Soraya Moore en hij mij mochten en me in vertrouwen namen, kon...'

'Wat? Wat had je kunnen doen, Richards? Vrienden worden? Collega's worden?' Hij schudde zijn hoofd. 'Niemand geeft om jou, Richards. Niemand wil met jou werken. Je bent een insect, en ik sta op het punt om jou te verpletteren. Jij hebt een talent, maar jouw menselijke zwakheden maken jou niet langer bruikbaar voor ons. Jij bent niet te vertrouwen.'

'Ik heb mijn keuze gemaakt. Ik heb voor u gekozen.' Richards' stem klonk pathetisch, zelfs in zijn eigen oren. De tranen sprongen hem in de ogen en hij begon te huilen. 'Het is niet eerlijk. Het is niet eerlijk.'

Walgend liet Tom Brick hem los. Hij knikte naar zijn chauffeur die Richards omhooghield. Het mes boorde zich verder in zijn lijf en werd zo bruut omgedraaid dat Richards' ogen bijna uit zijn hoofd sprongen. Het geluid dat onder de hand voor zijn mond vandaan kwam, leek op dat van een varken dat op het punt staat om geslacht te worden.

Op het moment dat de deur van het appartement openzwaaide en het vleesmes door de lucht zwiepte, greep Bourne Don Fernando's vuist.

'Rustig aan, Don Fernando.'

Don Fernando keek hem duidelijk geschrokken aan. 'Jij bent het, Jason? Heb jij ook al eerder voor mijn deur gestaan?'

Bourne schudde zijn hoofd. Hij stapte het appartement binnen en deed de deur achter zich dicht. 'Ik ben hier net aangekomen.' Hij keek Don Fernando vragend aan. 'Heeft iemand geprobeerd om hier in te breken?'

'Dat kan, of iemand hield me in de gaten.'

'Er was rond het gebouw geen bewaking te zien,' zei Bourne, terwijl hij het vleesmes uit Don Fernando's handen pakte. 'Dat heb ik gecontroleerd.'

'Maceo Encarnación en Harry Rowland zijn hier in Parijs. Ik denk dat Rowland eerder aan mijn deur gestaan heeft.'

'Don Fernando,' zei Bourne, 'Rowland is Nicodemo.'

'Wat? Weet je dat zeker?'

Bourne knikte. 'Hij is hier samen met Maceo Encarnación.

Ik heb hen vanuit Mexico-Stad naar hier gevolgd.'

'De vrouw?'

'Rebeka was een Mossad-agent.' Bourne ging op de bank zitten. 'Zij is dood.'

'Ah, nou, dan hebben we allebei iemand verloren.' Don Fernando plofte naast Bourne op de bank. 'Het spijt me.'

'Wat is er gebeurd?'

Don Fernando vertelde in grote lijnen over Martha Christiana die door Maceo Encarnación gestuurd was om hem te vermoorden, en over wat er daarna gebeurde, nadat hij en Martha elkaar ontmoet hadden. 'Terwijl ik sliep sprong ze over me heen, zo door het slaapkamerraam. Ze had me kunnen vermoorden, maar dat heeft ze niet gedaan.'

'U hebt geluk gehad.'

'Don Fernando schudde zijn hoofd. 'Nee, Jason. Op dit moment voel ik me absoluut niet gelukkig.' Hij vouwde zijn handen. 'Zij was een gekweld persoon. Misschien had ze een priester nodig. Ik ben geen priester. Misschien dat ik in dit geval wel de rol van de duivel gespeeld heb.'

'We worden allemaal door schaduwen achtervolgd, Don Fernando. Soms halen ze ons in. We kunnen niets anders doen dan verdergaan.'

Don Fernando knikte. Hij pakte Martha's poederdoos en liet Bourne de micro-SD-kaart zien. 'Ik kan het niet helpen, maar ik denk dat zij wilde dat ik deze zou vinden.' Hij haalde zijn schouders op. 'Maar misschien is dat slechts ijdele hoop.'

'Hebt u al gekeken wat er op die kaart staat?'

Don Fernando schudde zijn hoofd. 'Nog niet.'

'Nou,' zei Bourne, terwijl hij de kaart pakte. 'Dan wordt het tijd dat we dat doen.'

Maceo Encarnación liep naar de cockpit van zijn privéjet. De deur was open. De Chinese piloot liep een checklist af.

'Denkt u dat hij op tijd terug is?' vroeg de piloot zonder op te kijken.

Maceo Encarnación bromde, terwijl hij op de stoel van de

navigator ging zitten. 'Dat is moeilijk te zeggen.'

'Uw band met hem is algemeen bekend.'

Maceo Encarnación keek de piloot een tijdje nadenkend aan. 'Wat je bedoelt te zeggen,' zei hij langzaam en beslist, 'is dat minister Ouyang mijn genegenheid voor Nicodemo afkeurt.'

De piloot, die ook een agent was van minister Ouyang, zei niets. Hij wachtte tot de ander verderging.

'Nicodemo is mijn zoon. Ik heb hem opgevoed, ik heb hem alles geleerd.'

'U hebt hem van haar afgenomen.'

De piloot zei het niet op veroordelende toon. Zijn stem was volkomen neutraal. Maar toch trok Maceo Encarnación zich de opmerking aan. Hij kon ook niet anders; het was zijn aard.

'Zijn moeder was met iemand anders getrouwd,' zei Maceo Encarnación, meer tegen zichzelf dan tegen de piloot. 'Ik hield van haar, maar haar echtgenoot was een machtig man en ik had zijn macht nodig. Zij kon het kind niet houden. Zij kon zelfs niet bij haar man blijven, terwijl het kind in haar groeide. Ze ging de laatste vijf maanden dat ze zwanger was naar Mérida, naar de estancia van haar tante. Ik heb het jongetje van haar overgenomen en ik heb hem opgevoed.'

'Dat hebt u al gezegd.'

Maceo Encarnación haatte deze mensen, maar hij was gedwongen om er zaken mee te doen. Niemand anders had hun macht, hun expertise, hun diepe zakken, en hun visie. Toch moest hij vaak, zoals nu, de neiging onderdrukken om hen tot moes te slaan. Het feit dat hij hen niet kon behandelen op de manier waarop hij zijn eigen mensen behandelde, voelde als een dolksteek. Hij droomde vaak over deze Chinese agent. Over zijn afgehakte hoofd dat met starende ogen in de branding van de Grote Oceaan deinde, terwijl zijn romp stuiptrekkend bloed spoot als de fontein in het Chapultepec Park.

'Ik zei het nog een keer, omdat ik wilde benadrukken hoe belangrijk mijn band met hem is, en ik weet nooit zeker of je het Spaans wel begrijpt.' Maceo Encarnación wachtte niet op een antwoord, want hij wist dat er geen zou komen. In zijn ogen waren de extraverte Mexicanen en de introverte Chinezen de slechtst mogelijke bondgenoten.

Deze agent had een naam, maar Maceo Encarnación gebruikte die nooit, omdat hij ervan uitging dat die naam vals was. In plaats daarvan sprak hij hem in gedachte altijd aan met Hé-Boy, een verachtelijke benaming die hem zeer amuseerde. Hij zou hem het verhaal vertellen – een deel ervan dat hij voor het hele verhaal zou nemen – omdat het hem amuseerde om dat te doen. Wat hij achterwege zou laten was het privédeel. De identiteit van de moeder van Nicodemo en van zijn zus Maricruz zou geheim blijven. Constanza Camargo had Nicodemo gebaard in het begin van hun jarenlange verhouding. Maricruz werd drie jaar later geboren. Constanza was de enige vrouw van wie hij ooit gehouden had. Zij was de vrouw die hij nooit zou kunnen hebben, enerzijds vanwege Constanza's man en anderzijds vanwege Constanza zelf. Zij hield van hem, zij hield van haar twee kinderen die zij met hem had, maar zij had gezworen dat zij haar kinderen nooit zou zien en dat zij hun levens nooit zou ontwrichten door hun de waarheid te vertellen, want dat zou betekenen dat zij, om haar eigen verlangen te bevredigen, hun lot zou compliceren.

'Nicodemo heeft zijn moeder dus nooit meer gezien,' zei Maceo Encarnación, 'en hij is lichamelijk en geestelijk van mij. Zodra hij oud genoeg was, heb ik hem naar een speciale school in Colombia gestuurd. Ik vond het noodzakelijk dat hij de handel zou leren.'

'De drugshandel,' zei de agent onnodig venijnig. De opiumhandel had het Middenrijk in de zeventiende eeuw onherstelbare schade toegebracht. De Chinezen sleepten dat al eeuwenlang met zich mee.

'Dat en de wapenhandel.' Maceo Encarnación tuitte verontwaardigd zijn lippen. 'Zoals minister Ouyang heel goed weet, gaat mijn belangstelling primair uit naar het bewapenen van degenen die het het meest nodig hebben.' Als hij met de agent praatte, ging hij er altijd van uit dat hij met Ouyang praatte, de spin in het centrum van het Beijing-web.

'U bent buitengewoon altruïstisch.'

Maceo Encarnación voelde zijn linkerhand verkrampen. Het was niet voor het eerst dat Hé-Boy de grens passeerde, wat hem in andere omstandigheden letterlijk zijn hoofd zou hebben gekost. Het was van groot belang dat Maceo Encarnación zich bleef realiseren dat contact met minister Ouyang en zijn hielenlikkers uiterst belangrijk was. Zonder hulp van Ouyang zou de deal met kolonel Ben David nooit mogelijk zijn geweest.

'Mijn altruïsme wordt alleen maar geëvenaard door dat van minister Ouyang,' zei hij. Hij sprak de woorden langzaam en zorgvuldig uit. 'U zou er goed aan doen om dat te onthouden.'

De agent keek uit het cockpitraampje. 'Wanneer vertrekken we?'

'Als ik je zeg dat je de motoren kunt starten.' Maceo Encarnación keek om zich heen. 'Waar is het?'

De piloot keek hem met zijn Chinese ogen aan. Van onder de zitting van zijn stoel haalde hij een vaalbruine metalen doos tevoorschijn. De doos had een vingerafdrukslot. Maceo Encarnación drukte het topje van zijn rechterwijsvinger op de scanner en het slot sprong open.

Hij opende de doos en keek neer op de stapeltjes biljetten van duizend dollar. 'Dertig miljoen. Wonderlijk om dat te zien,' zei hij, 'zelfs voor mij.'

'Kolonel Ben David zal blij zijn,' zei de agent met een stalen gezicht.

Maceo Encarnación had een binnenpretje. 'We zullen allemaal blij zijn.'

Soraya stond op het punt om Peters ziekenhuiskamer uit te gaan, toen minister Hendricks gejaagd binnenkwam.

'Blij om te zien dat je uit bed bent, Soraya,' zei hij. Daarna keek hij naar Peter. 'Hoe voel je je?'

'Verlamd,' zei Peter, 'op elke denkbare manier.'

Hendricks schoot in de lach. 'Kijk, Peter, ik heb niet zoveel tijd. Op het hoofdkwartier is het een behoorlijke puinhoop.'

'Het computernetwerk ligt plat.'

'Dat klopt,' zei Hendricks. Op hetzelfde moment zei Soraya: 'Wat?'

'Dick Richards.' Peter keek Hendricks aan. Hendricks knikte.

'Anderson nam op eigen gezag de beslissing om te proberen om Richards aan Core Energy te linken.' Hendricks gebaarde. 'Brick is uiterst behoedzaam geweest. Ondanks wat hij wellicht tegen jou gezegd heeft...'

'Hij heeft het verdomme tegen mij gezegd!' zei Peter driftig.

Hendricks liet Peter even tot rust komen. 'Voor een rechtbank heb je geen poot om op te staan,' zei hij na een tijdje. 'We hebben geprobeerd om het geldspoor te volgen, maar als Richards betaald wordt door Core Energy of door een van zijn dochterondernemingen, moeten we daarvoor nog het bewijs zien te vinden. Anderson wist dit. Dat was de reden waarom hij een keylogger had laten installeren in de computer die hij Richards liet gebruiken.'

'Zeg maar niets,' zei Peter zuur. 'Het heeft niet gewerkt.'

'Waarom zeg je dat?'

'Ik neem aan dat je Richards in hechtenis hebt genomen.'

Voor het eerst leek Hendricks uit zijn hum. 'Hij is weg, verdwenen.'

'Vind Brick,' zei Peter. 'Ik geef u op een briefje dat hij naar hem is toe gegaan.'

Hendricks zei op zachte toon iets in zijn mobiel. Toen het gesprek afgelopen was, zei hij: 'Brick wil het Treadstone-netwerk om de een of andere reden plat hebben. Waarom?'

'Gesteld dat u gelijk hebt,' zei Soraya, 'dan is het aannemelijk dat hij ons overzeese afluistersysteem tot zwijgen wil brengen.'

Peter knipte met zijn vingers. 'Je hebt gelijk! Maar waar is hij bang voor dat wij zullen ontdekken?' Hij beet even op zijn duim.

Hendricks wipte van zijn ene voet op de andere. 'Peter...' Hij kreeg opeens een ongemakkelijke blik in zijn ogen. Toen Peter hem aankeek, ging hij verder: 'Gezien alles wat er met jou is gebeurd – de ernst van jouw huidige kwetsuur – lijkt het mij het beste dat je van je taken als mededirecteur van Treadstone ontheven wordt.'

'Wat?' zei Peter.

Soraya deed een stap vooruit. 'Dat kunt u niet doen.'

'Zeker wel,' zei Hendricks. 'En ik doe het ook.'

'Mijn benen zijn verlamd,' zei Peter, 'maar mijn hersens niet.'

'Het spijt me erg, Peter, maar ik heb mijn beslissing genomen.'

Toen hij zich omdraaide om weg te gaan, zei Soraya: 'Als hij gaat, ga ik ook.'

Hendricks draaide zich weer om en keek haar doordringend aan. 'Doe niet zo idioot, Soraya. Je gooit toch niet je carrière weg voor...'

'Voor wat? Voor mijn loyaliteit jegens mijn vriend?' kaatste ze terug. 'Peter en ik hebben van begin af aan samengewerkt. We zijn een team, en anders niet.'

Hendricks schudde zijn hoofd. 'Je verwart toewijding met loyaliteit. Je maakt een vreselijke fout, een waarvan je niet makkelijk zult herstellen.'

'Treadstone zal niet herstellen van het feit dat de twee directeuren verdwijnen,' zei ze met alle kracht die ze in zich had.

De minister leek geschokt. 'Je praat over Treadstone alsof het een familie is. Dat is niet zo, Soraya. Het is een bedrijf.'

'Met alle respect, meneer, maar Treadstone is een familie,' zei ze. 'Alle overzeese contacten zijn van mij. Als ik wegga, gaan zij met mij mee...'

'Zeker niet.'

'... net zoals ze gedaan hebben toen ik bij de Centrale Inlichtingendienst ontslagen werd tijdens de machtswisseling.' Ze stond vlak voor hem, onbevreesd omdat ze echt niets te verliezen had. Ze had er absoluut geen behoefte aan om bij Treadstone te blijven als Peter weg was. 'Ik heb u toen gezegd dat de machtswisseling een blunder was en ik bleek gelijk te hebben gehad. CI is nog slechts een schim van wat hij ooit geweest is. De organisatie is disfunctioneel en het moreel is veel slechter dan tijdens de weken na 11 september.'

‘Ik kan er niet goed tegen als ik bedreigd word,’ zei Hendricks.

‘Ik denk niet dat ik degene ben die bedreigingen uit.’

‘Kijk, Anderson is op dit moment aan het werk. Peter heeft hem de leiding gegeven en...’

‘Ik mag Sam erg graag,’ zei Peter, ‘maar hij is nog lang niet geschikt om de operationele leiding over Treadstone op zich te nemen.’

‘Gaat één van jullie beiden het dan doen?’ Hendricks gebaarde. ‘Kijk nou toch naar jullie. Jullie kunnen geen van beiden hier op eigen kracht de deur uit lopen.’

‘Wat is erop tegen om hier in Peters kamer een tijdelijk hoofdkwartier in te richten?’ zei Soraya. ‘Trouwens, gezien het feit dat de Treadstone-computers op dit moment volslagen onbruikbaar zijn, is het misschien een goed idee om een vervangend netwerk op te zetten.’

Peter, die naar het twistgesprek keek alsof hij naar een tenniswedstrijd aan het kijken was, zei nu: ‘Wacht eens even! Soraya, ik ben ervan uitgegaan dat de dertig miljoen die ik gevonden heb drugsgeld was, maar als dat niet het geval is?’

Ze keek hem vragend aan. ‘Wat bedoel je?’

‘Wat als het gebruikt werd om er iets anders mee te doen?’

‘Het geld blijkt vals te zijn,’ zei Hendricks op laatdunkende toon.

‘Wat?’ Peter keek hem aan. ‘Echt waar?’

Hendricks knikte. ‘Hm-mm.’

‘Maar dat slaat nergens op. De kerel die mij bijna vermoordde...’

‘Tulio Vistoso,’ zei Hendricks. ‘Ook wel bekend als de Azteek. Een van de machtigste Mexicaanse drugsbaronnen.’

‘Ik begrijp het niet,’ zei Soraya.

‘We denken dat het een afleidingsmanoeuvre was,’ zei de minister. ‘Een klassiek voorbeeld van misleiding dat je op het conto van Maceo Encarnación kunt schrijven. Als hij in Mexico-Stad is, zijn die twee net een Siamese tweeling.’

Peter schudde zijn hoofd. ‘Ik weet het niet. De Azteek nam

wel extreme risico's om dat geld te beschermen.'

Er viel een korte stilte.

'Is het mogelijk,' peinsde Soraya, 'dat Vistoso niet wist dat het geld vals was?'

Peters nieuwsgierigheid was gewekt. 'Dat zou betekenen dat hij bedonderd was.'

'Dat snijdt geen hout,' zei Hendricks. 'Vistoso was een van de Mexicaanse Grote Drie. Wie zou hem durven belazeren?'

'Iemand met veel lef.' Peter keek van de een naar de ander. 'Iemand als Maceo Encarnación.'

Soraya wendde zich tot Hendricks. 'Hebt u zijn gangen na laten gaan?'

'Encarnación was enkele dagen geleden in Washington voor een interview met *Politics As Usual.*'

'Ik wil het nog even hebben over die valse dertig miljoen,' zei Peter. 'Iets eraan klopt totaal niet.' Hij knipte met zijn vingers. 'We moeten een expert zien te vinden die ons kan vertellen wie de valsemunter is.'

'Daar zijn we al mee bezig geweest,' zei Hendricks. 'Maar waarom zou dat voor ons interessant kunnen zijn?'

'Dertig miljoen is een kolossaal bedrag,' peinsde Peter. 'Het werk moest perfect zijn. Er moet een meester-vervalser bij betrokken zijn. Misschien kunnen we hem gebruiken om Maceo Encarnación erbij te betrekken.'

Soraya vouwde haar armen voor haar gezwollen borsten. Het viel haar op hoe zacht ze nu waren geworden. 'Nu we het toch over Maceo Encarnación hebben, weten we waar hij na het interview naartoe is gegaan?'

'Hij is teruggevlogen naar zijn hoofdkwartier in Mexico-Stad,' zei Hendricks.

'Is hij daar nu nog?' vroeg Peter.

Hendricks had zijn telefoon al gepakt en schreeuwde er orders in. Hij wachtte, terwijl hij Peter aankeek. Even later kreeg hij zijn antwoord. 'Hij is nu in Parijs, maar hij is nog aan boord van het vliegtuig, wat vreemd is omdat zijn vliegtuig al zes uur aan de grond staat.'

'Oké,' zei Peter, 'Omdat Vistoso de voornaamste handlanger was van Maceo Encarnación en omdat dertig miljoen dollar, zelfs in valse biljetten, een enorm bedrag is, denken we dat Maceo Encarnación bij dit alles betrokken is.'

'Ik moet denken aan het feit dat Brick het Treadstone-netwerk plat wil leggen,' zei Soraya. 'Is het mogelijk dat er een connectie bestaat tussen hem en Maceo Encarnación?'

'Met dat netwerk,' zei Peter, 'luisteren we het hele Midden-Oosten af.'

'En Parijs,' zei Soraya, 'ligt een heel stuk dichter bij het Midden-Oosten dan Mexico-Stad.'

Hendricks gaf een snel knikje. 'De piloot van Maceo Encarnación moet voordat hij uit Parijs vertrekt een vluchtplan inleveren.'

'Als we dat te pakken krijgen,' zei Peter, 'weten we precies waar hij naartoe gaat. Als hij naar het Midden-Oosten gaat, is dat ons bewijs dat Encarnación erbij betrokken is.'

Hendricks begon weer bevelen in zijn telefoon te blaffen.

'Wacht 's even!' zei Soraya. 'U vergeet dat we niet meer voor u werken.'

'Wie heeft dat verdomme gezegd?' zei Hendricks. Hij keek hen even met een zweem van een glimlach aan, voordat hij de deur uitliep.

25

'Je moet het je als een soort van trojka voorstellen,' zei Bourne, terwijl hij de informatie bekeek die op de micro-SD-kaart van Martha Christiana stond.

Don Fernando schudde zijn hoofd. 'Ik begrijp niet waarom Martha überhaupt beschikte over dit materiaal.'

'Het was haar loop-naar-de-hel-geheime-wapen,' zei Bourne. 'Ze verzamelde deze informatie om iets als machtsmiddel achter de hand te hebben.'

Don Fernando zweeg een tijdje. Hij keek met een weemoedige blik naar het scherm. Ten slotte slaakte hij een diepe zucht. 'Maar ze heeft dat wapen uiteindelijk niet gebruikt.' Hij keek Bourne aan. 'Waarom niet?'

'Dit was een mogelijke uitweg, maar slechts een van vele. Ze zou nog steeds de rest van haar leven over haar schouder moeten kijken.'

'Dat zou ze niet gewild hebben,' zei Don Fernando.

'Te oordelen naar wat u mij verteld hebt, waarschijnlijk niet. Maar van de andere kant betwijfel ik of ze er wel uit wilde stappen. Dat was haar werkelijke dilemma. Ze kon niet langer op deze weg verder, maar voor haar was er ook geen weg meer terug. Ze kon zich geen andere weg, geen ander leven voorstellen.'

'Ik heb haar erover verteld,' klaagde Don Fernando. 'Ik heb het haar helemaal voorgespiegeld.'

'Ze heeft u niet begrepen of ze kon u niet geloven.'

Don Fernando zuchtte en knikte met een soort beslistheid. 'Je bent een goede vriend, Jason. Er zijn maar weinig mensen zoals jij.'

Buiten was het druk op straat. De versterkte stem van een gids aan boord van een passerende Bateau Mouche gleed langs de kadewanden omhoog en verdween als een vloedgolf die zich terugtrok. De kale bomen langs de Seine zwiepten heen en weer. Op de Quai de Bourbon stonden nog steeds nieuwsgierigen te praten over de zelfmoord van afgelopen nacht. Het circus was nog niet afgelopen.

Bourne wees naar het scherm. 'Volgens Martha's informatie hebben de Chinezen via Maceo Encarnación geld witgewassen.'

'Ze zijn van plan om de dertig miljoen te gebruiken om iets te kopen van een onbekende grootheid in het Midden-Oosten – iets wat erg belangrijk is,' zei Don Fernando. 'Maar Martha wist niet wat het was of van wie het gekocht zou gaan worden.'

Maar Bourne wist dat wel, omdat Rebeka hem de naam ingefluisterd had vlak voordat ze doodbloedde op de achterbank van de taxi in Mexico-Stad.

Don Fernando ging achteroverzitten. 'Ik begrijp niet hoe Maceo Encarnación beter wordt van deze deal. Een witwasvergoeding van tien procent? Dat is nauwelijks het risico dat hij neemt waard.'

Bourne scrolde opnieuw door Martha's informatie. Hij had iets gezien wat in zijn gedachten was blijven hangen. Hij wees met zijn wijsvinger naar het scherm. 'Kijk, daar! Tom Bricks betrokkenheid.' Hij keerde zich naar Don Fernando. 'Wat zal Core Energy verdienen aan een deal met Maceo Encarnación en de Chinezen?'

Don Fernando dacht even na. 'Dat hangt af van wat de Chinezen kopen.'

'Het moet met energie te maken hebben,' zei Bourne. 'Ziet u. Energie is het element dat al deze mensen met elkaar verbindt.'

'Ja. Met de buitensporige toename van hun economische expansie, productie, infrastructuur en bevolking zijn de Chinezen altijd op zoek naar alternatieve energiebronnen. Ik begrijp waarom Brick en Core Energy een stuk willen van de technologie waar de Chinezen naar op zoek zijn.' Hij schudde zijn hoofd. 'Maar Maceo Encarnación?'

'De trojka is alleen aannemelijk als Maceo Encarnación en Core Energy aan elkaar gelinkt kunnen worden.'

'Wat? Maar Christien en ik zouden het zeker geweten hebben als dat het geval was.'

'Weet u dat echt zeker?'

'We houden zowel Maceo Encarnación als Core Energy in de gaten, Jason. We hebben geen geldstroom tussen hen kunnen vaststellen.'

'Als Brick en Maceo Encarnación hun verbond op de juiste manier vormgegeven hebben, zal er geen geldstroom te ontdekken zijn. Een geldstroom zal het eerste zijn wat ze geheim zullen proberen te houden. Van wat ik weet heeft Core Energy wereldwijd meer dan genoeg dochterondernemingen om een geldstroom verborgen te kunnen houden.'

'Niet voor ons,' hield Don Fernando vol. 'Christien heeft een softwareprogramma ontwikkeld dat elke kluwen van corporaties en holdingconstructies weet te ontrafelen. Ik zeg je dat er geen geldstroom is.'

Bourne lachte. 'Natuurlijk niet! Hier gaan de drugsbaronnen van Maceo Encarnación een rol spelen. Zij zijn degenen die de geldstroom tussen Maceo Encarnación en Core Energy omgekeerd witwassen.'

'Omgekeerd witwassen?'

Bourne knikte. 'Je zou het zwartwassen kunnen noemen. In plaats van besmet geld via legale kanalen weg te sluizen, hebben Brick en Maceo Encarnación het op de tegenovergestelde manier gedaan. Zij hebben de legale geldstroom tussen hun bedrijven weg laten vloeien naar de drugsbaronnen, waardoor het besmet geld wordt en daardoor niet meer op te sporen is. En alles in contanten. Het maakt niet uit hoe slim en verfijnd het softwareprogramma van Christien is, maar het zal dit soort transacties nooit kunnen ontdekken. Trouwens, niemand zou dat kunnen.'

'Briljant.' Don Fernando veegde met een hand over zijn voorhoofd. 'Had ik daar verdomme nu maar aan gedacht.'

'Don Fernando,' zei Bourne, 'Maceo Encarnación en de dertig miljoen gaan naar Libanon om daar een deal te sluiten.'

De oudere man vrolijkte aanmerkelijk op. Het was zonneklaar dat de dood van Martha Christiana hem veel gedaan had. 'Dan moeten we daar zo snel mogelijk naartoe.'

Bourne keek hem bedachtzaam aan. 'We gaan nog nergens naartoe, totdat we afgerekend hebben met Nicodemo. U vertelde me dat u zich veel moeite getroost had om het bewijs te leveren dat Maceo Encarnación ervan zou moeten overtuigen dat u bij een vliegtuigongeluk om het leven gekomen bent. Maar als Nicodemo hier eerder voor uw deur heeft gestaan, is het zeer waarschijnlijk dat hij u buiten het gebouw heeft zien staan. Encarnación weet dat u nog in leven bent. Nicodemo zal nooit toestaan dat u Parijs levend verlaat.'

'Dus er kan veel fout gaan.'

Minister Ouyang liet een klein, doorzichtig theekopje tussen zijn vingertoppen balanceren. Hij stond in het grote, centrale vertrek van het magnifieke Chonghuagong, het privéverblijf van Qianlong, keizer van de Qing-dynastie, dat verscholen lag in het geheime centrum van de Verboden Stad. Het was maar weinig mensen toegestaan om de vertrekken te betreden, die fonkelden van de adembenemende collectie waardevolle jade beeldjes en oude gekalligrafeerde perkamentrollen van de keizer. Alleen Ouyang en enkele anderen van het Centraal Comité mochten hier op dit late uur zijn. Het flakkerende schijnsel van de rijen grote, gele kandelaars verlichtte en beschaduwde de schatten van het Middenrijk tegelijkertijd.

De vrouw tegen wie Ouyang zijn bezorgdheid geuit had, lag opgekruld als een kat op een bank die daar voor die gelegenheid neergezet was. Ze volgde hem met haar koffiebruine ogen. Zelfs in deze houding was de kracht in haar lange benen opvallend.

Ze had een glanzend, oranje gewaad van shantoengzijde aan. Ze zag eruit als de afgezant van de zon. 'Als je zo denkt, schat, zal er ook echt veel fout gaan.'

Ouyangs manoeuvres met het kopje zorgden ervoor dat hij zijn vingertoppen aan de thee brandde. Hij negeerde de pijn en keek naar zijn vrouw. 'Ik zal je nooit begrijpen, Maricruz.'

Ze hield haar hoofd schuin. Haar dikke haar viel als een waterval over één kant van haar gezicht. Ze nam het compliment in ontvangst op de ingetogen manier die kenmerkend was voor de Chinezen van de hoge kasten. Sinds haar komst naar Beijing tien jaar geleden had ze in dat gezelschap vertoefd. 'Zo hoort het ook.'

Ouyang was gekleed in een lang, traditioneel Chinees gewaad. Hij deed een stap in haar richting. 'Echt, je bent helemaal niet als een westerling.'

'Als ik als een westerling was geweest,' zei ze met een stem die rust en diepzinnigheid verried, 'zou je nooit met mij getrouwd zijn.'

Ouyang bestudeerde haar op de manier waarop een schilder naar zijn model kijkt voordat hij aan zijn meesterwerk begint. Een schilder transformeert en dat deed Ouyang ook. 'Wil je weten wat mij het meest in jou aantrok?'

Maricruz keek hem vragend aan.

'Jouw geduld.' Ouyang nam een slok thee, hield de thee even in zijn mond, en slikte hem toen door. 'Geduld is de belangrijkste deugd. In het Westen is dat bijna onbekend. De Arabieren begrijpen de waarde van geduld, maar vergeleken met ons zijn zij primitievelingen.'

Maricruz lachte. 'Ik denk dat ik dat het leukste vind van Chinezen – de ontzettend hoge dunk die jullie van jezelf hebben.' Ze lachte opnieuw. 'Het Middenrijk.'

Ouyang nam nog een slok van zijn thee. Hij genoot ervan zoals hij ook genoot van deze intellectuele bokswedstrijdjes met zijn vrouw. Niemand anders had het lef om op deze directe manier met hem te praten. 'Jij leeft in het Middenrijk, Maricruz.'

'En ik geniet er elke minuut van.'

Ouyang liep naar een kleine nis en pakte een er een jade doosje uit. Het doosje was prachtig ingegraveerd met woeste draken op een ondergrond van gestileerde wolken. Hij hield het doosje met beide handen vast.

'Het Middenrijk is altijd een rijke mythologische bron geweest. Ik neem aan dat je dat weet, Maricruz. Jouw eigen cultuur is doordrenkt van mythes en legenden.' Ouyangs donkere ogen glinsterden. 'Hoe dan ook, onze geschiedenis gaat zo ver terug en is zo grillig, dat we verscheidene, meestal kolossale terugvallen hebben gehad. De eerste dateert van vele eeuwen geleden. Hij speelde zich af in 213 voor Christus, toen keizer Shi Huangdi van de Qin-dynastie verordonneerde dat alle boeken verbrand moesten worden die niet gingen over medicijnen, voorspellingen en het boerenbedrijf. Op dat moment werden dus veel van de mythologische bronnen ven het Middenrijk vernietigd.

Zoals wel vaker gebeurt, werd het bevel van Shi Huangdi in 191 voor Christus teruggedraaid. Veel van de literatuur werd gereconstrueerd. Maar alles werd herschreven met de achterliggende gedachte dat de ideeën van de in die tijd heersende keizer ondersteund moesten worden. Op die manier is de mythologische geschiedenis keer op keer herschreven. Waardevolle informatie is voor eeuwig verloren gegaan.'

Hij liep naar haar toe en hield de doos in zijn handen als een object van onschatbare waarde. 'Het komt zelden voor dat iets uit het waardevolle verleden ontdekt wordt, of dat nu voorbestemd is of door het verlangen het te vinden.'

Toen hij voor haar stond, reikte hij haar het doosje aan.

Maricruz bekeek de jade met een behoedzame blik. 'Wat is dit?'

'Alsjeblieft,' zei Ouyang met een buiging.

Maricruz nam het doosje aan, dat veel zwaarder was dan ze gedacht had. Het voelde koel aan, glad als glas. Met één hand opende ze het. Haar vingers trilden. In de doos lag een opgevouwen stuk papier. Ze keek op naar Ouyang.

'De naam van je moeder, Maricruz.'

Ze opende haar mond, maar er kwam geen geluid uit.

'Zou je haar willen vinden?'

'Is ze nog in leven?' hijgde Maricruz.

Ouyang keek haar met stralende ogen aan. 'Ze leeft nog.'

Ze deed het doosje heel langzaam dicht en zette het naast zich op de bank. Ze kwam in beweging met een soepelheid die hij betoverend vond. Zij herinnerde hem aan de Amerikaanse filmsterren van de jaren veertig. Toen ze opstond, viel haar gewaad open. Hoe kwam ze toch aan die soepelheid, vroeg hij zich af. De welvingen van haar stevige borsten openbaarden zich aan hem als schitterende bronzen schalen. Zij drukte haar lichaam tegen hem aan.

'Dank je, Ouyang,' zij ze plechtig.

'Wat ga je doen?'

'Ik weet het niet,' fluisterde ze. 'Ik wil het weten. Ik wil het niet weten.'

'Je hebt de kans om de wijziging in je eigen, persoonlijke geschiedenis ongedaan te maken.'

'Dat betekent dat ik mijn vader moet trotseren.' Ze vlijde haar voorhoofd tegen zijn schouder. 'Wat als mijn moeder mij niet wil zien? Waarom heeft zij niet geprobeerd...?'

'Je kent je vader,' zei Ouyang met zachte stem, 'beter dan wie ook.'

'Er moet een reden zijn,' zei ze. 'Weet jij wat die reden is?'

'Dit is alles wat ik hierover weet.' Maar natuurlijk wist Ouyang de reden wel, net zoals Maricruz de reden zou weten op het moment dat zij de naam van haar moeder zou zien. Haar moeder was getrouwd met een machtige drugsbaron, de vriend en zakenpartner van Maceo Encarnación. Maceo had haar man zonder een greintje spijt bedonderd, omdat hij Constanza Camargo begeerde. Dat was haar vader ten voeten uit.

'Ik heb tijd nodig,' zei Maricruz. 'Ik moet me concentreren op wat er aan het licht gaat komen.'

Ouyang voelde zijn lichaam reageren op dat van haar, maar ondanks dat dacht hij aan wat ze net zei. 'Je hebt gelijk, Maricruz. Ik heb de ideale partners. Er zal niets fout gaan.'

Ze had haar armen om hem heen geslagen en ze keek hem glimlachend aan.

'Dit plan zou zonder jou nooit mogelijk geweest zijn,' lispelde hij in haar oor. 'Zonder de medewerking van je vader en je broer.'

Maricruz liet een kirrend lachje horen. 'Mijn arme broer, Juanito, opgezadeld met de naam Nicodemo, en met de bijnaam de Djinn Die De Weg Wijst, die beide door onze vader aan hem gegeven zijn met de bedoeling om zelf verder op de achtergrond te blijven.'

'Jouw vader staat in de volle schijnwerpers met zijn gelegitimeerde zakentransacties als president-directeur van SteelTrap. Maar hij beweegt zich in de schaduw met zijn illegale zakentransacties met de fine fleur van de drugsbaronnen en wapenhandelaars.'

Met zijn vingertoppen streelde hij haar schouders onder het gladde gewaad.

'Maar ik ken ook een andere Maceo Encarnación. Ik ken de man die zich in het donker beweegt, de man die plannen smeedt als een schaakgrootmeester, de man die mensen van diverse pluimage samenbrengt, vaak zonder hun medeweten of hun toestemming, en die man is van onschatbare waarde voor mij.'

Maricruz ademde zacht en gelijkmatig en ze legde haar hoofd in de holte van zijn hals. 'Er is geen grens aan zijn slimheid, aan zijn meedogenloosheid, en aan zijn vermogen om alles en iedereen te gebruiken om zijn doel te bereiken.'

Ouyang glimlachte. 'Jouw vader en ik maken ons geen illusies over onze relatie. We gebruiken elkaar. Het is symbiotisch. Op die manier bereiken we veel meer.'

'En kolonel Ben David?'

'Een middel om een doel te bereiken.'

'Zo creëer je een levenslange vijand.'

Ouyang streelde haar borsten en glimlachte. 'Hij vormt geen probleem. Hij zal het niet overleven.'

Haar adem stokte even. 'Ben David is een kolonel in de Mossad. Denk je echt dat je een huurmoordenaar dicht genoeg bij hem kunt krijgen?'

'Ik heb mijn aandeel al geleverd,' zei hij, terwijl hij haar dichter tegen zich aan trok. 'Je vader heeft de rest geregeld.'

Hij glimlachte. 'Jason Bourne zal kolonel Ben David vermoorden.'

Het telefoongesprek met minister Hendricks had het humeur van Sam Anderson geen goed gedaan. Hij had het gevoel dat hij Peter teleurgesteld had. Hij was kwaad op zichzelf om het feit dat hij niet op twee plekken tegelijk had kunnen zijn, dat hij niet had gedelegeerd, en dat hij niet een van zijn ondergeschikten had opgedragen om Dick Richards in de gaten te houden.

Terwijl hij naast een agent die James heette in de auto ging zitten, vervloekte hij de kwaadaardige goden die het op Treadstone gemunt hadden. Vanaf het moment dat de organisatie bestond, was zij verdoemd geweest. Soms, zoals nu, leek het hem dat het huidige Treadstone-personeel boette voor de misstappen en zonden van haar grondleggers. Er was geen andere verklaring mogelijk voor het feit dat beide directeuren tegelijkertijd uitgeschakeld waren.

Terwijl hij door het verkeer racete, knikte hij naar James. 'Doe het nu maar.'

James belde een nummer en zette de telefoon op de luidspreker. Toen een vrouwenstem gladjes als een robot antwoordde, vroeg hij naar Tom Brick.

'Mag ik uw naam weten?' vroeg de vrouwenstem.

James keek naar Anderson, die knikte.

'Herb Davidoff, hoofdredacteur van *Politics As Usual*.'

'Een moment, alstublieft.'

Tijdens de stilte die viel, week Anderson plotseling uit voor een treuzelende vrachtwagen. Luid toeterend reed hij half over de stoep, waardoor de voetgangers alle kanten op stoven.

'Rustig aan, baas.' James' lippen bewogen zonder geluid voort te brengen.

'Meneer Davidoff?' zei de vrouwenstem.

'Ik ben er nog.'

'Ik ben bang dat meneer Brick op dit moment niet bereikbaar is.'

'Wilt u hem alstublieft zeggen dat ik een uitspraak van hem nodig heb voor een voorpagina-artikel. Snelheid is hierbij van het allergrootste belang.'

'Ik kan helaas niets voor u doen, meneer Davidoff. Ik schakel u door naar zijn voicemail. Ik verzeker u dat meneer Brick zijn voicemail verschillende keren per dag afluistert.'

'Dank u voor de moeite,' zei James. Hij verbrak de verbinding en keek naar Anderson. 'Het huis in Virginia?' Dus het huis waar Peter door Tom Brick mee naartoe genomen was.

'Roep onze beste COVSIC op,' zei Anderson, terwijl hij het gaspedaal diep indrukte. Hij bedoelde de speciale forensische eenheid. James knikte en ging ermee aan de slag.

Op dat moment kreeg Anderson een telefoontje.

'Handel het zelf maar af,' blafte hij. Hij was niet in de stemming voor kantooraangelegenheden.

'Meneer, met Michaelson. Ik ben drie straten ten zuiden van Founders Park in Virginia. De politie heeft net een lichaam uit de Potomac gevist. Het is Dick Richards.'

'Verdomme, verdomme, verdomme,' zei Anderson. Hij liet de wagen iets slippen en maakte een U-bocht, waarna hij verder scheurde.

'Waarom maakt kolonel Ben David deel uit van het plan van de trojka?' zei Don Fernando.

'Het begon met SILEX.' Bourne ging op de grootste van de twee banken in het vertrek zitten. 'De methodiek is erop gericht om met gebruikmaking van de buitengewone precisie van laserlicht heel nauwkeurig het uranium te agiteren, zodat de gezochte isotoop er makkelijk aan te onttrekken is. Als het werkt is het een baanbrekende ontwikkeling. Het verrijkte uranium voor de atoomcentrales kan in een fractie van de tijd geproduceerd worden en ook tegen een fractie van de kosten die nu gemaakt worden.

Het probleem is dat SILEX het uranium ook voor de wapenindustrie makkelijk beschikbaar maakt. Met *yellowcake*, verrijkt uranium in poedervorm, kun je binnen enkele dagen nucleaire kernkoppen maken.'

'Maar het werkt niet,' zei Don Fernando.

Bourne knikte. 'General Electric kocht in 2006 de rechten van SILEX, maar het proces moet nog geperfectioneerd worden.'

Hij draaide zich om en keek uit het raam naar de boten die traag over de rivier voeren. Op het moment dat de wereld afstormde op de afgrond, werd hij altijd geconfronteerd met mensen die bezig waren met hun vreedzame, dagelijkse leventje.

'SILEX was slechts het begin. Drie jaar geleden richtten de Israëliërs in het noordwesten van Libanon een ondergrondse basis in, net buiten een klein stadje genaamd Dahr El Ahmar. De basis werd bewaakt door een kleine, selecte eenheid Mossad-agenten onder leiding van kolonel Ben David.'

Hij draaide zich om naar Don Fernando. 'Rebeka heeft mij naar Dahr El Ahmar gegidst, nadat we zes weken geleden allebei tijdens een vuurgevecht in Damascus gewond waren geraakt. Het was, in ieder geval voor haar, de dichtstbijzijnde vluchtmogelijkheid. Zij had hoge koorts en ze was zwaar gewond. Ik denk dat ze niet meer helder kon denken. Mij naar Dahr El Ahmar brengen, betekende een bedreiging van de veiligheid.

Kolonel Ben David wilde me laten vermoorden. Het lukte me om te ontsnappen in de helikopter waarmee we gekomen waren, maar toen ik wegvloog, ving ik een glimp op van de zwaarbeveiligde basis. Rebeka heeft me de rest verteld. De Israëlische wetenschappers hadden een doorbraak bereikt. Hun versie van SILEX werkt.'

Er viel een diepe stilte die na enige tijd doorbroken werd, toen Don Fernando zijn keel schraapte. 'Eens kijken of ik het goed begrijp. Kolonel Ben David heeft afgesproken om dit procedé aan Maceo Encarnación te verkopen.'

'Aan de Chinezen,' zei Bourne. 'Ik denk dat Maceo Encarnación een marginale figuur is in deze kwestie – misschien is hij de tussenpersoon, degene die kolonel Ben David in contact heeft gebracht met de Chinezen.'

'Dat zou heel goed zo kunnen zijn.' Don Fernando tikte peinzend met zijn wijsvinger tegen zijn tanden. 'SteelTrap heeft behoorlijk wat Israëlische technici in dienst. Het verkoopt zijn internetbeveiligingssysteem aan de Israëlische regering en aan heel veel andere grote klanten.'

Hij schudde zijn hoofd. 'Maar ik begrijp niet waarom kolonel Ben David zijn land zou verraden.'

'Dertig miljoen. Houd een man als hij, een militair, een ontevreden officier die waarschijnlijk nooit meer verdiend heeft dan vijftigduizend dollar per jaar, genoeg geld voor zijn neus en hij gaat voor de bijl.'

'Hoe kom je op dat bedrag? Heb je het zomaar uit de lucht geplukt?'

'Zo zou je het kunnen zeggen,' zei Bourne, terwijl hij met zijn mobiele telefoon speelde.

Don Fernando maakte een fluitend geluid. 'Dat is zelfs voor Christien en mijzelf een hele bak met geld. Ik kan me voorstellen dat Ben David er geen weerstand aan kan bieden.'

Hij hing op de kleinere bank. 'Het probleem is dat we hier in mijn appartement gevangen zitten. Nicodemo kan me met een scherpschuttersgeweer te grazen nemen op het moment dat ik de deur uit loop.'

'Dat zal hij niet doen,' zei Bourne. 'Nicodemo komt uit een traditie van man-tegen-man vechten. Dat is een kwestie van eer. Het zal hem niet bevredigen om u van een afstandje neer te schieten. Hij wil uw hoofd.'

'Dat is een schrale troost,' bromde Don Fernando.

'Maar het werkt wel in ons voordeel.' Bourne keek uit het raam en richtte zijn blik op de rechteroever. 'Ik moet zorgen dat Nicodemo binnen mijn bereik komt.'

In de verte kon hij nog net de suikerwitte koepel van de Sacre Coeur boven op Montmartre zien. 'Vertelt u me eens, Don Fernando, wanneer bent u voor het laatst naar de Moulin Rouge geweest?'

Peter en Soraya keken elkaar aan, nadat minister Hendricks de kamer verlaten had.

'Waarom heb je dat gedaan?' zei Peter.

Soraya glimlachte en ging op de rand van zijn bed zitten. 'Geen dank.'

'Even serieus,' zei hij.

Ze knikte. 'Ik wil helemaal niet weg.'

'Om mij.'

Ze haalde haar schouders op. 'Is dat zo'n slechte reden?'

Peter keek haar aan en nam een slok water uit een plastic bekertje. Hij zat duidelijk op iets te broeden. 'Ik wil het weten... Soraya, heb je tegen mij gelogen?'

'Ik heb je niet alles verteld. Dat is niet hetzelfde.'

'Als we elkaar niet kunnen vertrouwen, waarom zouden we dan samenblijven?'

'O, Peter.' Ze boog zich voorover en gaf hem een zoen op zijn wang. 'Ik vertrouw je met mijn leven. Het is alleen dat...' Haar ogen dwaalden even af. 'Ik wilde niet dat iemand het wist dat ik zwanger was. Ik dacht dat het mijn positie zou ondermijnen.'

'Dacht je dat ik jou aan Hendricks zou verraden?'

'Nee, ik... Om eerlijk te zijn, Peter, weet ik niet meer wat ik dacht.' Ze raakte het verband op haar hoofd aan. 'Het is duidelijk dat ik niet meer helder dacht.'

Hij nam haar hand in de zijne. Zo zaten ze een tijdje, zwijgend en vol emoties, bij elkaar. Buiten, in de gang, liepen ziekenbroeders met brancards. Verpleegsters snelden voorbij. Namen van doktoren werden omgeroepen. Alles leek deel uit te maken van een wereld die niets met hen te maken had.

'Ik wil je helpen,' zei Soraya uiteindelijk.

'Ik heb geen hulp nodig.'

Maar dat was een instinctieve, voorspelbare reactie, dat wisten ze allebei. Dat gedeelde besef leek het pas gevormde ijs te breken, en het riep de herinnering op aan de tijd dat ze hechter waren dan broer en zus en alles met elkaar deelden.

Soraya boog zich dichter naar hem toe en praatte met hem

op een zachte, vertrouwelijke toon. Hij luisterde geconcentreerd, terwijl zij in grote lijnen vertelde over de top secret opdracht die Hendricks haar had gegeven. 'Luister, Peter,' zei ze tot slot, 'Charles is dood. Het is nu voorbij, maar die verhouding met hem was helemaal Hendricks' idee. Hij opperde het en zei dat het van nationaal belang was, en ik vond dat ik... nou... dat ik niet kon weigeren.'

'Hij had jou dat nooit mogen vragen.'

'Ik heb dat al met hem besproken. Hij weet dat hij te ver is gegaan.'

'Maar toch deed hij het,' zei Peter, 'en hij zal het weer doen. Dat weet jij en dat weet ik ook.'

'Waarschijnlijk.'

'Wat ga je hem de volgende keer vertellen.'

Ze raakte haar buik aan. 'Ik heb nu een kind aan wie ik moet denken. De zaken liggen nu anders.'

'Denk je dat?'

Haar blik dwaalde af. 'Je hebt gelijk. Ik kan dat niet weten.'

Hij kneep in haar hand. 'Niemand van ons kan dat weten, wat de omstandigheden ook mogen zijn.'

Er krulde zich een flauwe glimlach rond haar mond. 'Een waarheid als een koe.' Ze omhelsde hem. 'Het spijt me zo, Peter.'

'Dat hoeft niet. Alles gebeurt om een reden.'

Ze ging overeind zitten en keek hem aan. 'Geloof je dat echt?'

Hij lachte, maar voelde zich allesbehalve vrolijk. 'Nee, maar door het te zeggen, voel ik me beter.'

Ze keek hem indringend aan. 'Het wordt een lange weg, ongeacht hoe het met je benen gaat.'

'Dat weet ik.'

'Ik ben er voor je.'

'Ook dat weet ik.' Hij zuchtte. 'Ze zullen een psychologisch rapport willen om te kunnen beslissen of ik nog in staat ben om te werken.'

'Laat ze. Ze hebben er allang een voor mij aangevraagd. Wij zijn in staat om te werken, Peter, punt uit.'

Opnieuw viel er een aangename stilte. Een traan rolde uit Peters oog en zocht zijn weg over zijn gezicht. 'Wat een klerezooi,' zei hij, en Soraya kneep hem opnieuw in zijn hand.

'Vertel wat,' zei hij. 'Vertel me iets positiefs.'

'Laten we beginnen met Jason Bourne,' zei ze, 'en hoe hij onze hulp nodig heeft.'

26

La Goulue was de eerste geweest van de befaamde cancanmeisjes van de Moulin Rouge. Elke avond betrad ze het beroemde theater via de goed verborgen en bijna onbekende *entrée des artistes*, een kleine trap die vanuit de groezelige achterafsteeg naar de hemel leidde. De versleten trap die meer dan een eeuw lang beklommen was door vele generaties Moulin-danseressen en cabaretartiesten, was jaren geleden vervangen door een nieuwe ingang. Don Fernando wist niet alleen van het bestaan ervan, maar hij wist ook dat het nog steeds een bruikbare manier was om jezelf toegang te verschaffen tot de luisterrijke vertrekken van de Moulin Rouge, als alle andere manieren gefaald hadden, of als een van de Doriss Girls die hij kende, hem naar binnen wilde loodsen voor wat backstage gerommel tussen de voorstellingen door.

Hij belde zijn huidige Doriss Girl, Cerise, die, zo verzekerde hij Bourne, volkomen te vertrouwen was.

Iets na acht uur 's avonds verlieten ze Don Fernando's appartement aan de Quai de Bourbon. Er stond een auto met chauffeur van Don Fernando's favoriete verhuurbedrijf te wachten.

'Zeg tegen de chauffeur dat u van gedachte bent veranderd,' zei Bourne.

Nadat Don Fernando de auto met chauffeur had weggestuurd, liepen hij en Bourne via de vlakbij gelegen brug zonder problemen naar de rechteroever.

'Ik zie hem niet,' zei Don Fernando.

'U zult hem ook niet zien,' verzekerde Bourne hem. 'Maar er was een geheide kans dat hij iemand van het verhuurbedrijf dat u altijd gebruikt, omgekocht had.'

Ze moesten mensenmassa's zien te vermijden, dus liepen ze naar een *tête de station* bij het Hôtel de Ville en stapten in een gereedstaande taxi. Don Fernando gaf de chauffeur het adres van de Moulin Rouge en de taxi voegde zich in het verkeer.

'Je lijkt erg zeker van jezelf, Jason,' zei Don Fernando terwijl hij zich op de achterbank liet zakken.

'Je koopt er niets voor om zeker van iets te zijn,' antwoordde Bourne, 'behalve als je in het pikkedonker de ene voet voor de andere zet.'

Don Fernando knikte, terwijl hij naar het achterhoofd van de chauffeur keek. 'Ik heb je nooit gevraagd naar de vrouwelijke Mossad-agent.'

'Rebeka,' zei Bourne. 'Zij en ik zaten achter dezelfde man, Semid Abdul-Qahhar, aan. Hij was het hoofd van de moskee in München en één van de invloedrijkste leden van de Moslim Broederschap. We bundelden onze krachten en hebben elkaar geholpen. Zij was iemand die het goede probeerde te doen, zelfs als haar dat haar positie in de Mossad had gekost.'

Don Fernando knikte afwezig. 'Als je het goede wilt doen, moet er altijd een prijs voor betaald worden,' mijmerde hij, 'de vraag is alleen hoe hoog die prijs is.' Hij wreef met zijn knokkels tegen de zijkant van zijn hoofd. 'Maar er moet ook een prijs betaald worden als je niet in staat bent om het juiste te doen.' Hij zuchtte. 'Ik veronderstel dat dat de aard van het leven is.'

'In ieder geval van ons leven.'

Hun gesprek werd bruusk onderbroken door een auto die hen van achteren aanreed. Het gebeurde met lage snelheid en had niet veel om het lijf; toch parkeerde hun chauffeur zijn Mercedes, stapte uit en begon een woordenwisseling met de chauffeur van de andere wagen.

'Stap uit,' zei Bourne plotseling. Hij gaf Don Fernando een duw. 'Ga uit de wagen!'

Bourne trok aan de portierhendel, maar de chauffeur had de centrale vergrendeling ingeschakeld. De chauffeur die hen had aangereden, gaf hun taxichauffeur een klein pakje.

Bourne wilde over de voorstoel klimmen, maar op dat moment dook iemand de Mercedes in en richtte een Sig Sauer op hem, waardoor hij gedwongen werd om weer op de achterbank te gaan zitten.

'Ontsnappen is onmogelijk,' zei Nicodemo, terwijl hij achter het stuur gleed.

Hij knikte en de chauffeur liep terug naar zijn taxi. Nicodemo hield de Sig op hen gericht en ontgrendelde de achterportieren. De chauffeur deed het achterportier open en bond Bournes polsen achter zijn rug samen met een stuk plastic draad. Daarna deed hij hetzelfde bij Don Fernando.

'Kunnen ze in de achterbak?' vroeg Nicodemo.

'Je hebt ons te hard geraakt,' zei de chauffeur. 'Het slot is ingedrukt en de klep gaat niet open.'

'Oké, wegwezen dan,' zei Nicodemo.

De chauffeur sloeg het portier dicht en liep naar de auto waarin Nicodemo gereden had.

Nicodemo keek hen vanachter het stuur van de Mercedes grijnzend aan. 'Nu komt pas de echte duisternis, Jason.'

Bourne zei niets. Hij testte de trekkracht van het koord. Hij zou het niet kapot kunnen krijgen zonder hulp van buitenaf.

Nicodemo legde de Sig op de zitting naast hem en keek voor zich uit. 'Het is veel makkelijker om met tamme dieren dan met wilde dieren naar de slachtbank te gaan,' zei hij, terwijl hij hen in de achteruitkijkspiegel aankeek. Hij zette de Mercedes in de versnelling en voegde zich in het nachtelijke verkeer.

'Op weg naar uw kantoor is me iets grappigs overkomen, meneer Brick,' zei Anderson. 'Of liever gezegd iets vreemds.'

'En wat mag dat dan wel zijn, meneer Anderson?'

'Op weg hiernaartoe ben ik even gestopt op de plek waar een lichaam uit de Potomac gevist is. Het had er nog niet zo lang in gelegen. Maximaal enkele uren.'

Tom Brick zat op zijn gemak achter zijn enorme bureau in zijn immense kantoor dat een complete hoek van de bovenste verdieping van Core Energy in beslag nam. Hij spreidde zijn handen. 'Ja? En?'

'Twee keer in de zij gestoken.'

'Wat heeft dat met mij te maken?'

'"Wat heeft dat met mij te maken?" vraagt de man zich af.' Anderson stond in het midden van het kantoor. James stond naast hem. Nadat zij hun pasje hadden laten zien aan een hele schare secretaresses, assistenten, en allerhande duvelstoejagers, werden ze naar Bricks kantoor gebracht waar hij net een bespreking had met een hotemetoot in een pak die op de bank met zijn gezicht naar het bureau zat. Brick vroeg de nieuwkomers niet of ze wilden gaan zitten. Anderson keek eerst naar het blanco gezicht van de hotemetoot, voordat hij zijn blik op Brick vestigde.

'Ik vraag me af, meneer Brick, waarom u niet gevraagd hebt naar de naam van het slachtoffer.'

Brick keek hem met koude vissenogen aan. 'Zijn naam interesseert me geen fluit.'

'U zei zíjn, maar ik zei lichaam.'

Brick snoof. 'Speel geen NCIS met mij, Anderson.'

'Ik vertel zijn naam toch maar, omdat u hem kent. Zijn naam is Dick Richards.'

Brick bleef even bewegingloos zitten. Toen stond hij op en gebaarde naar de man met wie hij had zitten praten toen Anderson en James binnenkwamen.

'Misschien is dit een goed moment om u voor te stellen aan Bill Pelham.'

'Als in Pelham, Noble en Gunn?'

Brick kon een glimlach niet onderdrukken. 'Dat klopt.'

Pelham, Noble en Gunn was een van de best bekendstaande advocatenkantoren in Washington. Onder zijn klanten waren veel presidenten, voormalige presidenten, en senatoren. En niet te vergeten het hoofd van de FBI, de burgemeester, en de hoofdcommissaris van politie van D.C.

Anderson deed zijn uiterste best om de onverwachte aanval te negeren, en zei: 'In ieder geval moeten we met u praten, meneer Brick. Nu.'

'Geen gepraat,' zei Bill Pelham. Hij stond op van de bank. 'Geen gepraat, nu niet, en nooit niet.'

'Ik heb een hekel aan drie dingen,' zei Ann Ring. 'Wanorde, problemen, en huichelachtigheid.' In het postmoderne, ruimtelijke restaurant dat Li Wan had uitgekozen, rinkelde het bestek, klingelde het glaswerk, en klonken kabbelende stemmen. Degenen die verdiept waren in telefoongesprekken, hadden totaal geen aandacht voor wat er om hen heen gebeurde. Zij keek diep in Li's donkere, glanzende ogen. 'Jammer genoeg is het leven vol wanorde, problemen, en huichelachtigheid.' Haar karmozijnrode lippen plooiden zich in een glimlach. 'Ik hou van netheid – in ieder geval begin ik graag met een schone lei.'

Li knikte. 'Dat geldt ook voor mij, senator Ring.'

'Maar toch zitten we hier allebei in Washington D.C.' Ze had een prettige lach, die erop gericht was om de luisteraar op zijn gemak te stellen. Maar Li was niet zo makkelijk te paaien.

'Als je in het centrum van de macht zit, is het net alsof je in een magnetische storm zit.' Hij nam een slokje van zijn witte wijn. 'Van het ene op het andere moment sta je onder spanning en raak je gedesoriënteerd.'

Ann keek hem schuin aan. 'Is dat in Beijing hetzelfde?' Ze zag dat de uitdrukking op Li's gezicht plotseling veranderde en ze vervloekte zichzelf.

'Ik zou het niet weten.' Hij zette zijn glas overdreven voorzichtig neer. 'Ik ben nog nooit in Beijing geweest. Nam u aan dat...?'

'Duizendmaal excuus, meneer Li. Ik bedoelde niets...'

'O, daar ben ik zeker van.' Hij wuifde haar woorden weg. 'In werkelijkheid is Beijing mij net zo vreemd als de stad naar ik aanneem voor u is.'

Ze glimlachte flauwtjes in een poging om zich te ontspannen. 'Nog iets wat we gemeen hebben.'

Zijn ondoorgrondelijke ogen zochten die van haar. 'Gemeenschappelijkheden zijn zeldzaam, zeker in een magnetische storm.'

'Ik ben het helemaal met u eens, meneer Li.' Ze pakte de menukaart. Het was een groot, stijf ding waar de gerechten in een handschriftletter op gedrukt waren. Ze keek op de kaart, en zei: 'Wat zullen we nemen?'

'Biefstuk,' zei hij zonder op zijn menukaart te kijken. 'En vooraf een caesarsalade.'

'Spinazie a la crème en uienringen?'

'Prima.'

Toen ze de kaart naast zich neerlegde, zag ze dat hij haar met een bijzonder kritische blik aankeek. 'Onthoud,' had Hendricks haar in het allereerste begin gezegd, 'dat hij een bijzonder gevaarlijke man is. Hij lijkt bescheiden, maar dat is hij allesbehalve.'

Li riep de ober en gaf hun bestelling op. De ober pakte de menukaarten en ging weg.

Toen ze alleen waren, zei Li: 'Deze avond herinnert mij aan een verhaal. Er was eens een zakenman in Chicago. Hij trouwde met een vrouw met een goed stel hersens. Zo goed zelfs dat haar adviezen ervoor zorgden dat zijn zaak twee, en daarna drie keer zo groot kon worden dan hij oorspronkelijk was. U kunt zich voorstellen dat de zakenman in zijn nopjes was. Doordat zijn zaak steeds meer floreerde, groeide zijn aanzien in de gemeenschap in rap tempo. Ze kwamen bij hem voor bedrijfsfusies, en ook voor adviezen. In alle gevallen consulteerde hij zijn vrouw eerst, en in alle gevallen volgde hij haar raad op, wat hem nog meer roem en rijkdom bracht.'

Li pauzeerde even om hun glazen bij te vullen. 'U zult misschien denken dat het leven van de zakenman perfect was. Iedereen die hem kende, evenals degenen die alleen maar over hem gehoord hadden, benijdden hem om zijn positie en zijn vermogen. Maar in werkelijkheid voelde hij zich ellendig. Zijn vrouw verwarmde zijn bed nooit, alleen dat van anderen.'

Li keek in zijn glas. 'Op een dag stierf de vrouw van de zakenman. Het was erg plotseling en volkomen onverwacht. Natuurlijk rouwde de zakenman om haar, maar hij rouwde meer om het verlies van haar zakeninstinct dan om de vrouw zelf.

Verscheidene weken later zei zijn broer tegen hem: "Wat ga je nu doen?" Nadat hij een tijdje nagedacht had, zei de zakenman: "Ik zal doen wat ik altijd gedaan heb en er het beste maar van hopen".'

Ann Ring glimlachte zo neutraal mogelijk. Dit was niet zomaar een verhaaltje dat Li ooit gehoord had. Waarschijnlijk bedacht hij het hier ter plekke. Het was hoe dan ook illustratief. De vraag die de broer van de zakenman gesteld had, was dezelfde vraag die Li haar stelde.

Of het zo bedoeld was of niet, maar zijn timing was perfect. De caesarsalades werden gebracht en in witte keramische schalen voor hen neergezet. Ann proefde van de salade, vroeg om vers gemalen peper, en bedankte de ober.

'Ik vind het eerste deel van het antwoord van de zakenman goed,' zei ze behoedzaam, 'maar het tweede deel niet. Het is nooit slim om achterover te leunen en er het beste maar van te hopen.'

'Door het verhaal vraag ik me af wie nu eigenlijk de beslissingen in een gezin neemt. Het lijkt erop dat het antwoord nooit is wat het bij oppervlakkige beschouwing lijkt.'

Ann begreep dat hij eigenlijk naar haar en Charles vroeg. Om die reden besloot ze de impliciete vraag te negeren en zich te houden aan haar eigen plan. Ze at verder van haar salade en vermaalde de croutons alsof het botjes waren tussen haar tanden.

'Wat me verbaast, meneer Li, is wat u allemaal weet over mijn leven met Charles.'

Hij legde zijn vork neer. 'Er is geen makkelijke manier om u dit te zeggen, senator, maar uw echtgenoot was geen gelukkige man.'

Ann keek Li met een ondoorgrondelijke blik aan. 'U bedoelt dat hij niet tevreden was. Geluk en tevredenheid zijn niet hetzelfde.'

Voor het eerst die avond leek Li in verwarring gebracht. 'Neemt u mij niet kwalijk,' zei hij.

Bourne keek uit het raampje van de Mercedes. Hij zag dat Nicodemo naar de linkeroever reed. De prachtige, vergulde en verlichte bollen op de Pont Alexandre III vlogen als miniatuurzonnen voorbij. Hij twijfelde er geen moment aan dat Nicodemo hen naar de executieplaats van zijn keuze bracht. Bourne was absoluut niet van plan om hem dat te laten doen.

Hij schoof heen en weer totdat hij recht achter Nicodemo zat, kromde zijn rug en drukte hem uit alle macht tegen de rugleuning. Hij slingerde zijn benen over de voorstoel en nam Nicodemo's nek in een wurgende greep.

In een voorspelbare reflex duwde Nicodemo zijn lichaam naar achteren om aan de verstikkende omklemming te ontsnappen. Don Fernando trapte hem met zijn hak hard tegen zijn rechteroor. Nicodemo's hoofd schudde heen en weer. Bourne verhoogde de druk.

Blindelings graaide Nicodemo op de stoel naast zich. Bourne duwde hem met zoveel kracht naar links dat Nicodemo's schouder hard tegen het portier knalde waardoor dat opensprong.

De Mercedes begon steeds harder te slingeren en de Sig viel op de grond buiten het bereik van Nicodemo's graaiende handen. Er werd wild getoeterd. Remmen gierden. Banden lieten lange remsporen na op het wegdek van de brug. Met opengesperde ogen probeerde Nicodemo zich aan de wurgende greep te ontworstelen, terwijl hij probeerde om de wagen onder controle te houden. Hij handelde alleen nog maar instinctief. Om Bournes benen los te kunnen trekken, moest hij het stuur loslaten. Toen hij zich naar achteren drukte, trapte hij met zijn rechtervoet onwillekeurig het gaspedaal dieper in. De Mercedes spoot vooruit richting de zijkant van de brug. Door de combinatie van snelheid en gewicht vloog de wagen het trottoir op en boorde zich in de oude, decoratieve balustrade van de brug.

Door de klap schoot iedereen naar voren. Bournes greep verslapte even, maar op dat moment ramde een bestelbus, die de verkeersopstopping probeerde te vermijden, de Mercedes in de flank. De auto werd verder door de balustrade gedrukt.

De Mercedes kwam half boven de rivier te hangen. Het portier aan de bestuurderskant zwiepte open, de auto kantelde en viel loodrecht naar beneden. Hij sloeg op het water, waardoor er onmiddellijk een vloedgolf ontstond. De auto stroomde vol water en de inzittenden dreigden te verdrinken.

Ann maakte een geluid dat het meeste weg had van dat van een spinnende poes. Ze schoof haar salade van zich af. 'Meneer Li, ik bedenk nu pas dat ik niets weet van Natasha Illion – los van wat ik gelezen heb in *W*, *Vogue* en *Vanity Fair*, maar dat is allemaal buitenkant, allemaal geroddel.'

Meneer Li glimlachte. Ze waren terug op vertrouwd terrein. 'Tasha en ik leiden heel verschillende levens,' zei hij schouderophalend.

'Maar als jullie samen zijn...' Ze liet een glimp van een glimlach zien. 'Neemt u me niet kwalijk.'

'Tasha is niet iemand die je makkelijk leert kennen,' zei Li, die net deed alsof hij niet gehoord had wat ze zei. 'Israëliërs zijn kortaf, direct, en ze brengen je vaak in verlegenheid. Zij heeft, net als iedereen daar, in het leger gezeten. Volgens mij veranderen ze daar behoorlijk van.'

'O ja?' Ann legde haar kin in de palm van haar hand. 'Hoe bedoelt u?'

De schalen met salade werden afgeruimd en de vleesmessen werden met een zwierig gebaar op tafel gelegd.

'Het heeft Tasha behoedzaam en wantrouwend gemaakt. Zij beschouwt haar hele leven als een geheim.'

'En u vindt dat natuurlijk intrigerend en fascinerend.'

Hij leunde achterover, terwijl de hoofdgerechten en bijgerechten voor hen neer werden gezet. Hij strooide zwarte peper op de biefstuk, pakte zijn vork en vleesmes en begon te snijden. Het vlees was rood, precies zoals hij het besteld had. 'Ik ben een echte xenofiel. Ik word gefascineerd, zoals u het verwoordde, door het andere, het exotische, en het onbekende.'

'Ik kan me zo voorstellen dat er niets exotischer is dan een Israëlisch supermodel.'

Hij kauwde langzaam en overdreven. 'Ik kan veel andere dingen bedenken, maar ik ben tevreden met wat ik heb.'

'In tegenstelling tot mijn man.' Ze legde enkele uienringen op haar biefstuk. Plotseling keek ze op. Haar blik was scherp als een mes. 'Charlie heeft u in vertrouwen genomen over zijn zaken.'

Het was geen vraag en Li vatte het ook niet zo op. 'Het bleek dat Charles maar weinig vrienden en helemaal geen vertrouwelingen had,' zei hij.

'Behalve u.' Ze bleef hem strak aankijken. 'Ik had dat moeten zijn.'

'We kunnen niet altijd krijgen wat we willen, senator.' Hij stopte een stukje vlees in zijn mond, kauwde er op zijn kieskeurige manier op, en slikte het uiteindelijk door. 'Maar we kunnen het proberen.'

'Ik vraag me af waarom Charlie het gevoel had dat hij u in vertrouwen kon nemen.'

'Het antwoord is simpel,' zei Li. 'Het is makkelijker om met vreemden over privézaken te praten.'

Maar dat was het niet, en dat wisten ze allebei. Ann begon moe te worden van het omslachtige gepraat dat volgens Chinees gebruik vereist was. Hoewel Li Amerikaan qua geboorte was, was hij wat dit betreft erg traditioneel. Misschien, dacht ze, dat de Chinezen deze omslachtige paden wilden bewandelen om je uit te putten en om je murw te maken voor het moment dat de onderhandelingen begonnen.

'Kom op, meneer Li. U en Charlie deelden geheimen.'

'Ja,' zei hij. 'Dat is zo.'

Ann was zo verrast door deze onverholen toegeving, dat ze even niets kon uitbrengen.

'Uw man en ik hadden een afspraak, senator. Een afspraak waar we allebei in gelijke mate voordeel van hadden.'

Ann verblikte of verbloosde niet. 'Ik luister.'

'Het lijkt mij,' zei Li, 'dat u de hele avond al aan het luisteren bent.'

Ze liet een droog lachje horen. 'Dan begrijpen we elkaar.'

Hij maakte een heel lichte buiging met zijn hoofd. 'Maar we kénnen elkaar niet.' De klemtoon was subtiel maar onmiskenbaar.

'Deze tekortkoming is mij niet ontgaan.' Ze glimlachte. 'En dat is de reden waarom ik u graag een geschenk zou willen geven.'

Li zat doodstil tegenover haar. Zijn lichaam verried noch spanning noch ontspanning. Hij wachtte af.

'Iets waardevols zal deze onvolkomenheid tenietdoen.'

Ze haalde uit haar handtas een kleine envelop die ze over de tafel naar hem toe schoof. Li zocht eerst haar blik. Pas daarna liet hij zijn blik op de envelop vallen.

Hij pakte de envelop op en opende hem. Hij schudde de inhoud ervan op tafel. Er zat één enkel blaadje in, een fotokopie van een officieel document. Hij richtte zijn blik meteen op het zegel boven aan het papier.

'Dit is... schandelijk, krankzinnig,' mompelde hij bijna in zichzelf.

Hij las de inhoud snel door. Aan de rand van zijn strakke haarlijn parelden zweetdruppels. Toen keek hij Ann aan.

'Uw geliefde Tasha is niet alleen een schoonheid, meneer Li, zij is ook een beest,' zei Ann. 'Zij is een Mossad-agent.'

Bourne dook in elkaar en volgde Nicodemo door het open portier, maar hij draaide zich onmiddellijk om, om Don Fernando te hulp te schieten die zich naar voren probeerde te wringen. Omdat Bournes handen op zijn rug gebonden waren, greep hij Don Fernando's shirt met zijn tanden vast. Dankbaar voor de hulp sloeg Don Fernando met zijn benen om zo uit de auto te komen.

Het was donker onder water. De twee mannen probeerden met de ruggen tegen elkaar te komen. Ze hielden elkaars handen vast, zodat ze elkaar niet kwijt zouden raken. Toen ze boven water kwamen, hoorden ze de voetgangers op de brug schreeuwen en in de verte hoorden ze het geluid van sirenes. Bourne leidde hen naar een van de enorme brugpijlers. Die was bedekt met een dikke laag groenzwart wier. Onder het wier zaten mosselschelpen die zo scherp als scheermessen waren. Bourne drukte zich met zijn rug tegen de pijler en schraapte met het plastic koord langs de schelpen.

Don Fernando lag naast hem rustig te watertrappelen.

'Ik ben er bijna doorheen,' zei Bourne.

Don Fernando knikte. Maar toen Bourne zijn armen naar hem uitstak, werd Don Fernando onder water getrokken.

Nicodemo!

Bourne deed een greep naar de pijler en zette zich vervolgens krachtig af, terwijl hij onder water dook. Als een haai kon hij de bewegingen voelen die Don Fernando en Nicodemo in het water maakten. Hij kreeg Don Fernando in de duisternis te pakken, gebruikte een van de vlijmscherpe schelpen die hij van de pijler gegrist had om het plastic koord om de polsen van Don Fernando door te snijden en duwde hem omhoog naar de oppervlakte.

Deze manoeuvre vergde al zijn krachten. Nicodemo kwam onder water op hem af en gaf hem een dreun tegen de zijkant van zijn hoofd. Bourne rolde om in het water. Uit zijn mond kwamen allemaal luchtbellen. Nicodemo sloeg hem opnieuw en raakte Bourne op de zenuwknoop in zijn nek. Bourne dacht dat hij zijn bewustzijn zou verliezen. Hij probeerde zich te bewegen, maar hij leek wel verlamd. Hij voelde dat Nicodemo achter hem met iets bezig was. Hij trapte van zich af, maar hij voelde dat er een glibberig koord om zijn nek geslagen werd. Het werd met een verwoestende kracht aangetrokken, waardoor hij bijna stikte. Zijn longen brandden en de pijn in zijn keel was verschrikkelijk. Nicodemo sloeg een arm om zijn keel en drukte op zijn strottenhoofd. Als hij dat zou verpletteren, zou hij binnen enkele seconden verdrinken.

Hij dreigde zijn bewustzijn te gaan verliezen. In zijn handen had hij nog het vlijmscherpe stukje gereedschap, maar hij vroeg zich af of hij nog de kracht had om het te kunnen gebruiken. De druk op zijn keel was ondraaglijk. Nicodemo kon nu elk moment zijn strottenhoofd verpulveren. Dan zou het zwarte water zijn keel instromen, zijn maag en longen vullen, en dan zou hij naar de zanderige bodem van de rivier zakken.

Met een enorme inspanning hief hij zijn arm. Alles leek zich in slow motion af te spelen, maar hij was zich er maar al te bewust van dat zijn tijd in rap tempo opraakte. Hij gebruikte dit bewustzijn om zijn arm naar binnen te buigen, waarna hij met zijn organische wapen uithaalde naar een van Nicodemo's ogen. Meteen daarna haalde hij uit naar zijn andere oog.

Het bloed spoot eruit. Nicodemo stuiptrekte. Hij werd bevangen door een bijna onmenselijke kracht. Even dacht Bourne dat het met hem gebeurd was. Maar de schelp deed zijn vernietigende werk opnieuw. Hij haalde hem van links naar rechts over Nicodemo's keel.

Sluiers van bloed, zwarter dan het rivierwater, wolkten uit de wond in zijn keel. Nicodemo's mond opende en sloot zich weer. Even werd hij gevangen in het licht van de brug. Toen verslapte zijn greep op Bourne en zakte hij met gespreide armen vanuit het schaarse licht naar de onheilspellende duisternis van de rivier.

27

Toen de elegante stewardess haar hoofd optilde en een zacht gekreun liet horen, duwde Maceo Encarnación haar hoofd terug tussen haar naakte schouders, waardoor haar lange nek goed zichtbaar werd. Haar uniformjasje lag slordig op de vloer; haar dunne, parelwitte bloes rimpelde rond haar slanke taille, waardoor hij vrij spel had met haar zwierige borsten. Haar kokerrok was tot haar heupen opgetrokken en haar string hing op haar enkels.

Terwijl Maceo Encarnación steeds weer van achter in haar stootte, riep zijn genot beelden op van de oude Azteekse goden van Tenochtitlán. De belangrijkste onder hen was Tlazolteotl, de godin van genot en zonde. Tlazolteotl was zowel gevreesd als geliefd. Gevreesd omdat ze geassocieerd werd met mensenoffers; geliefd omdat zij, wanneer ze op de juiste manier aangeroepen werd, je zonden wegnam, waarna je je leven zonder zonde kon voortzetten.

Als Maceo Encarnación aan Tlazolteotl dacht, zag hij niet de beelden in steen en jade voor zich die in het Nationaal Museum bewaard werden, maar zag hij Constanza Camargo. Alleen Constanza was in staat om zijn vele, vele zonden weg te nemen, om hem te louteren, en om hem weer vrij van zonden te maken. Maar zij had hem al heel vaak duidelijk gemaakt dat zij hem geen vergeving zou schenken. De zonde die hij jegens haar begaan had, was zelfs te machtig voor de oude en krachtige Tlazolteotl.

Maceo Encarnación stootte een laatste keer en liet zich vervolgens trillend en zwetend op haar naakte rug vallen. Zijn hart ging tekeer en hij voelde duidelijk de pijn van ontbinding en van een grote leegte die onverbiddelijk en beangstigend als een eeuwigdurende nacht oprukte. Die leegte beangstigde Maceo Encarnación het meest – het niets dat heel goed een eeuwigheid kon duren. Voor hem geen verstikkende mis, geen betekenisloze platitudes die week in week uit tijdens preken werden uitgesproken. Die vormden het bedrieglijke voedsel van 'Gods plan'. God had geen plan; er was geen God. Er was alleen de wanhopige angst van de mens voor het onbekende en het raadselachtige.

Tijdens deze ondraaglijk lange en ondraaglijk lege momenten na het klaarkomen, verlangde Maceo Encarnación heviger dan ooit naar Constanza Camargo. Het feit dat zij onbereikbaar was voor hem, voelde als een innerlijke pijn die hij noch kon bereiken noch kon genezen. Dat het de straf was die hij verdiende, maakte het niet makkelijker om te dragen. Integendeel, het maakte hem buiten zinnen van woede. In dit geval had hij niets aan zijn rijkdom, aan zijn verdorven invloed, of aan zijn allesvernietigende macht. Wat Constanza Camargo betreft zou hij net zo goed een armzalige schooier op een of ander smerige achterafmarkt kunnen zijn, ziekelijk en berooid. Hij kon haar niet van gedachten doen veranderen, hij kon haar niet dwingen, en hij kon haar niet bereiken.

Hij kwam overeind en ritste zijn gulp dicht. Hij voelde zich zweterig en smerig. Zijn huid stonk naar haar geheime delen. Zij had zich aangekleed met haar gezicht naar de rijk gestoffeerde scheidingswand en ze liep nu zonder om te kijken op haar lange, krachtige benen weg, om door te gaan met haar gebruikelijke bezigheden.

Maceo Encarnación keek naar de scheidingswand en zag een vlek waar haar bezwete voorhoofd tegenaan gekomen was op het ritme van zijn stoten. Glimlachend raakte hij de vlek aan met zijn vingertoppen. Het was een teken van overgave, een zondeteken.

Constanza Camargo bezat haar eigen vlek: de zonde van haar aanhoudende overspel. Een week na de dood van haar man was ze van de trap in haar huis gevallen, nadat ze midden in de nacht was opgeschrikt door het spookachtige geluid van zijn stem. Ze had het gedroomd of het zich ingebeeld. Haar mooie blote voet had de eerste trede gemist en daar ging ze.

Beneden had ze net zo lang rondgekropen tot ze een telefoon had gevonden. Ze had Maceo gebeld. In die tijd was hun relatie al doodgebloed; hij had in maanden niets van haar gehoord. Maar hij had niet getwijfeld. Hij had voor haar de allerbeste orthopeed van het land gevonden die de uitpuilende ruggenmergschijf snel gerepareerd had. Jammer genoeg ontwikkelde zich perifere neuropathie bij haar, wat bij ruggengraatoperaties in een klein aantal gevallen voorkwam. Perifere neuropathie was een pijnlijke en degeneratieve aandoening waar niets aan gedaan kon worden. Toch had hij ervoor gezorgd dat ze al het mogelijke en onmogelijke geprobeerd had. Nu vormde haar rolstoel een constante herinnering aan hoe zij Acevedo Camargo bedrogen had. Net als bij haar man had begeerte de loop van het lot veranderd.

En hoe was het met de chirurg afgelopen die Constanza Camargo geopereerd had? Zes maanden nadat hij gezegd had dat haar toestand onomkeerbaar was, was hij een week met zijn minnares naar Punta Mita gegaan. Een jonge man die 's morgens in alle vroegte langs de waterkant jogde, had twee menselijke hoofden gevonden, die netjes van de romp gescheiden waren. In het begin ging de politie ervan uit dat het om een drugsdealer en zijn minnares ging, die zich in andermans territorium hadden begeven. Toen de ware identiteit van de slachtoffers bekend werd, had de politie geen enkel idee wat het motief kon zijn geweest, laat staan wie de daders zouden kunnen zijn. Het incident verdween algauw in de archiefkast en werd verder vergeten.

Maceo Encarnacións gedachten dwaalden terug naar het heden. Kort nadat de stewardess weg was gegaan, keek hij op zijn horloge. Hij liep door het middenpad, langs de stewardess, die druk met zijn eten bezig was, naar de cockpit, waar de piloot en de navigator op instructies zaten te wachten en op hun iPads naar cumbia aan het luisteren waren. De piloot had hem het eerst in de gaten en haalde de oortelefoontjes uit zijn oren.

'Het is tijd om te vertrekken,' zei Encarnación.

De piloot keek hem vragend aan. Hij wist dat Nicodemo niet teruggekomen was.

Maceo Encarnación beantwoordde de blik met een knikje. 'Het is tijd,' herhaalde hij, voordat hij terugliep naar zijn plaats en de veiligheidsgordels vastgespte. Hij kon de piloot en de navigator met elkaar horen praten. Ze waren de veiligheidschecklist aan het doornemen.

De piloot nam contact op met de toren, zei wat, luisterde, en zei opnieuw wat. Daarna taxiede hij naar de startbaan.

'Om eerlijk te zijn, weet ik niet waarom ik hier ben.'

Generaal Hwang Liqun keek om zich heen in het appartement van Yang Deming. De oude man was de prominentste feng shui-meester in Beijing en als zodanig was er erg veel vraag naar hem. Het verbaasde hem enigszins dat hij in een ruim appartement zat in een ultramodern gebouw vlak bij het metrostation Dongzhimen. Hij zag overal om zich heen glanzende oppervlaktes, gepolijst hout, marmer, en edelstenen. Er was een overvloed aan weerkaatsingen. Door de plafondhoge ramen zag hij door de bruinige Beijing-smog die leek op een zandstorm die van de Gobi-woestijn hierheen was komen waaien, de contouren van het immense CCTV-gebouw van Rem Koolhaas.

Generaal Hwang Liqun zou het nooit toegeven, maar hij was onder de indruk van het feit dat Maricruz hem wilde ontvangen, en dan nog wel op zo'n korte termijn! Ze was weliswaar getrouwd met minister Ouyang, maar bleef toch een buitenlander, maar wel een die de delicate complexiteit van de Chinezen een verdomd stuk beter begreep dan veel van de mensen die hij tijdens zijn dagelijkse bezigheden tegenkwam.

'Ik denk,' zei Maricruz tegen de generaal, terwijl ze het kopje thee aannam dat Yang Deming haar aanbood, 'dat u heel goed weet waarom ik u hier heb uitgenodigd.'

Op dat moment glimlachte de oude man, knikte naar Maricruz, en tot de niet geringe verbazing van de generaal kuste hij Maricruz op beide wangen, voordat hij zich ontvouwde als een origami-ooievaar en op blote voeten de kamer uit liep.

Maricruz wees naar de kleine, dikbuikige theepot. 'Doet u mee?'

De generaal knikte op een manier die liet zien hoe slecht hij zich op zijn gemak voelde.

Nadat hij haar aanbod had aangenomen en zij in een steeds intenser wordende stilte hun thee dronken, zei hij: 'Als ik zo vrij mag zijn...'

De generaal was begin zestig en bijna twintig jaar ouder dan minister Ouyang. Hun vriendschap was uit noodzaak geboren en had geleidelijk haar eigen kenmerken gekregen. De twee mannen deelden een prettige en diepgewortelde praktische houding, die in het moderne China van vitaal belang was. Ze hadden ook een gemeenschappelijke visie voor China voor de eenentwintigste eeuw en later. Hun echte verbondenheid lag in het belang van nieuwe en innovatieve energiebronnen en het geloof dat de bron van deze nieuwe energiebronnen in Afrika lag, een continent dat door de inspanningen van deze twee mannen in snel tempo een Chinees bolwerk werd. Er waren natuurlijk wel obstakels die de twee mannen en China in de weg stonden. De krachtigste en meest onmiddellijke dreiging was de reden waarom Maricruz deze bijeenkomst had georganiseerd, en waarom de ontmoetingsplek zo onorthodox was dat de plek zelfs bij de Partij onbekend was.

'De reden waarom we hier relatief geïsoleerd en compleet veilig zijn,' zei Maricruz, 'is Cho Xilan.' Cho was de huidige secretaris van de machtige Chongqing Partij. Na de laatste vergadering van het Centraal Comité van de Communistische Partij begon Cho met zijn uitgesproken aanvallen op de status quo. Hij stelde dat de ideologie aangetast werd door de uitzinnige roep om China's aanwezigheid in het buitenland te vergroten. Met 'buitenland' bedoelde hij natuurlijk Afrika, en door dit standpunt in te nemen plaatste hij zich recht tegenover minister Ouyang en de generaal. Cho had besloten om trouw te blijven aan de partijlijn van 'het bouwen van een gematigd bloeiende maatschappij die gegrondvest is in de socialistische ideologie.' Op deze manier zou de culturele onrust vermeden worden die in de landen buiten het Middenrijk de kop opstak, veroorzaakt door een economische kloof tussen de hoogste en de laagste klassen.

'Er is oorlog op komst, generaal,' zei ze.

'Dit is China. Er zijn hier geen interne oorlogen.'

'Ik voel het aan mijn water.'

'U meent het,' zei de generaal met een zelfgenoegzaam lachje dat op een superioriteitsgevoel wees.

'Ik kom uit een land dat doordrenkt is van het bloed van klassenoorlogen.'

Zijn gevoel van zelfgenoegzaamheid werd door haar reactie alleen maar versterkt. 'Gaat de drugshandel daarover? Hij produceerde een schelle lach. 'Klassenoorlog?'

'De drugshandel hier in China is door buitenlanders begonnen en is door hen aan de kustbewoners opgedrongen waardoor deze afhankelijk werden van de papaveropbrengsten. Maar wij, de Mexicanen, controleren onze handel zelf en hebben dat vanaf het begin gedaan. Wij verkópen aan buitenlanders en gebruiken de winst om onszelf te versterken tegen de eindeloze corruptie van regionale besturen en de *federales*. Ons volk is in armoede geboren. We voedden ons met afval en met wat we bij elkaar konden scharrelen, maar we droomden met alles wat we in ons hadden van een leven in vrijheid. Nu we dat vrije leven hebben, weten we hoe we dat zo moeten houden. Kunt u hetzelfde zeggen, generaal?'

Hwang Liqun leunde achterover en keek naar dit adembenemende, monsterlijke wezen dat hem confronteerde als een duistere godin van de onderwereld. Waar was ze vandaan gekomen, vroeg hij zich af. Hoe had minister Ouyang haar gevonden? Hij en Ouyang waren inderdaad vrienden, maar er waren grenzen aan vriendschap, er waren zaken waar je je niet mee moest bemoeien. Daarom wist generaal Hwang slechts wat oppervlakkigheden over Maricruz, hoewel hij haar vaak ontmoet had bij feesten, bij officiële gelegenheden, en zelfs bij dinertjes met een meer intiem karakter. Maar niets uit zijn ervaringen met haar had hem op de gedachte kunnen brengen dat zij tot dit gesprek in staat was. Hoeveel had Ouyang haar over hun plannen verteld? Hoe wist hij dat zij vertrouwd kon worden? Ouyang vertrouwde niemand behalve de generaal.

Hij was ervan uitgegaan dat zij deze bijeenkomst geregeld had namens Ouyang. Dus daarom ging hij ervan uit dat hij geen gezichtsverlies zou leiden als hij de uitnodiging accepteerde. Maar nu begreep hij dat Maricruz vergaand en onlosmakelijk betrokken was bij de zaken van Ouyang – en daarmee ook bij die van hem, en hij begreep ook dat zij namens zijn vriend sprak. Het was slim van Ouyang dat hij haar als zijn afgezant gestuurd had, omdat er zoveel op het spel stond en de oorlogsstrategie zo precair was, dat de kans dat het ten koste van de veiligheid zou gaan te groot zou zijn. Omdat Maricruz een buitenlandse was, werd zij genegeerd door Ouyangs bondgenoten en, wat veel belangrijker was, ook door zijn vijanden, die op haar neerkeken. Zij was veilig en de generaal was daar nu heel blij om.

'Jammer genoeg, Maricruz,' zei de generaal nu, 'kan ik dat niet beweren. Ga door, alstublieft.'

Ze schonk hun beiden nog wat thee in. 'Meer dan vijf jaar geleden drongen u en Ouyang aan op de bouw van wegen en het verbeteren van de infrastructuur in Kenia. Jullie zagen de eindeloze rijkdom in de grond en jullie waren vastbesloten om die te claimen voor China's groeiende energiebehoefte. Ouyang voorspelde dat de Kenianen niet naar de prijs zouden vragen voor het werk dat zo bitter hard nodig was. En nu, als consequentie daarvan, kan hij uit Kenia alles krijgen wat hij maar wil – olie, diamanten, ruw uraniumerts, en waarschijnlijk zelfs zeldzame aardmetalen.'

De generaal knikte. 'Onze gok zal flink wat opleveren.'

'Maar toch,' zei Maricruz, 'blijft deze ongelofelijke winst iets wat Cho Xilan op zijn overijverige manier tegen blijft werken. Maar door hem wacht Zimbabwe er nog steeds op dat China zijn beloften met betrekking tot het verbeteren van de infrastructuur nakomt, en de negen miljard dollar die Guinee zou krijgen in ruil voor olierechten en die gebruikt zouden worden voor woningbouw, vervoer, en gemeenschappelijke voorzieningen zijn nog niet betaald. En dat allemaal door Cho, die China oproept om zich wereldwijd terug te trekken teneinde eerst "je eigen stoep schoon te vegen", zoals hij het verwoordt, om eens flink de bezem te halen door de diepgewortelde, corrupte, politieke hiërarchie.' Ze schudde haar hoofd. 'U hebt Cho de wapens gegeven die hij tegen u kan gebruiken. Hij heeft een aantal Afrikaanse politici opgeduikeld die geld in hun eigen zakken laten verdwijnen.'

De generaal, enigszins geërgerd, zei met ijzige stem: 'Op die manier gaan zaken in Afrika. Niets nieuws dus.'

'Behalve als Cho het bewijs aan het Centraal Comité laat zien. Hij heeft er immers voor gezorgd dat alle betalingen gestopt zijn, of niet soms? Hij heeft politieke steun opgebouwd, of niet soms?'

Ze nam een slok van haar thee om de gemoederen even wat te laten afkoelen. 'Excuses voor het feit dat ik zo direct ben, generaal, maar er is niet veel tijd. Wat Cho eigenlijk wil is een terugkeer naar de tijd van Mao, met een centrale leider, rechtdoorzee, rechtvaardig, en qua ideologie dogmatisch. Hij wil niets minder dan het bestuur over China, niets minder dan het met ijzeren vuist te besturen.'

De generaal nam nu ook een slok thee om zijn tollende hersens te kalmeren. Gedachten en ideeën wervelden door zijn hoofd als een school vissen door een koraalrif. Uiteindelijk zei hij: 'Laten we aannemen, omwille van de discussie, dat ik meega met uw grimmige beoordeling van de situatie.'

'We staan op het punt om een eenheid van Ouyangs mannen naar Libanon te sturen. Ons project daar bevindt zich in het laatste stadium. De enorme omvang van de energiemogelijkheden voor China is vrijwel onmetelijk. Cho wil niet dat u of Ouyang zoveel macht krijgt.' Ze keek hem recht in de ogen. 'Hij zal er alles aan doen om het project te laten mislukken.'

De ogen van de generaal dwaalden af, omdat hij zijn interesse begon te verliezen. 'Dit is mij allemaal bekend. We hebben al genoeg bewaking ter plekke. Minister Ouyang en ik hebben maanden geleden al overeenstemming bereikt over dit aspect van het plan.'

'De situatie ter plekke is veranderd,' zei Maricruz.

De generaal keek haar nors aan. 'Op wat voor manier?'

'Jason Bourne is op het tapijt verschenen.'

Hwang Liqun liet wat adem ontsnappen. 'Ja. Hij reisde met een Mossad-agent. Maar dat betekent op zich niets.' Hij maakte met zijn hand een beslist gebaar. 'Trouwens, de Mossad-agent is dood.'

Maricruz was niet onder de indruk en hield aan. 'Bourne is in Dahr El Ahmar geweest en hij heeft weten te ontsnappen.'

'Dat is ook oud nieuws, Maricruz. Minister Ouyang heeft maatregelen getroffen om Bourne uit te schakelen mocht Bourne in Dahr El Ahmar opduiken op het moment dat de deal afgerond wordt.'

'Ik neem aan dat u doelt op kolonel Ben David,' zei Maricruz. 'Het probleem is dat Ouyang Ben David niet vertrouwt.'

Deze mededeling verraste generaal Hwang Liqun. Hij begreep nu opeens waarom Ouyang deze strenge veiligheidsmaatregelen had genomen en het aan Maricruz had toevertrouwd om hem de informatie te geven. Hij keek Maricruz indringend aan. Ze had gelijk, er was niet veel tijd meer. De deal zou over negen uur afgerond worden. Hij knikte. 'Ik zal de order onmiddellijk ondertekenen. Zeg Ouyang Jidan dat er binnen het uur een onopvallend vliegtuig voor zijn eenheid klaarstaat.'

'Kunt u het aan om een stukje te zwemmen?'

Don Fernando keek Bourne aan. 'Ik ben oud, Jason, niet dood.' Hij keek omhoog naar de zwaailichten en de menigte langs de Pont Alexandre III. 'De politie maakt er daar een hele voorstelling van.'

'We moeten hier weg zien te komen,' zei Bourne, 'voordat er nog meer politie komt en ze duikers gaan inzetten.'

Don Fernando knikte.

'We gaan stroomafwaarts. U kunt de Pont des Invalides zien. Het is niet ver.'

'Maak je over mij geen zorgen. Jason. Ik ben altijd in voor een eindje zwemmen.' Hij glimlachte. 'Hoe dan ook, snelle ontsnappingen herinneren mij aan mijn verspilde jeugd.'

'Oké dan.'

Bourne liet de glibberige brugpijler los waaraan zij zich als zeeslakken vastgeklampt hadden. Ze moesten behoedzaam te werk gaan, omdat vlak onder het wateroppervlak trossen vlijmscherpe mosselen leefden. Zoeklichten zochten het water af en bestreken het gebied waar de auto in het water verdwenen was. Al het bootverkeer werd stroomopwaarts tegengehouden. Uit die richting naderden twee politieboten, waar ongetwijfeld duikers op zaten.

Bourne keek toe hoe Don Fernando zich geluidloos in het water liet zakken. De twee mannen zwommen met krachtige slagen door het zwarte water, weg van de zoeklichten en de onderzoekende blikken.

Lopend was de Pont des Invalides niet ver, maar in het water vorderden ze maar langzaam. Het water was erg koud en ze hadden er een behoorlijke tijd in gelegen. Hun doorweekte kleren boden geen enkele bescherming, maar zogen hen alleen maar naar beneden. Ze konden het zich echter niet veroorloven om te stoppen om wat kleren uit te doen. Ze hadden hun kleren trouwens nodig als ze uit het water klommen.

Bourne bleef met machtige slagen doorzwemmen en tot zijn verrassing kon Don Fernando hem moeiteloos volgen. Hij kon dan oud zijn, maar hij was nog altijd zo sterk als een marlijn. Hoe verder ze stroomafwaarts kwamen, hoe verder ze de zoeklichten achter zich lieten.

Maar bijna onmiddellijk stuitten ze op een nieuw probleem. Een eind van de brug kreeg de stroming hen in haar greep, waardoor ze draaiden en wentelden, en zelfs af en toe onder water getrokken werden. Bournes armen en benen begonnen gevoelloos te worden. Zijn vingertoppen waren ijskoud en hij voelde zijn tenen niet meer, ondanks het feit dat ze beschermd werden door sokken en schoenen. Maar zijn voeten waren continu in het water geweest vanaf het moment dat de auto in de rivier terecht was gekomen en vol water stroomde.

Langzaam, slag voor slag, zwommen ze stroomafwaarts naar de Pont des Invalides. Bourne draaide zich net op tijd om om te zien dat Don Fernando langzaam onder water verdween. Hij greep hem vast, hield zijn hoofd boven water en trok hem mee naar de pijler die het dichtst bij de rechteroever was.

Don Fernando's hoofd hing naar beneden en zijn kin rustte op zijn borst die zwoegde als die van een zwemmer nadat hij het Engelse Kanaal overgezwommen was. Bourne drukte hem tegen zich aan en hield zijn armen beschermend om de schouders van de oude man.

'Rust hier maar even,' zei Bourne. 'Daarna zwemmen we het laatste stukje.'

'Het laatste stukje? Je bedoelt dat we er nog niet zijn?'

'Kijk daar...' Hij wees: '... de kade gaat daar trapsgewijs omlaag naar het niveau van de Seine. Daar kunnen we makkelijk uit het water klimmen.'

Don Fernando's hoofd bewoog alle kanten op. Zijn lange haren hingen slap langs beide kanten van zijn gezicht dat pure uitputting verried. 'Ik kan niet meer.' Zijn handen trilden. 'Ik denk niet dat ik verder kan.'

'Rust hier dan maar even uit,' zei Bourne. 'Kijk naar de lichtshow op de Pont Alexandre III, terwijl ik een telefoontje pleeg.'

Die opmerking bracht wat leven in Don Fernando. 'Een telefoontje plegen? Hoe ga je dat doen? Alles is zeiknat.'

'Met een waterbestendige satelliettelefoon.' Bourne haalde een in rubber verpakte telefoon tevoorschijn.

Toen hij dat zag, borrelde er een lachje op uit de keel van de oude man. Hij schudde zijn hoofd en keerde zich vervolgens abrupt af. Hij zei een tijdje niets. Het water klotste tegen de pijler. Het geschreeuw vanaf de politieboten op de plaats van het ongeluk werd meegevoerd door de nachtwind.

'Weet je, Jason, het menselijke ras lijkt een onbegrensde mogelijkheid tot rationalisering te hebben.' Hij schudde opnieuw met zijn hoofd. 'Ooit had ik de hoop dat mijn zoon zou worden zoals jij. Maar hij heeft mij teleurgesteld. Het eindigde ermee dat hij alles verkeerd deed. Zijn principes eindigden op hun kop of binnenstebuiten, ik weet het niet.'

'Het is nu niet het moment...'

'Het is nu precies het juiste moment, Jason. Ik denk niet dat ik de moed heb om dit op een ander moment te zeggen.' Hij keek Bourne aan. 'Ik heb jou niet altijd goed behandeld. Vaak heb ik jou de waarheid verteld, maar andere keren heb ik jou informatie onthouden.'

'Luister, Don Fernando...'

'Hij stak zijn hand op. 'Nee, nee, laat me uitspreken.' Met elke seconde die voorbijging, leek hij meer kracht te krijgen. 'Ik zou willen dat ik jou niet zo slecht behandeld had en ik zou willen dat ik de tijd terug kon draaien. Ik zou willen...'

Ze hoorden het geluid van een helikopter, dat op het rimpelende wateroppervlak van de rivier weerkaatste. Een enorme lichtstraal verlichtte de hemel, voordat hij op het water gericht werd.

'Don Fernando,' zei Bourne met een lichte aandrang, 'we moeten nu gaan. Als het nodig is, zal ik u ondersteunen.'

'Dat weet ik, Jason. Daar twijfel ik geen seconde aan.' Toen Bourne zich in het water wilde laten glijden, greep Don Fernando hem beet. 'Wacht. Wacht.'

In de duisternis waren zijn ogen duidelijk te zien. Ze reflecteerden de lichtweerkaatsing van het water.

'Ik besef nu iets,' zei Don Fernando. 'Ik besef dat jij me nooit zult teleurstellen.'

Sam Anderson was niet iemand die snel onder de indruk was, zelfs niet van een van de drie directeuren van een van de meest prestigieuze advocatenkantoren in Washington D.C. In elk geval was hij op alles voorbereid. Hij haalde een document uit de binnenzak van zijn jas en gaf het aan Bill Pelham. Terwijl de advocaat het doorlas, zei hij tegen Tom Brick: 'U gaat nu met ons mee, meneer Brick. U bent verwikkeld in een zaak van nationaal belang. Daar kan zelfs een bataljon advocaten niets aan veranderen.'

Brick keek naar Pelham die hem toeknikte. 'We hebben u voor etenstijd weer op vrije voeten.'

Brick liep om zijn bureau heen en liep voor Anderson en Tim Nevers zijn kantoor uit in de richting van de lift.

Op weg naar beneden zei Anderson: 'Forensisch specialisten hebben op het lichaam van Richards heel interessant materiaal gevonden.'

'Brick reageerde niet en bleef strak voor zich uit kijken.

'U bent echt niet voor etenstijd op vrije voeten, Brick.' Anderson glimlachte. 'U zult een verrekt lange tijd niet thuis zijn.'

De liftdeuren gingen open, maar Brick bleef staan, zelfs toen Nevers naar voren stapte en voorkwam dat de liftdeuren zich weer sloten.

'Dat is pure bluf,' zei Brick.

'U kunt uw mening kwijt bij minister Hendricks.' Anderson ging voor Brick staan zodat hij de uitdrukking op Bricks gezicht kon zien. 'Hij wil u graag ontmoeten.'

In de wagen gleed Tim Nevers achter het stuur, terwijl Anderson naast Brick op de achterbank ging zitten

'Wat één ding betreft hebt u gelijk,' zei Anderson, terwijl Nevers wegreed. 'Het is te vroeg voor de forensisch experts om iets definitiefs te kunnen zeggen.'

Brick glimlachte. 'Dat is voor het eerst sinds jullie mijn kantoor binnen kwamen denderen dat je de waarheid spreekt.'

'Van de andere kant,' zei Anderson, heeft het elektronisch relais dat ik samen met de keylogger heb laten aanbrengen, niet alleen aangetoond welk smerig werk Richards verricht heeft aan de Treadstone-servers, maar het blijkt ook te leiden naar het Core Energy-netwerk. En daar zijn de activeringscodes voor het virus dat hij plaatste, bewaard.

'Ik had niets...'

'Zwijg,' snauwde Anderson. 'Je had er alles mee te maken, Brick, en dat zullen we bewijzen ook.'

'Li,' zei Ann Ring, 'wat gaat u nu doen?'

Li Wan, wiens hersens bijna op springen stonden sinds Ann Natasha Illions ware identiteit onthuld had, stond voor een vreselijk dilemma. Hij kon het onmogelijk aan minister Ouyang vertellen. Hij zou terecht nooit meer vertrouwd kunnen worden. Wanhopig probeerde hij na te gaan welke informatie hij onbewust aan Tasha gegeven had, in bed of op welke andere plaats waar ze geneukt hadden. De afschuwelijke waarheid was dat hij het zich niet kon herinneren. Zijn carrière bevond zich in een impasse en hij liep het gevaar om niet alleen af te glijden, maar ook om zonder pardon uitgeschakeld te worden. De waarheid was dat hij onmiddellijk hulp nodig had.

Hij keek naar Ann Ring, opende zijn mond, maar sloot hem weer. Uiteindelijk zei hij: 'Mijn huidige situatie is onverdraaglijk.'

'Ik ben het helemaal met u eens.' Zij keek hem strak aan.

Er viel een korte stilte die bol leek te staan van gedachten en ideeën. Nadat het etentje in geschrokken bijna-stilte geëindigd was, had Ann, waarschijnlijk omdat zij aanvoelde dat hij een verandering van plaats nodig had, voorgesteld om naar een nachtclub te gaan, waar ze in een ouderwets zitje met hoge banken gingen zitten. Ze waren compleet afgescheiden van de andere gasten die zich verpoosden met drank en een voetbalwedstrijd op tv.

Li wachtte tevergeefs of Ann Ring iets zou voorstellen. 'Met een situatie als deze,' zei hij ten slotte, 'kun je maar op één manier omgaan.' Hij wachtte even. 'U moet mij beschermen.'

Ann Ring keek hem met grote ogen aan. 'Ik ben een senator van de Verenigde Staten. Ik móét helemaal niets.'

Li slikte. 'Ik kan u helpen op dezelfde manier als ik uw man geholpen heb.'

'Echt waar?' Ann Ring keek hem vragend aan. 'En wat hebt u voor hem gedaan dan?'

'Ik heb hem informatie doorgespeeld die hij als primeurs in *Politics As Usual* kon publiceren. Die nieuwtjes hebben zijn reputatie bepaald.'

'Waarom weet ik daar helemaal niets van?'

'Charles was erg goed in het bewaren van geheimen.'

'Ja. Dat was hij inderdaad.' Ann dacht even na. 'En wat kreeg u van Charlie als tegenprestatie?'

Li streek met een hand over zijn gezicht, maar zei niets.

'Li, ik ben bang dat ik u niet kan helpen,' zei Ann, terwijl ze haar whiskyglas van zich af schoof en haar spullen bij elkaar pakte om weg te gaan.

'Wacht! Alstublieft.' Hij voelde zich plotseling helemaal leeg. Het kwam door de ernst van zijn situatie dat hij overwoog om te openbaren wat hij van Charles nodig had gehad. 'Senator Ring, hebt u wel eens gehoord van SILEX?'

Anns belangstelling was gewekt. 'Ja, maar ik weet even niet in welke context.'

'SILEX staat voor *separation of isotopes by laser excitation*, het scheiden van isotopen met behulp van laserstralen,' zei Li. 'Het zal de zaken flink op hun kop zetten als het gaat om het snel fabriceren van verrijkte brandstof voor kernreactoren.'

'Nu weet ik het weer,' zei Ann. 'Het proces is gekocht door GE, dat een partnerschap is aangegaan met Hitachi. Zij zeiden dat zij een apparaat konden maken dat jaarlijks genoeg uranium zou kunnen verrijken om zestig reactoren te kunnen bedienen. Dat zou genoeg zijn om een derde van de Verenigde Staten te voorzien van energie.'

'Toen ging de regering zich ermee bemoeien,' zei Li.

'We maakten ons grote zorgen om de mogelijk snelle uitbreiding van het aantal kernwapens als de SILEX-formule gestolen zou worden.'

Li knikte. 'Mijn enige interesse betrof het verkrijgen van informatie over de voortgang van SILEX die zo veel mogelijk up-to-date was.'

Ann keek bedenkelijk. 'Waarom is de Chinese regering geïnteresseerd in onze voortgang met SILEX?'

'Dat kan ik u niet vertellen,' zei Li, 'om de simpele reden dat ik dat niet weet.' Dat was de waarheid; minister Ouyang had hem daarover niet in vertrouwen genomen. Li was nu maar wat blij dat de hiërarchie bepaalde of je iets mocht weten of niet.

Na een korte stilte, die in Li's beleving eindeloos duurde, knikte Ann.

'Oké, hoe kan ik u helpen?'

'Het schiet niet op,' zei Soraya.

'Het haalt niets uit om alles minutieus te onderzoeken,' zei Peter. 'We hebben geen tijd om per satelliettelefoon contact op te nemen met alle Treadstone-agenten in het veld.'

'Dat weet ik. Ik heb geprobeerd om toegang te krijgen tot onze server in Gibraltar.' Soraya keek op het scherm van de laptop die vanuit het hoofdkwartier van Treadstone naar hen toe gestuurd was. Het IT-team dat hun toegewezen was zolang ze in het ziekenhuis verbleven, had haar aangesloten op een supersnelle breedbandverbinding. Ze hadden haar mobiele telefoon er ook mee verbonden. 'Maar tot dusverre is dat niet gelukt.'

'Dat is maar goed ook,' zei Peter. 'Die server wordt verondersteld niet te hacken te zijn, zelfs als iemand buiten Treadstone al van zijn bestaan wist.'

'Maak je geen zorgen,' zei ze mistroostig. 'Hij is niet te hacken.'

'Wat me zorgen baart...'

'Peter.' Ze keek op. 'Wat is er?'

'Niets.' Hij keek de andere kant op.

'Aan "niets" heb ik niets.' Ze zette haar laptop aan de kant en liep van haar bed naar die van hem. Het ziekenhuis had hen naar een grote, lichte kamer overgebracht die ze konden delen, samen met de elektronische apparatuur die het IT-team had geïnstalleerd.

Ze ging op de rand van zijn bed zitten en pakte zijn hand. 'Wat is er?'

'Ik...' Hij richtte zijn blik weer op haar. 'Mijn benen doen pijn. Fantoompijn.'

'Hoe weet je dat het geen echte pijn is?'

'De doktoren...'

'Naar de hel met de doktoren, Peter. Zij weten niet alles.'

'Mijn zenuwen reageren niet, Soraya. Mijn benen zijn dood.'

Ze kneep in zijn hand. 'Zeg dat nou niet!'

Hij had donkere kringen onder zijn ogen, die daar nog nooit eerder gezeten hadden, ongeacht hoe hard hij werkte of hoe moe hij was. Soraya voelde een steek in haar hart.

Misschien dat Peter, die haar door en door kende, intuïtief aanvoelde wat zij voelde. 'Hoe eerder ik hieraan wen, hoe beter dat is.'

Ze boog zich naar hem toe. 'We geven het niet op.'

'Niemand geeft het op, dat beloof ik.' Hij liet een flauw glimlachje zien. 'Wat heb je nog meer uitgespookt met die laptop van jou?'

'Ik heb geprobeerd om met Jason te skypen. Ik dacht dat hij misschien zou weten waarom Core Energy ons netwerk heeft platgegooid.'

'En?'

'Hij is niet online. Ik heb een boodschap op de voicemail van zijn mobiele telefoon ingesproken.'

'Waarom concentreren we ons niet op wat we wel kunnen controleren, bijvoorbeeld hoe Brick er in godsnaam in geslaagd is om Richards door onze screening te loodsen.'

'Misschien heeft hij pas contact met hem gekregen, nadat hij bij ons is komen werken.'

Peter schudde zijn hoofd. 'Onmogelijk. Ik was met hen beiden in Bricks huis in Virginia, weet je nog. Hun relatie stamde van daarvoor.'

'Wat betekent dat hij informatie over NSA doorspeelde aan Brick, mogelijk informatie van de president zelf.'

'We moeten Brick ondervragen,' zei Peter, 'zodra Sam hem ingerekend heeft.'

'Je maakt zeker een grapje.' Ze gebaarde. 'Kijk ons nou, Peter. Moeten we hem hiernaartoe laten brengen? Voor verhoor? In onze toestand?' Ze schudde haar hoofd. 'Nee. Sam zal dat in onze plaats moeten doen. We kunnen via het gesloten tv-circuit van het kantoor meekijken en we zullen via draadloze koptelefoons in direct contact staan met Sam. De vragen die we willen stellen, kunnen we aan Sam doorgeven. Oké? Peter?'

Hij knikte met duidelijke tegenzin. Het zonlicht leek uit hem weggetrokken te zijn, waardoor hij er grauw en verloren uitzag. Ze had hem herinnerd aan zijn toestand. Dat speet haar zeer, maar er was geen alternatief. Erger nog, het zou de komende weken en maanden keer op keer gebeuren.

Ze keek hem een hele tijd indringend aan. 'Mijn kind zal een manspersoon, een vaderfiguur, nodig hebben. Dat weet je toch.'

Peter liet een breekbaar lachje horen. 'Juist ja! Ik ben de enige die...'

'Maar dat ben je ook, Peter.' Ze keek hem met stralende ogen aan, alsof ze wilde dat hij in haar gedachte mee zou gaan. 'Als er één persoon is die mijn baby goed moet leren kennen...'

Toen Jacques Robbinet, de Franse minister van Cultuur, het telefoontje van Bourne kreeg, zat hij achter in zijn gepantserde Renault. Voor in de auto zaten zijn chauffeur en zijn oude vertrouwde lijfwacht. Het was precies 21.32 uur. Robbinet was op weg naar zijn minnares om samen uit eten te gaan, wat de reden was waarom hij het telefoontje bijna niet had aangenomen. Maar de Renault stond vast in het verkeer en hij voelde zich tegelijkertijd ongedurig en verveeld.

'Jason,' zei hij met oprechte hartelijkheid. 'Waar ben je?'

'Op de trappen van de kade van de rechteroever recht tegenover de Pont des Invalides.'

De hersens van Robbinet, wiens functie van minister van Cultuur zijn echte baan als hoofd van de Quai d'Orsay, de Franse tegenhanger van de Centrale Inlichtingendienst, maskeerde, schoten meteen in de hoogste versnelling. 'Was jij betrokken bij het incident op de Pont Alexandre III?' Robbinet had het rapport twintig minuten eerder gekregen en had er enkelen van zijn agenten naartoe gestuurd om de politie bij haar onderzoek te assisteren. Het gebeurde niet elke avond dat een wagen door de balustrade van een Parijse brug schoot, en omdat de staat van de allerhoogste paraatheid was afgekondigd, moest hij ervoor zorgen dat elke steen boven water kwam.

'Er was sprake van een kidnapping en een poging tot moord,' zei Bourne tegen zijn oude vriend. 'Wij zijn stroomafwaarts gezwommen.'

'Wij?'

'Ik ben samen met een vriend. Don Fernando Hererra.'

'Lieve help.'

'Ken je Don Fernando?'

Robbinet boog zich naar voren, tikte de chauffeur op zijn schouder en vertelde hem de nieuwe bestemming. 'Ik ken hem inderdaad, Jason.' Robbinet zei tegen zijn chauffeur dat hij de sirene aan moest zetten en dat hij desnoods via het trottoir langs de verkeersopstopping moest zien te komen. 'Blijf waar jullie zijn. Ik ben over enkele minuten bij jullie.'

'Luister, Jacques, ik heb een vliegtuig nodig.'

Robbinet lachte ongelovig. 'Is dat alles?'

'Ik moet zo snel mogelijk in Libanon zien te komen.'

Robbinet kende de toon waarop Bourne sprak heel goed. 'Is de situatie dan zo serieus?'

'Dodelijk. We zijn gekidnapt om zo te voorkomen dat ik daar naartoe zou gaan.'

'Oké. Laten we jullie eerst uit het water halen en aan droge kleren helpen.' Robbinets hersens werkten op volle toeren. 'Als dat gebeurd is, zorg ik dat er een vliegtuig klaarstaat.' Hij wist genoeg om Bourne op zijn woord te geloven. 'Een militair vliegtuig. Ik wil dat het vliegtuig bewapend is, voor alle zekerheid.'

'Bedankt Jacques.'

'Je kunt me bedanken,' zei Robbinet droogjes, 'door ervoor te zorgen dat je niet vermoord wordt.'

28

'Was het allemaal bedrog?'

'Van begin tot eind.' Bourne kon het ongeloof in Soraya's stem horen. Hij kon haar het niet kwalijk nemen. 'Maceo Encarnación heeft zijn uiterste best gedaan om mij in de val te laten lopen.'

Bourne nam zijn satelliettelefoon in zijn andere hand; hij was aanmerkelijk zwaarder dan zijn mobiele telefoon. Hij zat in de cockpit. Het Mirage-gevechtsvliegtuig dat Robbinet voor hem geregeld had, was niet echt comfortabel, maar zo was het ook niet bedoeld. Het was gebouwd voor oorlogsvoering.

'Vanaf het moment dat Constanza Camargo door luchtvaartpersoneel in de rij voor de douane gezet werd, was ik hun doel.'

'Maar hoe wist zij in vredesnaam dat jij daar zou zijn?'

'Van Maceo Encarnación.'

'En hoe is het haar in godsnaam gelukt om daar te komen zonder zelf gevlogen te hebben?'

'Ik ben in Mexico-Stad geweest en heb het overleefd,' zei Bourne langzaam, 'en ik weet nu precies hoeveel macht Maceo Encarnación in de hoofdstad heeft.'

Soraya dacht even na. 'En hoe zit het met het verhaal dat Constanza jou over haar man vertelde?'

'Kijk, de man was echt, dat heb ik gecheckt,' zei Bourne. 'En de manier waarop hij gestorven is klopt ook.'

'Hmm! De beste leugenaars gebruiken de waarheid waar ze maar kunnen.'

'Als ik wist hoe de relatie tussen Constanza Camargo en Maceo Encarnación echt was,' zei Bourne, 'dan denk ik dat ik alles zou weten.' Hij keek door het raampje van de cockpit. De Mirage schoot door de lucht als een wapen van de wraak. Bourne had rekeningen te vereffenen, niet alleen met Maceo Encarnación, maar ook met kolonel Ben David.

'Alles heeft met elkaar te maken. Dat zeg je eigenlijk,' zei Soraya. 'Maceo Encarnación, Nicodemo, Core Energy, en de Mossad-commandant van het Israëlische onderzoekslaboratorium buiten Dahr El Ahmar.'

'Er is nog een partij bij betrokken,' zei Bourne, 'een partij waar alleen maar op gezinspeeld wordt, omdat zij van extreem belang is.'

'Weet je wie of wat?'

'De Chinezen. In het bijzonder iemand met de naam Ouyang.'

'Wacht even,' zei Soraya. Ze was razendsnel terug. 'Volgens mijn informatie is Ouyang Jidan minister van het staatsagentschap voor graan.'

'Ik denk eerder een lid van het politbureau,' zei Bourne.

'Dat zou heel goed kunnen. Waarom neust hij rond in Dahr El Ahmar?'

Toen Bourne haar vertelde van het Israëlische SILEX-project, ontplofte ze bijna. 'Wat moeten we doen? Aangezien Ben David erbij betrokken is, kunnen we niemand binnen de Mossad vertrouwen.'

'Laat het aan mij over,' zei Bourne. 'Ik ben binnen enkele uren bij Dahr.'

'Heb je er ook rekening mee gehouden dat Dahr El Ahmar een valstrik kan zijn?'

'Ja.'

Soraya wachtte of hij zich nader zou verklaren, maar toen het stil bleef, ging ze verder: 'Als we jou op de een of andere manier met iets kunnen ondersteunen...?'

'Niet nodig.'

'Wat ik nog steeds raadselachtig vind,' zei ze, 'zijn de dertig miljoen valse dollars die Peter heeft gevonden. Ik weet het niet, maar misschien heeft de Azteek zijn baas alleen maar willen beroven. Mensen zijn tot alles bereid om aan zoveel geld te komen.'

'Dat is waar.'

'Maar het rare is dat de vervalsing van de biljetten helemaal niet van zo'n goede kwaliteit is. De kwaliteit komt niet in de buurt van de kwaliteit van de biljetten die de Chinezen maken. Ik geef het niet graag toe, maar wat zij maken is qua vervalsingskunst echt de crème de la crème.' Ze zweeg even. 'Om eerlijk te zijn dacht ik dat dat de reden was waarom het geld er niets mee te maken had. Wat zou er gebeuren als Maceo Encarnación iemand uit zijn organisatie zou verdenken van frauduleuze handelingen? Dat gebeurt de hele tijd. Hij zet het in scène, dus zelfs als de dader ermee vandoor weet te gaan, heeft hij eigenlijk niets in handen.'

'Dat snijdt hout,' zei Bourne. 'Waarom gaan jullie niet verder vanuit die veronderstelling?'

'Dat heb ik al gedaan. Het lijkt erop dat het de eerste luitenant van de Azteek letterlijk de kop heeft gekost.'

'Daarmee is het dus klaar.'

Ze wilde hem over haarzelf en over Peters toestand vertellen, maar ze beet op haar tong. Hij had al meer dan genoeg aan zijn hoofd. Als dit allemaal voorbij was, was er tijd genoeg om hem alles te vertellen. Misschien zou hij haar wel in Washington komen opzoeken. Dat zou ze leuk vinden.

Ze schraapte haar keel. 'Oké, dan is dit het voor nu. Hou contact.'

Ze zei de laatste woorden met zo'n intensiteit dat Bourne misschien wel doorgevraagd zou hebben, ware het niet dat zij de verbinding al verbroken had. Hij leunde achterover in zijn stoel, sloot zijn ogen en dacht aan zijn laatste gesprek met Don Fernando.

Robbinet had zijn chauffeur opdracht gegeven om hen naar een klein maar erg luxe boetiekhotel in het dertiende arrondissement te brengen. In een suite op de bovenste verdieping stond een elegante vrouw die er niet ouder uitzag dan veertig, op hen te wachten. Deze beeldschone vrouw die luisterde naar de naam Stephanie, was gekleed in een zwarte jurk van Dior. Zij was de huidige minnares van Robbinet. Ze had voor zowel Bourne als Don Fernando al kleren klaarliggen, alsof zij een genie of een tovenaar was. Toen Robbinet haar belde, had Bourne nog geen idee gehad wat hij kon verwachten, maar hij was hoe dan ook erg dankbaar.

Terwijl Don Fernando een douche nam, lichtte Bourne Robbinet in over wat hem en Don Fernando vanuit Mexico-Stad naar Parijs gebracht had. 'De identiteit van het lichaam dat jouw duikers uit de Seine zullen opvissen, is Nicodemo,' zei hij tot slot. 'Over zijn echte naam bestaat heel veel onduidelijkheid.'

'Dood is dood. Dus het maakt niet uit,' zei Robbinet op zijn gebruikelijke zakelijke manier. 'Ik ben alleen maar blij dat jou en Don Fernando niets overkomen is.' Hij bromde. 'Wat een dag. Die kidnappoging en Don Fernando die naar het schijnt twee keer uit de dood is herrezen. Ik heb een rol gespeeld bij het in elkaar flansen van het rapport over de crash van zijn privévliegtuig buiten Parijs.' Hij keek Bourne aandachtig aan. 'Het lijkt erop dat jullie tweeën voor elkaar gemaakt zijn.'

Bourne wendde zich tot Stephanie. 'Excuses voor het feit dat we uw avond verpest hebben.'

'Met Jacques ben ik gewend aan dit soort onderbrekingen.' Haar glimlach was duizelingwekkend. Toen ze over het tapijt naar de minibar liep, leken haar heupen te zweven. 'Er is niets aan te doen. Trouwens, Jacques en ik hebben de hele nacht nog tot onze beschikking.'

Bourne en Robbinet bespraken de komende vlucht. Op zijn iPad bracht Robbinet met Google Earth het gebied rond Dahr El Ahmar in beeld. 'Ik kan dat Israëlische kampement niet ontdekken.'

'Het is helemaal gecamoufleerd,' zei Bourne. 'En, zoals je kunt zien, hebben de Libanezen delen van het gebied afgeschermd, zodat de Google-camera's ze niet goed in beeld kunnen brengen. Probeer maar eens met dit programma het Witte Huis en het gebied eromheen te bekijken – dat lukt niet.'

Robbinet knikte. 'Wij doen dat om veiligheidsredenen met bepaalde delen van Parijs.' Met zijn wijsvinger tikte hij op het scherm. 'Er is een landingsstrook in Rachaiya, hier.' Hij wees de plek met zijn wijsvinger aan. 'Het ligt geïsoleerd en is maar drie kilometer van Dahr. Er zal een auto met chauffeur op je staan te wachten.'

'Die heb ik niet nodig,' zei Bourne.

'Deze man, Fadi, kent het gebied op zijn duimpje,' zei Robbinet. 'Ik adviseer je om gebruik van hem te maken.'

Don Fernando was ondertussen uit de badkamer gekomen. Hij zag er schitterend uit in de kleren die Stephanie voor hem gekocht had.

'Het past perfect,' zei Robbinet, terwijl hij Don Fernando bewonderend bekeek. 'Het komt goed uit dat ik jullie zo goed ken.'

In de daaropvolgende twintig minuten schrobde Bourne het zand, het vuil en de stank van zich af. Hij vond een doosje met weggooischeermesjes en schoor zich. Tegen de tijd dat hij zijn nieuwe kleren aantrok, voelde hij zich als herboren.

In de Mirage die Robbinet geregeld had, was slechts plaats voor één passagier, dus Bourne hoefde niet met Don Fernando in discussie te gaan of hij wel of niet mee zou gaan. Zij namen afscheid van Robbinet en Stephanie, namen de kleine lift naar de lobby en liepen naar buiten waar de auto van de minister op hen stond te wachten.

Ze reden zwijgend door Parijs naar de périphérique. Maar op het laatste moment, toen ze over de startbaan van het militaire vliegveld liepen, wendde Don Fernando zich tot Bourne.

'Toen ik jong was, geloofde ik heilig dat ik, als ik oud zou zijn en op mijn leven terug zou kijken, geen spijt zou hebben, totaal geen spijt. Hoe idioot! Nu ik die leeftijd min of meer bereikt heb, merk ik dat ik heel veel spijt heb, Jason. Meer dan waar ik nu allemaal aan zou willen denken.'

Het vliegveld was rustig. Behalve de gestroomlijnde Mirage die aan het begin van de startbaan met de lichten aan en met draaiende motoren stond te wachten, was er niets te zien. Robbinet had waarschijnlijk geregeld dat het gebied om veiligheidsredenen ontruimd was.

'Maar ik heb nog het meeste spijt van iets wat betrekking heeft op Maceo Encarnación,' vervolgde Don Fernando. 'Het is nu het moment om je dat te vertellen.'

De wind maakte zijn haar in de war. Het was een onnatuurlijk warme avond, alsof de winter te vroeg plaatsgemaakt had voor de lente, alsof emoties die geacht werden er niet meer te zijn, aan de oppervlakte kwamen.

Don Fernando nam een sigaar en stak die aan, al wist hij dat dat eigenlijk verboden was. Bourne wist uit ervaring dat het roken van sigaren hem kalmeerde.

'Tijdens mijn leven, Jason, hebben veel vrouwen van mij gehouden. Dat is geen grootspraak, het is gewoon een feit. Veel vrouwen kwamen en gingen.' Hij keek naar het smeulende puntje van zijn sigaar. 'Nu zijn vrouwen voor mij niet meer dan rookslierten – ze zijn er opeens en voordat je het weet zijn ze weer verdwenen.' Hij stak de sigaar in zijn mond, zoog eraan, en produceerde een blauwige, geurende nimbus om zijn hoofd. 'In al die tijd is er maar één vrouw geweest van wie ik echt gehouden heb.'

De ogen van Don Fernando vulden zich met het verleden. 'We ontmoetten elkaar in Mexico-Stad. Zij was erg jong, waanzinnig mooi, en bijzonder charismatisch. Ze had iets...' Hij boog zijn hoofd. 'Tja, ik weet het niet.' Hij keek weer naar het gloeiende puntje van zijn sigaar, alsof die het verleden opnieuw zou kunnen aanwakkeren. 'Ze was niet in Mexico-Stad geboren. Trouwens, ook niet in een andere stad, maar te oordelen naar de manier waarop ze bewoog en praatte, zou je niet zeggen dat ze van het platteland kwam. Ik kreeg in de gaten dat zij als imitator een natuurtalent was – zij nam razendsnel accenten, woorden, stijl, en lichaamsbewegingen over.'

Bourne had een verschrikkelijk voorgevoel. 'Als iedere grote actrice,' zei hij.

Don Fernando knikte en nam een trek van zijn sigaar. 'Toen

ik vroeg of ze met me wilde trouwen, lachte ze, gaf me een zoen, en zei dat haar lot ergens anders lag.'

'Laat me raden,' zei Bourne. 'Ze trouwde met Acevedo Camargo.'

Don Fernando draaide zich abrupt om naar Bourne. 'Hoe weet jij...?'

'Ik heb Constanza in Mexico-Stad ontmoet. Ze werkte voor Maceo Encarnación. Ze heeft me volledig voor de gek gehouden.'

Don Fernando grijnsde grimmig. 'Ze heeft iedereen voor de gek gehouden, Jason. Het is een lange rij, te beginnen bij Acevedo. Ze trouwde met hem omdat Maceo Encarnación haar dat opdroeg. Maceo vertrouwde Acevedo niet. Omdat Acevedo's ster als drugsbaron aan het rijzen was, beschouwde Maceo hem als een serieus risico. Waarschijnlijk zag hij hem zelfs als rivaal. Dat kon hij niet tolereren. Daarom wilde hij haar als spion bij Acevedo hebben.

'Constanza.'

Don Fernando knikte. 'Ze vertelde haar nieuwe echtgenoot dat zij geen kinderen kon krijgen, maar op hetzelfde moment sliep ze zo vaak mogelijk met Maceo. De leeftijd waarop een man na gaat denken over nageslacht kwam in het geval van Maceo vroeg; hij wilde wanhopig graag een kind. Binnen een maand ontdekte Constanza dat ze zwanger was. Acevedo mocht dat natuurlijk niet te weten komen. Daarom ging ze voor een lange periode naar haar tante in Mérida, totdat zij beviel van de jongen die zij volgens afspraak aan Maceo gaf om op te voeden.'

Don Fernando gooide het peukje van zijn sigaar op de grond en trapte het uit. Hij begon naar het wachtende Mirage-gevechtsvliegtuig te lopen, waardoor Bourne het vermoeden kreeg dat hun gesprek bijna afgelopen was.

'Ik ben er natuurlijk pas later achter gekomen. De nacht dat ik haar voor het laatst geneukt heb, ben ik uit Mexico-Stad vertrokken. Excuses voor de grove bewoording, maar dat deed je met Constanza: neuken. In haar vocabulaire was geen plaats voor de liefde bedrijven.' Hij haalde zijn schouders op. 'Misschien dat dat één van de redenen was waarom ik haar zo onweerstaanbaar vond. Je kon nooit iets geloven van wat zij zei. Ze was een pathologische leugenaar. Pas veel later ben ik gaan denken dat zij haar leugens daadwerkelijk geloofde.'

'Die overtuiging maakt haar zo effectief.'

'Zeker.' Don Fernando stak zijn handen in zijn zakken. Hij trilde van emotie. 'Toch wilde ik haar liever dan welke andere vrouw ook.' Hij keek op naar de nachtelijke hemel. In de verte zag hij de verlichte Eiffeltoren. 'Martha Christiana deed mij denken aan Constanza. Er was een zekere... ik weet het niet... Het was alsof zij uit hetzelfde hout gesneden waren.'

'Het was moeilijk om Martha te verliezen.'

'Ik heb haar vermoord, Jason. Daar worstel ik nog steeds mee. Misschien wilde ik haar te graag. Maceo Encarnación heeft Constanza van mij afgepakt. Misschien dacht ik dat Martha dat verlies zou kunnen compenseren.'

Bourne dacht dat het net zo goed de fout van Constanza Camargo was geweest als die van Maceo Encarnación. Van de andere kant had dit menselijke drama zich in Mexico-Stad afgespeeld, waar alles mogelijk leek te zijn.

Ze waren bijna bij de Mirage en konden de stank van de brandstof ruiken.

'Ik moet gaan, Don Fernando.'

'Ja.'

Ze schudden elkaar ten afscheid de hand. Bourne klom in de cockpit, waarna de ladder werd weggehaald. Don Fernando stapte naar achteren en liep terug zonder zijn ogen van de Mirage af te halen. Het vliegtuig schoot over de startbaan, steeg op, en verdween in de nacht als een plotselinge maansverduistering.

'U laat haar oppakken.'

'Dat zei ik, ja.'

Li stond voor de voordeur van zijn appartement en keek Ann Ring indringend aan. 'Is er geen andere manier?'

'Wat voor andere manier?'

Ze stonden vlak bij elkaar te fluisteren.

'U weet wel wat ik bedoel, senator.' Li streek met zijn tong langs zijn lippen. 'Wat er met Charles gebeurd is. Een inbraak, een dode.'

Ann Ring deed een stap naar achteren. 'Ik wil niets te maken hebben met moord, Li. Ik kan niet geloven dat u de mogelijkheid ook maar te berde brengt.'

Hij ademde zacht en snoof als een paard. 'Het is nu eenmaal zo dat er mensen zijn met scherpe oren. Ik kan het me niet veroorloven dat mijn reputatie bezoedeld wordt.'

'U moet me geloven, Li, dat ik dat niet zal laten gebeuren.' Ann gebaarde met haar hoofd naar de deur. 'Weet u zeker dat zij binnen is?'

'Tussen de fotosessies door slaapt zij. Zij is de afgelopen twee weken non-stop bezig geweest.'

'Oké.'

Hij aarzelde even, voordat hij de sleutel in het slot stak, de deur opende en naar binnen ging. Het interieur was donker en rustig. Ze slopen door de kamers naar de slaapkamer. Natasha Illion lag in bed en was vast in slaap. Ze lag aan haar kant van het bed. De ronding van haar wang en de schaduw van haar wimpers werden zacht verlicht door een bedlampje.

'Ze is net een kind,' fluisterde Li. 'Ze kan niet slapen als het helemaal donker is.'

Ann knikte. Ze gebaarde dat ze terug naar de woonkamer moesten gaan. Daar belde ze Hendricks met de mededeling dat er agenten moesten komen om Tasha aan te houden. Li liep naar de keuken om water te halen. Zij was Hendricks nog steeds aan het bijpraten toen Li langs haar heen naar de slaapkamer liep.

'Wacht, waar...?' Zonder Hendricks in de wacht te zetten, haastte zij zich achter Li aan. Ze kon nog net zien hoe hij op haar instak met een groot vleesmes dat hij in de keuken gepakt moest hebben.

Ann gilde terwijl hij het mes tussen Tasha's welgevormde

schouderbladen stak. Het meisje kromde zich. De pijn en schrik hadden haar uit haar slaap gerukt. Ann rende naar Li, maar hij had het mes alweer uit haar getrokken en stak nu in op de zijkant van haar nek.

Ann schreeuwde en trok hem ruw weg; het bloed spoot uit Natasha Illions wonden. Binnen enkele seconden baadde ze in haar eigen bloed. Ann besefte dat zij niets meer voor haar kon doen. Toch probeerde ze het vier eindeloze minuten lang, terwijl Li als een standbeeld stond te wachten. Hij had zich van het bloedbad afgekeerd.

Uiteindelijk klom Ann van het bed af. Ze zat onder het bloed. Ze pakte haar mobiele telefoon en buiten gehoorsafstand van Li zei ze: 'Natasha Illion is dood. Li heeft haar doodgestoken.'

'Heb je alles opgenomen?' Hendricks leek heel zwaar te ademen.

Ann raakte de minirecorder aan die ze om haar taille gebonden had. 'Alles,' zei ze. 'Li is nu van ons.'

'We zijn er bijna.'

De stem van de piloot klonk door de intercom en Bourne deed zijn ogen open. Hij keek door het raampje en zag niets, zelfs geen enkel lichtje. Libanon, vlak bij de grens met Syrië. Woestijn. Bergen in de verte. Een verschroeiende wind. De leegte.

Het voelde als thuiskomen.

29

Maceo Encarnación zat in zijn privévliegtuig te tobben. Het leek hem dat hij in zijn leven al heel veel mensen in de steek had gelaten. Nicodemo kon nu aan die lijst toegevoegd worden. Hoewel Nicodemo niet zijn echte naam was, kon hij moeilijk anders aan hem denken. Nu hij hem in Parijs had achtergelaten – dood of levend, dat wist hij niet – begreep hij waarom dat zo was. Het was altijd makkelijker om iemand achter te laten als hij zich op wat voor manier dan ook van hem distantieerde.

Dood of levend. Hij dacht na over deze frase, terwijl de knoop in zijn maag hem zei dat Nicodemo dood was. Hij moest wel dood zijn; de dood was het enige wat hem ervan zou kunnen weerhouden terug te keren naar het vliegtuig.

Hij had Nicodemo gevormd. Hij was helemaal Maceo Encarnacións schepping, veel meer dan zijn zuster Maricruz was of ooit zou worden. Maricruz had veel meer een eigen persoonlijkheid. Zelfs hoewel Nicodemo zijn nut had, was hij niet zoals zijn zuster was. Maceo Encarnación hield van Maricruz op een manier waarop hij nooit van Nicodemo zou kunnen houden. Nicodemo was een instrument, een middel om een doel te bereiken; Maricruz was het allemaal, het begin en het einde. Maricruz wist dat hij haar vader was; Nicodemo wist dat niet. Geen van beiden wist wie hun moeder was.

Hij dommelde een tijdje en droomde van Constanza Camargo. Ze had de gedaante aangenomen van de enorme slang die Tenochtitlán stichtte. Constanza opende haar mond. Haar gevorkte tong schoot naar buiten. Ze had het over het lot en over verlangen en Maceo Encarnación zag zichzelf als kleine jongen en wist dat hij tussen beide moest kiezen. Het lot of verlangen. Hij had gekozen voor het lot en al het verlangen was uit hem weggesneden. Daarom was het in de steek laten van mensen net zo gemakkelijk en op een bepaalde manier net zo aangenaam als het drinken van gerijpte tequila.

Toen hij uren later wakker werd, daalde het vliegtuig en streek het als een grote adelaar neer op het kleine vliegveld aan de rand van het bergdorpje Rachaiya. Tijdens het dalen begon het vliegtuig te schudden. Hij deed snel zijn veiligheidsgordel om. Hij gluurde uit het raampje en zag dat het weer veranderd was. Op de grond lag sneeuw, net als op de heuvels in de omgeving, en uit de staalgrijze lucht kwam nog meer sneeuw. Kolonel Ben David stelde niet teleur: een van de twee AH-64 Apache-gevechtshelikopters die onder zijn commando stonden, stond klaar om Maceo Encarnación naar het Mossad-kamp buiten Dahr El Ahmar te brengen.

Encarnación trok de koffer met het vingerafdrukslot naar zich toe. Terwijl het vliegtuig landde en langzaam naar de helikopter taxiede, opende hij eerst het slot en daarna de koffer om een laatste blik te werpen op de dertig miljoen dollar.

Het telefoontje kwam binnen terwijl Soraya en Peter beiden uitgeput in een diepe, verdovende slaap waren gevallen. Delia had een van haar opgebouwde ziektedagen opgenomen en waakte over hen. Ze liep naar de tafel naast Soraya's bed, pakte de mobiele telefoon en zag dat het minister Hendricks was die belde.

Ze boog over Soraya heen en schudde haar wakker. Toen ze zag dat het haar vriendin moeite kostte om wakker te worden, bukte ze en kuste haar op het voorhoofd. Soraya opende haar ogen en zag dat Delia haar mobieltje omhooghield zodat zij Hendricks' naam op het schermpje kon zien.

Soraya pakte de telefoon aan. Delia knikte en liep glimlachend de kamer uit.

'Minister,' zei Soraya formeel.

'Soraya, hoe voel je je?'

'Goed, meneer. Ik was in slaap gevallen.'

Niemand heeft meer recht op slaap dan jij, maar ik heb dringend nieuws over Tom Brick. Sam Anderson heeft hem enkele uren geleden aangehouden. De forensisch specialisten hebben bloedsporen van Dick Richards gevonden op zijn broekomslag.'

Soraya ging rechtop zitten. 'Meneer?'

'Tom Brick heeft zich overgegeven. Hij wil niet de gevangenis in.'

'Heeft hij een deal gesloten?'

Hij heeft ons de naam gegeven van degene die Richards heeft doodgestoken,' zei Hendricks. 'Maar er is meer – veel meer. Ik neem aan dat je je nog de valse dertig miljoen herinnert.'

'Ja, meneer.' Soraya luisterde naar wat Hendricks haar vertelde. Hij had van Sam Anderson de door Brick eigenhandig geschreven verklaring gekregen.

'O mijn god,' zei ze toen Hendricks uitgepraat was.

'Dat dacht ik ook. Laat jouw agenten in Libanon hier zo snel mogelijk achteraan gaan.'

'Komt voor mekaar,' zei Soraya. 'Dank u wel, meneer.'

'Bedank Anderson maar, zodra je hem ziet. De man heeft een schitterend stuk werk geleverd.'

Meteen nadat Soraya de verbinding met haar baas verbrak, toetste ze Bournes nummer in. Toen ze zijn stem aan de andere kant van de lijn hoorde, zei ze: 'Ik weet hoe het zit met de valse dertig miljoen.'

'Meneer,' zei de piloot, 'het gaat me niet lukken om u op het vliegveld van Rachaiya af te zetten. Er staat een privévliegtuig op de landingsbaan.'

Maceo Encarnación, dacht Bourne. 'Alternatieven?'

'Eentje,' zei de piloot. 'Ongeveer twee kilometer naar het oosten ligt een stukje vlak terrein.'

'Gaat je dat lukken?'

De piloot grijnsde. 'Ik ben wel op beroerdere plekken geland.'

Bourne knikte. 'We doen het.' Hij belde met zijn satelliettelefoon het nummer dat Robbinet hem gegeven had, en na het uitwisselen van codes gaf hij de nieuwe ophaalplek door aan de chauffeur die hem opwachtte.

'U weet dat ik niet op u kan blijven wachten,' zei de piloot, terwijl de Mirage naar het oosten afboog. 'Zelfs met de invloed van minister Robbinet is het beter dat dit vliegtuig zo kort mogelijk in het Libanese luchtruim is.' Toen het landingsterrein in het zicht kwam, begon hij snel te dalen. 'Het is begrijpelijk dat de Libanese regering tegenwoordig behoorlijk nerveus is.'

'Heb je enig idee hoe lang dat vliegtuig al aan de grond staat?'

'Niet langer dan twintig minuten, meneer. Het is één uur en vijfendertig minuten voor ons uit Parijs vertrokken, maar de Mirage is veel sneller. Een commerciële vlucht duurt al snel vier uur. Wij hebben die afstand in twee uur en vijfenveertig minuten afgelegd. Dat vliegtuig is aanzienlijk langzamer. Ik heb de respectievelijke snelheden van de twee vliegtuigen berekend, voordat we vertrokken.'

'Goed gedaan,' zei Bourne.

'Dank u, meneer.' De piloot controleerde of alles in gereedheid was voor de landing. 'Hou u vast, dit gaat een harde landing worden.'

De Mirage daalde razendsnel, maar in tegenstelling tot wat de piloot had gezegd, was de landing zo zacht als je onder deze omstandigheden kon verwachten. Bourne gespte zich los zodra het vliegtuig begon te taxiën. Hij zat klaar met de rugzak die Robbinet voor hem geregeld had, zodat hij, zodra de Mirage tot stilstand was gekomen, de kap open kon doen en langs de zijkant naar beneden kon klimmen. Hij rende half gebukt zo snel als hij kon weg van de straaljager, zodat de piloot de ruimte kreeg om weer op te stijgen. Toen Bourne de rand van het veld bereikte, draaide het vliegtuig en wachtte even, voordat het vaart begon te maken en opsteeg.

Bourne draaide zich om en rende naar een groepje armzalig uitziende pijnbomen. Daarachter zou de wagen met chauffeur op hem staan te wachten. Zijn schoenen maakten een knerpend geluid op de enkele centimeters dikke sneeuwlaag, maar onder de bomen lag niet overal sneeuw, alsof sommige stukken door de pijnboomnaalden weggevreten waren. Een ijzige wind joeg met een klagend geluid door de bomen; de lucht was droog en ijl. Tussen de bomen hing de onmiskenbare geur van pijnboomhars.

Hij gluurde door een opening tussen de bomen richting het noordwesten. Er stond inderdaad een voertuig, een oude legerjeep met open zijkanten en een dak van canvas. Naast de jeep stond Fadi, het mannetje van Robbinet, lusteloos te roken. Hij was een kleine, donkere, gespierde man met een ronde rug en een dikke bos zwart haar. Hij had waarschijnlijk de straaljager horen landen, want hij keek in de richting van het veld, alsof hij meteen wilde anticiperen op Bournes naderende komst.

Bourne tuitte zijn lippen en floot. Fadi keek naar het groepje bomen en glimlachte toen Bourne tevoorschijn kwam. Hij klom in de jeep, startte, reed in een flauwe bocht achteruit en kwam voor Bourne tot stilstand.

'Precies op tijd,' zei hij, terwijl Bourne naast hem ging zitten. Hij graaide achter zich en gaf Bourne een schaapsleren jas. 'Hier, doe deze aan. We zitten hoog in de bergen. Het is een stuk kouder dan in Parijs.'

Terwijl Bourne zijn rugzak afdeed en de jas aanschoot, zette Fadi de jeep in de versnelling. 'Volgende stop Dahr El Ahmar.'

Plotseling klonk er een metalig insectengezoem. Bourne werd uit de jeep geslingerd en rolde over de sneeuw, terwijl de jeep door de lucht tolde. Hij was door een vanaf de schouder afgevuurde raket precies in het midden geraakt. Het geluid van de explosie weerkaatste tegen de heuvels. Door de luchtdruk bogen de pijnbomen door. De toppen van de bomen die het dichtstbij stonden verschroeiden en begonnen te roken. De jeep kwam met een klap neer. Fadi, net zo zwart en rokerig als de pijnboomtoppen, werd uit het wrak geslingerd en lag verwrongen en verkoold in de smeltende sneeuw.

Bourne probeerde zich snel uit de voeten te maken. Hij hield het brandende voertuig tussen hem en het gebied waarvandaan volgens hem de raket afgevuurd was. Hij was er vrij zeker van dat de vijand zich daar achter een laag heuveltje verschool. Er waren verscheidene redenen te bedenken waarom de jeep beschoten was, maar de meest voor de hand liggende was natuurlijk dat zijn komst verwacht werd. Misschien hadden ze zijn vliegtuig horen landen; misschien waren ze Fadi gevolgd. Soraya had hoe dan ook gelijk gehad. Hij was voorbereid op een hinderlaag bij Dahr El Ahmar, maar niet hier, nadat de Mirage vertrokken was. Het was natuurlijk ook mogelijk dat de piloot van Maceo Encarnación de Mirage gezien had en contact had opgenomen met het kamp.

Omdat er op hem geschoten werd, probeerde hij de beschutting van het groepje pijnbomen te bereiken; toen er een kogel langs zijn linkerschouder floot, slaakte hij een geschrokken schreeuw en liet zich vallen alsof hij geraakt was. Hij beet zich op de binnenkant van zijn wang, liet zijn mond vol bloed stromen. Terwijl hij zich tussen de bomen terugtrok, spuwde hij af en toe wat bloed uit.

Hij ging tussen de bomen op de grond liggen en haalde een verrekijker uit zijn rugzak. Robbinet had ervoor gezorgd dat hij alles had gekregen waar hij om gevraagd had. Bourne speurde de directe omgeving af naar de aanwezigheid van mannen van Maceo Encarnación. Het was onvermijdelijk dat zijn aandacht weer werd getrokken door het heuveltje. Ze wisten dat hij het overleefd had; nu dachten ze dat hij gewond was geraakt. Hij twijfelde er geen seconde aan dat ze hem hier nooit levend vandaan zouden laten gaan. Maar buiten het groepje bomen was er geen beschutting voor hem. Ze zaten daar verborgen en onaantastbaar: ze hadden de perfecte plek gekozen van waaruit ze alles goed in de gaten konden houden en konden aanvallen. Maar dat maakte niet uit. Nu ze dachten dat hij gewond was, zouden ze wel komen. Hij moest alleen geduldig wachten en luisteren totdat zij naar hem toe zouden komen.

Terwijl hij wachtte, vroeg hij zich af hoe zij hier gekomen waren. Hij dacht niet dat ze lopend gekomen waren, en het heuveltje was te laag om een voertuig aan het oog te onttrekken. Hij keek weer door zijn verrekijker en speurde naar iets wat als camouflage zou kunnen dienen. Hij zag iets op ongeveer duizend meter van de plek waar zij zich verborgen hielden.

Hij had net de contouren ervan bestudeerd, toen hij het zachte geknerp hoorde van laarzen op sneeuw. Omdat hij niet wist hoeveel mannen Encarnación achter hem aan gestuurd had, begon hij in de richting van het geluid te bewegen, dat met korte onderbrekingen te horen was.

De man volgde het bloedspoor dat hij achtergelaten had. Bourne keek naar de pijnbomen om hem heen. Hoewel pijnbomen relatief zacht zijn en niet een echt ideale takkenstructuur hebben, zag hij er een die bruikbaar was. Hij trok zich op en werkte zich door het woud van naalden zo snel mogelijk omhoog, waarbij hij ervoor zorgde om nooit lang op een tak te blijven staan.

Hij kreeg de man in het zicht. Hij hield een QBZ-95 aanvalsgeweer in de aanslag. Zelfs nog voordat Bourne zijn uniform gezien had, wist hij door de QBZ dat de man die hem achtervolgde een Chinese soldaat was. Dus minister Ouyang had hier een eenheid gestationeerd.

Op het laatste moment liet Bourne zich op de soldaat vallen. Hij gaf hem een vuistslag tegen de zijkant van zijn nek en pakte zijn hoofd en ramde het tegen de boomstam. De soldaat viel als een baksteen neer. Het bloed stroomde uit zijn neus en ogen. Het sijpelde door zijn haar waar zijn schedel gekraakt was. Bourne overwoog even om van kleren te wisselen, maar de man was te klein.

Bourne pakte de QBZ en ging op jacht naar de anderen. Hij ging ervan uit dat zij het groepje bomen vanuit verschillende kanten binnen waren gekomen. De QBZ was het nieuwste Chinese aanvalsgeweer, maar Bourne vond het een onhandig wapen. Dat kwam hoofdzakelijk door het grote magazijn dat vlak achter de trekkerbeugel zat, maar de koud gehamerde loop maakte het tot een zeer accuraat wapen.

Bourne bleef even met zijn rug tegen een boom staan en luisterde ingespannen. Hij hoorde niets. Maceo Encarnación had een voorsprong op hem; hij had geen tijd om een tijdrovend kat-en-muisspelletje met deze kerels te spelen.

Hij gaf een vuurstoot af in de bomen rechts van hem en sprintte vervolgens naar links. Het schieten zou zeker andere soldaten aantrekken. Ze zouden het geluid van de QBZ herkennen en aannemen dat hun maat hun prooi op de korrel genomen had.

Met zijn tweede vuurstoot schoot Bourne een Chinese soldaat neer, maar de derde wist weg te duiken voor de kogelregen. Het verrassingseffect was weg, maar hij wist nu dat er maar drie soldaten met hem in het bosje zaten.

Hij loerde naar de plek waar hij de derde soldaat weg had zien duiken; deze soldaat was groter dan de andere twee. Hij was naar de rechterkant weggekropen, dus Bourne ging naar links om hem van de tegenoverliggende kant te benaderen.

Een salvo kostte hem bijna de kop. Hij dook weg op het bed van naalden. Het volgende salvo kwam dichtbij en hij rolde weg. De soldaat had Bournes strategie duidelijk doorzien en had, toen hij eenmaal uit het zicht was, zijn koers veranderd om Bourne te onderscheppen. Dat was hem bijna gelukt, maar Bourne wist nu wel waar de ander was. Hij richtte de QBZ hoog en vuurde, waardoor enkele takken versplinterd werden en neerregenden op de plek waar de soldaat neerhurkte. Bourne vuurde toen de soldaat opsprong. De kogels sloegen in de linkerschouder van de soldaat waardoor deze achterovertuimelde. Hij wankelde tegen een boomstam. Toen Bourne opnieuw schoot, stormde hij weg. Bourne wilde opnieuw schieten, maar het magazijn was leeg. Hij had geen nieuw magazijn. Hij gooide het wapen weg, deed een greep in zijn rugzak en zette de achtervolging in op de overgebleven soldaat.

Het was opeens erg stil tussen de bomen. De stank van het schieten hing als een mist in de lucht. Bourne sloop gehurkt van boom tot boom. De kogels scheerden zo dicht langs hem heen dat hij de luchtstroom kon voelen. Hij sprintte naar de plek waarvandaan geschoten werd. Hij wierp het mes dat hij uit zijn rugzak gehaald had naar de Chinese soldaat op het moment dat hij hem in de smiezen kreeg.

De soldaat vuurde, maar de kogels verdwenen in de lucht, omdat hij achteroverviel. Het mes had zich diep in zijn borst geboord, aan de linkerkant. Bourne liep behoedzaam op hem af, schopte zijn wapen weg, en hurkte naast hem neer. Nadat hij vastgesteld had dat hij dood was, wisselde hij snel van kleren. Het uniform paste redelijk goed. Op het shirt zat bloed, maar dat kon makkelijk verklaard worden door het gevecht dat tussen de pijnbomen had plaatsgevonden.

Hij pakte het geweer van de soldaat en liep naar de rand van het bosje die het dichtst bij het heuveltje was, waarvandaan de soldaten de jeep onder vuur hadden genomen. Hij liep links om het heuveltje, pakte de raketwerper op en zag dat hij opnieuw geladen was voor het geval de eerste raket zijn doel had gemist. Hij nam hem mee en onderzocht de omgeving. Er waren geen andere soldaten. Daarna liep hij naar het gecamoufleerde voertuig. Nu hij in uniform was, had het geen zin om te voet naar het kamp te gaan.

Op weg naar het voertuig overpeinsde hij de merkwaardige aanwezigheid van Chinese soldaten zo dicht bij een ultrageheime, door de Mossad bewaakte Israëlische basis. Eenmaal bij het voertuig trok hij het ondoorzichtige camouflagemateriaal weg. Hij stond oog in oog met een agent in burger die gewapend was met een Israëlische Tavor TAR-21. Dat was een klein, dodelijk en accuraat wapen, zoals alles van de Mossad. De agent, die de Chinese soldaten kennelijk naar deze plek gereden had, richtte de loop van de Tavor op Bournes gezicht.

30

Kolonel Ari Ben David stond tegenover Maceo Encarnación. Alle wrok en walging die hij had opgepot sinds hij met de Mexicaanse tussenpersoon in gesprek was gekomen, borrelde giftig als kwik in zijn keel. Hij had een hekel aan tussenpersonen en Maceo Encarnación was er zo een, maar hij verafschuwde het nog meer om zaken te moeten doen met de Chinezen in de persoon van minister Ouyang. Hij had geen keuze. Het was een spijtige omstandigheid waar hij het met Maceo Encarnación tijdens hun derde ontmoeting over gehad had.

De Mexicaan had het idee geopperd. Dat zou de gevoelens van Ben David jegens Encarnación hebben moeten verzachten, maar dat was niet gebeurd. Integendeel, de voorgestelde oplossing was zo ingenieus en zo perfect dat Ben David er alleen maar van baalde dat hij haar niet zelf bedacht had. Vanaf dat moment had Maceo Encarnación een voorsprong op hem.

Kolonel Ben David, verbitterd van geboorte en paranoïde van nature, werd gekweld door zowel zijn nationaliteit als zijn godsdienst. Hij kon aan de hele situatie niets positiefs ontdekken. Hij was woedend over het feit dat minister Ouyang in het bezit was van belastend bewijs dat, als het in handen zou vallen van ofwel Dani Amit ofwel van de directeur, niet alleen het einde zou betekenen van zijn carrière in de Mossad, maar ook dat hij voor de rest van zijn leven gevangengezet zou worden. Hij en Ilan Halevy hadden samengewerkt bij moorden die buiten het gezichtsveld van de Mossad waren gepleegd. Ze hadden tienduizenden dollars verdiend met het honoreren van moordverzoeken door particulieren. Ze hadden één fout gemaakt: ze hadden met betrekking tot hun eerste aanslag sporen achtergelaten. Hoe minister Ouyang in het bezit was gekomen van die informatie, wist Ben David niet. Feit was dat hij de informatie had en gebruikte om Ben David te ontfutselen wat hij wilde hebben: de gewijzigde SILEX-formule die de wetenschappers in Dahr El Ahmar hadden geperfectioneerd, waardoor China sneller toegang zou krijgen tot nucleaire brandstof en kernwapens.

Kolonel Ben David doorbrak zijn mijmerij en keek van Maceo Encarnación naar kolonel Han Cong, commandant van de zes man sterke eenheid die minister Ouyang als zijn vertegenwoordigers gestuurd had.

'Uw rapport, kolonel?' zei hij.

'De vijandelijke jeep is vernietigd,' zei Han.

Maceo Encarnación wendde zich tot de Chinees. 'En Bourne en de chauffeur?'

'Hun dood is nog niet bevestigd.'

'Hoe kan dat?' vroeg Ben David.

Kolonel Han schraapte zijn keel. 'Ik heb nog geen bericht gekregen van mijn mannen.'

Ben David was niet langer in hem geïnteresseerd en wendde zich tot Maceo Encarnación. 'Ze zijn dood,' zei hij. 'Bourne komt eraan.'

'Wat zegt u?' zei kolonel Han. 'Hoe weet u dat?'

Er gleed een glimlach over het gezicht van kolonel Ben David, alsof hij die vraag verwacht had. 'Ik ken Bourne, kolonel Han.'

Kolonel Han keek verwonderd. 'Maar drie soldaten, goed getraind en zwaar bewapend...'

'Ik weet uit ervaring waartoe Bourne in staat is.' Ben David streek met zijn hand over het litteken op zijn gezicht.

De aarzelende uitdrukking op het gezicht van Han veranderde in een schouderophalen. 'Dan moeten we onze transactie zo snel mogelijk afronden.' Hij knikte naar Maceo Encarnación, die een koffer op de schraagtafel zette. Het vingerafdrukslot ging vlot open. Hij deed de deksel omhoog en de dertig miljoen dollar was in volle glorie te zien.

'Het hele bedrag is er. U hebt het woord van minister Ouyang.' Kolonel Han stak zijn hand uit. 'En nu de formule.'

Ben David haalde een USB-stick uit een zak van zijn uniformjasje en gaf hem aan de Chinees. 'Het staat er allemaal op,' zei hij. 'U hebt míjn woord.'

Het feit dat de Mossad-agent aarzelde bij het zien van het Chinese uniform, gaf Bourne de kans om weg te duiken.

Hij liet de raketwerper vallen, greep de agent bij zijn shirt en slingerde hem uit de wagen. De agent viel in de opstuivende sneeuw. Hij rolde op zijn rug, vuurde en schoot Bourne bijna het hoofd van de romp. Hij voelde de kogels langs zijn wang scheren, terwijl hij de kolf van zijn QBZ uit alle macht tegen de borst van de agent stootte. De agent haalde uit met de kolf van zijn eigen wapen, maar Bourne wist hem af te weren, waardoor het geweer afschampte op Bournes ribben en tegen de grond sloeg. De agent trapte omhoog en raakte Bourne op zijn linkerheup, waardoor deze uit balans raakte.

De agent kwam overeind en ging op Bourne af. Hij duwde de Tavor overdwars tegen Bournes keel, waardoor deze tegen de zijkant van de wagen viel. De agent duwde hem achterover, terwijl hij het wapen zo hard tegen Bournes keel drukte dat hij geen adem meer kon krijgen. Hij grijnsde van inspanning en gooide zijn hele gewicht in de strijd, volledig geconcentreerd op het moment dat zijn doelwit zou sterven.

Daardoor had hij niet in de gaten dat Bourne zijn been achter dat van hem plaatste. Toen Bourne zijn been naar zich toe haalde, verloor de agent zijn evenwicht. Maar zelfs terwijl hij viel, wist hij de Tavor op Bournes borst te richten. Toen hij op zijn rug terechtkwam, haalde hij de trekker over. De kogels misten hem ruimschoots. Op dat moment ramde Bourne de kolf van zijn wapen in het gezicht van de agent en met de tweede stoot verbrijzelde hij zijn borstbeen en ribbenkast. Een kapotgeslagen rib doorboorde waarschijnlijk een long, want uit zijn mond borrelde roze schuim omhoog, gevolgd door een gulp dik, klonterig bloed.

Kolonel Han liet niet merken dat hij de hatelijke opmerking van Ben David gehoord had. Hij stopte de stick in zijn tablet en deed hem aan.

De lippen van Maceo Encarnación begonnen zenuwachtig te trekken. 'Geloof het of niet, maar kolonel Han is een expert in natuurkunde in het algemeen en in laserexcitatie in het bijzonder.'

De twee mannen keken hoe kolonel Han de bestanden die op het scherm verschenen, bestudeerde.

Op dat moment begon de satelliettelefoon van kolonel Ben David te zoemen. Hij luisterde even. De blik in zijn ogen werd steeds bezorgder. 'Nee, doe niets. Maar verlies hem niet uit het oog.' Hij verbrak de verbinding, en zei: 'Ons voertuig is gespot. Er zit maar één man in.'

'Bourne?' zei Maceo Encarnación.

'Hij draagt het uniform van Dov.' Ben David schudde zijn hoofd. 'Maar ik betwijfel of het Dov is.' Hij wendde zich tot de Chinees. 'Kolonel Han, het is tijd voor u om te gaan.'

Han keek op van het scherm, knikte, en sloot zijn tablet af. Hij borg de USB-stick op, nam de tablet onder zijn arm, knikte afgemeten en verliet de tent van Ben David.

Bourne reed in de kleren van de agent naar het Mossad-kamp buiten Dahr El Ahmar. De geladen raketwerper lag achterin op de vloer van het voertuig. Hij had een duidelijk idee van de plattegrond van het kamp, omdat hij het vanuit de lucht gezien had tijdens zijn eerdere bezoek met Rebeka.

Zijn gedachten dwaalden af naar Rebeka. Hij herinnerde zich de eerste keer dat hij haar gezien had, tijdens de vlucht naar Damascus. De stewardess had iets mysterieus, wat hij graag wilde ontrafelen. Pas later maakte zij zich bekend als Mossad-agent. Tijdens hun gezamenlijke aanval op het bastion van de terrorist Semid Abdul-Qahhar had zij zich sterk, intelligent en moedig getoond. Haar te verliezen voelde alsof Maceo Encarnación hem een mes tussen de ribben had gestoken. Constanza Camargo had hem verteld dat Maceo Encarnación door de oude goden van de Azteken beschermd werd, maar hij wist nu dat de waarheid veel platvloerser en onheilspellender was. Maceo Encarnación werd beschermd door alle mensen die hij verleid, omgekocht, onderdrukt, bedrogen, en hardhandig onderworpen had. Dat was genoeg pantsering tegen de moderne wereld.

Onder het rijden werd Bourne zich bewust van een scherpe weerkaatsing van zon op glas. Hij werd in de gaten gehouden door de Mossad, door Maceo Encarnacións mannen, of door wat er over was van de Chinese eenheid.

Maceo Encarnación volgde kolonel Han de tent van Ben David uit en begeleidde hem naar het vliegtuig dat hem en het restant van zijn eenheid terug zou vliegen naar Beijing, waar minister Ouyang wachtte op de formule waarvoor hij dertig miljoen dollar aan Maceo Encarnación had betaald.

'U hebt uw rol goed gespeeld,' zei kolonel Han op de neerbuigende toon waar Chinezen patent op leken te hebben en die Maceo Encarnación zo irriteerde.

Terwijl Encarnación zich voorstelde dat hij met een krachtige horizontale zwaai van een machete het hoofd van kolonel Han van zijn lichaam zou scheiden, zei hij: 'Ik zou nu graag mijn aandeel willen.'

De kolonel keek recht voor zich uit alsof hij alleen liep, en haalde een dikke envelop uit de binnenzak van zijn uniformjas. Hij hield de envelop in zijn hand en maakte geen aanstalten om hem te overhandigen. 'Wat hebt u gedaan om deze genereuze betaling te verdienen, Encarnación?'

Maceo Encarnación voelde het bloed naar zijn hoofd stromen. Hij drukte met zijn vingertoppen op zijn slaap, waar een opgezwollen ader als een tweede hart klopte. Kalm gaf hij antwoord. 'Ik was de tussenpersoon. Ik heb minister Ouyang voorgesteld aan kolonel Ben David en heb erop toegezien dat de onderhandelingen goed verliepen. Ouyang was zonder mijn hulp nooit in contact gekomen met Ben David.'

'Misschien toch wel.' Kolonel Han sloeg met de envelop tegen zijn knokkels. 'Minister Ouyang is zowel machtig als vindingrijk.' Hij haalde zijn schouders op alsof hij een opdracht moest volbrengen die hij eigenlijk niet zag zitten. Hij stak zijn hand met de envelop uit. Maceo Encarnación, die zich eerder een werknemer voelde dan een partner, nam de envelop aan en telde in het bijzijn van de kolonel naarstig de biljetten.

'Vijf miljoen dollar,' zei Han op zijn bekende neerbuigende manier.

'Maar zijn de biljetten vals of niet?' Maceo Encarnación pakte willekeurig drie biljetten en onderwierp ze aan twee chemische testen.

'Tevreden?' zei Han met een zuur glimlachje. 'Ze zijn echt. In tegenstelling tot de dertig miljoen die je aan de zionist Ben David geleverd hebt. Hij heeft zijn waardevolle formule verkocht voor een koffer vol valse biljetten.'

Het kostte Maceo Encarnación niet veel moeite om een samenzweerderig glimlachje te laten zien. 'Maar de biljetten zijn zo goed vervalst dat het wel een tijdje zal duren voordat hij in de gaten heeft dat hij belazerd is.'

'En tegen die tijd,' zei Han triomfantelijk, 'zal het te laat zijn.'

Ze stonden vlak bij zijn vliegtuig. Hij gaf zijn drie overgebleven soldaten een teken, waarna deze aan boord gingen.

'Hoe zit het met uw andere mannen?' vroeg Maceo Encarnación. 'Wilt u niet weten of ze dood of nog in leven zijn?'

'Met Bourne in de buurt vormen ze alleen een blok aan het been.'

'Behoorde het ook niet tot uw opdracht om Bourne af te stoppen?'

'Dat was een bijkomstigheid.' Kolonel Han liep de trap op naar het vliegtuig. 'Ik heb de formule. Dat is het enige wat belangrijk is.'

'Niet voor minister Ouyang.'

'Nee,' zei kolonel Han. 'Maar wel voor mijn baas, generaal Hwang Liqun.'

Nadat hij dat gezegd had, beklom Han de trap en verdween in de romp van het vliegtuig. Even later trok een van zijn soldaten de deur dicht en sloot hem van binnenuit af. De motoren sloegen aan, waardoor Maceo Encarnación rap achteruit moest. Hij kon echter niet voorkomen dat hij door de luchtzuiging brandstofdeeltjes in zijn gezicht kreeg. Zijn ogen begonnen te tranen. Hij draaide zich om en ging in een sukkeldrafje terug naar de tent van Ben David.

Bourne hoorde de vliegtuigmotoren en boog af in de richting van waaruit het geluid kwam. Als een vliegtuig op het punt stond om op te stijgen, was het zeer waarschijnlijk dat de deal met de SILEX-formule beklonken was. Hij was te laat.

Hij trapte het gaspedaal tot op de bodem in, jakkerde door de periferie van het kamp en reed een slagboom aan gruzelementen. Agenten maakten zich uit de voeten terwijl ze als gekken op hem vuurden. Toen hij het vliegtuig zag, veranderde hij snel van koers. Het was een burgervliegtuig met Chinese tekens op de zijkant.

Deze gedachten schoten als snel vliegende vogels door zijn hoofd. Hij graaide in zijn rugzak en naderde het vliegtuig. Het was naar de kop van de startbaan getaxied, waar het nu als een gekooid dier stond te wachten op het moment dat het vrijgelaten werd. Hij nam een scherpe bocht naar links, waardoor hij parallel aan de startbaan kwam te rijden. Vanaf links werd er op hem gevuurd. Hij dook weg toen kogels zich in de zijkant van de wagen boorden.

Hij naderde de staart van het vliegtuig, toen hij links van hem gebrul hoorde. Vanuit zijn ooghoek zag hij een jeep met een chauffeur en een bewapende agent naast zich. De agent richtte de Tavor TAR-21 op hem. Bourne trok hard aan het stuur zodat de rechterkant van de wagen langs de romp van het vliegtuig schuurde, waardoor de agent niet kon schieten zonder het risico te lopen dat hij het vliegtuig raakte.

Op dat moment kwam het vliegtuig in beweging en begon over de startbaan te taxiën. Bourne reed dichter naar het vliegtuig toe. Hij pakte de granaat die Robbinet voor hem geregeld had, toen de andere jeep hard op hem in reed. Hij draaide zich om, zwaaide met zijn arm en raakte de agent, die achteroverviel. Zijn jeep bleef op koers en schuurde onophoudelijk tegen de jeep van Bourne. Bourne draaide eerst naar rechts en vervolgens maakte hij een scherpe bocht naar links. Hij raakte de andere jeep aan de rechterkant. Beide mannen verstrakten; terwijl de chauffeur hard aan het stuur trok, sprong de andere agent over in Bournes jeep. De jeep begon te schokken en schoot weg. De agent sloeg Bourne op zijn achterhoofd.

Het vliegtuig begon vaart te maken.

Kolonel Ben David lachte als een idioot toen Maceo Encarnación zijn tent weer binnenkwam. Zijn handen graaiden in de koffer met de dollars. 'Kijk,' zei hij uitgelaten, 'allemaal rotzooi.'

'Maar wel rotzooi van goede kwaliteit,' zei Maceo Encarnación, terwijl hij door de tent liep. 'Uitgelezen vakmanschap.'

'Natuurlijk.' Ben David knikte. 'Het is het werk van de Chinezen. Bijzonder vakkundige vervalsers.' Hij grijnsde. 'De SILEX-formule voor dertig miljoen in waardeloze biljetten. Ouyang dacht dat hij me te pakken had.'

'Zonder mij was hem dat ook gelukt.'

Ben David knikte. 'Dat is waar. Maar als ze de formule gaan gebruiken, zal het laboratorium waar zij gebruikt wordt, plat gaan. En dan hebben we Ouyang te pakken.' Hij keek de ander schuin aan en zei met tegenzin: 'Ik sta bij u in het krijt.'

'U hebt er een hekel aan om bij iemand in het krijt te staan, kolonel,' zei Maceo Encarnación sluw.

'Zeker bij u.' Ben David had een zure uitdrukking op zijn gezicht gekregen.

'Het is niet zo erg. U zou ook bij Ouyang in het krijt kunnen staan.'

De Mossad-agent was zo sterk dat hij Bourne half van de bestuurdersplaats sleurde. De jeep begon vervaarlijk te slingeren, waardoor de agent zijn evenwicht verloor. In plaats van tegen te stribbelen, gaf Bourne mee en gebruikte de onderarmen van de agent om zich op diens rug te rollen. De agent draaide zijn bovenlichaam, en ramde zijn elleboog in Bournes zij, op het moment dat de jeep weer een slinger maakte. Bourne belandde half uit de jeep. Een been en een heup zweefden iets boven de grond.

De agent stond op het punt om Bourne met de kolf van zijn geweer een geweldige dreun op zijn kop te geven, maar een nieuwe zwenking bracht het voertuig in contact met de romp van het vliegtuig. De agent liet Bourne even aan zijn lot over, kroop over rugleuning, liet zich achter het stuur zakken, en kreeg weer controle over het voertuig.

Het lukte Bourne om één been over de zijkant te slaan, waardoor hij min of meer horizontaal kwam te liggen. Het vliegtuig was erg dichtbij. De vleugel van het vliegtuig hing boven de agent. De uitlaatgassen maakten het bijna onmogelijk om te ademen of te zien. Maar Bourne wist dat hij nooit dichter bij zijn doel zou komen. Hij trok de veiligheidspal uit de granaat, zwaaide zijn arm naar achteren, en gooide het projectiel weg. Het vloog door de lucht als een weggegooide bal, maar ketste af op de vleugel waardoor het vliegtuig door de explosie niet beschadigd werd.

Hij zag dat de agent door de explosie afgeleid was en klom terug achter in de jeep. Het vliegtuig steeg op en won aan snelheid en aan hoogte. Bourne nam de raketwerper op zijn schouder, keek door het vizier en haalde de trekker over. De afgevuurde raket vloog in de richting van het vliegtuig.

De geschrokken agent keek om en zag Bourne nog net uit de jeep springen. Terwijl hij over de grond rolde, beschermde hij zijn hoofd met beide armen. Opgerold bleef hij liggen totdat de raket explodeerde. De hele zijkant van het vliegtuig werd weggerukt. Toen het op de grond te pletter sloeg, schoten de vlammen alle kanten op en een donkere, olieachtige rookwolk spoot omhoog. De jeep was te dichtbij gekomen. Door de explosie werd hij de lucht in geblazen en maakte een salto waardoor de agent eruit vloog en bedolven werd onder het brandende wrak.

De gastank ontplofte en vrijwel meteen bereikten de schokgolven het uiteengespatte vliegtuig. Toen ontplofte dat ook met een verschrikkelijke knal, waardoor alles en iedereen in de onmiddellijke omgeving in vlammen opging.

Kolonel Ben David keek Maceo Encarnación aan. 'En de betaling?'

Maceo Encarnación glimlachte. 'En de formule?'

Ben David hield een SD-kaart van 32 gigabyte omhoog. 'De echte, deze keer.'

Maceo Encarnación opende een tweede envelop en goot de inhoud op de bodem van de koffer. De diamanten glinsterden en glansden in het lamplicht. 'Dertig miljoen aan perfectie.'

Ben David knikte. Hij overhandigde de SD-kaart, en zei: 'Als u die in uw mobiele telefoon steekt, zal alles onmiddellijk duidelijk worden.'

Maceo Encarnación hield de kaart stevig vast. 'En Core Energy zal het monopolie krijgen in de markt voor zowel nucleaire brandstof als kernwapens.'

Op dat moment hoorden ze de eerste explosie. Ze waren halverwege de uitgang van de tent toen de schokgolven van de tweede en de derde explosie hen omverbliezen.

Een brandende band vloog vanuit de vuurzee in Bournes richting. Hij kroop weg en rolde zich op een sneeuwhoop om te voorkomen dat zijn kleren vlam zouden vatten. Toen hij opkrabbelde, zag hij dat drie Mossad-agenten op hem af kwamen sprinten. Bij de eerste schoten sprong hij achter een opslagschuur iets voorbij de rand van de tijdelijke startbaan.

Door het intense vuur konden de agenten niet dichterbij komen. Bourne gebruikte de gelegenheid om gebukt naar het volgende gebouw te rennen, waarin de wetenschappers verbleven die in het gecamoufleerde laboratorium werkten dat enkele honderden meters links ervan lag.

Hoewel Bourne goed bewapend was, had hij geen speciale behoefte om de Mossad-agenten neer te schieten, tenzij uit zelfbescherming. Het was hem om hun commandant en om Maceo Encarnación te doen. Hij wilde de agenten liever uit de weg blijven, terwijl hij zocht naar zijn prooi.

Meteen nadat hij het gebouw binnen was gegaan, sloeg de deur dicht. Een van de ramen sprong kapot en een vlammentong zette het beddengoed in de fik. Hij rook een scherpe, chemische stank. Iemand gebruikte een vlammenwerper.

De vlammen grepen razendsnel om zich heen en overspoelden het interieur bijna onmiddellijk. Bourne liep terug, maar de deur waardoor hij binnengeglipt was, was van de buitenkant op slot gedaan. Hij probeerde een van de ramen te bereiken, maar het vuur had zo snel om zich heen gegrepen en de vlammen waren zo heet dat hij zelfs het raam dat het dichtst bij hem in de buurt was, niet kon bereiken. Hij trok een sloop van een kussen, hield die voor zijn neus en mond, en liet zich op de grond vallen, waar de lucht een stuk koeler was. De bijtende rook golfde als onweerswolken tegen het lage plafond.

Hij hoorde boven het gekraak en geknetter van het brandende hout uit een geluid. In het versplinterde raamkozijn verscheen een figuur die naar binnen klom. Hij was gekleed in een brandwerend pak en had een zuurstofapparaat. De figuur hield de vlammenwerper eerst in zijn rechter- en daarna in zijn linkerhand. Vanaf zijn positie onder een van de bedden herkende Bourne achter het glazen vizier de trekken van kolonel Ben David.

Bourne had de eerste vlammentong gezien. Daarom wist hij dat de vlammenwerper een vloeistof – waarschijnlijk napalm – gebruikte die ontstoken werd met propaan. Toen Ben David zich omdraaide, zag Bourne de twee tanks op zijn rug: de napalm zat waarschijnlijk in de tank die op zijn rug rustte, en het propaan zat in de tank er onzichtbaar achter. Bourne richtte zijn geweer: het enige wat nodig was om Ben David levend te roosteren, was een treffer in de propaantank. Maar in deze benauwde ruimte die al in brand stond, zou Bourne samen met zijn vijand geroosterd worden.

Hij probeerde niet te hoesten, terwijl Ben David het vertrek afzocht en onder alle bedden keek. Op het moment dat hij zijn plek voor het raam verliet, glipte Bourne onder het bed uit en sprintte diagonaal door de van rook en as vergeven ruimte. Toen hij door het raam dook, draaide Ben David zich om en zette de vlammenwerper in werking. Het vuur spoot eruit, tegen de muur en door het raam, waar het nog net vat kreeg op de achterkant van Bournes jack.

Bourne voelde onmiddellijk de hitte. Hij liet zich in een sneeuwhoop vallen en rolde er op zijn rug doorheen om de vlammen te doven. Ben David stapte door het raamkozijn en richtte de vuurmond op hem. Bourne had zijn aanvalsgeweer al in de aanslag.

'Een patstelling,' zei Ben David, terwijl hij de beschermende kap van zijn hoofd trok. Het leek erop dat hij zich niet meer bewust was van het brandende gebouw achter hem. 'Het lijkt erop dat jij op de een of andere manier altijd op mijn pad komt, Bourne. Wat heb jij met Rebeka gedaan?'

'Rebeka en ik vormden een goed team. Ik heb geprobeerd om haar te redden.'

Ben David keek verwonderd. 'Wat bedoel je?'

'Zij is vermoord – doodgestoken in de villa van Maceo Encarnación in Mexico-Stad.'

Ben David deed dreigend een stap in Bournes richting. 'Verdomde klootzak. Je had haar daar nooit mee naartoe moeten nemen.'

'Denk je dat haar dood mijn schuld was? Zij had haar eigen missie; die viel toevallig samen met die van mij. Trouwens, jij hebt de Babyloniër achter haar aan gestuurd om haar te vermoorden omdat zij een bedreiging ging vormen voor jouw kleine transactie.'

'Wat weet jij daarvan?'

'En nu wil jij mij laten geloven dat jij nog gevoelens voor haar hebt?'

'Ik vroeg je...'

'Ik weet alles, zelfs van het door de Chinezen gemaakte valse geld.'

Ben David boog zich voorover. 'Je weet zijn naam niet.'

'Je bedoelt minister Ouyang?'

Ben David staarde hem met grote ogen aan. 'Waarom heeft hij zo de pest aan jou?'

Bourne staarde terug.

'Je gaat deze deal niet voor mij verpesten, Bourne.'

Toen Ben David zijn vinger rond de trekker spande, zei Bourne: 'Wil je niet weten wie Rebeka vermoord heeft?'

'Dat maakt me niet uit. Ze is dood.'

'Het was Nicodemo, Ben David. De zoon van Maceo Encarnación.'

De kolonel verstijfde. 'Wat?'

'Wist je niet dat Nicodemo de zoon was van je partner?'

Ben David zweeg, maar met zijn tong streek hij even langs zijn lippen.

'En dat betekent dat Maceo Encarnación het bevel heeft gegeven om haar te vermoorden. Geef mij ook zo'n partner.' Bourne lachte meedogenloos. 'Maar jij mag hem hebben.'

'Ben David, hij speelt een spelletje met jou.'

Bij het horen van Maceo Encarnacións gesnauwde opmerking draaiden beide mannen zich om.

'Waarom heb je hem niet gedood?' Encarnación had in zijn ene hand een pistool en in zijn andere een enorme machete met een vervaarlijk uitziend lemmet.

Ben David keek van Bourne naar Encarnación. 'Waarom heb je Rebeka laten vermoorden?'

'Wat? Ik hoef mij voor niemand te verantwoorden.'

Ben David schudde zijn hoofd. 'Je had een keuze. Je had haar gevangen kunnen nemen...'

'Ben je gek geworden? Zij was veel te gevaarlijk om te proberen haar gevangen te nemen. En Bourne was er ook nog.'

'... maar je hebt haar toch door jouw zoon laten vermoorden.'

Maceo Encarnación zag er opeens geschrokken uit. 'Ik heb geen zoon.'

'Nicodemo. Hij is je zoon.'

'Wie heeft je dat verteld?' stoof Encarnación op.

Ben David gebaarde met zijn hoofd naar Bourne.

'En jij gelooft hem?'

'Het was te steekhoudend om een leugen te zijn.'

Maceo Encarnación brieste: 'Heb je wel gehoord wat ik zei? Je hebt te veel rook binnengekregen. Rebeka is dood en Nicodemo ook. Het verleden is begraven. We moeten ons nu op onze toekomst concentreren. Bourne is de enige die ons in de weg...'

Ben David richtte de dreigende vuurmond van de vlammenwerper op Encarnación en haalde de trekker over. De napalm spoot eruit, maar miste de Mexicaan op een haar. Bourne sprong als de weerlicht in de benen. Hij gaf Ben David een trap, waardoor deze achterover in de vlammen tuimelde die uit het versplinterde raamkozijn lekten.

Zonder om te kijken rende Maceo Encarnación de hoek om naar de achterkant van het gebouw. Bourne sprintte hem achterna. Op de hoek dwong een schok hem om dekking te zoeken. Hij hoorde het geknerp van rennende voetstappen, dook de hoek om, en bleef onderwijl vuren.

Maceo Encarnación was verdwenen. Bourne volgde zijn spoor in de sneeuw. De drie agenten die eerder op hem geschoten hadden, waren uit alle macht bezig het vuur te bestrijden. De vlammen hadden bijna de camouflagenetten bereikt die het laboratorium helemaal aan het oog onttrokken.

Aan het einde van het gebouw zag Bourne voetstappen in de richting van het laboratorium gaan. Hij ging behoedzaam te werk, omdat hij open terrein over moest. Hij was halfweg toen hij zag dat een van de agenten zijn satelliettelefoon beantwoordde. Hij hurkte neer en maakte zich zo onzichtbaar mogelijk. De agent, onder het roet en met verschroeide kleren, knikte, liep weg van zijn collega's en rende naar de rand van de compound die het verst weg lag. Bourne volgde hem met zijn ogen totdat hij achter het brandende gebouw verdween. Hij stond op en volgde de voetafdrukken van Maceo Encarnación die rechtstreeks naar de voordeur van het gecamoufleerde laboratorium leidden. Hij stond op het punt om ze te volgen, toen hij zich omdraaide, omdat hij vanuit zijn ooghoek een beweging had gezien.

De Mossad-agent verscheen om de verste hoek van het furieus brandende gebouw. Hij was niet alleen. Kolonel Ben David was bij hem.

Maceo Encarnación vervloekte de dag dat hij ingestemd had met het plan van Tom Brick om het SILEX-procedé te kopen van de hebzuchtige Ben David. Hij was gevallen voor Bricks argument dat het proces zou betekenen dat Core Energy uiteindelijk de markt van de kernenergie zou gaan beheersen, en kernenergie zou, ondanks de te verwachten tegenslagen, zeker de belangrijkste energiebron worden van een uitstootloze toekomst zonder fossiele brandstoffen.

Misschien had Brick gelijk. Maceo Encarnación wist het niet en het kon hem ook niet langer schelen. Het was zijn idee geweest om minister Ouyang erbij te betrekken. Hij wist namelijk uit de wekelijkse rapporten van Maricruz hoe wanhopig de Chinezen op zoek waren naar meer energie, zeker nu hun vooruitgangsmachine haperde doordat het land last had van een enorme luchtvervuiling. De Chinezen bouwden razendsnel de ene kernreactor na de andere. Hun behoefte aan verrijkt uranium om deze reactoren te voeden nam exponentieel toe. Maceo Encarnación haatte de Chinezen met heel zijn hart. Zij stonden voor alles wat hij verachtte, voor alles waar hij zijn hele volwassen leven tegen gevochten had: onderdrukking, regeltjes, en het ontmoedigen van de onafhankelijke geesten binnen de bevolking. Het was te verleidelijk om deze mogelijkheid om hen te belazeren voorbij te laten gaan. Maar nu, terwijl hij zich onzichtbaar maakte in de schaduw bij de voordeur van het laboratorium, begreep hij hoe zijn begeerte in strijd was gekomen met zijn lotsbestemming.

Hij zou hier helemaal niet moeten zijn, op de vlucht voor Jason Bourne, maar hij zou bij Anunciata in Mexico-Stad moeten zijn. Hij werd nu geconfronteerd met het moment waarop gezag je door de vingers glipt en verwachtingen met betrekking tot rijkdom, invloed en macht overwoekerd worden door zelfbehoud en overleving.

Hij verstijfde toen de deur van het laboratorium centimeter voor centimeter geopend werd. Het binnenste van het gebouw, ontworpen door de vijf wetenschappers die hier werkten, was opgedeeld in vertrekken waarin de verschillende onderdelen van de formule uitgeprobeerd en verfijnd konden worden, voordat ze samengevoegd werden in de grootste ruimte aan het einde van het gebouw. Omdat hier het radioactieve materiaal gemaakt werd, was deze laatste ruimte met lood afgeschermd en waren alle mogelijke voorzorgsmaatregelen genomen. Voor zover hij wist, waren alle wetenschappers in het verst gelegen laboratorium bezig met de laatste SILEX-testen.

De deur ging verder open. Maceo Encarnación zag dat het magazijn van zijn wapen leeg was. Hij gooide het weg en hield de machete boven zijn hoofd, klaar om Bourne het hoofd af te slaan zodra hij het gebouw binnenkwam.

De schaduw die naar binnen viel, werd steeds groter. Maceo Encarnación voelde zijn arm trillen van de spanning. De trilling liep door zijn arm naar zijn vuisten die de machete als een echte beul omklemden.

Hij keek hoe het silhouet vorm kreeg: de neus, lippen, het voorhoofd, de kin, totdat het hele hoofd zichtbaar was en zich als het hoofd van een veroordeelde misdadiger op het beulsblok aan hem aanbood. De machete suisde omlaag. Het lange, dodelijke lemmet glansde even op voordat het in de schaduw verdween, terwijl het de nek kliefde en het hoofd van de romp scheidde.

Het hoofd stuiterde op de vloer, terwijl de romp sprong en tolde en het bloed met elke uitzinnige hartslag omhoogspoot. Even was Maceo Encarnación weer terug aan de kust van Mexico waar de golfjes het strand op rolden. Zowel het zeewater als het zand zogen het bloed op, terwijl het hoofd heen en weer rolde in het rozige schuim van de golf.

Het heden diende zich weer aan met de snelheid van een raket. Het hoofd lag met het gezicht van hem af. Hij haakte zijn voet achter de zijkant van de neus en draaide het om. Het staarde hem met lege haaienogen aan. Het was een gezicht dat hij goed kende, maar het was niet het gezicht van Bourne.

Hij slaakte een kreet toen Bourne hem vastgreep en hem zo hard tegen de wand slingerde dat hij de bloederige machete liet vallen.

'Ik dacht dat Ben David in het vuur was omgekomen.'

'Een van zijn agenten heeft hem gered en ik heb hem bevrijd van zijn agent,' zei Bourne. 'Ik wilde dat zijn dood betekenis zou hebben.'

De blik van Maceo Encarnación gleed terug naar het hoofd van kolonel Ben David dat hem vanaf de grond aanstaarde. Er was geen zeewater om al het bloed weg te spoelen, om de dood een schoon aanzien te geven, en om de droom van een perfecte dood te kunnen dromen.

'Ik dacht dat jij het was,' zei Maceo Encarnación.

'Natuurlijk dacht je dat.'

Maceo Encarnación huiverde. 'Laat me gaan. Ik heb het SILEX-procedé. Stel je eens voor hoe rijk jij en ik kunnen worden.'

Bourne staarde hem aan.

'Jij hebt Nicodemo in Parijs vermoord.' Het was eigenlijk geen vraag.

'Hij heeft Rebeka doodgestoken,' zei Bourne bij wijze van antwoord. 'Zij stierf een langzame en pijnlijke dood.'

'Dat spijt me.'

'Ik keek in haar ogen. Ik zag de pijn. Ik zag het einde naderen, en er was niets wat ik voor haar kon doen.'

'Voor iemand als jij moet dat inderdaad verschrikkelijk geweest zijn.'

Bourne boorde zijn vuist diep in Encarnacións maag. Hij sloeg dubbel. Bourne trok hem aan zijn haren weer omhoog.

De bloeddoorlopen ogen van de Mexicaan sperden zich open. 'Jij hebt mijn zoon vermoord.'

'Dat heeft hij zelf gedaan.'

'Hoe durf je zoiets te zeggen!' Maceo Encarnación spuugde hem de woorden in het gezicht.

'Ik probeerde hem onder water te overweldigen, maar jij hebt hem te goed getraind. Als ik hem niet gedood had, had hij mij en Don Fernando vermoord.'

'*Asesino!*' Encarnación trok een vuistdolk uit een foedraal onder zijn kleren tevoorschijn. Hij haalde uit. Het lemmet was op Bournes hart gericht.

Bourne greep de pols, draaide hem om, en brak hem. Maceo grimaste van de pijn. Hij sloeg met de muis van zijn andere hand tegen Bournes keel. Bourne liet een laag, dierlijk geluid horen, draaide hem om, greep zijn hoofd met beide handen vast en brak zijn nek. Toen hij hem losliet, stond het hoofd van Maceo Encarnación in een onnatuurlijke hoek op zijn romp, alsof het smeekte om van de rest van zijn lichaam gescheiden te worden.

Epiloog

Tel Aviv, Israël

De directeur wil graag met je praten,' zei Dani Amit, hoofd van de afdeling Buitenlandse Inlichtingen van de Mossad.

'Met mij praten?' zei Bourne. 'Wil hij me niet vermoorden?'

Amit lachte, maar zijn lichtblauwe ogen keken strak en ernstig. De twee mannen zaten aan een kleine tafel in Entr'acte, een restaurant aan het strand van Tel Aviv.

'De opdracht om jou uit te schakelen was een fout. Dat is duidelijk.'

'In ons werk,' zei Bourne op dezelfde toon als Amit, 'is achteraf gezien bijna alles een fout.'

Amits blik dwaalde naar het water en naar de rijen lege stoelen die op het strand stonden. 'Dat wat ons niet vermoordt, bezorgt ons grijze haren.'

'Of drijft je tot waanzin.'

Amits blik gleed terug.

'Het was idioot om iemand achter Rebeka aan te sturen,' zei Bourne.

'Zij ging op eigen houtje bezig en hield zich niet aan het protocol.'

'Omdat ze niemand kon vertrouwen.'

Amit zuchtte en vouwde zijn handen alsof hij bad. 'Wat betreft Dahr El Ahmar zijn we jou veel dank verschuldigd.'

'Rebeka verdacht Ben David ervan dat hij niet zuiver op de graat was.' Bourne wilde zich niet van het onderwerp af laten brengen. 'Zij had gelijk.'

Amit bevochtigde zijn lippen. 'Over Rebeka gesproken, we hebben haar lichaam van de autoriteiten van Mexico-Stad gekregen.'

'Dat weet ik. Jullie geven haar neem ik aan een eervolle begrafenis. Ik wil erbij zijn.'

'Buitenstaanders zijn niet toegestaan...' Amit kapte zijn automatische antwoord af. 'Natuurlijk.'

Een zacht briesje streek door Bournes haar. Zijn lichaam deed pijn. Hij kon ieder plekje voelen waar de vlammen hem geraakt hadden en iedere plek waar Maceo Encarnación hem getroffen had.

'Heeft zij familie?'

'Haar ouders zijn dood,' zei Amit. 'Je zult haar broer tijdens de begrafenis ontmoeten.'

'Is hij ook een Mossad-agent?'

'Drink je espresso op,' zei Amit, 'we moeten gaan.'

Vanuit de boot van de directeur had Bourne een panoramisch uitzicht op de stad. De zon ging onder aan een hemel die bezaaid was met kleine wolkjes die voortgedreven werden door de wind. Hij leek ver verwijderd van de besneeuwde hoogvlakte van Libanon.

'U bent een goede zeiler,' zei de directeur. 'Welke talenten houdt u nog meer voor ons verborgen?'

'Ik kan niet vergeven.'

De directeur keek hem aan. 'Dat is een typische Mossad-eigenschap.' De wind leek geen vat te hebben op zijn haar vol brillantine. 'We zijn allemaal mensen, Bourne.'

'Nee,' zei Bourne. 'U bent Mossad.'

De directeur tuitte zijn leverkleurige lippen. 'Daar heb je ongetwijfeld een punt, maar zoals u al aan den lijve ondervonden hebt, zijn wij niet onfeilbaar.'

Bourne keek om naar de verblindend witte stad en was zich plotseling bewust van de eeuwenlange geschiedenis die hier begraven lag. Hij haalde het dunne, gouden kettinkje met de davidster uit zijn zak.

De directeur zag het en ging naast hem zitten. 'Was dat van Rebeka?'

Bourne knikte.

De directeur haalde diep adem en blies hem langzaam uit. 'Ik ga altijd zeilen als een van mijn mensen gedood is.'

Bourne zweeg. De davidster bungelde tussen hen in. De ster draaide, waardoor het zonlicht af en toe gereflecteerd werd. Na een lange stilte zei hij: 'Helpt het?'

'Hier buiten in de schone lucht en met het rustgevende water om me heen, zonder dat de last van de stad op mijn schouders drukt, voel ik pas hoe verloren ik ben.' De directeur keek neer op zijn krachtige, kundige handen. 'Of het helpt?' Hij haalde zijn schouders op en zei bijna tot zichzelf: 'Ik weet het niet. U wel?'

Bourne dacht eraan hoe hulpeloos hij was toen het leven uit Rebeka stroomde, en voelde, als een kleine aardbeving, de echo's van soortgelijk verdriet. Hij begreep met een verschrikkelijke onontkoombaarheid dat hij net zo verloren was als de man die naast hem zat.

Woord van dank

Mijn dank gaat allereerst uit naar mijn neef David Schiffer die me op de hoogte hield van de actuele methodes om terroristen, internationale wapenhandelaars en drugsdealers op te sporen; naar mijn vriend Ken Dorph voor zijn unieke visie op het Midden-Oosten en voor zijn verhelderende verhalen over vreemde landen; ten slotte naar mijn vrouw Victoria voor haar suggesties op redactioneel gebied en vaardigheden als corrector.

Dan wil ik nog speciaal Carlos Fuentes noemen. Zijn prachtige roman *Destiny and Desire* diende als inspiratiebron voor Bournes uitstapje naar Mexico-Stad, verweven en aangevuld met mijn eigen ervaringen en die van andere bronnen.